Reihe Hanser 220/4
Heinrich Heine
Sämtliche Schriften

P9-CDQ-411

Heinrich Heine
Sämtliche Schriften in zwölf Bänden
Herausgegeben von Klaus Briegleb

HEINRICH HEINE

Sämtliche Schriften

Band 4
Kommentar zu Band 3
Hanser Verlag

Herausgegeben von Klaus Briegleb
Band 4 herausgegeben von Günter Häntzschel
Die Ausgabe der »Sämtlichen Schriften in zwölf Bänden« folgt seitengleich der siebenbändigen Dünndruckausgabe der »Sämtlichen Schriften« Heinrich
Heines (Band 1, 2. Auflage 1975; Band 2–6/II, 1. Auflage 1969 ff.) im Carl Hanser Verlag. Die Bände 1/2,
3/4, 5/6, 7/8, 9/10 der vorliegenden Ausgabe entsprechen jeweils einem Band der Dünndruckausgabe
(Band 1–5); Band 11 der vorliegenden Ausgabe entspricht Band 6/I, Band 12 entspricht Band 6/II der
Dünndruckausgabe.

Reihe Hanser 220/4
ISBN 3-446-12244-3
© 1976 Carl Hanser Verlag
München Wien
Ausstattung Heinz Edelmann
Gesamtherstellung Ebner, Ulm
Printed in Germany

INHALTSÜBERSICHT

ANHANG

ZU DIESEM BAND

Der zweite Band der ›Sämtlichen Schriften‹ enthält mit den »Reisebildern« und den Arbeiten aus deren Umkreis das vorwiegend prosaisch-kritische Werk des jungen Heine vor seiner Übersiedelung nach Paris, das in den Jahren 1822 bis Anfang 1831 entstand. Damit liegt zusammen mit dem poetischen und literarischen Werk des ersten Bandes dieser Ausgabe das Heinesche Oeuvre in seiner ersten Phase vor, das gegen Ende vielfach die Pariser Schriften vorbereitet. Beide Bände sind mannigfach miteinander verzahnt, so sind etwa sämtliche Gedichte des zweiten Bandes auch als Zyklen des »Buchs der Lieder« im ersten Band zu finden. Dieses und die »Reisebilder« sind jene Texte, die das Urteil über Heine in Deutschland bestimmt haben und noch heute bestimmen. Seine politische Gesinnung, die Angriffe gegen Adel und Klerus, sein Kampf um Demokratie, die Verherrlichung der Französischen Revolution und das vergebliche Bemühen um eine Aktivierung der politisch-liberalen Kräfte in der Restaurationszeit spiegeln sich in den »Reisebilder«-Bänden. Die ironisch-pointierte, feuilletonistisch-kritische Prosa der »Reisebilder« begründet innerhalb des literarischen Epigonentums der auslaufenden Klassik und Romantik in den 20er Jahren einen neuen Stil und ein neues Genre. Dieser Neuansatz wird sichtbar an der zeitgenössischen Aufnahme und Kritik, wie sie sich in den zahlreichen Rezensionen und ihren widersprüchlichen Urteilen dokumentiert. Dabei tritt gerade an der abwertenden und oft unsicheren Argumentation der Gegner Heines das noch unverstandene Neue seines Stils und seiner Haltung zutage. So legt unsere Ausgabe in diesem Band ein Hauptgewicht auf die Wirkungsgeschichte.

Im Anhang zum vorliegenden Band sind deshalb als Dokumentation der Aufnahme und Kritik der »Reisebilder« die wichtigsten zeitgenössischen Rezensionen vollständig wiedergegeben, da diese heute nur schwer zugänglich sind und seither kaum neu gedruckt wurden. Infolge mancher Doppelveröffentlichungen Heines bietet diese Dokumentation zugleich Hinweise zur Rezeption von Schriften aus dem ersten Band. Der Rezensions-Teil kann als Ausgangsbasis des Text-Verständnisses gelten. Deshalb sind die einzelnen Rezensionen ungekürzt und frei von interpretierenden Eingriffen des Herausgebers wiedergegeben. Nur so wird es dem Leser möglich, sich ein unverfälschtes Bild von der literarischen Situation der Zeit zu machen.

Zum Verständnis der einzelnen Schriften suchen die einleitenden Bemerkungen ›Zur Entstehung‹ und die jeweiligen Textanmerkungen beizutragen. Die Lesarten geben die wichtigsten Textvarianten und spiegeln vielfach die Eingriffe der Zensur. Vollständigkeit war hierbei jedoch nicht durchführbar, sie bleibt den historisch-kritischen Ausgaben vorbehalten.

Wenn nicht anders angegeben, gilt – entsprechend dieser ganzen Ausgabe – als Druckvorlage die von Oskar Walzel herausgegebene Ausgabe von Heines Werken in zehn Bänden, Leipzig 1910–1915, hier die Bände 4, hrsg. von Julius Petersen und 5, hrsg. von Paul Neuburger.

Für die Orthographie sei auf die Grundsätze der Textgestalt in Bd 1, S. 622f. hingewiesen. Die in den Rezensionen genannten Seitenzahlen der Werke Heines wurden durch die entsprechenden Seitenzahlen dieser Ausgabe ersetzt. Hinweise auf die wichtigste Literatur finden sich S. 959f.

KOMMENTAR

BRIEFE AUS BERLIN (S. 7) · ÜBER POLEN (S. 69)

Zur Entstehung

Die Zeit des Aufenthalts in Berlin von April 1821 bis Mai 1823 ist für Heines Leben und seine Schriften geistig entscheidend gewesen. Sie ist zugleich für uns heute noch voller Rätsel. Weder die bisherige Heine-Forschung noch – bei der gebotenen Kürze – diese Ausgabe konnten die schwierige Sachlage in einem ausgewogenen historischen Kommentar angemessen klären, der die Quellen der »Briefe«, das Netz ihrer Bezüge bestimmen müßte. Die teilweise allzu fragmentarischen, zufälligen und nur selten weiterführenden Anmerkungen in älteren Heine-Ausgaben machen hier einen empfindlichen Mangel in der Heine-Forschung bewußt, dem wohl erst die historisch-kritischen Ausgaben mit einem Stab von Mitarbeitern abhelfen können. In unseren Textanmerkungen wurde bisweilen bewußt auf einen vollständigen Nachweis aller Einzelheiten dann verzichtet, wenn eine nur positivistische Kommentierung das Textverständnis nicht hätte fördern können; das bezieht sich besonders auf Heines Anspielungen auf das Theaterleben, auf zeitgenössische Schauspieler und Sänger, auf seine Bemerkungen zu den Baulichkeiten in Berlin und anderes.

Zum ersten Mal werden die »Briefe aus Berlin« zusammen mit dem verwandten Essay »Über Polen« durch ihre Stellung an der Spitze dieses Bandes der »Reisebilder«, mit denen sie verbunden sind, hervorgehoben, während sie bisher meist als ›Nachlese‹ oder ›Kleinere Schriften‹ eine untergeordnetere Rolle spielten. Wenige Notizen sollen einem Studium durch den Leser und einer Würdigung der Dokumente im Zusammenhang dieses Bandes einigen Anhalt geben: Heine kommt aus Göttingen, wo ihn die Universitätsbehörden soeben durch besonders scharf angewendete Duellgesetze relegiert haben, seine frühen lyrischen Gedichte sind bereits fertig (die »Jungen Leiden« im »Buch der Lieder«), ebenfalls fast fertig ist der »Almansor«. In Berlin tritt Heine in ein Feld verschlungen wirkender geistiger Energien, von denen er sich, selbst höchsten Anspruch an sein eigenes Fortschreiten stellend, leidend und glücklich zugleich prägen läßt: das soziale Leben in Berlin in seinen verschiedenen Brechungen: die Straße, das öffentliche Bild der großen Gesellschaft, die literarische Gesellligkeit. Lebensbestimmend wird die Wirkung Rahel Varnhagen von Enses und ihres Salons auf den jungen Studenten, ebenso die Bibliothek und Humboldts Universität mit dem Mittelpunkt Hegel, dessen Denkform und Denkziele eindringlich provozierten. Heine gehört daneben dem kurz zuvor gegründeten »Verein für Kultur und Wissenschaft der Juden« an, in dessen wissenschaftlichem Betrieb – mit Zeitschrift und Schule – er mit den bedeutenden Männern Leopold Zunz, Eduard Gans, Moses Moser, Ludwig Markus und anderen verkehrte. Er begegnete in Berlin den geistesgeschichtlichen Größen seiner Zeit: der ›Hochromantik‹, der Hegel-Schule, Goethes Werken und der deutschen Orientalistik. Als Heine Berlin verläßt, ist das Zentrum seines Jugendwerkes geformt: das »Lyrische Intermezzo«, die beiden Tragödien, und gleichzeitig entstand der Keim zum »Rabbi von Bacherach«; der thematische Impuls seines Werks, nämlich poetischer Wille im Dienst politischen Denkens, ist geklärt, und Heines literarische Grundform, der poetisch-politische Gesellschaftsstil ist im Entstehen.

Der angedeutete Komplex bedingt die »Briefe aus Berlin« und spiegelt sich zum Teil in ihnen. Sie sind in der zeitlichen Mitte des Aufenthalts geschrieben und als Korrespondenz anonym (mit der Chiffre ».....e«) zwischen dem 8.2. und 19.7.1822 in Heines Heimatblatt »Rheinisch-Westfälischer Anzeiger« gedruckt worden, wie es zu dieser Zeit üblich war, Korrespondenzen aus der Hauptstadt in den Provinz-Zeitschriften einrücken zu lassen. Die drei Briefe sind Fragment. Im Sommer 1822 hatte Heine Eduard Gans kennen gelernt, und diese Begegnung hat in Heines Leben Epoche gemacht; sein Freiheitspathos wird konkreter und im kritischen Gehalt präziser. Das verändert seine Berliner Perspektive, die in den drei Briefen noch stärker von Wohlwollen gegenüber Preußen bestimmt war, als es ihm nun durch schärfere Beobachtung politischer Faktoren möglich ist. Auf der Reise durch Polen im Spätsommer studiert er die »Resultate einer ausgebildeten Aristokratie« und die preußische Polenpolitik an Ort und Stelle (»Das Land ist abscheulich; einen melancholischen Anblick gewähren die polnischen Dörfer, wo der Mensch wie das Vieh lebt. Ja, liebster Doktrinär, mir wurde ganz wehmütig zu Mute, als ich jene Resultate einer ausgebildeten Aristokratie, der elende Zustand der polnischen Bauern, betrachtete.« (An Ernst Christian August Keller, 1.9.1822) Vor seiner Rückkehr denkt er zwar noch daran, die »Briefe« fortzusetzen, aber die Mitteilung darüber klingt lustlos: »schwerlich mehr als 2 Briefe noch«, auch weil er zum ersten Mal in seiner Laufbahn über Textverstümmelungen größeren Stils zu klagen hat: »In meinem 3ten Briefe aus Berlin ist auf eine unverzeihliche Weise geschnitten worden. Schulz [Heinrich Schulz, der Verleger und Herausgeber des »Anzeigers«] schreibt, es sei die Zensur gewesen. Nicht allein, daß jener Brief, die Spuren meiner krankhaften Stimmung tragend, unerquicklich

ausfiel, mußte die Zensurschere noch verursachen, das ich Unsinn sprach«
(ebenda).

Schließlich aber führt die Entfaltung der kritischen Ziele während der
Reise durch das preußische Polen zum Abbruch der »Briefe aus Berlin«. –
»Über Polen« beschäftigt Heine nun nach seiner Rückkehr; das »Memoire«,
wie er es meist nennt, tritt als Idee und in seinem formalen Reiz die unmittelbare Erbschaft der »Briefe« an der Stelle an, wohin den Autor die Entwicklung seines literarpolitischen Stils dort schon geführt hatte. Die Entstehungsgeschichte beider Stücke weist sie in ihrer Folge als eine entwickelte thematische und stilistische Einheit aus; auch für das zweite gilt, was in unserer
Vorbemerkung über die Quellen der Berliner Zeit gesagt ist.

»Über Polen« ist für den Grafen Breza, den Berliner Freund, geschrieben,
der Heine in seine polnische Heimat eingeladen und ihm Zugang zu Menschen, wie sie im Aufsatz beschrieben sind, verschafft hatte. Der Stil des
Textes ist einem Zustand heftiger Kopfschmerzen, die in diesen Jahren hart-
näckig anhielten, abgerungen; über das erzielte Maß der Verwirklichung
seiner Absichten äußert sich Heine zurückhaltend: »Daß Dir mein Memoire
über Polen gefallen, das ist sehr edel von Dir. Von allen Seiten hat man meiner scharfen Auffassung Polens großes Lob gezollt; nur ich selbst kann in
dieses Lob nicht einstimmen. Ich war diesen Winter, und bin noch jetzt, in
einem so elenden Zustande, um etwas Gutes zu Tag zu fördern.« (An
Immanuel Wohlwill, 7.4.1823) Gedruckt wurde der Aufsatz vom 17.–29.1.
1823 im »Gesellschafter«, der Herausgeber Gubitz habe ihn jedoch »auf
schändliche Weise mit Surrogatwitzen verändert« und die Zensur ihn
»tüchtig zusammengestrichen« (an Christian Sethe, 21.1.1823).

Nicht allein die physische Schwäche des Autors und der Zustand der
Publizistik sind für die Unfertigkeit der Stücke nach Heines Ansicht verantwortlich. Pläne zur Umarbeitung tauchen später öfters noch auf. Vor
allem den Stiltyp der »Briefe« mit ihrer offenen Form möchte Heine in den
nächsten Jahren bei verschiedenen Gelegenheiten weiter nützen und füllen.
In Posen schon hatte er dem Professor Schottky für dessen Zeitschrift »Vorzeit und Gegenwart« »Korrespondenz« versprochen, aber: »Wie ich gegenwärtig über das geistige Berlin denke, darf ich jetzt nicht drucken lassen;
doch werden Sie es einst lesen, wenn ich nicht in Deutschland mehr bin, und
ohne literarische Gefahr über neu-alt- und alt-neu-deutsche Literatur in
einem eigenen Werkchen mich aussprechen werde.« (4.5.1823) Bei der
Planung des zweiten »Reisebilder«-Bandes beabsichtigt er wieder, »über die
neueste deutsche Literatur« im Korrespondenzstil zu sprechen: »Vielleicht
[...] gebe ich [...] dem Publikum: Briefe aus Berlin, geschrieben im Jahre
1822. Aber [...] dies ist bloß eine Form, um mit besserer Bequemlichkeit
alles zu sagen, was ich will, ich schreibe die Briefe eigentlich jetzt und benutze
dazu einen Teil des äußeren Gerüstes der Briefe, die ich wirklich im Jahre

1822 im ›Westfälischen Anzeiger‹ drucken ließ.« »Auch die dritte Abteilung
der Nordsee besteht aus Briefen, worin ich alles sagen kann, was ich will.«
(An Karl August Varnhagen von Ense, 24. 10. 1826) Damit deutet er auf die
Briefe aus Helgoland in »Ludwig Börne. Eine Denkschrift« voraus (vgl.
Bd 4 dieser Ausgabe). Für diese »Nordseereisebriefe« wünscht sich Heine
vom Freunde Moser aus Berlin »einige neue Ideen dazu«: ›Ich kann da Alles
brauchen. Fragmentarische Aussprüche über Zustand der Wissenschaften in
Berlin oder Deutschland oder Europa – wer könnte die leichter hinskizzieren
als Du? und wer könnte sie besser verweben als ich? Hegel, Sanskrit,
Dr. Gans, Symbolik, Geschichte, – welche reiche Themata.« (14. 10. 1826)
Die Tendenz, den literarpolitischen Stil in freiester Geselligkeit und ohne
nationale Begrenzung zu realisieren, beherrscht jetzt Heine; schon im Brief
an Schottky war sie angeklungen: »Ich gedenke viele Jahre dort [in Paris] zu
bleiben, dort auf der Bibliothek emsig zu studieren und nebenbei für Verbreitung der deutschen Literatur, die jetzt in Frankreich Wurzel faßt, tätig
zu sein« (4. 5. 1823); und nun an Varnhagen (24. 10. 1826): »In Paris will ich
die Bibliothek benutzen, Menschen und Welt sehen und Materialien zu
einem Buche sammeln, das europäisch werden soll.« – Die Idee einer Groß-
stadtkorrespondenz im engeren Sinn taucht noch einmal als »eine neue Sorte
Reisebilder, Briefe über Hamburg« auf, ebenfalls für den zweiten und dritten
Teil der »Reisebilder« (an Moses Moser, 15. 12. 1825). Kurz zuvor, am 23. 11.
1825, hatte Heine Gubitz für den »Gesellschafter« Hamburger Korrespondenz angeboten.

   Als dann aber der neue »Reisebilder«-Band Gestalt angenommen, Heine
die politisch brisante Schrift »Ideen. Das Buch Le Grand« geschrieben und
sie nach der »Nordsee«, zweite und dritte Abteilung, in den Band gestellt
hatte, war der Höhepunkt seines Interesses an der Veröffentlichung erreicht.
Heine hatte das spezielle Interesse an den »Briefen aus Berlin« als einer politischen Schrift aktuell geschärften Inhalts verloren. Nur einige Teile aus den
ursprünglichen »Briefen«, die durch Ausschnitt und Kürze ein neues, ästhetisch geschlossenes Aussehen erhalten haben (vgl. die Lesarten, S. 697ff.), be-
schlossen den Band, dem sie zugleich die um der Zensurfreiheit willen nötige
Fülle von zwanzig Bogen verliehen. Bloßes Füllsel sind die »Briefe« bei
diesem Gelegenheitsdruck nicht gewesen, wie u. a. der letzte Satz des
»Buches Le Grand« beweist, aber doch »Ballast« (Schluß-Anmerkung zum
zweiten »Reisebilder«-Band, S. 776) oder »das zinnerne Ende des Buches«
gegenüber »dem besseren Erze« der »Ideen. Das Buch Le Grand« (»Schlußwort« nach den »Englischen Fragmenten«). Das Vorwort zur zweiten Auflage des Bandes (1831) verrät in der Wendung, die »Briefe aus Berlin« seien
jetzt »ganz ausgeschieden«, daß Heine es zunächst aufgegeben hat, den Text
nach seinen früheren Ideen zu vollenden. Ob er diesen Plan am Lebensende,
als er seine letzte Gliederung einer Gesamtausgabe entwarf (vgl. Bd 1,

S. 626–628), wieder aufnehmen wollte, wissen wir nicht; es ist kaum zu vermuten.

Das Polen-Memoire hatte in Heines Plänen ein ähnliches Schicksal. An Moser schreibt er am 15.12.1825, er wolle den Text »völlig umgearbeitet und bevorwortet« in den ersten »Reisebilder«-Band aufnehmen, nach »Heimkehr« und »Harzreise« und vor den ersten »Nordsee«-Zyklus: »Das Memoire über Polen wird ganz umgearbeitet und vermehrt, Briefe aus Warschau und neue Zeitereignisse, regen mich an, dieses Memoire jetzt erscheinen zu lassen; ich selbst zwar hab nie einen großen Wert darauf gelegt (du gar keinen) aber andre versichern mich, daß es seines Gehalts wegen wichtig sei (z.B. Sartorius) und daß ich drauf rechnen kann daß es die allgemeine Aufmerksamkeit in Anspruch nimmt. Ich könnte viel über diesen Gegenstand sagen, wenn ich nicht wüßte daß dir der Aufsatz nie gefallen hat.« Als der Aufsatz schließlich dort nicht erschien, weist Heine doch in seiner Schluß-Anmerkung zum ersten »Reisebilder«-Band darauf hin, daß »Bemerkungen über polnische Wälder« im zweiten Band »nachgeliefert werden« sollen (vgl. S. 768). Noch einmal – am 24.10.1826 an Varnhagen – denkt Heine an den Druck, und zwar für den zweiten Band der »Reisebilder«, nach der zweiten und dritten Abteilung der »Nordsee« und einem »Fragment aus meinem Leben« (vgl. die Entstehungsgeschichte zum »Schnabelewopski«. Bd 1, S. 848), »vielleicht« sollten dazu die »Briefe aus Berlin« in der gedachten Erweiterung treten; aber mit der tatsächlich dort erschienenen neuen Kurzform ist dann der Druckplan des ganzen Aufsatzes verdrängt worden, von dem wir jetzt nichts mehr hören. Erst in der letzten Gliederung für die Gesamtausgabe wird der Wille zur Veröffentlichung der – zu überarbeitenden – ursprünglichen Fassung wieder bekundet, des »sehr frühjugendlichen und sehr vergubitzten Aufsatzes aus dem Gesellschafter, der stark restauriert werden muß« (vgl. Bd 1, S. 627).

Der Aufsatz »Über Polen« erregte sogleich nach seinem Erscheinen beträchtliches Aufsehen und Ärgernis in Polen, weil man sich durch Heines allzu ungewohnt freie Darstellung der polnischen Zustände verletzt fühlte. »Dieser Aufsatz hat mich bei den Baronen und Grafen sehr verhaßt gemacht; auch höheren Ortes bin ich schon hinlänglich angeschwärzt«, schreibt Heine am 21.1.1823 an Christian Sethe, schon wenige Tage nach Erscheinen der ersten Teilveröffentlichungen im »Gesellschafter« (17.,18., 20.1.1823), und am 7.4.1823 an Immanuel Wohlwill heißt es: »Dieser Aufsatz hat das ganze Großherzogtum Posen in Bewegung gesetzt, in den Posener Blättern ist schon 3 mal so viel als der Aufsatz beträgt darüber geschrieben, d.h. geschimpft worden, und zwar von den dortigen Deutschen, die es mir nicht verzeihen wollen daß ich sie so treu geschildert und die Juden zum tiers état Polens erhoben. –« Tatsächlich war man sogleich in der »Zeitung für das Großherzogtum Posen« und einigen anderen Blättern über den Verfasser des Aufsatzes hergefallen. Und sogar im Berliner Kultusministerium nahm man den Aufsatz Heines zum Anlaß, um Nachforschungen einzuleiten, die jedoch bald wieder eingestellt wurden. Den Herausgeber des »Gesellschafters«, Professor Gubitz, erreichte ebenfalls eine erboste und pedantische Zuschrift, die dieser am 26.2.1823 in seine Zeitschrift einrücken ließ. Heine schreibt darüber an Schottky, der zunächst als Verfasser des Aufsatzes vermutet und in den Posener Zeitungen dementsprechend angegriffen wurde, am 4.5.1823: »Ich habe mit lachender Gleichgültigkeit den dummen Brief gelesen, der im Gesellschafter gegen mein Memoire über Polen abgedruckt war; daß in den Posener Zeitungsblättern noch fischweibrigere Schimpfreden gegen mich geführt worden, hörte ich bald darauf und habe mir diese Tage jene Blätter zu verschaffen gewußt. Daß ich hierbei ebenfalls nur die Achsel zuckte, können Sie sich wohl vorstellen.«

Als Probe solcher erbitterter Reaktionen auf Heines Aufsatz die eben erwähnte Zuschrift an den »Gesellschafter« (Blatt 33, 26.2.1823, Beilage Bemerker, Nr. 5, S. 157f.):

Schreiben an den Herausgeber, den Aufsatz über Polen im 15ten, 16ten und 17ten Blatte des »Gesellschafters« betreffend.

Wohlgeborner Herr;
Insonders hochzuehrender Herr Professor!

Ihr angenehmer »Gesellschafter« hatte neulich auch die Güte, mir wieder Gesellschaft zu leisten, aber er gab mir eine Beschreibung von Posen, von der ich gar nicht wußte, was ich daraus machen sollte. Sehen Sie, Herr Professor, sonst ist der »Gesellschafter« immer so verständlich und belehrt uns auch recht vernünftig über so Manches; aber ich sage Ihnen, diesmal hatte er einen Stellvertreter gewählt, der gar nicht zu loben ist. Er widersprach sich so oft und redete Alles so durcheinander, daß wir Alle durch seine Unterhaltung weiter nichts erfuhren, als, er sei gereist und wolle dies gern auf öffentlichem Wege den Leuten zu wissen tun; vielleicht um für irgend einen Zweck vorzuarbeiten. Witzig wollte der gute Mann in jeder Zeile sein, dies Streben war nicht zu verkennen; aber Sie wissen wohl, daß der Witzfunken, der mit Stahl und Stein herbei geschlagen wird, immer ein sehr armer Witz bleibt. – Daß aber der witzige Reisende ein nicht eben sehr aufmerksamer Reisender gewesen ist, bekundet er gleich im Anfange seiner Witzjagd dadurch, daß er die in der Gnesener Kirche gefundenen Türen für Gußeisen und weiland Stadttore gehalten hat. Sehen Sie, das ist nun schon eine Unwahrheit, denn sie sind von geschlagener Bronze und selbst der Unwissendste würde sie höchstens für Messing gehalten haben. Auch müßte *der siegreiche Boguslav* (da hat er nun wieder falsch gehört) von ganz absonderlicher Kraft und im Besitz eines ganz eigentümlichen Schwertes gewesen

sein, wenn er Spuren seines Hiebes in einer gegossenen eisernen Tür zurück
lassen konnte. Und Stadttore! – Es will mir überhaupt vorkommen, als
habe sich der gute Reisende seiner blöden Sinne wegen eines Perspektivs
bedient, das er aber auch nicht zu brauchen verstand, und gerade durchsah,
wie es ihm in die Hand kam; oft vergrößerte, oft verkleinerte es ihm die
Gegenstände und der Arme nahm alles für bare Münze an! – Aber nicht
wahr, wenn man über etwas sprechen will, muß man es auch genau ange-
sehen haben, damit man den Leuten nicht etwas weis macht, wenn man
auch ein Weltweiser sein will! –

Daß der Aufmerksame den *(vierstimmigen?!)* Chorgesang des Bischof Adal-
bert mehr der Erwähnung wert gehalten, als so manches Andere, was der
Gnesener Dom wirklich Merkwürdiges bietet, ist auch zu bewundern, um
so mehr, da er ein so großer Altertümler zu sein scheint, daß ihm der Posener
Dom nur allein darum nicht gefiel, weil – *er ein neues Ansehen* hat. – Ja, seine
Liebe für das Alte geht so weit, daß er die Gemälde, die er wirklich *einigermaßen schön* zu finden geruhte, dennoch nicht schön fand, weil sie – *nicht alt
sind.*

Die einsichtsvolle Belehrung, die uns zu Teil geworden ist, verdient unsern lebhaftesten Dank; denn bis dahin wußten wir nicht, daß unser ehr-
würdiger Erzbischof, den Herr –––e (so nannte sich der ehrsame Mann)
durch seine mit »*folglich*« so schön verbundenen Schlüsse wahrlich nicht in
der Achtung der Welt herab setzen wird, *auch zugleich* Erzbischof von
Gnesen sei; wir glaubten bisher, er sei dies nur allein, da wir Posen nicht für
ein Erzbistum hielten.

Der Herr –––e erzählte uns auch vom Theater; aber ob er gleich laut und
vornehm ausrief, daß er von *Berlin* nach *Posen* gekommen, die *Schröck* und
die *Stich* gesehen habe, so können wir doch nicht anders glauben, als daß das
kritische Organ und der Geschmack ihm entweder ganz abgehen oder doch
wenigstens durch den Aufenthalt in der Hauptstadt nicht sehr ausgebildet
worden sind. Denken Sie! zuerst hängt er unserer, leider sehr mittelmäßigen
Schauspieler-Gesellschaft alle nur mögliche Schande an, gesteht hernach,
daß dieses *Provinzial-Theater ein ganz ausgezeichnetes Talent, zwei gute Subjekte* und *einige nicht ganz schlechte* besitze, und ist zuletzt über das Spiel seines
sogenannten ausgezeichneten Talents so *entzückt*, daß jeder Bühnen-Direk-
tor, der nicht das Glück hat, dieses liebenswürdige *kunstbegabte Mädchen* auch
zu kennen, alles anwenden müßte, ihrer habhaft zu werden, um seinem
Publikum einen wahren Kunstgenuß zu verschaffen. Ja, sie hat ihn sogar
königlich ergötzt, durch *ihr freies Spiel*, durch ihre *von innen heraus wohltuende
Sicherheit* (Ei! –) durch *die fortreißende Kühnheit, ja fast Verwegenheit* ihres
Spiels. Ja, sehen Sie, Herr Professor, da stimmen nun wieder das Posener
Publikum, *das den Mund ellenweit aufsperrt*, so wenig, wie die *Epauletmen-
schen* (!) mit dem Herrn Reisenden überein, sonst würde ja *die Direktrice ihre*

Rechnung dabei finden. Es ist zwar freilich sehr möglich, daß wir gar nicht wissen, was die Gefeierte eigentlich Schätzenswertes an sich habe; aber wenn wir mit unserm schlichten Verstande von dieser exaltierten Lobschrift auf die Bildung und den kritischen Beruf des verehrten Herrn schließen sollten, so müßten wir aufrichtig gestehen, daß wir davon eben keinen hohen Begriff erhalten würden und seine Schrift noch mehr zu einer Fortsetzung der Lessingschen Dramaturgie geeignet finden, als er die Rezensionen des Posener Theaters *ironice* wert gefunden hat. (Heiliger Lessing, ora pro nobis et libera nos a malo!) Ich will nur keine Theater-Rezensionen schreiben, sonst – möchte der Ironicus noch unglimpflicher mit mir, als mit dem armen Posener Rezensenten verfahren, weil ich sein gediegenes Urteil für seicht und parteiisch zu erklären mich erkühnen müßte; wenn ich ihm auch in der Beurteilung mancher andern Subjekte recht geben würde. Übrigens darf er für seine Favorite nicht in *Not ohne Sorgen und Sorgen ohne Not* sein, sie geht in keinem *Sumpfe unter,* dazu ist sie zu leicht! – Nun frag' ich Sie nur: Was könnte wohl ein Provinzial-Theater mehr verlangen, wenn es so ausgerüstet wäre, wie der geniale Dramaturg erzählt hat? Das wäre schon alles Mögliche: Ein ausgezeichnetes Talent, zwei gute Subjekte und einige nicht ganz schlechte! –

Möchte man nicht einen Redner, welcher der Welt solche Dinge aufheftet, wie Herr ––––e, von den kritischen Rostris *pfeifen, wenn man ihn auch vielleicht* in anderer Hinsicht *im einsamen Closet herzlich applaudieren würde,* wie Er die *sentimentalen Koketten, die sich für die Bühne berufen glauben!–!*

Und nicht wahr, Herr Professor, das ist auch recht lieblos, ja ich möchte sagen unverschämt, einen ganzen Stand mit einem Titel zu belegen, der seinen Ursprung nur in einem befangenen, von seiner eigenen werten Persönlichkeit übertrieben eingenommenen Kopfe finden konnte, und diesem Stande allen Geschmack, ja allen Anstand absprechen zu wollen, da doch die meisten Glieder desselben nicht allein, wie der Herr Titel-Fabrikant, das Berliner Theater, sondern auch die meisten deutschen und viele fremde Bühnen zu sehen Gelegenheit hatten. Es ist fast zu glauben, daß gewiß das schwächste Glied Bildung, Anstand und Geschmack in einem höheren Grade besitzt, als der nur auf alle Art nach Witz jagende Verfasser jenes merkwürdigen Aufsatzes. Schade nur, daß die Jagdbeute so mager ausgefallen ist; was mich aber gar nicht wundert, weil der edle Schütze, der indes wenigstens gewiß kein Freischütz ist, erst den deutschen Syntax und die Ästhetik studieren muß, um sprachwidrige Verbindungen, gemeine und unedle Ausdrücke, die Ohr und Gefühl gleich stark beleidigen, zu vermeiden!

Übrigens ist es dem *armen Posen, dessen trübsinniges Ansehen* jener gute Mann wahrscheinlich durch trübe Sinne beobachtet hat, und welches das *einzige Anziehende* in seiner *großen Menge katholischer,* aber *nicht schöner Kirchen* besitzt (nun frag' ich Sie, wie soll man das wieder reimen?), ganz gleichgültig, was Leute dieser Art von ihm denken; es wünscht auch nicht einmal, daß eine besser benutzte Reise den Irrigen von seinem Wahne heilen möchte! – Sind wir auch leider von den Musen freilich sehr vernachlässigt, so sucht uns doch die Natur durch die mitunter recht hübschen Umgebungen wenigstens einigermaßen zu entschädigen!

Indem ich Sie bitte, dieses Schreiben in Ihren »Gesellschafter« einrücken zu lassen, um der Welt bemerkbar zu machen, was sie von dem Berichte des Herrn――――e zu halten habe, gebe ich mir die Ehre zu sein

Ew. Wohlgeboren

Posen,   ganz ergebener

den 16. Februar 1825.   F.

Den historisch-politischen und sozialgeschichtlichen Hintergrund zu Heines Aufsatz »Über Polen« gibt Maria Kofta: Heinrich Heine und die polnische Frage. In: Weimarer Beiträge 6 (1960) S. 506–531.

BRIEFE AUS BERLIN

DRUCKVORLAGE UND LESARTEN

Erstdruck und »Reisebilder«-Veröffentlichung:

RwA: »Rheinisch-westfälischer Anzeiger«. Jg. 1822. Beilage: »Kunst- und Wissenschaftsblatt«. Nr. 6 (8. Febr.), 7 (15. Febr.); 16 (12. April), 17 (19. April), 18 (26. April), 19 (3. Mai); 27 (28. Juni), 28 (5. Juli), 29 (12. Juli), 30 (19. Juli). Jede Fortsetzung ist mit der Chiffre ».... e.« unterzeichnet.

R[1]: »Reisebilder« 2. Teil. 1. Aufl. Hamburg 1827. S. 297–326. Der »Reisebilder«-Druck stellt eine auf ein knappes Viertel zusammengestrichene, doch zum Teil stilistisch verbesserte Fassung des Zeitschriftendrucks dar, die Heine zur Auffüllung des 2. Bandes der »Reisebilder« hergestellt hat. In den späteren Auflagen der »Reisebilder« sind die »Briefe aus Berlin« nicht mehr enthalten.

Unser Text folgt Paul Neuburger in der Walzelschen Ausgabe, die in die ursprüngliche ausführliche Fassung (RwA) Heines Änderungen für R[1] einbaut. Aus den Lesarten ist der Umfang der späteren Fassung R[1] ersichtlich; zugleich sind die wichtigsten Abweichungen von RwA gegenüber R[1] verzeichnet.

9 Motto fehlt in RwA.

25 14 Hier beginnt R¹ mit dem Datum »Berlin, den 1. März 1822.«

26 27 Nach »Boucher« folgt noch in R¹: », der sich den Sokrates der Violinisten nennt,«.

34 »schene« in RwA beidemal »schöne«.

27 4 Für »hierher kommen« in RwA »mal herkommen«.

10–15 »Es ist . . . kömmt.« fehlt in RwA.

28 5 f. »Und nun . . . Lied.« in RwA: »Und nun verläßt mich das vermaledeite Lied den ganzen Tag nicht.«

13 f. »der Jägerchor« in RwA »das Jägerchor«.

22 »Schoß der schönsten Borussin« in RwA »Schoß der Geliebten«.

37–43 18 »Sie begreifen . . . nehmen sollte?« fehlt in R¹.

43 19 Hier setzt der Text in R¹ wieder ein mit dem Datum »Berlin, den 16. März 1822.« und reicht bis 44 10 »Hofkothurn.«

44 11–32 »Ein einziger . . . Brillantlicht.« fehlt in R¹.

45 19–38 »Ich habe eine . . . zu entfernen.« fehlt in R¹.

46 10 f. »Jeder muß . . . erlaubt,« in RwA: »Es ist bemerkenswert, daß auf den hiesigen Redouten Jeder in einem Maskenanzuge erscheinen muß, und es ist charakteristisch: daß es Niemanden erlaubt ist,«.

20–23 »Diese besteht aus . . . Anzuge.« fehlt in R¹.

23 f. »Fast alle Männer tragen hier nur« in RwA: »Denn 11/12 Teile der Männer tragen alle«.

29 f. »Priesterinnen der ordinären Venus« in RwA »Priesterinnen der Venus vulgivaga«.

47 20 Nach »belle!«« folgt in RwA noch »tu es bon garçon! tu es charmant!«.

26 f. »teutschen« usw. in RwA »deutschen«.

30 »Russen« in RwA »Franzosen«.

48 2 Datum in R¹ »Berlin, den 8. Mai 1822.«

4 »dito« fehlt in RwA.

8–18 »Die ausführliche . . . sollte.« fehlt in R¹.

49 1 f. »des Herzogs von Cumberland gebührt« in RwA »einer fremden Herrschaft gebühret«.

23–25 »zerrend . . . Rosse‹.« in RwA selbständige Hexameterzeile.

50 5–7 »Ich hingegen . . . wurde« in RwA: »Ich sah fast beständig nach den blauen Augen dieser schönen Geschöpfe, und ich wurde«.

11–36 »›Carissime‹, . . . Belvedere-‹« ist erweitert aus RwA: »Carissime, quäkte er, ich sehe, Sie haben Sinn für das Schöne: – – – –«

36 f. »Um den Räsonneur . . . bringen,« in RwA: »Um mich von ihm zu befreien,«.

51 2–12 »so ein Lump . . . losgeschossen werden?« verändert aus RwA: »so ein Lumpenkerl gibt sich für einen – – – –‹ Dadurch hatte ich das

Ding noch schlimmer gemacht, und fiel ihm nun in die Rede: Wissen
Sie auch, im Lustgarten werden gleich zwölf Kanonen losgeschossen? --«

32–52,3 »Der Berliner ... zugeschrieben.« fehlt in R¹.

52   15 »Königin aller Herzen« in RwA »Himmelskönigin«.

     21 Mit diesem Absatz endet die Fassung R¹.

TEXTANMERKUNGEN

9   1 *I:* Die Ziffer I sollte betonen, daß eine Fortsetzung geplant war, zu
der es allerdings dann nicht kam; vgl. »Zur Entstehung«. – 2 ff. *Motto:*
5. Akt, 2. Auftritt. Worte des Kurfürsten, als Kottwitz mit seinem
Regiment gegen dessen Befehl in Berlin erschienen ist. – 15 *Fritz
von B.:* Fritz von Beughem, dem H. in einem Brief vom 9.11.1820
von seiner Wanderung durch Westfalen nach Göttingen erzählt. –
16 *Sie, W.:* Der Angeredete ist Dr. Heinrich Schultz, W. ist Friedrich
Wundermann, die beiden Herausgeber des »Rheinisch-Westfälischen
Anzeigers«. – 19 *die alten Sachsen:* Zum Glaubenskampf der Sachsen
gegen die Christianisierung unter Karl dem Großen vgl. den Anfang
der »Elementargeister« (Bd 3 dieser Ausg.).

10   1 f. *Abendzeitung:* hrsg. von Theodor Hell und Friedrich Kind, das
Organ des »Dresdener Liederkreises«, einer trivialisierten Richtung der
Spätromantik. – *Morgenblatt:* Gemeint ist das Cottasche »Morgenblatt
für gebildete Stände«. – *Wiener Konversationsblatt:* unbedeutendere
Zeitschrift, die 1819–1821 erschien. – 5 *Jagor:* Wirt der »Goldenen
Sonne« in Berlin, auf die H. noch ausführlich zu sprechen kommt
(vgl. S. 17,24 ff.). – 7 *Spontini:* erfolgreicher Opernkomponist (1774
bis 1851), wurde 1820 zum Generalmusikdirektor und Hofkapellmeister nach Berlin berufen. H. kommt auf ihn noch oft zu sprechen,
besonders S. 29,22 ff. – 13 *Giustinianischen Galerien:* Die Sammlung
Giustinianis aus der ersten Hälfte des 17. Jahrhunderts war 1815 vom
König von Preußen, Friedrich Wilhelm III., für das neue Museum
erworben worden.

11   15 *Baisers:* Vgl. in »Die Nordsee. Zweite Abteilung«, V. »Der Gesang
der Okeaniden« V. 24 ff.: »Ich koste den süßen Duft der Rose, /
Der Mondschein-gefütterten Nachtigallbraut, / Ich koste noch süßere
Josty-Baisers, / Und das Allersüßeste kost' ich: / Süße Liebe und süßes
Geliebtsein.« (S. 394) – 20 *Brennen:* für Brandenburger, abgeleitet
von Brennaburg ›Brandenburg‹. – 22 ff. *Fort, fort...:* H. parodiert
Verse aus Schillers »Lied von der Glocke«: »O zarte Sehnsucht, süßes
Hoffen, / Der ersten Liebe goldne Zeit! / Das Auge sieht den Himmel

offen, / Es schwelgt das Herz in Seligkeit –«. – 26 *»Wo ist aber der Garten?«:* Der unter dem Großen Kurfürsten an dieser Stelle angelegte Zierpark wurde vom Soldatenkönig 1715 in einen Exerzier- und Paradeplatz umgewandelt.

12 3 ff. *Philolog W . . . . Orientalisten H.:* Gemeint sind der Altphilologe Friedrich August Wolf und der durch seine Hafis-Übersetzung (1812/13) bekannt gewordene Joseph von Hammer-Purgstall. – 11 *Bild von Begasse:* Karl Begas' Altarbild »Ausgießung des heiligen Geistes« (1821). – 12 *Theremin:* Hof- und Domprediger in Berlin seit 1814. – 13 *Paulusianer:* Der Heidelberger Theologe Heinrich Eberhard Gottlob Paulus war der Vertreter einer streng rationalistischen Theologie und Bibelexegese.

15 6 *Sarmaten:* ein schon im Altertum bezeugtes räuberisches Nomadenvolk, das in Osteuropa und Asien verstreut war; hier soviel wie Polen. – 38 *mit zwölf bunten Westen:* Es war in den zwanziger Jahren Mode, mehrere Westen übereinander zu tragen.

17 27 f. *Darius Hystaspis:* Fürst des alten Orient (geb. 550 v. Chr.), wurde – nach Herodot – nur deshalb König, weil bei der Zusammenkunft der sieben Verschworenen sein Pferd zuerst gewiehert habe. – 38 *Neander:* August Neander, protestantischer Kirchenhistoriker, beschäftigte sich vornehmlich mit der Gnostik. 1818 erschien seine Abhandlung »Genetische Entwicklung der vornehmsten gnostischen Systeme«.

18 1 *Boucher:* Vgl. H.s Bemerkung über »Boucher, der Sokrates der Violinisten« in ›Dokumente‹, Bd 6 dieser Ausg. – 4 f. *Grace is . . . :* »Paradise Lost«, VIII, V. 488/9. – 34 *Schicksale:* Das Standbild der Viktoria von Schadow war von den Franzosen nach Paris gebracht und 1814 zurückgeholt worden.

19 29 ff. *»Berlin, cette ville . . . :* »De l'Allemagne«, première partie, chap. XVII. – 34 *Pradt:* Der französische Publizist und Diplomat Dominique Dufour de Pradt (1759–1837), der Restauration nahestehend, schrieb zahlreiche historische Werke zu zeitgeschichtlichen Ereignissen, die zum großen Teil sogleich auch ins Deutsche übersetzt wurden.

20 8 *Kosmeli:* Michael Cosmeli (1773–1844) war damals bekannt durch seine Reiseberichte, z. B. »Rhapsodische Briefe auf einer Reise in die Krim und die Türkei«, Halle 1813, und »Harmlose Bemerkungen auf einer Reise über Petersburg, Moskau, Kiew nach Jassy«, Berlin 1822, die H. S. 40,36 f. erwähnt. – 12 *Wolf:* Friedrich August Wolf begründete in der klassischen Philologie die Theorie, daß die Homerischen Epen von mehreren Dichtern und aus verschiedenen Zeiten stammten; er übersetzte antike Schriftsteller, z. B. Aristophanes und Horaz. – 17 *Hoffmann:* E. T. A. Hoffmanns Roman »Lebensansichten des Katers

Murr . . .« erschien 1820–1822. Die Rezension von Lüttwitz stand am 12. Januar 1822 in der »Vossischen Zeitung«. Eine persönliche Bekanntschaft zwischen Hoffmann und Heine ist nicht nachzuweisen. Hoffmann starb am 25. Juni 1822. – 23 *Baron von Schilling:* Dieser fühlte sich von dieser Anspielung verletzt, worauf H. am 3. Mai 1822 folgende Erklärung im »Gesellschafter« veröffentlichte: »Mit Bedauern habe ich erfahren, daß zwei Aufsätze von mir, überschrieben ›Briefe aus Berlin‹ (in Nr. 6, 7, 16 usw. des zum ›Rheinisch-Westf. Anzeiger‹ gehörigen ›Kunst- und Wissenschaftsblattes‹), auf eine Art ausgelegt worden, die dem Herrn Baron von Schilling verletzend erscheinen muß; da es nie meine Absicht war, ihn zu kränken, so erkläre ich hiermit, daß es mir herzlich leid ist, wenn ich zufälligerweise dazu Anlaß gegeben hätte; daß ich alles dahin Gehörige zurücknehme und daß es bloß der Zufall war, wodurch jetzt einige Worte auf den Baron von Schilling bezogen werden konnten, die ihn nie hätten treffen können, wenn eine Stelle in jenem Briefe gedruckt worden wäre, die aus Delikatesse unterdrückt werden mußte. Dieses kann der geehrte Redakteur jener Zeitschrift bezeugen, und ich fühle mich verpflichtet, durch dieses freimütige Bekenntnis der Wahrheit allen Stoff zu Mißverständnis und öffentlichem Federkriege fortzuräumen. – Berlin, den 3. Mai 1822 H. Heine«. – »*die lieben Teutsenkel*«*:* Schilling hatte im Mindener Sonntagsblatt, Jg 22, 1. Stück, eine schlechte Satire auf die rohen »nachgewachsenen Deutsch-Jünglinge heutiger Zeit«, die »lieben Teuts-enkel« veröffentlicht. Anspielung: Teutsche Schenkel, die auch dann nicht, wenn lange auf ihnen geritten worden ist, mürbe werden (wie dagegen das rohe Fleisch, das die Tartaren unter ihren Sätteln mitgeführt haben sollen, mürbe wurde). (W. Deetjen: Zeitschrift für dt. Philologie 44 (1912) S. 478 f.) – 26 f. *Antagonist Hartmann vom Rheine:* Ernst Christian August Keller, Freund H.s, schrieb unter dem Pseudonym Hartmann vom Rhein häufig im »Rheinisch-Westf. Anzeiger«. Am 11. 1. 1822 hatte er sich in der Beilage »Kunst- und Wissenschaftsblatt« Nr. 2 in einem Artikel »An den Herrn Herausgeber« gegen Dr. Heinrich Schultz gewandt (daher »Antagonist«), der bei H. wieder als Briefempfänger angesprochen ist (vgl. Anm. zu S. 9,16). – 31 *as music on the waters:* Zitat aus Byrons »Manfred«. – 37 *Gans:* Eduard Gans (1798–1839), Rechtswissenschaftler aus der Hegelschen Schule, dem H. später näher trat. Er gehörte mit H. dem »Verein für Kultur und Wissenschaft der Juden« an.

21 15 *Graf Brühl:* damaliger Intendant an den »Königlichen Schauspielen« in Berlin, vgl. Anm. zu S. 146, 36. – 31 *Karoline Fouqué:* »Vergangenheit und Gegenwart. Ein Roman in einer Sammlung von Briefen von Karoline Fouqué« erschien 1822.

22 4f. *Die mystischen Umtriebe in Hinterpommern:* Nach den Befreiungs-
kriegen entstanden in Pommern einflußreiche sektiererische Bewegungen um den Baron von Kottwitz. – 13 *»Klagelieder der Griechen«:* Der
Titel lautet richtig: »Klagen Griechenlands. Sonettenkranz«, 1822. –
17 *Staberles Reiseabenteuer:* von Adolf Bäuerle, dem Verfasser zahlreicher sogenannter Staberliaden, Wiener Lokalpossen mit der Hauptfigur Staberle, einem ungeschickten und doch gewitzten Bürger des
Mittelstandes.

23 18 *großen norddeutschen Juristen:* Friedrich Karl von Savigny. – 24
Boileau: In seinem »Discours sur la Satire« wendet sich Boileau gegen
den Vorwurf, zu viele Personen namentlich angegriffen zu haben.
Vgl. das Gedicht »Guter Rat« (Bd 6 dieser Ausg.).

24 16 *Eugen von B.:* Eugen von Breza, ein guter Freund H.s in Berlin,
der ihn zur Reise nach Polen im Sommer 1822 veranlaßte, verließ
Ostern 1822 die Universität Berlin. (Vgl. »Heimkehr«, LXVI, Bd 1,
S. 129.) – 35 ff. *Wer nennt . . . :* parodistisch nach Schillers Ballade »Die
Kraniche des Ibykus«.

25 12f. *der junge Mendelssohn:* Felix Mendelssohn-Bartholdy war damals
erst 13 Jahre alt. Schon 1818 war er bei einem Konzert öffentlich aufgetreten. – 14 *Maria von Webers Freis₁hütz:* Die Uraufführung hatte
am 18. Juni 1821 in Berlin stattgefunden. – 24 *»Marlborough . . . :* Dieses
damals als Schlager in ganz Europa bekannte Lied erwähnt Goethe in
der zweiten seiner »Römischen Elegien«. – 27 ff. *Wir winden dir den
Jungfernkranz:* Noch in einem Brief aus Göttingen an Rudolf Christiani (7. 3. 1824) macht sich H. bissig über E. M. Arndts patriotisches
Lied »Was ist des deutschen Vaterland« und den »Jungfernkranz« in
einer verballhornten Strophe lustig:

> »Was ist des Deutschen Vaterland,
> Mit veilchenblauer Seide?
> Ists Preußenland ists Schwabenland,
> Mit Lust und Liebesfreude?

Chor: Schönes, grünes Vaterland &c. &c. &c.«

27 24 *Welch ein schönes, kräftiges Fürstengeschlecht:* Die an dieser Stelle
auffallend lobenden Bemerkungen über die preußische Königsfamilie
scheinen Diplomatie zu sein, nachdem H. mit seinem spitzen Ton im
1. Brief offenbar Anstoß erregt hatte.

28 27 *»die Krawatte« aus Tankred:* Cavatine aus Rossinis Oper »Tankred«.

31 35f. *neue komische Oper:* Webers »Euryanthe« (1823), vgl. S. 43,1. –
38 *Rezension:* Im »Gesellschafter« 1821, 105. und 106. Blatt und Beiblatt.

32 35 *Koreffs »Aucassin und Nicolette«:* Vgl. H.s Sonett aus Anlaß der Uraufführung, Bd 1, S. 245 und Anm. S. 771.

33 29 *Kaschimir:* Kaschmir galt früher als der Ort des biblischen Paradieses. – 33 *Sprache von Oc:* In der französischen Sprache unterscheidet
man das Südfranzösische nach ›oc‹ aus lat. ›hoc‹ vom Nordfranzösi-
schen nach ›oui‹, altfranz. ›oïl‹ aus lat. ›hoc ille‹ für ›ja‹. H. bedient
sich in witziger Form der zu seiner Zeit diskutierten Sprachtheorien
und -forschungen. – 34 *Bären:* Typisch für H.s doppelbödiges Sprechen ist die Art, wie hier innerhalb der Tierdarstellung die Bären
zugleich die Berliner meinen.

34 2 ff. *im geschlossenen Hammeltume:* Persiflage auf Fichtes »Geschlossenen
Handelsstaat«, *»die Idee eines Schafskopfs«* gilt Hegel, *»die Herrlichkeit des
Altböckischen«* meint den Berliner Altphilologen August Böckh. –
9 *Werken von Sir Walter Scott:* »Waverley« (1814), »Rob Roy« (1817),
»The black dwarf« (1816), »Kenilworth« (1821), »The Pirate« (1821).
Die 3. deutsche Übersetzung von »The Pirate« (von Lotz) erschien bei
Kollmann in Leipzig, die Taschenausgabe übersetzte Heinrich Döring.
»Ivanhoe« (1819). – 29 f. *Frau von Hohenhausen:* Elise von Hohenhausen
erwähnt H. auch in der »Harzreise«, vgl. S. 145,23 f. und Anm.

36 19 *al pari:* (ital.) auf gleicher Stufe, aus der Börsensprache. – 20 *dieselbe
Religion:* Die satirische Parallelsetzung von Religion und Geschäft verwendet H. häufig, vgl. auch »Ideen. Das Buch Le Grand«, S. 270,
»Die Stadt Lucca«, S. 486 f. oder den Brief an Immanuel Wohlwill vom
1.4.1823: »Andere wollen ein evangelisches Christentümchen unter
jüdischer Firma, und machen sich ein Talles aus der Wolle des Lamm
Gottes, und machen sich ein Wams aus den Federn der heiligen –
Geistestaube und Unterhosen aus christlicher Liebe, und sie fallieren
und die Nachkommenschaft schreibt sich: Gott, Christus & Co.« –
29 *Judenbekehrung:* H. meint die Bestrebungen, die 1823 zur Gründung
des »Vereins zur Bekehrung der Juden« führten. Er spricht auch in der
»Harzreise« (S. 114,4) und in »Die Stadt Lucca« (S. 512,37) davon. –
32 *neuen Kultus:* 1816 wurde in Hamburg der »Tempelverein« gegründet, der eine Modernisierung des jüdischen Gottesdienstes an-
strebte.

37 15 *Ungemeines Aufsehen:* Der Theologieprofessor de Wette hatte in
einem Trostbrief an die Mutter des hingerichteten Sand, des Mörders
Kotzebues, die Tat als aus reiner Gesinnung entstanden entschuldigt
und war daraufhin seines Amtes enthoben worden. Seine Fakultät,
besonders Schleiermacher, setzte sich für ihn ein. Die »Aktensammlung
über die Entlassung des Prof. de Wette vom theologischen Lehramt zu
Berlin. Zur Berichtigung des öffentlichen Urteils von ihm selbst
herausgegeben« (Leipzig 1820) entfachte einen Meinungsstreit. Am
wirksamsten bekämpfte Beckedorff, ein Freund und Gesinnungsge-
nosse Adam Müllers, de Wettes Anschauungen in seiner Schrift:

»Gegen die Aktensammlung, welche der Prof. de Wette über seine Entlassung . . . herausgegeben hat« (Berlin 1820).

38　9 *Die Maßregeln:* Gegen den Verlag Brockhaus wurde auf Grund einer persönlichen Denunziation bei der preußischen Regierung eine verschärfte Zensur verhängt. (Vgl. Heine: Briefe. Bd IV, Kommentar, S. 37.) – 18 *Die griechischen Angelegenheiten:* der griechische Befreiungskrieg gegen die Türkei, der 1821 ausgebrochen war. – 24 *Tyrteen:* Kriegsdichter, nach dem spartanischen Dichter Tyrtaios. – 34 f. *»Der Prinz von Homburg«:* Kleists Schauspiel wurde in Berlin erst 1828 in entstellender Bearbeitung von L. Robert aufgeführt. Die »edle Dame« ist Prinzessin Amalie Marie Anne, die Schwägerin des Königs, eine geborene Hessen-Homburg, der Kleist 1811 das Stück gewidmet hatte.

39　4 *houwaldsche Rühreier:* Vgl. Anm. S. 812 zu »Die Nordsee. Dritte Abteilung«, S. 241, 19 ff. – 12 f. *»Meister Floh und seine Gesellen«:* Gemeint ist »Meister Floh. Ein Märchen in sieben Abenteuern zweier Freunde«. H. vermengte vermutlich in seiner Angabe diesen Titel mit Hoffmanns »Meister Martin der Küfner und seine Gesellen«. – 32 *Nervenübel:* in der Vorlage Druckfehler »Nasenübel«. Hoffmann litt an einer Rückenmarkserkrankung.

40　25 f. *Logierschen Methode:* gemeinsamer Klavierunterricht an mehreren Klavieren.

41　15 *Tieck:* Christian Friedrich, der Bruder des Dichters Ludwig Tieck.

42　10 f. *Prinzessinnenraub:* H. meint die Herzogin von Anhalt-Bernburg, Schwester des Kurfürsten Wilhelm II. von Hessen, die von Bonn durch einen dorthin gesandten kurhessischen Offizier nach Hanau gebracht wurde, wo auf Geheiß Wilhelms ihr Vermögen der Aufsicht eines Kurators unterstellt wurde.

43　1 f. *die beiden Pintos:* Die komische Oper »Die drei Pintos«, mit der Weber sich damals beschäftigte, ist ein Fragment geblieben, das Gustav Mahler später bearbeitete.

44　18 f. *Karoline Fouqué:* veröffentlichte 1821 in der Zeitschrift »Der Freimütige« »Briefe über Berlin, im Winter 1821«. – 38 f. *Quincailleriehandlungen:* Blech- und Eisenwarenhandlungen.

45　32 *Elegante Welt:* In der »Zeitung für die elegante Welt«, Jg. 22, Leipzig 1822, Nr. 10 und 11 (14. und 15. 1.) finden als Kuriosität unter der laufenden Rubrik »Aus Berlin« die kunstvollen Ausstellungen von aus Zucker gebildeten Personen, Schauspielern und mythologischen Figuren Erwähnung.

47　17 ff. *Die reinste Lustigkeit . . . :* H. parodiert hier das Schlußverfahren der traditionellen Logik.

49　25 *»und rasch hinflogen die Rosse«:* öfters vorkommende Wendung in Voß' Übersetzung von Homers »Odyssee«.

50 12 f. *Ros und Nachtigall:* Vgl. dazu das Bild-Chiffren-Verzeichnis zum
»B. d. Lieder«, Bd 1, S. 670 (Nachtigall und Rose).

51 9 *Septembrisieren:* von den Septembermorden (1792) herstammende
Bezeichnung für politische Hinrichtungen.

54 30 *Geheimrat Heims Jubiläum:* Ernst Ludwig Heim, Arzt in Berlin,
feierte sein fünfzigjähriges Doktorjubiläum.

55 5 *Dienstmagd:* Über das fünfzigjährige Dienstjubiläum der treuen
Magd Luise Petermann bei dem Buchhändler Nicolai und seinen Nachkommen findet man einen Artikel in der »Zeitung für die elegante
Welt«, Jg. 22, 1822, Nr. 98 (20.5.) Sp. 784. – 9 *Porte-épée-Jüngling:*
junger Offizier. – 13 f. *»Du Schwert . . .«:* Anfang von Theodor Kör-
ners »Schwertlied«. – 30 *Johanna von Montfaucon:* Hauptgestalt des
gleichnamigen Stückes von Kotzebue (1800).

57 7 *Homer:* Dieser Gedanke stammt aus Lessings »Laokoon« (22. Kap.). –
17 *hymettischen Honigs:* Der Honig von Hymettos (Berg in Attika) war
im Altertum berühmt. – 24 *Clauren:* Später äußert sich H. boshaft
über Clauren und seine Romane, vgl. etwa S. 155,29 und Anm.;
S. 219,11, bes. S. 296,18 ff. – 36 *Gubitz:* Ein Jahr später sollte H. selbst
Gubitz' Redaktionseifer zu spüren bekommen, als dieser ihm seinen
Aufsatz »Über Polen«, der im Januar 1823 im »Gesellschafter« erschien,
»auf schändlichste Weise mit Surrogatwitzen verändert« hat (an Christian Sethe, 21.1.1823). Später nennt H. »Über Polen« »einen sehr frühjugendlichen und sehr vergubitzten Aufsatz« (an Campe, 18./22.3.
1852).

60 19 *Fonks Prozeß:* Der langwierige Mordprozeß gegen den Kölner
Kaufmann Peter Anton Fonk beschäftigte die Öffentlichkeit außerordentlich und wurde in Broschüren und Zeitschriftenartikeln, auch
im »Rheinisch-Westf. Anzeiger«, lebhaft diskutiert.

61 18 *Friesische Logik:* Jakob Friedrich Fries, Professor der Philosophie,
lehrte seit 1816 in Jena, schrieb unter anderem ein »System der Logik«
(1811). Über seine antisemitische Haltung vgl. H.s Anspielung in
»Ideen. Das Buch Le Grand«, S. 285 und Anm. – 23 f. *Code Napoléon:*
Der von Napoleon eingeführte Rechtscodex blieb in den preußischen
Rheinprovinzen auch nach dem Anschluß an Preußen noch bis 1900 in
Kraft. – 30 f. *Justus Gruner:* liberaler preußischer Staatsmann, 1814 bis
1815 Generalgouverneur des zu den preußischen Rheinprovinzen ge-
hörenden Großherzogtums Berg, Gegner Napoleons.

62 28 *Sektenwesen:* Vgl. S. 22,4 f. und Anm.

63 5 *die falschen Wanderjahre:* Als 1821 die 1. Fassung von Goethes »Wanderjahren« erschien, kam gleichzeitig der 1. Bd eines anonymen Werkes
heraus, das sich ebenfalls »Wilhelm Meisters Wanderjahre« nannte und
dann in mehreren Teilen bis 1828 erschien. Diese falschen Wander-

jahre – als Verfasser stellte sich der Pfarrer Johann Friedrich Wilhelm Pustkuchen heraus – kritisierten in moralisch-aufklärerischer und patriotischer Tendenz Goethes angebliche »Zügellosigkeit«. Diese Wanderjahre wurden vom Publikum zuweilen sogar den Goetheschen vorgezogen. Ausführlicher äußert sich H. über Pustkuchen und dessen Schrift in »Die romantische Schule« (Bd 3 dieser Ausg.). – 17 *»Kunst und Altertum«:* Goethes Aufsatz »Geneigte Teilnahme an den ›Wanderjahren‹«, in welchem er Varnhagen u.a. für ihre verständnisvollen Rezensionen dankt, ist am 21. März 1822 im »Morgenblatt für gebildete Stände« erschienen. – 22 *deutschen Gil-Blas:* »Der deutsche Gilblas, eingeführt von Göthe. Oder Leben, Wanderungen und Schicksale J. Ch. Sachses, eines Thüringers. Von ihm selbst verfaßt«. Stuttgart und Tübingen 1822. – 27 *einen Teil seiner Lebensgeschichte:* Gemeint ist »Die Kampagne in Frankreich«, die 1822 unter dem Obertitel »Aus meinem Leben. Von Goethe. Zweiter Abteilung fünfter Teil« erschien. – 38 *Memoiren von Byron:* wurden nach seinem Tode vernichtet.

64 2f. *drei neuen Dramen:* 1821 erschienen in einem Band Byrons Dramen »Sardanapal«, »Die zwei Foscari« und »Kain«. – 7 *Childe-Harold:* Hier (wie auch in dem Gedicht »Child Harold«, »Neue Gedichte«, Bd 4 dieser Ausg.) nennt H. Byron nach dem Titel seines Epos »Childe Harold's Pilgrimage«, vollendet 1818. – 10 *»Memoiren«:* Die »Mémoires écrits par lui-même« erschienen zuerst in deutscher Bearbeitung von Schulz in Leipzig 1822–1828; französisch auch in Leipzig erst 1826–38. – 31 *»der Verfolgte«:* erschien in Berlin 1821 in 3 Bdn. – 34 *Köchy:* »Über die deutsche Bühne«, Berlin 1821. Seine »Poetischen Werke« erschienen erst 1832 in Braunschweig und Leipzig.

65 5 *Uechtritz:* Friedrich von Uechtritz: Verfasser der Tragödien: »Chrisostomus«, »Rom und Spartacus« und »Rom und Otto III.«, die 1823 erschienen. Vgl. H.s gewandeltes Urteil über ihn in »Ideen. Das Buch Le Grand«, S. 296,10 und Anm.

66 26 *»the monk«:* Roman von Matthew Gregory Lewis, erschienen London 1795. – 33 *Der Theaterdirektor:* »Seltsame Leiden eines Theaterdirektors«, Berlin 1819.

67 36 *Notenabschreiber Jean Jacques:* Rousseau verdiente sich noch nach seiner Auszeichnung durch die Académie seinen Lebensunterhalt durch Notenabschreiben, um nicht von der Schriftstellerei leben zu müssen.

ÜBER POLEN

DRUCKVORLAGE UND LESARTEN

Erschienen in: »Der Gesellschafter oder Blätter für Geist und Herz« 7 (1823),
Blatt 10–17 (17., 18., 20., 22., 24., 25., 27., 29. Jan.). – Der Schluß ist unterzeichnet mit »––––e.« Wenige kleine Druckfehler wurden verbessert.

Das letzte Kapitel des Aufsatzes »Über Polen« wollte Heine in der geplanten Gesamtausgabe seiner Schriften gestrichen haben. Vgl. Brief vom
18./22.3.1852 an Campe (Bd 1, S. 627 dieser Ausgabe): »Reise nach Polen.
(Ein sehr frühjugendlicher und sehr vergubitzter Aufsatz aus dem Gesellschafter, der stark restauriert werden muß; der Schwanz, welcher von alt-
deutschen Gedichten handelt, muß ganz abgeschnitten werden.)« Deshalb
drucken wir diesen Schluß nicht – wie die Walzelsche Ausgabe es tut – im
Textteil ab. Im »Gesellschafter«, Blatt 17 vom 29. Jan. lautet er:

»Von Antiquitäten der Stadt Posen und des Großherzogtums überhaupt
will ich Ihnen nichts schreiben, da sich jetzt ein weit erfahrenerer Altertumsforscher, als ich bin, damit beschäftigt, und gewiß bald dem Publikum viel
Interessantes darüber mitteilen wird. Dieser ist der hiesige Professor Maximilian Schottky, der sechs Jahre, im Auftrag unserer Regierung, in Wien
zubrachte, um dort deutsche Geschichts- und Sprach-Urkunden zu sammeln. Angetrieben von einem jugendlichen Enthusiasmus für diese Gegenstände, und dabei unterstützt von den gründlichsten gelehrten Kenntnissen,
hat Professor Schottky eine literarische Ausbeute mitgebracht, die der
deutsche Altertumsforscher als unschätzbar betrachten kann. Mit einem bei-
spiellosen Fleiße und einer rastlosen Tätigkeit muß derselbe in Wien gearbeitet haben, da er nicht weniger als sechsunddreißig dicke, und zwar sehr
dicke, und fast sämtlich schön geschriebene Quartbände Manuskript von
dort mitgebracht hat. Außer ganzen Abschriften altdeutscher Gedichte, die
gut gewählt und für die Berliner und Breslauer Bibliothek bestimmt sind,
enthalten diese Bände auch viele zur Herausgabe schon fertige, große, meistens historische Gedichte und Dichterblüten des 13ten Jahrhunderts, alle
durch Sach- und Sprach-Erklärungen und Handschriften-Vergleichungen
gründlich bearbeitet; hiernächst enthalten diese Bände prosaische Auflösun-
gen von einigen Gedichten, die größtenteils dem Sagenkreise des König
Arthus angehören, und auch die größere Lesewelt ansprechen können;
ferner viele mit Scharfsinn und Umsicht entworfene Zusammenstellungen
aus gedruckten und ungedruckten Denkmalen, deren Überschriften den
meisten und wichtigsten Lebensverhältnissen im ganzen Mittelalter zur
Bezeichnung dienen, dann enthalten diese Bände rein geschichtliche Ur-

kunden, worunter eine in den Hauptteilen vollständige Abschrift der Gedenkbücher des Kaisers Maximilian I. von 1494–1508, drei starke Quartbände füllend, und eine Sammlung alter Urkunden, aus späterer Zeit, am wichtigsten sind, weil erstere das Leben des großen Kaisers und den Geist seiner Zeit so treu beleuchten, und letztere, die mit der alten Orthographie genau abgeschrieben sind, über viele Familienverhältnisse des östreichischen Hauses Licht verbreiten, und nicht jedem zugänglich sind, dem nicht, wie dem Professor Schottky, aus besonderer Gunst die Archive geöffnet werden. Endlich enthalten diese Bände über anderthalbtausend Lieder, aus alten, verschollenen Sammlungen, aus seltenen fliegenden Blättern, und aus dem Munde des Volkes niedergeschrieben: Materialien zur Geschichte der östreichischen Dichtkunst, dahin einschlagende Lieder und größere Gedichte, Auszüge seltener Werke, interessante mündliche Sagen, Volkssprüche, durchgezeichnete Schriftzüge der östreichischen Fürsten, eine Menge Hexenprozesse in Original-Akten, Nachrichten über Kinderleben, Sitten, Feste und Gebräuche in Österreich, und eine Menge anderer sehr wichtiger und manchmal wunderlicher Notizen. Zwar von tiefer Kenntnis des Mittelalters und inniger Vertrautheit mit dem Geiste desselben zeugen die oben erwähnten sinnreichen Zusammenstellungen unter verschiedene Rubriken; aber dieses Verfahren entstammt doch eigentlich den Fehlgriffen der Breslauer Schule, welcher Professor Schottky angehört. Nach meiner Ansicht geht die Erkenntnis des ganzen geistigen Lebens im Mittelalter verloren, wenn man seine einzelne Momente in ein bestimmtes Fachwerk einregistriert; – wie sehr schön und bequem es auch für das größere Publikum sein mag, wenn man, wie in Schottkys Zusammenstellungen meistens der Fall ist, z. B. unter der Rubrik Rittertum gleich alles beisammen findet, was auf Erziehung, Leben, Waffen, Festspiele und andere Angelegenheiten der Ritter Bezug hat; wenn man unter der Frauen-Rubrik alle möglichen Dichterfragmente und Notizen beisammen findet, die sich auf das Leben der Frauen im Mittelalter beziehen; wenn dieses eben so der Fall ist bei Jagd, Liebe, Glaube usw. Über den Glauben im Mittelalter gibt Professor Schottky (bei Marx in Beslau) nächstens ein Werk heraus, betitelt: ›Gott, Christus und Maria‹. In der ›Zeitschrift für Vergangenheit und Gegenwart‹ welche Professor Schottky nächstes Jahr (bei Munck in Posen) herausgibt, werden wir von ihm gewiß viele der schätzbarsten Aufsätze über das Mittelalter und herrliche Resultate seiner Forschungen erhalten, obschon diese Zeitschrift auch einen großen Teil der allergegenwärtigsten Gegenwart umfassen, und zunächst eine literarische Verbindung Ostdeutschlands mit Süd- und Westdeutschland bezwecken soll. Es ist dennoch sehr zu bedauern, daß dieser Gelehrte auf einem Platze lebt, wo ihm die Hülfsmittel fehlen zur Bearbeitung und Herausgabe seiner reichen Materialiensammlung. In Posen ist keine Bibliothek; wenigstens keine, die diesen Namen verdiente. Auf der

Allee hier, die Berliner Linden in Miniatur, wird jetzt eine Bibliothek gebaut, und, wenn sie fertig ist, mit Büchern allmählig versehen werden, und es wäre schlimm, wenn die Schottkyschen Sammlungen so lange unbearbeitet und dem größern Publikum unzugänglich bleiben müßten. Außerdem muß man im wirklichen Deutschlande leben, wenn man mit einer Arbeit beschäftigt ist, die ein gänzliches Versenken in deutschen Geist und deutsches Wesen notwendig erfordert. Den deutschen Altertumsforscher müssen deutsche Eichen umrauschen. Es ist zu befürchten, daß der heiße Enthusiasmus für das Deutsche sich in der sarmatischen Luft abkühle oder verflüchtige. Möge der wackere Schottky jene äußern Anregungen nie entbehren, ohne welche keine ungewöhnliche Arbeit gedeihen kann. Es betrifft diese eine unserer heiligsten und wichtigsten Angelegenheiten, unsere Geschichte. Das Interesse für dieselbe ist zwar jetzt nicht sonderlich rege im Volke. Es ist sogar der Fall, daß gegenwärtig das Studium altdeutscher Kunst- und Geschichtsdenkmale im allgemeinen übel akkreditiert ist; eben weil es vor mehreren Jahren als Mode getrieben wurde, weil der Schneider-Patriotismus sich damit breit machte, und weil unberufene Freunde ihm mehr geschadet, als die bittersten Feinde. Möge bald die Zeit kommen, wo man auch dem Mittelalter sein Recht widerfahren läßt, wo kein alberner Apostel seichter Aufklärung ein Inventarium der Schattenpartien des großen Gemäldes verfertigt, um seiner lieben Lichtzeit dadurch ein Kompliment zu machen; wo kein gelehrter Schulknabe Parallelen zieht zwischen dem Kölner Dom und dem Pantheon, zwischen dem ›Nibelungen-Lied‹ und der ›Odyssee‹, wo man die Mittelalter-Herrlichkeiten aus ihrem organischen Zusammenhange erkennt, und nur mit sich selbst vergleicht, und das ›Nibelungen-Lied‹ einen versifizierten Dom und den Kölner Dom ein steinernes ›Nibelungen-Lied‹ nennt.«

[Erläuterungen zum vorstehenden Text: *Maximilian Schottky:* war seit 1822 Professor der deutschen Literatur und Sprache am Gymnasium in Posen. H. war an ihn durch Gubitz empfohlen; er erwähnt sein Interesse an Schottkys Sammlungen in einem Brief an Keller (1. Sept. 1822) und verkehrt noch nach seiner Polenreise brieflich mit ihm (4. Mai 1823), vgl. Bd 1, S. 638. – *über anderthalbtausend Lieder:* Diese Lieder sind teilweise veröffentlicht in dem Band »Österreichische Volkslieder«, hrsg. v. Schottky und Ziska. Pest 1819. – »*Gott, Christus und Maria*«: erschien nicht. – »*Zeitschrift für Vergangenheit und Gegenwart*«: Diese Zeitschrift erschien nur 1813 in 9 Nummern unter dem Titel »Vorzeit und Gegenwart«.]

71 2 *preußischen Teil Polens:* Bei der 3. polnischen Teilung (1795) war
Polen unter seine Nachbarn Rußland, Österreich und Preußen aufge-
teilt worden. – 23 *Pustkuchen:* Vgl. dazu »Briefe aus Berlin«, S. 63, 5
und Anm.

72 19 *Plica polonica (Weichselzopf):* durch grobe Unreinlichkeit ent-
stehende Verfilzung der Kopfhaare, die dann zu Erkrankungen der
Kopfhaut führt; weit verbreitete Krankheit in Polen noch zu H.s Zeit.

73 1 f. *freie Eigentümer:* In Posen wurde 1807, nach der Bildung des
Großherzogtums Warschau durch Napoleon, die Leibeigenschaft auf-
gehoben. Ähnliche Verbesserungen wurden in den folgenden Jahren
eingeführt, 1819 etwa der Bauernschutz (Verhinderung beliebiger
Kündigung an die Bauern). – 33 *Thaddäus Kosciuszko:* 1746–1817,
letzter Oberfeldherr der Republik Polen, der durch kriegerische Fähigkeiten und Freiheitsliebe berühmt wurde.

74 10 *Juden:* Nach den amtlichen preußischen Angaben machten die
Juden im preußischen Polen nur den 15. Teil der Gesamtbevölkerung
aus.

75 9 f. *»Flurschütz von Wakefield«:* Das damals allgemein Shakespeare zu-
geschriebene Stück »George a Greene, the Pinner of Wakefield« (1599),
erschienen in: »Altenglisches Theater oder Supplemente zum Shakespeare, übersetzt und hrsg. von Ludwig Tieck« (1822), stammt von
Robert Greene. In diesem Stück wohnen in Bradford die lustigen
Schuster. – 15 *Wölfe:* Hier wie in »Die Stadt Lucca« (S. 512, 15) bleibt
ungewiß, wer gemeint ist, vermutlich der Philologe Friedrich August
Wolf; die »altpolnischen Wälder« könnten Anspielung an die »Alt-
deutschen Wälder«, eine Sammlung mittelalterlicher deutscher Texte
sein, die die Brüder Grimm 1813–16 herausgegeben hatten.

76 1 *W-cksche Wochenblatt:* »Berlinisches Wochenblatt für den gebildeten
Bürger und denkenden Landmann«, hrsg. von Franz Daniel Friedrich
Wadzeck. – 38 *Bolivar:* Hut in der Art, wie ihn Simon Bolivar, der
Befreier Südamerikas, trug.

82 18 ff. *Mallika, Kuwalaja, Oschadhi, Nagakesarblüten, Lotosblumen,
Kamalata, Pedma, Kamala, Tamala, Sirischa:* Die Namen dieser indischen Blumen, mit denen H. die Frauen Polens vergleichen möchte,
werden sämtlich erwähnt und zum Teil im Anhang erläutert in »Sakontala oder der entscheidende Ring. Ein indisches Schauspiel von
Kalidas. Aus den Ursprachen Sanskrit und Prakrit ins Englische und
aus diesem ins Deutsche übersetzt mit Erläuterungen von Georg
Forster«. Mainz und Leipzig 1791. (Vgl. Bd 1, S. 665.) Mallika: »wie
die frisch aufgeblühte Mallika« ist Skontala. – Kuwalaja: mit Sakon-

talas Fingerspitzen verglichen. – Oschadhi: Blume, die beim Mond-
schein aufblüht. – Nagakesarblüten: ihr wohlriechender Staub wird
in einem Lotos-Blatt bewahrt. – Nagakesar und Sirischa: »Seht die
zarten Blüten / des Negakesar / von Bienen sanft geküßt! / Seht die
Mädchen stecken / Sirischablüten / sich niedlich hinters Ohr!« (Sa-
kontala-Prolog in Forsters Übersetzung). – Sirischa: »Zart ist deine
liebliche Gestalt, das Kennzeichen einer milden Seele; und ist dein
Herz so hart? wie am rauhen Stengel die zarte Sirischa?« (aus der
Textübersetzung). Sirischas Staubfäden schweben auf der Wange. –
Kamalata: Zartheit, angeborene Kraft und Schönheit. – Tamala:
den Fluß beschattend (als Attribut der Lotosblume). – Pedma und
Kamala kommen in dem Sakontala-Text nicht vor und werden also
nicht erläutert, wohl aber wie die anderen Namen, als Synonyme der
heiligen Lotosblume, in Forsters Register zusammenstehend genannt. –
Wir wählen die Schreibweise Forsters. – 35 f. *Baron Holbach*: Der französische Philosoph Paul Heinrich Dietrich von Holbach (1723–1789)
vertrat eine materialistisch-atheistische Richtung der Philosophie; sein
Hauptwerk ist das »Système de la nature ou des lois du monde physique
et du monde morale« (1770).

86 33 *Zusammenfluß junger Polen*: Vgl. H.s Bericht davon in »Briefe aus
Berlin«, S. 15,2 und 62,13 ff. – 35 *Wissenschaften*: Gerade zu diesem
Zeitpunkt, 1822, dem Erscheinungsjahr der Balladen und Romanzen
von Adam Mickiewicz, entsteht in der polnischen Literatur die romantische Periode: die Dichtung wendet sich vom französischen Klassizis-
mus ab und greift englische und deutsche Anregungen auf. Die Philosophie hatte sich unter dem Einfluß Kants schon früher vom französischen Sensualismus abgewandt. In diese Zeit fällt auch eine verstärkte
wissenschaftliche Beschäftigung mit der Literatur, auch der deutschen;
einer dieser Literaturwissenschaftler ist der später erwähnte Maximilian
Schottky. – Es erschienen mehrere deutsche Dichtungen in polnischer
Übersetzung. Zur Aufnahme H.s in Polen vgl. W. Kubacki: Heinrich
Heine und Polen. In: Heine-Jahrbuch 1966. S. 90–106.

88 5 *Kaulfuß*: Johann Samuel Kaulfuß: »Über den Geist der polnischen
Sprache und Literatur«, Halle 1804. – 12 *Carnot*: Lazare Nicolas Mar-
guerite Carnot (1753–1823), französischer Staatsmann, lebte seit 1815
in Magdeburg in der Verbannung und verfaßte neben mathematischen
Werken auch einige literarische.

90 37 f. *Im uralten Dom zu Gnesen*: H.s Bemerkungen zum Gnesener
Dom und seine anschließenden Betrachtungen über das polnische
Theater berichtigt der Einsender eines Leserbriefes zu H.s Aufsatz im
»Gesellschafter«, den diese Ausg. S. 694 ff. abdruckt, pedantisch. Ähnlich
äußern sich einige polnische Blätter.

91 33 *Posener Stadt-Zeitung:* »Zeitung für das Großherzogtum Posen«,
   darin wurde H.s Aufsatz scharf angegriffen und z.T. berichtigt, vgl.
   »Zur Entstehung«, S. 693 f.

92 14 *»Sorgen ohne Not und Not ohne Sorge«:* Lustspiel in 5 Aufzügen von
   August von Kotzebue, Leipzig 1810. – 19 *»Liebeserklärung«:* Lustspiel
   in 2 Aufzügen von F. A. v. Kurländer. – 20 *»Cäsario«:* Lustspiel in
   5 Aufzügen von Pius Alexander Wolff (1810).

93 2f. *»Rosamunde«:* Trauerspiel von Theodor Körner, Erstaufführung
   1815. – 13 *»Des Herzogs Befehl«:* Lustspiel in 4 Aufzügen von Karl
   Töpfer, später unter dem Titel »Des Königs Befehl«. – 20f. *»Alpen-
   röschen«:* »Das Alpen-Röslein, das Patenkind, der Shawl«. Schauspiel
   in 3 Abteilungen, nach einer Erzählung Claurens von Holbein, 1822. –
   »Das Vogelschießen«, Lustspiel in 5 Aufzügen von Clauren, 1822. –
   24 *»Staberle«:* Hauptrolle in den Wiener Volkspossen von Adolf
   Bäuerle, vgl. Anm. zu »Briefe aus Berlin«, S. 22, 17. – 25 *»Die falsche
   Catalani«,* Posse von Adolf Bäuerle, 1820.

94 34f. *»Prinzessin von Navarra«:* Figur aus Boieldieus Oper »Johann von
   Paris« (1812). *»Der Kalif von Bagdad«* (1800) und *»Aline, Königin von
   Golconda«* (1808), ebenfalls Opern von Boieldieu.

95 3ff. *Lorezza, Olivier* und *Johann* sind Rollen aus der Oper »Johann von
   Paris«.

REISEBILDER

3. Auflage   4. Auflage

Inhalt in den folgenden Auflagen
wie in der 2. Auflage
Erster Teil 1840.   Erster Teil 1848.
Zweiter Teil 1843.   Zweiter Teil 1851.
Dritter und vierter Teil nicht er- Dritter Teil 1850.
schienen.   Vierter Teil 1850.

5. Auflage
Erster Teil 1856.
Zweiter Teil 1856.
Dritter Teil 1856.
Vierter Teil 1856.

Die französischen Ausgaben

1. Ausgabe

Oeuvres de Henri Heine. II, III. Reisebilder, Tableaux de voyage. 1 und 2.
Paris, Eugène Renduel. 1834.

T. 1   Préface
       Italie. Première partie. Voyage de Munich à Gènes
       Deuxième partie. Les bains de Lucques
       Troisième partie. La ville de Lucques
T. 2   Angleterre
       Les montagnes du Hartz
       Le tambour Legrand
       Schnabelewopski

2. Ausgabe

Reisebilder. Tableaux de voyage. Par Henri Heine. Nouvelle édition, revue, considérablement augmentée et ornée d'un portrait de l'auteur,
précédée d'une étude sur H. Heine par Théophile Gautier. I, II. Paris,
Michel Lévy. 1858.

T. I   Préface de l'ancienne édition
       Les montagnes du Hartz
       L'île de Norderney
       Le tambour Legrand
       Angleterre
       Schnabelewopski
T. II Italie. Voyage de Munich à Gènes
       Les bains de Lucques
       La ville de Lucques
       Les nuits florentines

REISEBILDER. ERSTER TEIL
(DIE HARZREISE. DIE NORDSEE.
ERSTE UND ZWEITE ABTEILUNG) (S. 97)

VORBEMERKUNG

Die Entstehungsgeschichte des ersten »Reisebilder«-Bandes ist eng verbunden mit der des »Buchs der Lieder«. Die für Heine überhaupt charakteristische Neigung, seine Werke mehrfach zu publizieren, sei es, daß er Zeitschriften-Veröffentlichungen nachträglich in Buchform bringt, sei es, daß er bereits in seinen Büchern erschienene Teile in neuen Büchern arrangiert, ist auch hier deutlich. So erscheinen der Zyklus »Heimkehr«, die Gedichte aus der »Harzreise« und die »Nordsee«-Zyklen in ähnlicher Gestalt auch im »Buch der Lieder« 1827. Unsere Ausgabe druckt den Zyklus »Heimkehr« nicht doppelt ab, da bei ihm die Veränderungen nur geringfügig und im Kommentar zum »Buch der Lieder« (Bd 1, S. 715–741, 769) zu überblicken sind. Mehr als durch seine »Reisebilder« ist Heine durch das »Buch der Lieder« bekannt und beliebt geworden, das bis zu seinem Tod zwölf Auflagen erlebte und das Heine um seiner Popularität willen als Einzelausgabe nicht angetastet hat. So rechtfertigt sich der Druck der »Heimkehr« dort (Bd 1, S. 105–165), obwohl die Gedichte als Zyklus bereits ein Jahr zuvor in der 1. Auflage des ersten Teils der »Reisebilder« erschienen waren.

Dagegen gehören die im »Buch der Lieder« nachträglich zum Zyklus gestalteten Gedichte der »Harzreise« natürlich in ihren Prosazusammenhang und ebenso erschien es ratsam, die beiden Zyklen der »Nordsee« – im Gegensatz zu den Prinzipien früherer Heine-Ausgaben – noch einmal zu drucken, weil die Textgestalt hier stärker von der im »Buch der Lieder« abweicht und durch das Prosastück »Nordsee. Dritte Abteilung« die Zusammengehörigkeit innerhalb der »Reisebilder« enger ist. Zudem wünschte Heine in den Plänen zu einer Gesamtausgabe seiner Schriften einen zusammenhängenden Abdruck aller drei Teile (vgl. Bd 1, S. 624–626).

Dieser Textsituation gemäß folgt hier ausführlicher nur die Entstehungsgeschichte der »Harzreise«; auf die der »Heimkehr« und der beiden »Nordsee«-Zyklen dagegen wird nur so weit eingegangen, wie sie für die Entstehungsgeschichte des gesamten »Reisebilder«-Bandes von Bedeutung sind, detailliertere Angaben zum Entstehen der drei Werke sind in Bd 1, S. 629 ff. zu finden.

ZUR ENTSTEHUNG

Seit Januar 1824 hielt sich Heine zum zweiten Mal in Göttingen auf, um dort sein juristisches Studium zu beenden. Daß das ruhige, wenig Abwechslung bietende Kleinstadtleben an der Göttinger Universität zwar seinem Studium zugute kam, Heine selbst aber, der noch kurz zuvor am vielseitigen, bewegten Leben in Berlin teilgenommen hatte, von dem seine »Briefe aus Berlin« berichten, entsetzlich langweilen mußte, bezeugt fast jeder Brief aus dieser Zeit. Schon die Osterferien nutzte er aus für eine Reise nach Berlin, um dort die vielen Freunde und Bekannten, bei denen er Anerkennung für sein dichterisches Schaffen gefunden hatte, wiederzusehen. Der vertraute Umgang im Hause Rahel Varnhagens und Friederike Roberts, die Gespräche mit Moser und Gans und anderen Freunden aus dem Berliner »Verein für Kultur und Wissenschaft der Juden« boten eine willkommene, aber zu kurze Aufheiterung in Heines akademischem und streng auf das Examen ausgerichtetem Leben. Eine zweite wohltuende Unterbrechung der Studienzeit bietet seine Wanderung durch den Harz im September 1824. Heine sucht nun nicht mehr an die vergangene Berliner Zeit anzuknüpfen, auch möchte er auf dieser Reise Abstand gewinnen von seinen gesundheitlichen, familiären und sozialen Leiden. »Sie war mir sehr heilsam, und ich fühle mich durch diese Reise sehr gestärkt. Ich habe zu Fuß und meistens allein den ganzen Harz durchwandert, über schöne Berge, durch schöne Wälder und Täler bin ich gekommen und habe wieder mal frei geatmet. Über Eisleben, Halle, Jena, Weimar, Erfurt, Gotha, Eisenach und Kassel bin ich wieder zurückgereist, ebenfalls immer zu Fuß. Ich habe viel Herrliches und Liebes erlebt, und wenn nicht die Jurisprudenz gespenstisch mit mir gewandert wäre, so hätte ich wohl die Welt sehr schön gefunden. Auch die Sorgen krochen mir nach«, so berichtet er seinem Freunde Moser am 25.10.1824. Heines Wanderung bringt eine Aufheiterung und Erweiterung seiner schriftstellerischen Kräfte. Schon im selben Brief, vierzehn Tage nach seiner Rückkehr nach Göttingen verfaßt, spricht Heine davon, daß er bereits angefangen habe, die Harzreise niederzuschreiben. »Es sollen auch Verse drin vorkommen, die Dir gefallen, schöne edle Gefühle und dergleichen Gemütskehrricht. Was soll man tun! – Wahrhaftig, die Opposition gegen das abgedroschen Gebräuchliche ist ein undankbares Geschäft. –« Zwei Wochen später heißt es: »Ich habe jetzt meine ›Harzreise‹ schon zur Hälfte geschrieben und will nicht abbrechen. Diese schreibe ich in einem lebendigen, enthusiastischen Stil [. . .]« (30.10.1824 an Moses Moser); und am 11.1.1825 schreibt H. wiederum an Moser, daß die »Harzreise« bereits seit Ende November fertig sei.

Weniger rasch sollte sie dagegen zur Veröffentlichung kommen. Heine

dachte zunächst an Gubitz' Zeitschrift »Der Gesellschafter«, in der mehrere
seiner Gedichte und 1823 sein Aufsatz »Über Polen« erschienen waren
(25.10.1824), dann an das Cottasche »Morgenblatt« (1.4.1825), entschloß
sich jedoch endlich – nach nochmaliger Überarbeitung –, das Manuskript
der »Harzreise« an den Almanach »Rheinblüten« zu geben, den der Karls-
ruher Buchhändler Gottlieb Braun, ein Bruder von Heines Bekannter
Friederike Robert, herausgab. »Ungern gebe ich sie in die Rheinblüten«,
schreibt Heine am 1.4.1825 an Moses Moser, »das Almanachswesen ist mir
im höchsten Grade zuwider. Doch ich habe nicht das Talent, schönen
Weibern etwas abzuschlagen.« Aber nachdem Heine am 15.5.1825 das
Manuskript abgeschickt hatte, mußte er vergeblich auf seine Veröffentlichung warten. Erst am 12.10. bittet er Friederike Robert um Auskunft
nach dem Almanach: »Er bleibt so lange aus, daß ich fast glauben muß, er
erscheint am Ende gar nicht. Dieses wäre mir nun jetzt recht fatal, indem
meine Einsendung, die ›Harzreise‹, wegen ihres vielfältig die Gegenwart anspielenden Inhalts, eigentlich als Novität gedruckt werden mußte, wie ich
denn auch nur ungern und bloß, weil meiner Novelle noch der Schluß
fehlt, mich dazu entschloß, die ›Harzreise‹ in einem erst zum Herbste er-
scheinenden Almanache abdrucken zu lassen.« Und tatsächlich hatte Heine
richtig vermutet: die »Rheinblüten« erschienen im Jahre 1825 nicht, und er
bekam erst jetzt sein Manuskript zurück, das er bald darauf, am 23.11., nun
doch an Gubitz für den »Gesellschafter«, der »Wiege meines Ruhms« schickt.
»Daß Sie, lieber Professor, mir nichts in meinem Opus ändern oder verbessern, ist eine alte Bedingung, die ich wieder erneuere. Es ist freilich manches Derbe darin, indessen, da doch der Gesellschafter (zu unserer aller
Verwunderung) sich in der letzten Zeit vom Verdacht der Liberalität gereinigt hat und täglich zahmer und zahmer wird, so hoffe ich, daß die
Zensur deshalb bei meiner Harzreise etwas durch die Finger sehen wird.«
Ähnlich äußert sich Heine am 6.12.1825 an Rudolf Christiani: »Die Harzreise ist jetzt an Gubitz abgegangen, und ich bin neugierig, wie viel Tannen-
bäume mir die Zensur auf dem Oberharze streichen wird.«

Heines Befürchtungen waren nur zu begründet, denn als der Abdruck im
»Gesellschafter« endlich vom 20.1. bis 11.2.1826 erfolgte, hatte die politische Zensur ganz energisch und »schändlich« die ursprüngliche Fassung der
»Harzreise« mißhandelt« (14.2.1826 an Moser), so daß sich Heine mit diesem
verstümmelten Abdruck nicht zufrieden geben konnte.

Schon vor der Enttäuschung durch den »Gesellschafter« trug sich Heine
mit dem Plan zu einer Sammelveröffentlichung einiger seiner Stücke. Er
berichtet Moser davon am 15.12.1825: »Ich habe nämlich Lust nächsten
Ostern unter dem Titel ›Wanderbuch, 1ter Teil‹ folgende Piecen drucken
zu lassen: 1. Ein neues Intermezzo, etwa 80 kleine Gedichte, meist Reisebilder, und wovon du schon 33 kennst [vgl. dazu Bd 1, S. 646 dieser Aus-

gabe]. 2. Die Harzreise, die du dieser Tage im Gesellschafter schon sehen
wirst, aber nicht vollständig [Heine hatte vor, wie er am 23.11.1825 an
Gubitz schreibt, »ein Seitenstück dazu, nämlich die Reise im untern Harze«
in den »Rheinblüten« für 1827 erscheinen zu lassen. Dieser Plan kam nicht
zustande; Heines »Seitenstück« kam über den ersten Anfang nicht hinaus,
vgl. S. 609]. 3. Das dir bekannte Memoire über Polen, völlig umgearbeitet
und bevorwortet [vgl. S. 69]. 4. Die Seebilder [die späteren Gedichte der
»Nordsee. Erste Abteilung«].«

Der Titel »Wanderbuch« wurde bald verworfen, der Plan aber, den er
hier Moser entwickelte, kam in etwas anderer Gestalt zur Ausführung:
Mitte Mai des nächsten Jahres erschienen: *Reisebilder* von H. Heine. *Erster
Teil*. Hamburg, bei Hoffmann und Campe 1826. (*Die Heimkehr* ›1823 bis
1824‹ [einschließlich »Götterdämmerung« bis »Die Wallfahrt nach Kevlaar«],
Die Harzreise. 1824, *Die Nordsee*. 1825. Erste Abteilung). So kam trotz
mancherlei Verzögerungen und trotz des Eingriffs der Zensur im »Gesellschafter« die »Harzreise« doch noch in einer Form zur Veröffentlichung, die
Heines Vorstellungen entsprach. Bei Übersendung des »Reisebilder«-Bandes
an Karl Simrock schreibt Heine am 26.5.1826: »Ich hoffe Du bist damit
zufrieden daß ich die Harzreise umgearbeitet und in einer anständigen Gestalt erscheinen lasse. Sie sah im Gesellschafter so muffig aus und so trist, daß
ich es als eine Ehrensache betrachtete sie in einem besseren Aufzuge dem
Publikum zu präsentieren.« (Vgl. auch die zahlreichen Widmungsschreiben
Heines bei Übersendung des Bandes: an Karl August Varnhagen von Ense
für seine Gattin Friederike (Rahel), der die Gedichte der »Heimkehr« ge-
widmet sind [vgl. Bd 1, S. 717], an Goethe, Börne, Leopold Zunz für den
»Verein für Kultur und Wissenschaft der Juden«, an David Bär Schiff, Julius
Eduard Hitzig, Joseph Lehmann und die »Giebelrede des Verfassers« an
Friedrich Merckel [dazu Bd 1, S. 783]; Nr. 149-154, 156-158 in Heine:
Briefe. Bd 1.)

Aber auch die Gestalt dieses ersten »Reisebilder«-Bandes sollte noch nicht
endgültig sein. Schon nach wenigen Jahren wurde auf Grund großer Nach-
frage eine zweite Auflage verlangt: »Das Buch hat viel Spektakel gemacht
und viel Absatz gefunden. Mein Verleger hat mir sicher versprochen, daß
bald eine zweite Auflage nötig sei.« Campe »hat wohl über 500 Exemplare
der Reisebilder allein in der Stadt Hamburg abgesetzt.« (24.10.1826 an
Varnhagen) Am 13.10. berichtet Heine Friedrich Merckel von einem
Reisenden, »der eben durch ganz Deutschland gekreuzt und überall von
meinen Reisebildern sprechen gehört.« So entschloß sich Heine noch einmal
zu einer Umarbeitung sowohl der Komposition als auch der Textgestalt.
Varnhagen kündigt er die neue Auflage an: »Die Veränderung, die ich drin
vornahm, ist gewiß ein Zeugnis meiner inneren Demut und meiner Liebe
für das Bessere; ich habe nämlich unter den 88 Liedern der ›Heimkehr‹

diejenigen ausgeschieden, die den Schwachen im Lande als anstößig erscheinen könnten, und ersetzte sie aufs tugendhafteste; die folgenden spanischen Romanzen und die grellen Jamben unterdrückte ich ganz; in der ›Harzreise‹ habe ich ebenfalls alles Allzuherbe ausgemerzt; und somit den gewonnenen Platz mit der zweiten Abteilung der Seebilder gefüllt. Das Buch gewinnt dadurch an Symmetrie und Präsentierbarkeit.« (16.6.1830) In der zweiten Auflage der »Reisebilder. Erster Teil«, Hamburg 1830, erschienen also die 88 Gedichte des Zyklus »Die Heimkehr« – in ähnlicher Form auch 1827 im »Buch der Lieder« veröffentlicht – umgruppiert und nun endgültig ausgeformt; die Gedichte »Götterdämmerung« bis »Die Wallfahrt nach Kevlaar« ließ Heine nicht noch einmal mit abdrucken (vgl. »Vorwort« zur zweiten Auflage, S. 99 und die Entstehungsgeschichte der »Heimkehr« Bd 1, S. 641 ff., bes. S. 656. Der Text der »Harzreise« wird noch einmal überarbeitet, stilistisch geglättet und bisweilen purifiziert (vgl. die Faksimile-Ausgabe von Heines erstem »Reisebilder«-Band, 1. Aufl. für den Abdruck der 2. Aufl. Hrsg. von F. Hirth; und unser Lesarten-Verzeichnis, S. 747–753). Und schließlich nimmt Heine den Zyklus »Die Nordsee. Zweite Abteilung«, der innerhalb der »Reisebilder« zunächst in der ersten Auflage des zweiten Bandes 1827 erschienen war, jetzt in den ersten Band der zweiten Auflage hinein.

Heine hat später, 1837, noch selbst die dritte Auflage des ersten »Reisebilder«-Bandes vorbereitet (18.7.1837 an Campe), die 1840 in Hamburg erschien, und besonders hinsichtlich der Interpunktion manches geändert; da aber infolge von Druckfehlern der Text teilweise offensichtlich entstellt und verschlechtert wurde, kann Heines letzter Wille noch nicht endgültig eruiert werden (vgl. die Vorbemerkungen zu den Lesarten der »Harzreise«, S. 748). Möglicherweise wird die historisch-kritische Heine-Ausgabe die Unsicherheiten klären können. Daß Heine selbst die 3. Auflage nicht als verbindlich betrachtete, beweisen seine mehrfachen Aufforderungen an Campe, neue Auflagen der »Reisebilder. Erster Teil« oder der »Harzreise« allein nach der 2. Auflage von 1830 zu drucken (30.9.1839, 26.4.1848, 15.11.1852). Am 8.12.1851 schreibt Heine hinsichtlich einer separaten Ausgabe an Campe: »Mit der Harzreise können Sie es machen nach Belieben. Es ist mir freilich schmerzhaft, daß es die Umstände mir nicht erlauben, durch eine neue Einleitung das Büchlein der jetzigen Generation vorzuführen. Ich muß Zeit und Kräfte zu dringenderen Bedürfnissen anwenden.« Campe plante eine Ausgabe der »Harzreise«, die 1853 nach dem Text der zweiten Auflage der »Reisebilder« erschien. Auch für eine spätere Gesamtausgabe seiner Schriften will Heine die zweite Auflage der »Reisebilder« zugrunde gelegt haben (25.11.1852 an Campe).

*

Das beste Verständnis für die bis heute lebendig gebliebene und viel inter-
pretierte »Harzreise« gewinnt man aus der historischen Situation des jungen
Heine; diese muß die Grundlage für alle Deutungen seines Werks bilden.
Entscheidend sind daher seine eigenen Äußerungen wie Aufnahme und
Kritik in den zahlreichen zeitgenössischen Rezensionen.

Einen ersten Anhaltspunkt bietet Heines persönliche Lage in den Jahren
1824 bis 1826: von ständiger Krankheit geplagt, von Liebesbeziehungen
enttäuscht, am juristischen Studium nur wenig interessiert, muß er in
schlechter Gemütsstimmung auf ein baldiges Examen hinarbeiten, da ihm
der Onkel Salomon das Studium nur widerwillig und unter ständigem
Drängen auf einen Abschluß finanziert. Zudem ist er als Jude sozial empfindlich deklassiert (einen eindrucksvollen Einblick in die soziale Stellung
der Juden bietet Erich Lüth: Hamburgs Juden in der Heine-Zeit. Hamburg
1961). Aber auch nach Taufe (28.6.1825 in Heiligenstadt bei Göttingen)
und Promotion (20.7.1825) findet er in Hamburg nicht die gewünschte
Anstellung als Jurist, so daß er gereizt und überspitzt schreibt: »Ich verließ
Göttingen, suchte in Hamburg ein Unterkommen, fand aber nichts als
Feinde, Verklatschung und Ärger, gab aus Gegentrotz den ersten Teil der
Reisebilder heraus« (an Karl Immermann, 14.10.1826). Wie die tatsächliche
Wanderung durch den Harz für Heine befreiend wirkte von den Sorgen
seines alltäglichen Lebens, so bedeutet die Arbeit an der literarischen »Harzreise« von den ersten Anfängen bis zur »Reisebilder«-Fassung und damit der
ganze Band der »Reisebilder« überhaupt »eine Opposition gegen das abgedroschen Gebräuchliche« (25.10.1824 an Moser). Am 7.6.1825, bei Übersendung seines ersten »Reisebilder«-Bandes an Wilhelm Müller, dessen Liedern Heine Anregung für sein »Lyrisches Intermezzo« verdankt, schreibt er:
»Ich war nämlich lange Zeit krank und elend. Jetzt bin ich es kaum noch
zur Hälfte, und ein solcher Zustand könnte auf dieser Erde vielleicht schon
Glück genannt werden. Mit der Poesie geht es noch besser, und ich hege
viele freudige Hoffnungen für die Zukunft. ›Die Nordsee‹ gehört zu meinen
letzten Gedichten, und Sie erkennen daraus, welche neue Töne ich anschlage
und in welchen neuen Weisen ich mich ergehe [. . .]. Mit mir selbst, wie
gesagt, steht es schlecht und hat es als Liederdichter wohl ein Ende, und das
mögen Sie selbst fühlen. Die Prosa nimmt mich auf in ihre weiten Arme,
und Sie werden in den nächsten Bänden der ›Reisebilder‹ viel prosaisch
Tolles, Herbes, Verletzendes und Zürnendes lesen; absonderlich Polemisches. Es ist eine gar zu schlechte Zeit, und wer die Kraft und den freien Mut
besitzt, hat auch zugleich die Verpflichtung, ernsthaft in den Kampf zu
gehen gegen das Schlechte, das sich so aufbläht, und gegen das Mittelmäßige, das sich so breit macht, so unerträglich breit.«

Diese Vorausschau auf kommende »Reisebilder« wirft auch ein deutliches
Licht auf ihren ersten Band, in dem das künftige Programm bereits ent-

halten ist, wenn auch noch mit anderen zeitgemäßen, vorwiegend romantischen Zügen vermischt. Eine Nähe zur Romantik zeigt sich in der Form: die »Harzreise« ist nicht nur von lyrischen Partien eingerahmt, sondern Lieder unterbrechen auch die Prosa selbst. Diese Liedeinlagen sind ein typisches Merkmal romantischer Dichtung und finden sich etwa in Eichendorffs im gleichen Jahr 1826 erschienener Novelle »Aus dem Leben eines Taugenichts«, mit der man die »Harzreise« oft verglichen hat. Bezeichnend ist, daß Heine zunächst seine Verse noch am höchsten schätzt, während er in der Beurteilung des Übrigen unsicher war: »Ich kann wahrhaftig nicht ohne Besorgnis Ihrem Urteil darüber entgegensehen, und ich wünschte im Grunde, Sie bekämen das opus nie zu Gesicht. Sie finden darin viele alte Witze von mir, mit schlechten neuen Witzen bunt untermischt, nachlässige, unkünstlerische Prosa, unbeholfene Naturschilderungen, verunglückter Enthusiasmus; aber das bitt ich mir aus – die Verse darin sind göttlich.« (An Rudolf Christiani, 26. 5. 1825) »Die Verse in meiner Harzreise sind eine ganz neue Sorte und wunderschön.« (An Friederike Robert, 15. 5. 1825) Zur Zeit der Niederschrift der »Harzreise« konnte er nach romantischer Manier noch den Gegensatz von alltäglichem, philisterhaftem Leben in Göttingen und dem Erleben der freien Natur im Harz und damit den Gegensatz von Wirklichkeit und erträumtem Wunschbild im Gegeneinander von Prosa und Lyrik gestalten, wobei die bisweilen schroffen und unvermittelten Übergänge, die ironisch pointierte, oft sarkastische Darstellung der Wirklichkeit ihm schon einen Platz in der späten Phase der Romantik zuweisen, in der Nähe E. T. A. Hoffmanns etwa, dem Heine in der »Harzreise« noch viel verdankt. Später, in dem zitierten Brief an Wilhelm Müller vom 7. 6. 1826, heißt es dann: »Die Prosa nimmt mich auf in ihre weiten Arme.« – Ähnlich zeigen die zahlreichen Traumeinlagen in der »Harzreise« nur scheinbar Verwandtschaft zu den »Traumbildern« aus den »Jungen Leiden« (1817–1821) und zu dem romantischen Traumbild, im Grunde dienen sie Heine jetzt zur Darstellung satirischer Absichten, womit die alte, spätmittelalterliche Tradition der Traumsatire neu auflebt. – Auch in der fragmentarischen Form der »Harzreise« wäre noch eine Verwandtschaft zum romantischen Fragment zu sehen; doch daß Heine die »Harzreise« nicht vollendete, ist nicht etwa in der Unendlichkeit des Themas oder Stoffes im Sinne der Frühromantik zu suchen, sondern hat eher äußere Gründe: vermutlich wollte er nicht den enttäuschenden Besuch bei Goethe schildern, der ja mit zur Harzwanderung gehörte. Im übrigen reizte es ihn nicht mehr, sich in dem zunächst geplanten »Seitenstück [. . .], nämlich die Reise im untern Harze« (23. 11. 1825 an Gubitz), zu wiederholen. Sein Interesse hatte sich jetzt schon deutlich mehr und mehr der politischen und gesellschaftlichen Wirklichkeit zugewandt.

Wenn Heine in Briefen aus dieser Zeit von seinen künftigen Polemiken spricht und an Karl Simrock (26. 5. 1826) über den ersten »Reisebilder«-Band sogar schreibt: »Ich habe [. . .] alle Polemik daraus verbannt, obschon es mich jetzt sehr juckt mal, besonders in Hinsicht der Literatur, meine Meinung zu sagen«, so ist das natürlich nur cum grano salis zu verstehen. Zwar ist von Heines späteren scharfen Literatur-Satiren in der Art seines Platen-Angriffs noch nicht viel zu spüren, doch indirekt kommt seine Polemik in Form von Satire und Ironie bereits im ersten Band deutlich zum Vorschein. Die bitteren Ausfälle gegen die deutschen Philister, womit Heine auf Brentanos Abhandlung »Der Philister vor, in und nach der Geschichte« wie auf Brentanos und Görres' gemeinsam verfaßte »Wunderbare Geschichte von BOGS dem Uhrmacher« zurückgeht, das Thema aber wirkungsvoller durch aktuellere und direkte Anspielungen gestaltet, seine bissigen Angriffe gegen das Göttinger Universitätsleben, die Respektlosigkeit des Studenten gegenüber seinen Professoren, der Spott über die altehrwürdigen Sitten des deutschen Studententums (eine reizvolle kulturhistorische Schilderung davon gibt Heines studentischer Freund Eduard Wedekind: »Studentenleben in der Biedermeierzeit. Ein Tagebuch aus dem Jahre 1824«, in dem Heine mehrfach ausführlich erwähnt ist), die Parodie auf trockene Reisehandbücher, die Verhöhnung der Philosophie in der Gestalt des Kantianers Dr. Saul Ascher und die versteckte Spöttelei über die Hegelianer und viele andere Spitzen waren Themen, die in der deutschen Literatur, die in den zwanziger Jahren vom klassischen und romantischen Epigonentum beherrscht wurde, unerhört und aufsehenerregend wirken mußten. – Hier noch versteckt in der »Bergidylle« erscheinen schon Keime von Heines Kampf gegen den Adel und für die Demokratie, ein Engagement, das zur »Reisebilder«-Zeit besonders in der Prosa-»Nordsee«, der »Stadt Lucca« und in der Einleitung zu »Kahldorf: Über den Adel« ganz offen zutage tritt. Heines »Kampf gegen das Schlechte in einer gar zu schlechten Zeit« (an Wilhelm Müller, 7.6.1826) ist also gesellschaftskritisch und literaturkritisch zugleich zu verstehen.

Unerhört und revolutionär aber war vor allem, daß die Themen in der »Harzreise« »wegen ihres vielfältig die Gegenwart anspielenden Inhalts« (12. 10. 1825 an Friederike Robert) in einem ganz neuen Ton von verblüffender Unbefangenheit, »in einem lebendigen, enthusiastischen Stil« (30.10.1824 an Moser) verfaßt waren, so daß die »Harzreise« »wegen des Stoffes und dessen leichte Behandlung ganz für unsre Zeitschrift [»Gesellschafter«] geeignet« war (23. 11. 1825 an Gubitz). Die »Mischung von Naturschilderung, Witz, Poesie und Washington Irvingscher Beobachtung« (4. 3. 1825 an Ludwig Robert), »schöne edle Gefühle und dergleichen Gemütskehrricht«, »Opposition gegen das abgedroschen Gebräuchliche« (25.10.1824 an Moser), »im Grunde ein zusammengewürfeltes Lappenwerk« (11. 1. 1825 an Moser) und die Tatsache, daß Heine nicht nur den niederen Wortschatz im Sinne der herkömmlichen Rhetorik, sondern umgangssprachliche Prosa verwendet, sind das eigentlich Neue in seiner Darstellungsweise. Gerade diese »Mischung« macht den eigentümlichen Reiz der »Harzreise« wie auch der folgenden »Reisebilder« aus.

Die Form der poetischen Reiseschilderung fand Heine bereits in Sternes »Sentimental Journey through France and Italy by Mr. Yorick« (1768) und Thümmels »Reise in die mittäglichen Provinzen von Frankreich« (1791 bis 1805) vor. Heine verdankt ihnen, aber auch Kerners »Reiseschatten von dem Schattenspieler Luchs« (1811) und möglicherweise einigen Büchern von Washington Irving (»The Sketch-Book by Geoffroy Crayon«, 1819–1820, »Bracebridge Hall or the Humorists«, 1822, »Tales of a Traveller«, 1824) die subjektive Art der Beschreibung in der »Harzreise« und den übrigen »Reisebildern«, stilistische Eigenheiten und einzelne Motive. Daneben ist sein witziger Stil geprägt von der Lektüre der Schriften von Jean Paul, Tieck, Brentano, E. T. A. Hoffmann, Lichtenberg, Cervantes und vielen anderen. Auch in einzelnen Motiven finden sich hin und wieder Parallelen (vgl. zu Heines Vorbildern Erich Loewenthal: Studien zu Heines »Reisebildern«. Berlin, Leipzig 1922, S. 7–36), doch ist der Einfluß älterer Autoren nicht zu stark zu betonen, da Heine sich – gerade in der Periode seiner »Reisebilder« – mehr und mehr von Vorgängern befreit und seinen eigenen ironisch-pointierten Stil entwickelt.

Heines »Reisebilder« selbst wirken dagegen wieder anregend und vorbildhaft auf die jungdeutsche Reiseliteratur, eine Modeerscheinung der Zeit, ein. Nachahmungen oder Spuren finden sich bei Heinrich Laube, Karl Gutzkow, Ludolf Wienbarg, Theodor Mundt und vielen anderen Schriftstellern der Zeit.

AUFNAHME UND KRITIK

Schon bald nach seinem Erscheinen erfuhr der erste Band der »Reisebilder« in mehreren literarischen Zeitschriften ausführliche Kritik, die für Heine nicht immer günstig ausfiel. In Göttingen wurde das Buch sogar wegen seiner satirischen Ausfälle auf die Stadt, ihre Universität und einige Professoren durch die Polizei verboten (vgl. Heine: Briefe. Bd 4, Kommentar, S. 138). Heine selbst berichtet mehrfach von »Feindschaften«, die ihm sein Buch – auch wegen des antichristlichen Geistes – eingetragen habe, und bittet sogar Freunde um günstige Rezensionen (z. B. Joseph Lehmann, 26. 5. 1826, Moses Moser, 28. 7. 1826). »Mein Bruder schreibt mir, daß in Berlin die ›Reisebilder‹ noch immer stark gelesen und bekrittelt werden; im ganzen würde ich gekreuzigt.« (An Friedrich Merckel, 16. 8. 1826)

Einige wichtige Rezensionen sind im folgenden zusammengestellt:

H.Heine, der seinen wahrhaften Beruf zum Dichter durch mehrere Tragödien und lyrische Gedichte bereits hinlänglich dargetan, hat uns mit diesen
Reisebildern ein liebes, anmutiges Geschenk gemacht. Ein Doppelspiegel
ist es, welcher mit Treue interessante Gegendpunkte, Situationen und Be-
gegnungen reflektiert und zugleich die Empfindungen auffaßt, welche den
Dichter im Anschauen derselben beleben. Der trübe, wehmütige Ton, welcher als ein Nachklang von schmerzlichen Erfahrungen durch das Ganze
zittert, gibt besonders dem poetischen Teile einen ungemeinen Reiz. Wie
edel einfach, wie tief empfunden, wie überraschend in ihren Wendungen
sind mehrere der Gedichte! – wahrlich, man darf diese dem Besten an die
Seite stellen, was wir in dieser Gattung besitzen. Überall finden wir ein dem
Schönen empfängliches Gemüt, ein von der Feindseligkeit des Erdenlebens
gedrücktes Herz. O, dies Erdenleben versteht es meisterlich, den lyrischen
Dichter zu bilden, besser versteht sich nicht der Nachtigallen-Besitzer darauf, das gefiederte kleine Wesen zum Sange zu erziehen. Der letzte sperrt
seinen Sänger in vergitterten Käfig, bereitet ihm künstliche Nacht, entzieht
ihn der Gemeinschaft seiner Lieben – und siehe da, nun ergießt sich die vergebliche Sehnsucht in Zaubermelodieen, und der Schmerz wird Gesang. Das
Leben macht mit dem Dichter bei weitem nicht so viel Umstände, genug,
daß er *Dichter sei*, daß in seiner Brust die Sehnsucht nach etwas Höherm
wohne, daß er nicht zufrieden sei mit der flachen Alltäglichkeit flacher All-
täglichkeits-Menschen, und Käfig, Nacht, Einsamkeit, Schmerz und Gesang
finden sich von selbst. Grillparzer hat wohl recht, wenn er sagt: »Der Dichter gibt im Klagegedicht ein Stück von seinem Leben«, er gibt es, aber er
gibt es gern, und wär's das Ganze in einem Liede, so tät er es vielleicht
noch lieber. *Heine* wird aus dieser Andeutung schließen, daß derjenige,
welcher dies schrieb, im vollkommensten Einklange mit seinen Gefühlen
steht, daß er weit eher geneigt ist, mit ihm zu trauern, als eine zunftgerechte
Kritik seines Bändchens zu schreiben; wär es aber auch ein eingefleischter
Rezensent, ich will sagen ein *solcher* Rezensent, wie er Goethe in der unmutigen Stunde vorschwebte, als er niederschrieb: »Schlagt ihn tot, den Hund!«
so könnte er nicht anders, wenn auch mit Fratzen-Ingrimm auf dem Faunen-
Gesichte, als das vorliegende Buch trefflich nennen. Ich aber – nicht das ein-
geschobene Rezensenten-Ideal – wünschte bei so viel Schönem die *scharfe*
Seite der Prosa gemäßigt. Es ist wahr, daß eine Anzahl Leser den fallenden
Streichen Geschmack abgewinnt, vorausgesetzt, daß sie seinen Corpus ver-
schonen – *Heine* aber scheint mir zu *edler geistiger Natur*, als daß er, wenn
auch in geringem Maßstab, die Gerichte derer vermehre, welche für diesen Geschmack kochen. Noch einmal sag ich es, und sag es gern, daß der
Zeichner der Reisebilder mir, wenn auch nie gesprochen, befreundet ist,
daß er aber wenig auf die erweckte Zuneigung eines unscheinbaren
Nichtrezensenten zu geben habe, da, wie von allen Seiten verlautet, sein

Büchlein die gewichtige Gunst des Publikums in hohem Grade erlangt hat und verdient.   – f. –

Originalien aus dem Gebiete der Wahrheit und Laune, Kunst und Phantasie. Jg. 1826, Nr. 82, Sp. 649–651.

★

Will ich aufrichtig sein, so muß ich, bei mancher Mißempfindung, die mir der Verfasser bereitet, doch bekennen, daß mir sein Buch von Anfang bis zu Ende Unterhaltung gewährt, mich in Spannung und Eifer versetzt, überrascht, zuweilen besänftigt und gerührt und sehr oft, was vielleicht nicht das Schlimmste ist, laut lachen gemacht hat. Der Humor unseres Autors hat in Wahrheit viel Eignes und Einziges; wenn die Tiefe und das Licht seiner Gedankenbilder oft an die Vorzüge Jean Paul's erinnern, manches Dunkel und manche Verwilderung seiner Gefühlsart an die glänzenden Fehler Byrons, so gehört dagegen andres Ausgezeichnete nur ihm allein und läßt sich nur mit dem, was er selbst früher in solcher Art gegeben, in Vergleich stellen; dahin rechnen wir die ganz eigentümliche Mischung von zartestem Gefühl und bitterstem Hohn, die einzige Verbindung von unbarmherzigem, scharf einbohrendem, ja giftigem Witz und von einschmeichelnder Süßigkeit des Vortrags, lebhaftem zugleich und mildem Redefluß, der durch nichts gehemmt, durch nichts getrieben scheint und gleichmütig über alles, was ihm in die Quere kommt, leicht dahin wallt. Auch dürfen wir als eine Eigenheit unsres Autors nicht übersehn, daß er mit gleicher Natürlichkeit – oder Fertigkeit, wenn man will – sich in beiden Formen, in Prosa und in Versen, bewegt, was bisher noch von keinem Geisteskinde seiner Art gesagt werden konnte. Er ist in der Tat nicht bloß ein Dichter, wie jeder Humorist im Allgemeinen es heißen kann, sondern auch in dem engeren Wortsinne, in welchem die meisten Humoristen es nicht sind. Dies ist ein Vorzug, der noch sehr weit führen kann. Aber wo viel Licht ist, ist auch viel Schatten, pflegt man zu sagen, will man vom Lobe zum Tadel übergehn, und so möchten auch wir gern das Sprüchwort uns zur Brücke machen, wenn sie uns nicht gleich unhaltbar würde! Denn das ist eben das Eigne, die Kunst, das Glück, oder auch der Nachteil jedes Autors dieser Art, daß die Elemente seiner Darstellungsweise nicht nebeneinander zum Sortieren, Auswählen und Absondern daliegen, sondern untereinander verflochten und verwachsen, ineinander gemischt und gebunden sind, und ihre Scheidung nicht ohne Zerstörung des Vorhandenen geschehn kann. Der Schatten, welchen wir nachweisen möchten, steht hier ganz im Lichte, das Licht, von dem wir geredet, ganz im Schatten, wenn wir so reden dürfen! Ohne Frage, die Wagnisse des Verfassers gehn bis zum Frevelhaften, seine Freiheiten bis zur Frechheit – die

zwar selbst schon längst in unsrer Literatur die göttliche heißt, seit Friedrich
Schlegel in der Lucinde und im Athenäum sie so getauft und geweiht! –
sein Mutwille wird Ausgelassenheit, seine Willkür verschmäht auch das
Gemeine nicht, wenn sie unerwartet damit die Erwartung necken, durch
einen Satz dorthin die gespannte Einbildungskraft plötzlich kann abschnap-
pen lassen. Allein gerade in diese Wendungen und Sprünge windet sich der
Gedanke mit ein, springt der Witz mit, und wir müssen – gleich dem Inder,
der in dem unreinsten Getier, das vom geweihten Tempelbrote genascht,
nun den Behälter des Geweihten verehrt – noch in der unangenehmsten
Gestalt den darin verkörperten Geist anerkennen. Dies gilt jedoch einzig nur
dann, wenn wirklich die Vereinigung eine wahre ist; zeigt sie sich als eine
scheinbare, treffen wir die Frevelhaftigkeit und Frechheit, die im Geleit der
höheren Macht höchstens unser Achselzucken erfahren dürfen, einmal für
sich allein, ohne jenes Geleit, dann kennen wir auch keine Schonung, sondern fallen darüber grimmig her und reißen die Ungebühr in Stücken. Einige
der Gebilde unseres Autors können durchaus kein besseres Schicksal erwarten, sie überschreiten jedes Maß, und ohne alle Not; er wird selbst am
besten wissen, was er sich selber zu Ehren und seinem Buche zum Frommen
aus demselben hätte weglassen sollen. – Die Reisebilder bestehn aus viererlei
Mitteilungen. Die Heimkehr in 88 Liedern – die Lieder Heines, hat man
bemerkt, dividieren sich immer durch die schlimme Zahl Eilf – macht den
Anfang. Hier ist noch ganz die alte trübsinnig-bittre, schmerzlich-höhnische
Stimmung, die wir aus den Tragödien und dem lyrischen Intermezzo unsres
Dichters kennen, aber weil es mit diesem Eingebrockten doch endlich zu
Ende kommen muß, so ist hier gleichsam die Grundsuppe vorgesetzt, in der
die schwersten und schlimmsten Brocken liegen. Da zeigt sich denn mancherlei, was man bedenklich ansieht, wobei man den Kopf schüttelt, was
man auf keine Weise rechtfertigen kann; die Beispiele überlassen wir Andern
anzuführen. Dann folgen einige Gedichte, welche einen etwas größeren
Schwung nehmen und mannigfaltigere Welt behandeln. Die Romanze vom
Sohne des schriftgelehrten Rabbi Israel von Saragossa, im schönsten spanischen Tone, dürfte auch im Treiben der heutigen Welt für manches Alkal-
den-Fräulein noch passen; den drei stark mahometanischen Romanzen
Almansor hält die echt christlich-katholische Wallfahrt nach Kevlaar die
Wage, und der Verfasser, der unsres Wissens selber Katholik ist, hätte nicht
nötig gehabt, sich wegen der Deutung zu rechtfertigen, die aus dem Stoffe
dieser Romanzen irrig auf seine Denkweise gemacht werden könnte. Die
dritte Abteilung enthält die Harzreise, welche, wie mehrere der Gedichte,
zum Teil schon im Gesellschafter abgedruckt erschienen ist; sie hat aber
Zusätze und Ergänzungen erhalten. Der Verfasser geht von Göttingen aus
und besucht den Harz, hat aber dabei beständig auch Berlin vor der Seele.
Diesen Zusammenhang von reichen, treffenden Naturbildern, feinen Beob-

achtungen, schalkhaften, witzigen, beißenden Scherzen, persönlichen Feindseligkeiten, weichen Gefühlen, reizenden Liedern, tollen Fratzen, unglaub-
lichen Verwegenheiten usw. können wir hier nicht zergliedern; wir überlassen dem Leser selbst, daran sich ärgerlich und liebevoll, wie er kann, zu
ergötzen; nur bemerken wir, daß das Vernunftgespenst ein wahres Meisterstück tiefsinniger Laune, und daß die Ehrenrettung eines im Text irrig ver-
unglimpften Schauspielers in ihrer Art einzig ist. – Den Beschluß des Buches
machen Seebilder, die Nordsee überschrieben. Diese Abteilung dünkt uns die
gehaltvollste und, nach Ausscheidung einiges Frevels, die würdigste. Hier
beurkundet sich noch mehr als in der Harzreise das bis zum Genie gesteigerte
Talent des Autors. Welche Naturschilderungen in wenigen, aber markigen,
für immer bezeichnenden Worten! Welche tiefgeschaute Eigentümlich-
keiten, reiche Beziehungen, leichtbewegte Gestalten! Hier zeigt der Dichter
seine echte Verbindung mit dem Ursprünglichen, der Natur sowohl als des
Geistes; sein wahres Dichtertalent, zu sehn, zu bezeichnen! Wir empfehlen
besonders Nr. 1, 3, 4, 5, 9, 10 und würden auch Nr. 12 empfehlen, wenn
dieses nicht durch völlig unstatthafte, tadelnswerte, schwer zu rügende Beimischung entstellt wäre. Diese Dichtungsart, des kolossalen Epigramms
möchten wir sie nennen, eignet ganz besonders dem Genius unsres Autors,
und daß er aus dem epigrammatischen Liede zu ihr übergegangen, kann
uns ein entscheidendes Zeichen seines innern und äußern Fortschrittes sein.

Karl August Varnhagen von Ense (anonym) in: Der Gesellschafter 10 (1826)
Nr. 103 (30.6.) S. 520. Wiederholt in: Varnhagen: Zur Geschichtsschreibung und Literatur. Hamburg 1833, S. 583–587.

*

Seitdem vor einigen Jahren des Verfassers »Tragödien nebst einem lyrischen
Intermezzo« (Berlin, 1822, bei F. Dümmler) erschienen, haben sich viele und
mancherlei Stimmen über denselben erhoben; hier freundliche und dort
feindliche; hier manchmal verschwenderische *Über*schätzungen und dort
oft vornehme *Gering*schätzungen. Der Verfasser hat sich, wie uns scheint,
um beides nicht sonderlich bekümmert; er ist seinen eigenen Weg fortge-
schritten, und daran hat er wohlgetan, besonders wenn das Fortschreiten,
wie bei ihm sichtbarlich, ein *Vor*schreiten ist. Sein neuestes Werk wird ebenfalls – und wohl noch mehr als die früheren – hier entschiedene Bewunderer
und dort entschiedene Widersacher finden; der Verfasser hat zu viel poetisches Talent, als daß er nicht die Ersteren, und zu viel Witz, als daß er nicht
die Letzteren zu allen Zeiten sich erwecken sollte. Er teilt das Los aller
Schriftsteller, denen der Himmel die fatale Kapazität verliehen hat, über das
Tun und Treiben der Menschen ihren Humor frei walten zu lassen: Bann-

strahl und Seligsprechung ergehen über sie von Papst und Gegenpapst: von dem kritischen und unkritischen Heere der Beurteiler.

Die Ausstellung der »Reisebilder«, die Herr Heine uns hier gibt, und die fast so bunt ist, als unsere akademischen, eröffnen die »Lieder der Heimkehr« welche in des Verfassers bekannter Manier gedichtet sind; eine Manier, die obgleich originell und pikant, doch immer Manier bleibt und darum schon nicht das Rechte, das Schöne, das jedem Auge sich enthüllt, sein kann. Schon früher ist es häufig – und namentlich bei Gelegenheit der Dramen unseres Verfassers – gerügt worden, daß des Dichters Subjektivität überall und zu viel hervortrete. Es ist zwar an dieser Subjektivität etwas – sie spricht uns an; es ist keine von den poetischen Mondschein-Naturen, die sich durch unsere Journale durchschmachten – dies aber gibt ihr noch keine Berechtigung, überall und selbst da Gastrollen zu geben, wo, wie im Drama, der Künstler in seinem Kunstwerke untergehen soll. Deshalb erschienen auch die Lieder, die schon ihrer Natur nach individuelle Gemüts-Schilderungen sein sollen, bei ihm ganz besonders eintönig; denn es lassen sich auf die Meisten des Dichters eigene Worte aus einem früheren Liede (Ein Jüngling liebt ein Mädchen etc.) als Motto anwenden:

> »Es ist eine alte Geschichte,
> Doch bleibt sie immer neu;
> Und wem sie just passieret,
> Dem bricht das Herz entzwei.«

Ob es aber mit diesem Herzbrechen, mit diesem Liebesschmerze ein Ernst sei, darüber läßt uns der Dichter selbst kaum in Zweifel, da sein sprudelnder Witz, so wie die »Reisebilder« überhaupt, diese Lieder insbesondere, reich ausgestattet hat. Es darf daher kein Leser, unerachtet der gerügten Eintönigkeit, sich vor Langerweile fürchten; ein kleiner ironischer Teufel lauscht hier überall hinter Amors Rosenlauben, und springt bei jedem Liebesseufzer hervor und holt die Sentimentalität, sobald sie sich's bequem machen will. Keine hochtönende Phrasen sind da zu finden und Popularität, die nicht wie in den meisten von *Bürger's* sogenannten Volks-Poesieen, bloß in eingestreuten Redensarten des gemeinen Volkes besteht, ist diesen Liedern gewiß nicht abzusprechen. Besonders weiß der Verfasser den Balladen- und Romanzen-Ton zu treffen. Wir begnügen uns hier, auf die Lieder III. V. VII. XXVIII. XXIX. XL. LXV. LXIX., auf die Romanzen »Donna Clara« und auf »die Wallfahrt nach Kevlaar« zu verweisen, und kommen vielleicht auf diese Lieder-Sammlung, die, bei manchen Auswüchsen, doch noch immer Treffliches genug enthält, ein anderes Mal wieder zurück.

Den Liedern und Romanzen folgt die Beschreibung einer »*Harzreise*«, von der bereits einige Bruchstücke in einer Berliner Zeitschrift einmal abgedruckt waren. In jenen Bruchstücken selbst findet sich jedoch auch noch

Manches ergänzt, was in dem Journale nur teilweise gegeben werden konnte, oder was vielleicht der Berlinische Redakteur, aus gesellschaftlichen Rücksichten zu zerstückeln für gut fand. Besonders witzig ist die neu hinzugekommene Einleitung mit ihrer spaßhaften Beschreibung der ernsten Georgia Augusta. Ein Glück ist es für den Verfasser, daß er, wie wir gehört haben, bereits vor längerer Zeit in Göttingen promoviert hat; jetzt würde ihm die gelehrte Hannoveranerin schwerlich den Doktor-Hut summa cum laude aufsetzen. Die in die »Harzreise« eingestreuten Gedichte gehören zu dem Vorzüglichern in dem Buche; poetisch gedacht ist besonders das Lied: »König ist der Hirtenknabe«, das in seiner Stellung einen sehr freundlichen Eindruck auf den Leser macht; dasselbe läßt sich jedoch nicht von einem Traume sagen, in welchem der Verfasser einen (in Berlin viel gekannten) verstorbenen Freund und Schriftsteller, nicht eben von der liebenswürdigsten Seite eingeführt hat.

Den Beschluß dieses ersten Bändchens macht die Krone des Ganzen; ein Zyklus von Seebildern, unter dem besondern Titel »*Die Nordsee*« 1825. Wenn wir in der Einleitung zu diesem Aufsatze von einem sichtbaren Vorschreiten unsres Dichters gesprochen haben, so ist dies hauptsächlich in Bezug auf diesen letzten Teil seines Werkes gesagt worden. Von den manierierten Liedern, deren Herr Heine schon eine Unzahl gedichtet hat, bis zu diesen Seeschilderungen, die nur aus zwölf an einen Faden gereihten Bildern bestehen, ist in der Tat ein leucadischer Sprung, zu dem wir seiner Muse nur Glück wünschen können. Wie in Form und Inhalt, so sind diese Seebilder auch dem Geiste und der poetischen Auffassung nach, von ihren Vorgängern, den Liedern, verschieden. Die Subjektivität des Dichters und der viel besungene Liebes-Schmerz treten hier mehr in den Hintergrund und geben Raum der übrigen Welt, die eine lebendige Phantasie und eine wahrhaft dichterische Sprache mit Ossianischer Kühnheit uns ausmalt [zitiert wird als Beispiel »Sonnenuntergang«].

Schreitet das zweite Bändchen der »Reisebilder«, das wir, einer Anmerkung nach, bald zu erwarten haben, der Qualität nach progressiv so fort, als dieses erste, so ist die deutsche Literatur um ein Werk bereichert, das sich dem Besten, was unsere Zeit (freilich eine arme, an wahrhaft dichterischen Erzeugnissen eben nicht fruchbare) Poetisches hervorgebracht hat, an die Seite stellen darf. A –.

Berliner Schnellpost für Literatur, Theater und Geselligkeit. Jg. 1826, Nr. 79 u. 80 (3. u. 5. 7.) S. 314f., 318f.

*

Gewinnt auch bei völliger Unbekanntschaft des Beurteilers mit dem Dichter
seine Kritik an Unparteilichkeit: so hat doch auch diese Sache ihre Nachtseite; es ist leicht möglich, sich in gewissen Fällen in der Gesinnung und dem
Gesichtspunkt des Dichters zu irren, und etwa unschlüssig zu werden, ob er
in der Übergangsperiode, in welcher er sich über süße Schwärmereien und
die Unhaltbarkeit jugendlicher Ideale enttäuscht, begriffen, und noch nicht
zu der philosophischen Ruhe gelangt sei, welche die Dissonanzen nur für
vorübergehend und die ewige Harmonie auf kurze Zeit unterbrechend ansieht, oder ob er seinen Unmut durch bittere Einfälle, witzelnde Räsonne-
ments, Verleugnen des Gefühls, und wie die Ausbrüche der üblen Laune
heißen mögen, ausbrausen wolle. Es schleichen sich unreine Töne, unreife
Gedanken in diese Witzspiele ein; der rechte Ernst fehlt, und selten wird der
wahre Punkt getroffen. Grell steht die Übertreibung da; der Vf. glaubt selbst
nicht so recht an das, was er behauptet, und wie ist dann Wahrheit und Maß
denkbar? Rez., der viel lieber glaubt, als zweifelt, hofft, der Reisebildner sei
ein Unzufriedener, und zwar von einer wohlwollenderen Gemütsart, als er
sich die Miene gibt, nicht gallig und grollsüchtig. In einigen Gedichten und
in seiner Harzreise quillt eine schöne Ader inniger Liebe zu der Natur und
Verehrung ihres Schöpfers, ein poetischer Sinn und ein reines, selbst zartes
Gefühl, – und diese kunstlose Quelle ist mehr wert, als alle die künstlichen
Scherze blasender Tritonen u. d. g. in der Reise, welche in den wunderlich-
sten Formen sich Aufmerksamkeit erzwingen wollen. Das harmlos kind-
liche Spiel der Kugeln, vom Wasserstrahl gehoben und gesenkt, trifft man
nur selten; desto öfter allerlei sonderbare Schnörkeleien und Vexierwasser,
denen man die mühselige Mechanik des Druckwerks, das sie heraufpumpt,
ansieht. Als Satiriker berührt der Bildner auch viel öfterer, als er trifft, weil
seiner Phantasie schöpferische Kraft und vor allem gefällige Heiterkeit
abgeht. Bei aller Schärfe des Verstandes, womit er die Albernheiten dema-
gogischer Umtriebe, sowie deren Aufspürer, steifer Professoren, herum-
schlendernder Studenten, überspannter und hohler Dichterlinge durchschaut, kann er doch nicht verhindern, daß man ihn kommen sieht, und
seinen Streichen ausweicht. Es ist zuviel Erzwungenes darin, der Witz ist
seicht, der Spaß trivial, ja gemein oder maniriert. So scheint eine gewisse
Überraschung nur ein schlagender Scherz zu sein, der, sobald er wiederholt
wird, sich notwendig abstumpfen muß, und auch da, wo er sich am wirksamsten zeigt, zu zahm und zu wenig fröhlich ist. Man höre z. B.:

> »Die Jahre kommen und gehen,
> Geschlechter steigen ins Grab,
> Doch nimmer vergeht die Liebe,
> Die ich im Herzen hab'.

> Nur einmal noch möcht' ich dich sehen,
> Und sinken vor Dir aufs Knie,
> Und sterbend zu Dir sprechen:
> Madame, ich liebe Sie!«

Das Naive gelingt noch am Besten. Im Volkslied könnte der Vf. etwas Vorzügliches leisten, sowie in der beschreibenden Erzählung, vielleicht selbst in der Legende. Aber die Satire ist schwerlich das Feld, auf dem er als Dichter sich Lorbeern erringen wird, am wenigsten, wenn er sich dazu mit dem leichten Soccus bekleidet, der unzertrennlich von mutwilliger Heiterkeit ist.

Vir.

Jenaische Allgemeine Literatur-Zeitung. Jg. 1826, Nr. 176 (Sept.), Sp. 447f.

*

H. *Heine* – das soll nicht heißen *Herr* Heine,
>   Denn die Poeten haben's nicht gern,
>   Daß die Kritik sie mache zu Herr'n,

sondern es soll heißen Hans, Heinrich oder Hugo Heine – ist ein Dichter, der vor 4 bis 5 Jahren mit einem Bändchen voll Trauerspiele und Liebeslieder in Berlin auftrat, und in der großen Spree-Stadt ungleich mehr Aufsehen machte, als in dem kleinen Deutschland. In den ästhetischen Spree-Tee-Gesellschaften rief man, besonders von Seiten der Frauen: »Das ist ein echter Dichter!« Die Tageblätter trugen den Ausruf weiter; man *las* den H. Heine hin und wieder in Deutschland, aber man wußte nicht, woran man mit ihm war. Es ging uns selbst so. Seine Trauerspiele kamen uns matt vor, wenigstens in der Komposition ihrer Fabeln. In seinen Liedern und Liederchen fühlten wir einen kräftigeren Puls, doch mehr sinnliche Wärme als poetisches Feuer. Sein Beruf zur lyrischen Poesie schien uns zweifelhaft, zur dramatischen mangelhaft, und zur tragischen insonderheit selbstbetrüglich. Jetzt hat er *Reisebilder* herausgegeben, Hamburg bei Hoffmann und Campe, 1826, erster Teil, 300 S. 8. Dramatische sind nicht darunter. Auch über seine Lyrik verbreiten sie kein, alle Zweifel lösendes Licht. Aber soviel können wir nun dem deutschen Publikum mit Überzeugung sagen, daß der Mann ein *Humorist*, und zwar einer der besten, einer der eigentümlichsten ist, die uns seit Jean Paul vorgekommen sind. Der Humor, der künstlerische nämlich, der ästhetisch also genannte, ist morphologisch zu reden nichts anders, als das *Talent in flüssiger und tropfbarer Form*. Gänzlich fehlen kann er keinem wahren Dichter. Es kommen Fälle, wo er ihn eben so nötig braucht, wie der Metallarbeiter das Scheidewasser. Aber nicht immer bleiben die Spuren seines Gebrauches am Dichtwerke sichtbar. Der Humorist hingegen überströmt oder besprizt mit der tropfbaren Flüssigkeit seines Talentes alle

Stoffe, die ihm in den Weg kommen, schaukelt dieselben wie auf Wellen, läßt sie wie in Strudeln sich drehen, oder spielt damit, wie der Wasserstrahl einer Fontäne mit der vergoldeten Kugel. Und das ist der Charakter, der vorherrschend in Heines Reisebildern waltet. Er kommt z.B. in eine große Stadt, welche seine Geliebte verließ, während er abwesend war. Er fragt die Türme, denen er sie zur Bewachung, die Tore, denen er sie zur Einschließung anvertraut hat, wo sie hingekommen? Er entschuldiget die Türme, denn sie konnten nicht von der Stelle;

> Die *Tore* jedoch die ließen
> Mein Liebchen entwischen gar still;
> Ein Tor ist immer willig,
> Wenn eine *Törin* will.

Dies scheint uns ein höchst angenehmes Spiel des echten Humors mit dem Liebesschmerz. Ein nicht minder ergötzliches mit dem Verdruß über *andere* getäuschte Erwartungen findet sich:

Gaben mir Rat und gute Lehren
[Bd. 1, S. 138, Nr. LXIV]

Und in der Beschreibung des Urian liegt eine Laune, die selbst der persönlichen Satire ihr Abstoßendes nimmt.

Ich rief den Teufel und er kam,
[Bd 1, S. 125, Nr. XXXV]

Das mag dem Verfasser zur Empfehlung dienen bei denjenigen, welche auch vom Humoristen fordern, daß er mit Geschmack scherze, und immer allgemein verständlich bleibe. In den metrischen Ergüssen seiner Talentflüssigkeit gibt er in dieser Hinsicht selten Anstöße; es ist, als ob die Enge des Weges ihn nötigte, sich *zusammen zu nehmen*. In Prosa hingegen schweift er oft in's Abgeschmackte und Aberwitzige aus, vor allen am Schlusse des Brockentraumes: »Wüste, beängstigende Phantasie-Gebilde! Ein Klavier-Auszug aus Dantes ›Hölle‹. Am Ende träumte mir gar, ich sähe die Aufführung einer juristischen Oper, die Falcidia geheißen, erbrechtlicher Text von Gans, und Musik von Spontini. Ein toller Traum. Das römische Forum leuchtete prächtig, Serv. Asinius-Göschenus als Prätor auf seinem Stuhle, die Toga in stolze Falten werfend, ergoß sich in polternden Rezitativen, Marcus Tullius Elversus, als Prima Donna legataria, all seine holde Weiblichkeit offenbarend, sang die liebeschmelzende Bravour-Arie quicunque civis romanus, ziegelrot geschminkte Referendarien brüllten als Chor der Unmündigen, Privat-Dozenten, als Genien in fleischfarbenen Trikot gekleidet, tanzten ein antejustinianeisches Ballett und bekränzten mit Blumen die zwölf Tafeln, unter Donner und Blitz stieg aus der Erde der beleidigte Geist der römischen Gesetzgebung, Posaunen, Tamtam, Feuerregen, cum omni causa.« Die letzte Abteilung des Buches enthält ernsthaftere Reisebilder, auf der Nordsee entworfen. Doch in zweien (III. u. V.) waltet ebenfalls der *Humor*, und zwar innerhalb der Geschmackes-Schranken der Antike. Und diese beiden sind die Besten.

Adolf Müllner (anonym) in: Mitternachtblatt für gebildete Stände. Jg. 1826, Nr. 139 (15.11.) S. 554–556.

*

Ein seltsames Gemisch von warmem, tiefem Gefühl und heiterer humoristischer Laune, aber auch nicht selten von übertriebener Empfindelei und Plattheit. Acht und achtzig Gedichte, *Heimkehr* genannt, mit den Jahrzahlen 1823 und 1824 bezeichnet und einem ganz seltsamen Motto aus *Immermann's* Cardenio und Celinde versehen, machen den Anfang. Es ist darin der Schmerz über eine verlorne oder untreu gewordene Geliebte bis zum Überdruß variiert. In dem ersten nennt sich der Vf. selbst ein *tolles Kind* und sagt: »Ist mein Lied auch nicht ergetzlich, *machts* mich doch von Angst *befreit!*« Solche Verrenkungen der Sprache lassen sich nicht mit der Dichterfreiheit entschuldigen. In Nr. 11 schildert der Vf. einen Seesturm und zwar mit allen ekelhaften Wirkungen desselben.

> Ein Fluchen, Erbrechen und Beten
> Schallt aus der Kajüte heraus.

Nr. 13 zeigt uns, wie wir Rezensenten den Vf. zu beurteilen haben: denn er sagt uns:

> Ich bin ein deutscher Dichter
> Bekannt im deutschen Land;
> Nennt man die *besten* Namen
> So wird auch der *Meine* genannt.

Das Streben nach Goethescher oder Tieckscher Naivetät mißglückt sehr oft, z.B. in Nr. 15, wo der Dichter nicht zu einer »*Fête*« geladen wird. Aus diesem Worte, so wie aus der Anrede an die Geliebte: »Madam ich liebe sie!« sollte man fast schließen, der Vf. sei *kein deutscher* Dichter. Nr. 32 fragt, ob der unglücklich Liebende denn nie ein Zeichen der Gegenliebe in seiner Schönen Auge entdeckt hat, und schließt mit dem zweideutigen Lobspruch:

> Und du bist ja sonst kein *Esel*
> Teurer Freund, in solchen Dingen.

Allzu naiv, aber ob wahr? ist Nr. 34:

> Als ich euch meine Schmerzen geklagt,
> Da habt ihr gegähnt und nichts gesagt;

> Und als ich sie *zierlich* in Verse gebracht
> Da habt ihr mir *große Elogen* gemacht.

Wir zweifeln an der Zierlichkeit dieser Verse und mit Erlaubnis auch an den großen Elogen, die dem Vf. gemacht worden sind. In Nr. 65 träumt der Vf., er sei der liebe Gott und die Engel loben seine Verse, weßhalb er so wohl gelaunt wird, daß er die Welt durch »Fressen« und »Saufen« beglückt. Dagegen rezensiert er sich in Nr. 42 noch einmal und zwar so ernstlich selbst, daß wir das Urteil gern unterschreiben.

> Teurer Freund, was soll das nützen,
> Stets das alte Lied zu leiern?
> Willst du ewig brütend sitzen
> Auf den alten Liebeseiern?
> Ach, das ist ein ewig Gattern;
> Aus den Schalen kriechen Küchlein,
> Und sie piepsen und sie flattern,
> Und du sperrst sie in ein Büchlein.

Den *zweiten* Teil des Buches machen *Reisebilder in Prosa* aus, und zwar aus einer Harzreise, die wir schon in einem unsrer vielen Tagesblätter gelesen zu haben uns erinnern. Zuweilen kommen recht geniale Ansichten, recht wackere Empfindungen vor, aber auch wieder ganz unerträgliche Gemeinheiten, ganz ungehöriger Witz und eine allzustudentenhafte Laune. Des Vfs Haß gegen Göttingen, das er »berühmt durch seine Würste und seine Universität« nennt und dessen Bewohner er in »Studenten, Professoren, Philister und Vieh« einteilt, kann man sich aus dem *Consilio abeundi* erklären, welches ihm da zu Teil geworden ist. Einzelnes ist aber in dieser Reihe von Szenen wirklich sehr schön und wahrhaft humoristisch. Den Beschluß macht »die Nordsee« ebenfalls versifizierte Gedanken, auf einer Seereise, in der alten Art. Am Ende erfährt der Leser in einer Anmerkung, daß der Vf. *Dr. Juris* ist.

Allgemeine Literatur-Zeitung, Halle, Leipzig. Jg. 1826, Nr. 307 (Dez.), Sp. 799 f.

*

Wer es wagt zu dichten und drucken zu lassen:

> Blamier mich nicht, mein schönes Kind,
> Und grüß mich nicht unter den Linden
> Wenn wir nachher zu Hause sind,
> Wird sich schon Alles finden.

verrät, daß er etwas wagen darf, gestützt auf anerkannten Wert, oder er will durch das Wagstück erst einen Wert erringen, der freilich neuerdings in

Deutschland leichter auf solchen Seitenwegen renommierender Genialität, als auf den vielbetretenen Straßen zum echten Kunstwerk erlangt wird. Herr Heine hat sich schon eine gewisse Anerkennung zu erzwingen gewußt durch kühne Sprünge, welche trotz aller Bizarrerie ein Talent bekundeten, das ihn auch durch die kotigsten Hohlwege mit einer andern selten verliehenen Anmut durchbringt. Man erkannte das Talent, aber man hoffte, es solle nicht mit dauernder Lust in diesen schlüpfrigen Wegen der Kloaken verweilen; in seinem »Almansor« eröffneten sich glänzende Partien, die Aussicht war doch vorhanden, etwas Ganzes, eine Landschaft zu erhalten, wenn auch dort bei der anmutigen Auffassung oder der treuen Porträtierung der Natur der Schweinestall vom Maler nicht weggelassen wurde. Aber statt der Landschaft sind es wieder nur Bilder, Reisebilder geworden, und sie verweilen sich meistens bei den Partien, die wir in der Landschaft nur geduldet hätten. Möchte der Dichter doch ja auf seiner poetischen Reise bald einen Ruhepunkt gewinnen, ehe es zu spät geworden. Die Kraft des Auges, wie geschärft das Abnorme und Lächerliche im Einzelnen aufzufinden, nimmt *ohne* geübt zu werden leider nur zu schnell ab in der Fertigkeit, den Totaleindruck der Teile aufzufassen.

Zirka hundert Seiten, nett gedruckt und wohlgefällig zu lesen, umfassen Gedichte, der Venus cloacina mehr oder minder gewidmet. Es sind keine schmutzigen und schlüpfrigen Gedichte, auch dringt durch die sinnliche Liebe hier und da ein reinerer Funke herauf, aber alle verraten die Lust, in dem Gedanken darin zu schwelgen. Ob mit der Lust die Kraft gepaart ist, steht dahin, da der Leser nicht weiß, wie viel der Wahrheit, wie viel der Lust zu renommieren, angehört. Indessen ist es immer eine Kraft, ein Geständnis auszusprechen wie im sechsundfunfzigsten Gedichte:

> Himmlisch war's, wenn ich bezwang
> Meine sündige Begier,
> Aber wenns mir nicht gelang,
> Hatt ich doch ein groß Plaisir.

So etwas mag in der deutschen Poesie unerhört sein, selbst in dem alten Günther; daß sie aber dergleichen ertragen kann, ohne für ihre Keuschheit, eine Eigenschaft, die ihr nicht abgesprochen werden darf, besorgt zu sein, spricht doch für ihren Reichtum an Bildungsfähigkeit und für den festen Grund, auf dem sie wurzelt. Noch auf derselben Seite ruft der Dichter nicht minder naiv:

> Selten habt Ihr mich verstanden,
> Selten auch verstand ich Euch,
> Nur wenn wir im Kot uns fanden,
> So verstanden wir uns gleich.

Die Kraft ist ihm nicht abzusprechen, daß er alle Wendungen versteht, dem
Kot ein besseres Ansehen zu geben als das einförmige Grau und Braun,
ohne es uns zu verhehlen, daß es in der Tat gar nichts anderes sei als Kot. Ein
so kotiges Selbgeständnis würde man vor einigen Dezennien, als man noch
in Schuh und Strümpfen ging, für contra naturam gehalten haben; die
Zeiten haben sich geändert; die Dichter, welche der Ironie, in der weitesten
oder der engsten Beziehung, dienen, verschmähen es nicht, wenn sie mit der
ganzen Welt Fangeball spielen, auch sich selbst, zur Ergötzung der andern,
mit in die Höhe zu schleudern. Unter diesen haben wir nun auch einen Dichter gefunden, der die poetischen Rechte des Kotes vertritt. Seine Advokaten-
sporteln der Anerkennung sollen ihm dafür nicht entgehen, er möge auch
seinen historischen Standpunkt in der literarischen Registratur einnehmen,
doch wolle er sich nicht weiter *ausbreiten*. Kot läßt sich sehr weit zertreten,
Gedichte der Art, wie auf den hundert Seiten, lassen sich in's Unendliche
multiplizieren, besonders beim Talente des Verfassers; aber er möge selbst
bei Zeiten die Zügel ergreifen und den Wagen umlenken.

Die Wahrheit der Empfindung müssen wir fast überall anerkennen, mag
sie nun als eigne, oder andern angesonnene dastehen. Wir nennen in dieser
Beziehung die titellosen Lieder bei ihren Zahlen, ohne uns einer besondern
Kritik aller zu befleißigen, die meist sehr unangebracht wäre. Nr. 3: »Mein
Herz, mein Herz ist traurig«. Nr. 6: Erkundigung nach des Liebchens Familie
mit dem Verse:

> Auch nach der vermählten Geliebten
> Fragte ich nebenbei;
> Und freundlich gab man zur Antwort:
> Daß sie in den Wochen sei.

Ganz niedlich Nr. 8, vom Fischermädchen. Sehr stark klingt's freilich in
Nr. 13:

> Ich bin ein deutscher Dichter,
> Bekannt im deutschen Land;
> Nennt man die besten Namen,
> So wird auch der meine genannt!

Nr. 15(!), Nr. 25 bizarr ohne Tiefe. Das stille Pfarrhaus; Nr. 28, ein Bild
voller Leben. In gewöhnlicher Capriccioweise Nr. 32. Gehaltreicher die
beiden folgenden, Nr. 33 und 34. In Nr. 35 wird uns ein ganz treffliches
Konterfei des Teufels gegeben, in dem der Teufel einen recht scharmanten
Mann findet:

> Ein Mann in seinen besten Jahren,
> Verbindlich und höflich und welterfahren,
> Er ist ein gescheiter Diplomat
> Und spricht recht schön über Kirch und Staat.

> Blaß ist er etwas, doch ist es kein Wunder,
> Sanskrit und Hegel studiert er jetzunder.

Wir lesen mit Vergnügen Nr. 38. Seine komische Wirkung verfehlt Nr. 45 weder für Hindus noch Antihindus. Auch liest sich Nr. 56, der deutsche Professor, der mit seinen Nachtmützen und Schlafrockfetzen die Lücken des Weltenbaus stopft, ganz ergötzlich. Der liebenswürdige Jüngling Nr. 64, und das folgende: »Mir träumt, ich bin der liebe Gott«, gehören zu den besten in der Sammlung, wenn auch das letztere über die Grenzen religiöser Achtung hinausgeht. Anmutige Diener des alten Dienstes sind Nr. 67 und 69, an die sich als kräftiges Siegel das folgende anschließt:

> Hast Du die Lippen mir wund geküßt,
> So küsse sie wieder heil,
> Und wenn Du bis Abend nicht fertig bist,
> So hat es auch keine Eil.

> Du hast ja noch die ganze Nacht,
> Du Herzallerliebste mein,
> Man kann in solch einer ganzen Nacht
> Viel küssen und selig sein.

Es gibt auch schlechte Gedichte. Dahin rechnen wir Nr. 75.

Nach dem 88. dieser Aphorismen kommen einige längere Gedichte, unter denen »Götterdämmerung« und »Ratkliff«, wilde Traumbilder, von der Phantasie Herrn Heines zeugen. So gut in »Donna Clara« und »Almansor« der spanische Romanzenton getroffen ist, läßt doch die Dissonanz am Schluß und der durchwaltende Hohn keinen wahren Genuß zu. Die »Wallfahrt nach Kevlaar« dagegen, wenn auch die Andacht nur gemacht ist, spricht in der einfachen Innigkeit des Balladentons zum Herzen.

In der Harzreise (1824) zeigt sich der Verf., obgleich sie mit einem guten Gedichte anfängt, zum erstenmal als Prosaist. Von dem aphoristischen Dichter ließ sich nicht anders erwarten, als daß er auch hier aphoristische Sprünge machen werde. Der Bericht, wiewohl hier und da, z.B. bei Gelegenheit des Volksmärchens, nicht ohne Innigkeit, ist im Ganzen zu stark mit gesuchten Witzeleien gespickt; auch der Hauptton hat sich vom Jeanpaulisieren noch nicht frei gemacht. Übrigens stoßen wir im Fortgange auf manchen guten Gedanken. Das eingerostete Wesen der Universität Göttingen ist trefflich geschildert; manches freilich, wenn auch nicht zu scharf, doch zu ausfallend: »Die Zahl der Göttinger Philister muß sehr groß sein, wie Sand, oder besser gesagt wie Dreck am Meer. (!)« Der Schneidergesell und die Volkspoesie bei demselben sind gute Reiseabenteuer. Ebenso der Traum vor dem Besuch der Themis in Göttingen. Einige Porträts der juristischen Hofräte und Justizräte sind sprechend. Bis in die unterste Tiefe des Clausthaler Bergwerkes, wo man, nach Einiger Behauptung, schon hören konnte, wie die Leute in Amerika schrieen: »Hurrah Lafayette!« ist der Reisende nicht gekommen. In Goslar macht er die Bemerkung, daß die Deutschen die merkwürdige Gewohnheit haben, bei allem, was sie tun, sich auch etwas zu denken, und sagt, als ein lustiger Reisegeselle ihn verlassen: »Ja, ich weiß es besser, Gott hat den Menschen erschaffen, damit er die Herrlichkeit der Welt bewundere. Jeder Autor, und sei er noch so groß, wünscht, daß sein Werk gelobt werde, und in der Bibel, den Memoiren Gottes, steht ausdrücklich: daß er die Menschen erschaffen zu seinem Ruhm und Preis.« Ein sehr phantastisches Kompositum ist, wie es sich von selbst versteht, der Aufenthalt auf dem Brocken. In der Unterhaltung der Studenten- und andern Welt am Abendtische wird, wie in der Hexennacht auf dem berühmten Berge, die ganze übrige Welt unten, vor allen die Berliner, und unter den Berlinern natürlich die dortige Theaterwelt mit satanischem Humor mitgenommen. Der Witz wird indessen häufig so derb, daß der Humor entweicht. Die Ausfälle sind so stark, daß es nicht zu verwundern wäre, wenn sie hier und da einen erfolgreichen Anstoß fänden. So wahr die Rast des Wanderlebens oben geschildert ist, sind doch die gemeinen Ausbrüche der satirischen Laune zuweilen das Gefühl beleidigend, und der Vorwurf der vom Verf. gerügten Studentenrohheit fällt auf ihn selbst zurück.

Die Gedichte, unter dem Namen »Nordsee« 1825 gesammelt, sind sogenannte deutsche Dithyramben, eine Form, die sich für die bizarren Ausbrüche der Heineschen Laune, welche es liebt das Erhabenste mit dem Komischen der trivialen Wirklichkeit zusammenzulöten, besonders eignet. Empfindung, wahrhafte Auffassung der Natur (die See weht uns an) in ihren Erscheinungen zeugen auch hier vom Talent des Verf., wogegen das letzte Gedicht, »Frieden«, allen heiligen Gefühlen den Krieg erklärt.

Blätter für literarische Unterhaltung, Leipzig. Jg. 1827, Nr. 10 (11.1.) S. 38f.

*

Heinrich Heine, dessen neuestes Werk wir hier zugleich anzeigen, gab vor einigen Jahren ein Bändchen Gedichte heraus, dann folgten zwei Tragödien, *Almansor* und *Ratcliff*, nebst einem *lyrischen Intermezzo*, und jetzt erscheint er mit *Reisebildern*.

In diesen teilt er achtundachtzig Gedichte unter der Überschrift: *Die Heimkehr* mit, dann folgt ein Gedicht (denn so müssen wir es nennen) meistens in Prosa: *Die Harzreise*, und zwölf Gedichte, die den Eindrücken des Meers ihr Entstehn zu danken haben, beschließen die Sammlung. Dieser Dichter hat die widersprechendsten Beurteilungen erfahren. Manchen schien er nur die oft gehörten lyrischen Klänge zu wiederholen, andern kam er wie ein Musterbild der Roheit und Verzerrung vor; es gab aber auch deren, die in ihm den Dichter sahen, vieles von dem Geleisteten bewunderten und eine reiche Zukunft von ihm hofften. Seine neuste Arbeit soll ihn bei mehreren Beurteilern zum Humoristen gemacht haben. Wir hören dieses Urteil nicht gern, es bezeichnet in der Regel das, was man wohl Gegenteil aller poetischen Form nennen kann, und es trifft unsres Erachtens in diesem Sinne *Heinen* am wenigsten, der sich in den meisten seiner Erzeugnisse grade sehr geformt zeigt.

Das meiste, was der Dichter bisher geliefert hat, sind lyrische Poesien, auch in der gegenwärtigen Sammlung ist die poetische Beschreibung der Harzreise, ihrem Charakter nach, rein lyrisch; das Naturgefühl des Dichters auszusprechen, ist Zweck der Darstellung, die äußern Gegenstände, an welchen er sich ausspricht, sind nur die Typen von des Dichters Innre. Erwägen wir nun, in welcher Art sich dieser Lyriker bisher entfaltet hat, so zeigt sich zuvörderst in der Wahl des Gegenstandes etwas, was von den meisten Erscheinungen in dieser Art der Poesie abweicht. Der Inhalt seiner Lieder ist kein fröhliches, sanftes, er ist ein düstres, schreckliches Thema. Nicht um rosenbekränzte Becher schwärmt seine Phantasie, sie führt ihn nicht zu den Festen glücklicher Menschen, sie feiert weder die erwartende noch die beglückte Liebe, sondern sie klagt und zürnt über die Untreue der Geliebten, die, des Dichters Andacht verschmähend, dem Unwürdigen sich ergab, das Götterbild ist versunken, dem Dichter schien alles Schöne und Herrliche der Erde in den Abgrund nachzustürzen.

Dieser heiße Liebeszorn und Schmerz durchzieht mit wenigen Ausnahmen alle Gedichte *Heines;* auch in den Naturgemälden, in den Nachbildungen alter Romanzen und Sagen, die hin und wieder vorkommen, läßt er sich in perspektivischer Form erblicken, er ist als der bisher klargewordne Mittelpunkt von des Dichters Gefühl zu betrachten. Hier ist also ein möglichst kleiner Kreis gezogen, und dies müssen wir zuvörderst als unbewußte Weisheit des Dichters anerkennen. Der Lyriker kann nicht genug sich beschränken, je enger, desto intensiver ist sein Gefühl, je intensiver dieses, desto näher liegt die Möglichkeit großer Erfolge. Wie beschränkt ist der Kreis, in welchem sich *Klopstock* als wahrhaft großer Lyriker zeigt! In den Oden der Liebe, der Jugendfreundschaft ist er es gewiß; in den Gedichten, wo das Vaterland oder die Religion ihn zu begeistern schienen, kann sein Beruf uns schon zweifelhaft bedünken, so große Bewunderung ihm grade diese Poesien einst zuwege brachten, und ganz gewiß wird er da, wo er die Französische Revolution, Freiheit, Gleichheit oder andre Begriffe singt, sterblich sein. *Goethe* hat lyrisch kaum etwas behandelt als das Behagen einer freien Seele, mag er nach der Geliebten verlangen, mit ihr scherzen oder von ihr scheiden, mag er dem Sturm des Lebens stehn oder mit fröhlichen Gesellen schwärmen, es ist immer nur das Gefühl einer mit den Erscheinungen der Welt spielenden Kraft, was er ausdrückt. Deshalb ist es grade vorteilhaft, wenn *Heine* einen anscheinend so bald erschöpften Gegenstand immer und immer wieder vornimmt.

Nur scherzhaft kann man ihn deshalb tadeln, wie er es selbst tut in dem Gedichte:

> Teurer Freund! Was soll es nützen,
> Stets das alte Lied zu leiern?

Daran nur, wie der Lyriker das Thema zu modulieren und zu variieren versteht, läßt sich der Dichter erkennen. Und hier muß man den unsrigen wahrhaft bewundern. In dem kleinsten Kreise offenbart er die größte Mannigfaltigkeit, von dem rührenden Tone leiser Klage bis zu dem Schelten des verzehrenden Hohnes und des zerschmetternden Grimms bildet seine bewegliche Phantasie alle Laute aus, von der nächsten Umgebung, seinem Kleide, seiner Stube, bis zu den fernen Küsten und Gebirgen, zieht sie alles in den Kreis ihres Vermögens; es ist nicht zu viel gesagt, wenn wir behaupten, daß die Poesie des Schmerzes kaum in vernehmlicheren Ausdrucksweisen früher schon einmal gehört worden sei.

Sehr schön zeigt sich auch bereits die innre Beschlossenheit, ohne welche ein echter Dichter nicht bestehn kann, welche freilich nur die Folge und die Äußerung ist von der wahren tiefen Anregung des Poeten und seinem energischen Talente. Wir haben hier kein Mosaik sich widersprechender und gegenseitig aufhebender Gefühle und Anschauungen, sondern es herrscht innre Einheit, die Steigerungen sind richtig, die Töne und Farben übereinstimmend. Von Längen, von müßigen Ausspinnungen, von leeren Wiederholungen weiß unser Dichter so wenig, daß seine Verbindungen eher an das Herbe grenzen, seine Schlüsse fast immer schlagend, mitunter selbst zu epigrammatisch sind. Wortspiele, Parallelismen stehn dem Dichter zu Gebote, wie sich überhaupt ein treffender Witz neben dem bisher Gerühmten hervortut. Die Sprache ist unmittelbar, sinnlich, derb und frisch; sie hat hauptsächlich den Gegnern herhalten müssen; wer aber Einsicht in poetische Dinge hat, kann sich nur darüber freuen, daß dergleichen ungefälschte Natur noch möglich ist.

In Hinsicht des Metrums hat der Dichter früher mehr Abwechslung gezeigt als in der gegenwärtigen Sammlung. Meistens herrscht die vierzeilige Strophe, und in dieser der Daktylus und Trochäus. Nur geringe Variationen bringt er durch Umstellung der Füße, durch Aus- und Abweichungen vom Systeme hervor. Dabei entsteht noch eine gewisse Monotonie aus der angenommenen Manier, nur zwei Verse in der Strophe aufeinander zu reimen. Die Seegedichte sind jedoch in freien Metris gedichtet und, wie es uns scheint, sehr glücklich rhythmisch und harmonisch.

Um das Urteil über die Vortrefflichkeit der *Heine*schen Poesie durch einige

Beispiele zu belegen, greifen wir aus dem reichen Vorrate, der vor uns liegt, zuerst das 40ste Lied der *Heimkehr*. Der Dichter schildert uns die Entzückungen einer schönen romantischen Rheinfahrt. Durch ein glückliches Bild stimmt er uns zum Empfangen sanfter, träumerischer Eindrücke und gibt zugleich selbst den elegischen Grundton seines Gefühls an:

> Wie der Mond sich leuchtend dränget,
> Durch den dunkeln Wolkenflor;
> Also taucht aus dunkeln Zeiten
> Mir ein lichtes Bild hervor.

Die Situation wird angegeben, aber ruhend, auf der untersten Stufe:

> Saßen all auf dem Verdecke,
> Fuhren stolz hinab den Rhein,
> Und die sommergrünen Ufer
> Glühn im Abendsonnenschein.

Die Situation wird individueller umzogen:

> Sinnend saß ich zu den Füßen,
> einer Dame, schön und hold;

die Anknüpfung an die Landschaft, an die Umgebung geschieht:

> In ihr liebes, bleiches Antlitz
> Spielt' das rote Sonnengold.

Das kleine Gemälde ist in der Ruhe vollendet; die schöne Rheingegend, die schöne Dame, von demselben Sonnenlichte beglänzt wie sie, der Dichter zu ihren Füßen, ein anmutiges Bild, wehmütig froh durch das bleiche Antlitz der Dame, in schönem Parallelismus mit dem Bilde vom Monde im Anfang des Gedichtes, noch aber fehlt die Bewegung. Diese geschieht:

> Lauten klangen, Buben sangen,
> Wunderbare Fröhlichkeit!
> Und der Himmel wurde blauer,
> Und die Seele wurde weit.

> Märchenhaft vorüberzogen
> Berg und Burgen, Wald und Au. –

Alle Bestandteile des Gemäldes sind nun in mächtiger Regung, der Dichter scheint sich weit von dem Individuellen, Gemütlichen entfernt zu haben. Mit einem Schlage aber versetzt er uns wieder in diesen Mittelpunkt, und doch ohne Sprung, ohne Gewaltsamkeit:

> Und das alles sah ich glänzen
> In dem Aug der schönen Frau.

Verklärt, vergeistigt zeigen sich im Schlusse alle Anschauungen des Gedichts, dieses wird hier zu seinem eigenen Spiegel, auf dem Gipfel der Schöpfung, in dem Auge der Schönheit, sieht der Poet den geistigen und leiblichen Widerschein von den Herrlichkeiten der Welt.

Ein andres Gedicht, das 28ste, behandelt die Aufgabe, eine innerlich zerstörte Familie darzustellen, der Mond beleuchtet wieder die Szene, aber wie verschieden:

> Der bleiche herbstliche Halbmond
> Lugt aus den Wolken heraus;
> Ganz einsam liegt auf dem Kirchhof
> Das stille Pfarrerhaus.

Die Familie ist in der Stube. Die Mutter liest in der Bibel, der Sohn starrt ins Licht, die ältre Tochter ist schlaftrunken, die jüngre beklagt sich über Langeweile in dem öden Hause. Jene will zum verliebten Grafen gehn, der Sohn von den drei Jägern Gold machen lernen.

> Die Mutter wirft ihm die Bibel
> Ins magre Gesicht hinein:
> So willst Du, Gottverfluchter,
> Ein Straßenräuber sein!
>
> Sie hören pochen ans Fenster,
> Und sehn eine winkende Hand:
> Der tote Vater steht draußen
> Im schwarzen Pred'gergewand.

Hiemit schließt das Stück. An ihm ist besonders der Lapidarstil merkwürdig, mit welchem der Dichter das Schreckliche behandelt hat. Wie würden andre den Stoff ausgesponnen haben, der so viele Fäden darbot! *Heine* hat eine ganze Familientragödie in wenige Verse zusammengedrängt, und doch lebt jede Gestalt, doch ist jede deutlich. Das Talent, glücklich zu schließen, zeigt sich hier einmal recht glänzend, der tote Vater draußen wirkt wie ein tragischer Chor. Schade, daß der vierte Vers vom Dichter nicht klarer gehalten worden ist, in seiner jetzigen Undeutlichkeit stört er den Effekt.

Wenn wir nun bis jetzt an unserm Autor fast alles gelobt haben, so müssen wir, um unser Urteil in der rechten Begrenzung erscheinen zu lassen, hinzufügen, daß sich das Lob auf den Totaleindruck, den seine Poesie hinterläßt, auf die Mehrzahl seiner Gedichte bezieht, daß wir aber dasselbe von jedem einzelnen Erzeugnisse auszusprechen keineswegs verantworten könnten .Das Haupthindernis, weshalb die poetische Gestalt nicht immer sich zeigt, liegt darin, daß der Dichter oft nicht ruhig genug gewesen ist, um dichten zu können. Jeder Gegenstand, jedes Gefühl kann Stoff eines Poems werden, mag jener so geringfügig, dieses so heftig sein als möglich. Allein der Dichter selbst muß nicht mehr vom Stoffe beherrscht, nicht von der Leidenschaft weggeführt werden, das besondre Ereignis muß ihm schon aufgegangen sein in das allgemeine Leben des Geistes, er muß mit seinen Leiden und Freuden nur noch durch die freigestaltende Phantasie zusammenhangen. Dadurch unterscheidet sich ja eben das Gedicht von dem dumpfen Schrei des Schmerzes und dem Rufe des Zornes und Hohns, daß jenes in seiner endlichen Begrenzung zum Symbole des Allgemeinen und Ewigen wird. Wer aber, wie *Heine* nicht selten tut, noch vom Gegenstande befangen,

> Um seine Angst zu bannen
> Singen will ein lautes Lied,

der unternimmt Unmögliches. Dem Vergänglichen, Zeitlichen – so wie es da liegt – ist ein dauerndes Leben nicht zu sichern, und in dem unnatürlichen Bestreben kommt der Poet nur zum Schein und zur Manier. So wird *Heines* Spott und Ironie, in den bessern Sachen so kräftig und tief, dann kleinlich und skurril, die Darstellung plump und übertrieben, er umkleidet dann das Nichtige mit glänzenden Flittern, die die innre Armut doch nicht zu verhüllen vermögen. Mit Freuden muß man anerkennen, daß er in der vorliegenden Sammlung sich freier von jenen bösen Fehlern zeigt, doch kommen sie noch immer häufig genug vor. Das Gedicht 25 ist dessen nicht würdig, dessen Ironie so wahre Töne zu finden weiß wie in dem Liede vom sterbenden Fechter, und wer so zierlich und gebildet scherzen kann wie in 64 und im 1sten und 4ten der Seegedichte, sollte den den nicht feinen Spaß in 32 weglassen haben. Die längeren Gedichte *Ratcliff* und *Götterdämmrung* leiden sehr an herben falschen Tönen und an jener Stelzenpoesie, von der wir oben redeten. Hierbei ist es merkwürdig, daß *Heine* in der Regel den poetischen Gedanken, den er später in einem längeren Gedichte ausspinnt, früher schon einmal viel glücklicher in einem kurzen Liedchen behandelt hat. Denn so ist z.B. der Gedanke des *Ratcliff* viel schöner in dem kurzen Gedichte 41 der *Heimkehr* dargestellt. Auch die Romanzen *Donna Clara* und *Almansor*, obgleich kunstreich gebildet durch wohlangelegte Assonanzen, sind Mißtöne wegen ihres einseitigen Hasses; die Protestation des Dichters kommt ihm gegen unser Gefühl nicht zustatten. So müssen wir auch das Gedicht *Frieden*, welches die Seegedichte beschließt, ganz verwerfen; der bittre Spott des zweiten Teils paßt gar nicht zum ersten, das Ganze fällt auseinander.

In der *Harzreise* haben besonders die Rückblicke auf Göttingen Anstoß erregt. Den Gedanken derselben tadeln wir nicht, vielmehr ist es richtig gefühlt, daß der Dichter seinem Naturgemälde durch den Kontrast mit der

Lehranstalt, die ihm zum Sinnbilde trocknen, abgestorbnen Wissens geworden ist, Glanz zu geben gesucht hat. Die grünen Wälder, die sonnigen Berge sollten sich von diesem braunen Hintergrunde heben; seine Farbe sollte zwischen den muntern bunten Gestalten hervorblicken. Allein der Dichter hat sich selbst hier wieder um den Effekt betrogen, sein Unmut hat ihn verführt, recht breit und ausführlich zu malen. Hier war Maß und Grazie vor allem notwendig, und man vermißt sie ungern in den Scherzen. Reiner gehalten, würde das Mittel vortrefflich gewirkt haben. So wie es jetzt dasteht, schwächt und tötet es meistens die bessern Partien. Überhaupt findet sich in der *Harzreise* zu viel nüchterne Reflexion, die Darstellung wird zwar an einzelnen Punkten zur runden, poetischen Gestalt, jene Punkte stehen aber zu isoliert da, und so wohl sich auch der Mittelpunkt dieses Gedichts erkennen läßt, so hat der Dichter es dennoch nicht vermocht, den geistigen Verband in allen Teilen durchschimmern zu lassen. Zuweilen finden sich Anklänge von *Jean Paul*, ja selbst vom verstorbenen *Hoffmann*, welche beide wohl nicht Muster der Darstellung werden sollten.

Man hat *Heinen* beim Beginn seiner dichterischen Laufbahn mit *Byron* vergleichen wollen. Diese Vergleichung scheint nicht zu passen, der Brite bringt mit ungeheuern Mitteln nur mäßige poetische Effekte hervor, während *Heine* eine entschiedene Anlage zeigt, sich künstlerisch zu begrenzen und den Stoff gänzlich in die Form zu absorbieren. Der erstaunliche Beifall, den der Lord gefunden, hat wohl hauptsächlich in Dingen seinen Grund, die von dem ästhetischen Gesichtspunkte ziemlich fern liegen, seine verzweifelnde Selbstsucht schmeichelt dem Grundübel so vieler – die Zeit wird über seine Poesie richten und auch diese Erscheinung, wie alles, an ihren rechten Ort stellen. Soll einmal verglichen sein, so möchten wir eher sagen, daß uns bei *Heine* Gedanken aufgegangen sind, die uns an *Petrarca* erinnerten. Freilich treten diese Dichter unter so ganz verschiedenen Umständen in das Reich des Lebendigen, daß die *äußerlichen* Verschiedenheiten ihrer Erzeugnisse kaum größer sein könnten. Dürfen wir doch kaum hoffen, daß jemand uns die Spuren *innrer* geistiger Verwandtschaft nachzuempfinden Belieben tragen wird. Sollte aber etwas Wahres in der Bemerkung gefunden werden, so möge man nicht vergessen, daß, wenn es unserm Dichter nicht gelingt, den

ersten jugendlichen Irrtum

und

die eiteln Hoffnungen und den eiteln Schmerz

(*Petrarcas* erstes Sonett)

so liebenswürdig und kunstreich auszubilden wie jenes Haupt des Minnegesanges, daran auch die Macht der Umstände mit schuld sein wird, welche der freien poetischen Entwicklung jetzt mancherlei Hindernisse in den Weg legt.

Karl Immermann in: Jahrbücher für wissenschaftliche Kritik. Jg. 1827 (Mai), Nr. 95–98, Sp. 760–776.

*

Reisebilder – in (88) *Liedern* widerstrahlend; in einer humoristisch sein sollenden Beschreibung einer Harzreise; in einer poetischen Schilderung der Fahrt auf der Nordsee nach den einzelnen Momenten, die eine Seefahrt dem Dichter bieten kann. Manche von diesen Reisebildern würden sich vielleicht nur aus der uns unbekannten Individualität des Sängers erklären lassen. So wie wir sie aber hier, ohne solchen Schlüssel, haben, finden wir gemeine Handwerksburschenlieder, z. B. No. 3. neben manchem recht *heimlich* gehaltenen, z. B. IX. Ein recht *gemein* ausgedrücktes, z. B. X., steht neben einem *niedlichen*, (XVII.) *kräftigen*, (XIX.) u. *wilden*, (XX). Im Ganzen möchte aber der tadelnswerten mehr, als der durch eine nur oft gesuchte, nicht inwohnende, Originalität ausgezeichneten sein. Vieles ist doch auch gar zu gemein. Z. B. in No. XLV., wo in der 1sten Stanze Wiswamitra um eine Kuh buhlt und in der 2ten, letzten, Strophe der Dichter nun von ihm singt:

> O, König Wiswamitra,
> O welch ein Ochs bist du;
> Daß du so viel kämpfest und büßest
> Und alles für eine Kuh.

solcher Beispiele von gemeinem, fadem Witze ließen sich in Menge aufführen; auch *Sprachhärten* fehlen nicht, z. B. *Wöhnlich*, d. h. oder es *soll* vielmehr heißen: *angenehm zu bewohnen*. Ob man *Wasserfee* und *Meerfrau promiscue* brauchen dürfe, wie in No. XII. geschehen ist, bezweifeln wir. Die *Harzreise* würde denselben Tadel, dasselbe Lob spenden lassen. So ist das Lied S. 133 ganz zum Herzen sprechend, aber S. 137 und 160, [hier Seitenzahlen der Originalausgabe] sind ein paar Gemeinheiten, daß man die erstere einmal nachschreiben kann. Wo liegt in aller Welt der Witz, wenn den Standbildern der Kaiser in Goslar nachgesagt wird: sie »sehen aus, wie gebratene Universitätspedelle!« am meisten ansprechen dürften zwei poetische Erzählungen: *Götterdämmerung* und *Ratkliff* und dann ein kleiner Zyklus von Romanzen, teils im spanischen Romanzentone, teils im Volkstone gedichtet, die aber nur entfernter Weise mit diesen »*Reisebildern*« in Einklang zu bringen sein möchten.

Leipziger Literaturzeitung. Jg. 1827, Nr. 134 (25. 5.) Sp. 1071 f.

*

Rezension der zweiten Auflage:

Eine seltne Begünstigung für einen neueren deutschen Dichter, daß seine Werke binnen so kurzer Frist zur zweiten Auflage kommen! Indes war bei Heine diese Gunst wohl vorauszusetzen, da er seine Leser durch mancherlei wirksamen Reiz leicht gewinnt, und sie durch wirkliches Verdienst, durch Geist und Tiefe, noch festhält, wenn die scharfe Würze schon verdunstet oder der Witz veraltet ist, nämlich derjenige, der veralten kann, denn er hat unleugbar auch solchen, der immer jung bleibt. Das große Talent dieses Dichters ist wohl allgemein anerkannt, auch von denen sogar, die mit der Art, wie er selbiges gebraucht, nicht ganz zufrieden sind. Wirklich wüßten wir unter den jüngern Schriftstellern dieser Gattung keinen, der neben ihn, geschweige denn über ihn zu stellen wäre. Auch versteht er seine Zeit, kennt ihren Gehalt und ihre Gebrechen, und gibt ihr die Süßigkeiten und Bitterkeiten, deren sie bedarf, ohne viel zu achten, was sie dafür in manchen Individuen ihm für Gesichter schneidet. In dieser Hinsicht bekommen selbst seine Unarten und Ungezogenheiten eine andere Bedeutung, als wenn man sie an und für sich als abgesonderte Ungebühr betrachtet; sie sind ihm aufgedrungen, er muß sie anbringen, die fade Lauheit und schläfrige Bequemlichkeit unsrer verwahrlosten literarischen und gesell igen Zustände machen es notwendig, daß auch ein feiner Mann bisweilen einige Hiebe führt, wo das ernste Wort nichts mehr verfängt. – Unsre Neigung zu dem Dichter hat bei diesem neuaufgelegten Büchlein sich nur gesteigert, zugleich aber unsre Achtung. Er zeigt, daß er fortschreitet, daß nicht jeder Mutwill und jede Dreistigkeit, die er einmal ausgeübt, ihm nun für immer bestehen soll; er nimmt auf billige Forderungen Rücksicht, und ändert mit Takt und Klugheit. So sind von den Liedern der Heimkehr, welche diesen Teil eröffnen, einige allzu anstößige (wenn auch sonst ganz tüchtige und gute) weggefallen, und durch andre ersetzt worden. Wir geben eines der letztern zur Probe, und man wird bekennen, daß die Sammlung durch solche nur gewonnen haben kann:

»Saphire sind die Augen dein« [Bd 1 dieser Ausgabe, S. 134 f., Nr. LVI].

Auch eine Anzahl andrer Gedichte sind weggeblieben, und dafür die zweite Abteilung der herrlichen, großhumoristischen Seebilder eingerückt worden. Warum aber die unvergleichliche Romanze »Donna Clara« nicht wieder aufgenommen worden, sehen wir nicht ein; wie sie auch sei, diese Donna, sie – und den Sohn des vielbelobten schriftgelehrten Rabbi Israel von Saragossa lassen wir uns nicht rauben, und reklamieren sie für den nächsten Teil aus allen Kräften. – Übrigens glaube man ja nicht, daß der Dichter in Nachgiebigkeit und Schonung zu weit gegangen sei, und seines Charakters dabei zu sehr vergessen habe; o nein! keine Gefahr! Er ist schon der geblieben, der er einmal sein muß, und wer ihm deshalb in der ersten Auflage gewogen war, der kann es auch bei der zweiten ganz gehörig bleiben. In der »Harzreise« z. B. ist nichts Wesentliches verändert worden, und sogar in einigen neu hinzugekommenen Liedern sind Stellen, die einigen weggelassenen alten wenig nachgeben. Die empfindsame, auf ihre Weiblichkeit sich viel einbildende Dame mag auch fernerhin das Buch ihren Töchtern nicht vorlesen; der blöde keusche Jüngling, der jedes Buch verabscheut, was er nicht in seinem Teezirkel vorlesen oder auf die Toilette seiner süßen Angebeteten legen darf, lasse nach wie vor von diesen Reisebildern ab. Ein frischer klarer Sinn aber, eine gesunde und starke Unschuld, ein heitres und gefühlvolles Herz, gleichviel ob sie dem einen oder dem andern Geschlecht angehören, werden sich, das behaupten wir, getrost und wohlgemut noch oft und weithin an diesen Blättern ergötzen und zugleich manchen ernsten Gewinn daraus ernten! – Daß nicht Eines sich für Alle schickt, ist längst gesagt, und das Thema durch Friedrich Schlegel – den, der die Lucinde geschrieben – reich glossiert worden. Es gibt Leute, denen man nur immer wieder Gellerts Fabeln und Erzählungen zu lesen geben möchte, wären nicht auch darin leider einige, an denen sie Ärgernis nehmen könnten! –

Varnhagen von Ense (anonym) in: Der Gesellschafter 14 (1830) Bl. 162 (6. 10.) S. 800.

VORWORT ZUR ZWEITEN AUFLAGE

99   2 *Einige Gedichte:* In der 2. Auflage wurden die Gedichte »Götterdämmerung« bis »Die Wallfahrt nach Kevlaar« weggelassen; vgl. die Entstehungsgeschichte.

DIE HARZREISE

DRUCKVORLAGE UND LESARTEN

Von der »Harzreise« existieren vier mehr oder weniger stark voneinander abweichende Drucke:

Gs: »Der Gesellschafter oder Blätter für Geist und Herz«. Hrsg. von F. W. Gubitz. 10 (1826), Nr. 11–24 (20. Jan. – 11. Febr.) (kürzere und von der politischen Zensur bestimmte Fassung).

R¹: »Reisebilder« 1. Teil. 1. Aufl. Hamburg 1826. S. 111–260 (stilistisch überarbeitet und verfeinert).

R²: »Reisebilder« 1. Teil. 2. Aufl. Hamburg 1830. S. 85–238 (nochmals
   stilistisch geglättet, teilweise Kürzungen).

R³: »Reisebilder« 1. Teil. 3. Aufl. Hamburg 1840. S. 85–238 (Änderungen
   besonders der Interpunktion, aber auch wieder Verschlechterung durch
   Druckfehler).

   Unserem Druck liegt Walzels Edition zugrunde, die sich nach R³ richtet,
aber deren zahlreiche Entstellungen und Druckfehler mit Hilfe von R² rück-
gängig zu machen sucht (vgl. dazu die Entstehungsgeschichte S. 719). Die
Lesarten verzeichnen die wichtigsten Änderungen gegenüber Gs, R¹ und R².

   Die Gedichte aus der »Harzreise« sind als Zyklus »Aus der Harzreise« auch
im »Buch der Lieder« erschienen (s. Bd 1 dieser Ausgabe S. 167–177). Zu
den Varianten der einzelnen Fassungen des »Buchs der Lieder« und den Abweichungen zu den »Reisebilder«-Fassungen s. Bd 1 S. 741–745.

102 Motto: fehlt in Gs.
103 21–110,32 fehlt in Gs.
104 25 »Kot« in R¹ »Dreck«.
108 9 Nach »umbaut war« folgt in R¹ und R²: »und einer Festung glich, die
     gewiß eben so wenig wie jene anderen Festungen, von denen Philipp
     von Macedonien spricht, einem mit Gold beladenen Esel widerstehen
     würde.«
110 29 Nach »sitzen hat.« folgt in R¹ noch die religiös anstößige Stelle:
     »Auch hingen noch an der Wand Abeillard und Heloise, einige fran-
     zösische Tugenden, nämlich leere Mädchengesichter, worunter sehr
     kalligraphisch la prudence, la timidité, la pitié etc. geschrieben war,
     und endlich eine Madonna, so schön, so lieblich, so hingebend fromm,
     daß ich das Original, das dem Maler dazu gesessen hat, aufsuchen und
     zu meinem Weibe machen möchte. Freilich, so bald ich mal mit dieser
     Madonna verheiratet wäre, würde ich sie bitten, allen fernern Umgang
     mit dem heiligen Geiste aufzugeben, indem es mir gar nicht lieb sein
     möchte, wenn mein Kopf, durch Vermittlung meiner Frau, einen
     Heiligenschein, oder irgend eine andre Verzierung gewönne.«
111 8 Hier setzt in Gs der Prosatext ein mit den Worten »Morgens sechs
     Uhr verließ ich Osterode.« Hiernach heißt es zusätzlich in Gs: »Wie
     doch solch grau verwittert Stück Ruine einen eigenen Zauber ausgießt
     über eine ganze Landschaft, und sie unendlich mehr verschönert als all
     die neuen, blanken Gebäude mit ihrer jugendlichen Herrlichkeit! Auch
     länger als diese pflegt sich solche Ruine zu erhalten, trotz ihres morsch
     verfallenen Ansehns. Wie den Burgen gehts auch den alten Geschlech-
     tern selbst.« In R¹ steht an der gleichen Stelle der Zusatz: »Es liegen
     noch viele andre Burgruinen in dieser Gegend. Der Hardenberg bei
     Nörten ist die schönste. Wenn man auch, wie es sich gebührt, das Herz

auf der linken Seite hat, auf der liberalen, so kann man sich doch nicht aller elegischen Gefühle erwehren, beim Anblick der Felsennester jener privilegierten Raubvögel, die auf ihre schwächliche Nachbrut bloß den starken Appetit vererbten. Und so ging es auch mir diesen Morgen. Mein Gemüt war, je mehr ich mich von Göttingen entfernte, allmählig aufgetaut, wieder wie sonst wurde mir romantisch zu Sinn, und wandernd dichtete ich folgendes Lied: Steiget auf, Ihr alten Träume!« (Vgl. Bd 1. S. 240 u. Anm. S. 770.)

26 Hinter »totweinen« steht in Gs noch: »Der Schneider sang noch viele andere Volkslieder, in welchen lauter ›schwarzbraune Augen‹ leuchteten, und also den süddeutschen Ursprung verrieten. Ich kenne nur ein einziges Volkslied, worin sich norddeutsche ›blaue Augen‹ befinden, und dieses (es steht im ›Wunderhorn‹) scheint mir nicht einmal echt. Ist aber Süddeutschland die Heimat des Volksliedes, so ist Norddeutschland die Heimat des Volksmärchens, einer eben so schönen Blume, die ich auf dieser Reise so oft antreffe. Die Lyrik gehört dem Süden, die Epik dem Norden. Beiden gehört Goethe.«

114 3 Statt »im Preußischen« in Gs »in andern Ländern«.

36–115,20 In Gs nur: »Ich mußte doch sehen, wie es wächst und wie es gekocht wird, jenes zaubermächtige Metall, wovon oft der Oheim zu viel und der Neffe zu wenig hat. Ich habe bald bemerkt, daß es leichter ist, die blanken Taler aus zu geben, als sie aus den Bergen zu hauen, sie zu gießen und zu prägen. Es war mir höchst interessant, die zwei vorzüglichsten Klausthaler Gruben, die Carolina und die Dorothea, zu befahren.«

115 17 Nach »Sein« Zusatz in R¹: »vielleicht gar zu einem unschuldigen Teelöffelchen, womit einst mein eignes Ur-Urenkelchen sein liebes Breisüppchen zurechtmatscht.«

118 11f. »und schnappe nach Euren geheiligten Waden.« fehlt in Gs.

121 18–26 »und alles . . . erwacht ich.« fehlt in Gs, statt dessen nur »wüste chaotische Nacht.«

122 23 Nach »Geschenke.« in Gs noch: »Jetzt sind beide klüger geworden, es heißt Geld für Seele und Seele für Geld, und der Teufel berechnet sogar den Diskonto.«

38f. Statt »nach Berlin« hat Gs »nach einer Residenz«; nach »worden« folgt in R¹ (ähnlich auch Gs): »So wird einst der Wanderer nach Europa kommen und vergebens nach Deutschland fragen. Unsre lanzenkundigen (Gs: Allerlei) Freunde werden es eingesteckt und fortgeschleppt haben, unter ihren hohen Sätteln.«

123 12 Nach »schneiden« folgt in Gs: »:ungefähr wie das gelehrte Knackwurstmännlein, das auf der ----ger Bibliothek herum buckelt.«

19 Nach »Gotteshaus,« folgt in R¹ (fast wörtlich entsprechend auch in

Gs) noch: »Die kunsterfahrene Frau Küsterin, die mich herum führte, zeigte mir noch, als ganz besondere Rarität, ein vieleckiges, wohlgehobeltes, schwarzes, mit weißen Zahlen bedecktes Stück Holz, das ampelartig in der Mitte der Kirche hängt. O, wie glänzend zeigt sich hier der Erfindungsgeist in der protestantischen Kirche! Denn, wer sollte dies denken! die Zahlen auf besagtem Stück Holze sind die Psalm-Nummern, welche gewöhnlich mit Kreide auf einer schwarzen Tafel verzeichnet werden, und auf den ästhetischen Sinn etwas nüchtern wirken, aber jetzt, durch obige Erfindung, sogar zur Zierde der Kirche dienen, und die so oft darin vermißten Raphaelschen Bilder hinlänglich ersetzen. Solche Fortschritte freuen mich unendlich, da ich, der ich Protestant und zwar Lutheraner bin, immer tief betrübt worden, wenn katholische Gegner das leere, gottverlassene Ansehen protestantischer Kirchen bespötteln konnten.«

27–124,15 »Dieser Fremde ... angesprochen.« fehlt Gs; danach in Gs entsprechende Anschlußänderung.

125 18–126,15 »Als ich ... wandre.« in Gs: »Wie die Sterne so liebevoll schimmerten, erinnerte ich mich auch, daß, als ich noch klein war, man mir sagte: wenn ich mit den Fingern nach den Sternen zeige, könnte ich einem Engel das Auge ausstechen. Als ich größer wurde, sagte man mir: auf den Sternen wohnten die Seelen der Verstorbenen; und dabei hörte ich viel von der Unsterblichkeit. Unsterblichkeit! In meiner von mancherlei Gefühlen bestürmten Brust wurde es plötzlich so heiß, daß ich glaubte, die Geographen hätten den Äquator verlegt, und er laufe jetzt gerade durch mein Herz. Und seltsam! obschon dasjenige Stück des Herzens, worin die Liebe saß, längst abgebrannt ist, so war es mir doch, als fühlte ich wieder darin den alten, glühenden Brand, wie man oft in einem Gliede, das längst amputiert worden ist, zu gewissen Zeiten noch immer Schmerzen zu verspüren glaubt.«

126 15 Nach »wandre.« in R¹ (und ganz ähnlich in Gs) zusätzlich: »In diesen philosophischen Betrachtungen und Privatgefühlen überraschte mich der Besuch des Hofrat B., der kurz vorher ebenfalls nach Goslar gekommen war. Zu keiner Stunde hätte ich die wohlwollende Gemütlichkeit dieses Mannes tiefer empfinden können. Ich verehre ihn wegen seines ausgezeichneten, erfolgreichen Scharfsinns; noch mehr aber wegen seiner Bescheidenheit. Ich fand ihn ungemein heiter, frisch und rüstig. Daß er letzteres ist, bewies er jüngst durch sein neues Werk: ›Die Religion der Vernunft‹, ein Buch, das die Rationalisten so sehr entzückt, die Mystiker ärgert, und das große Publikum in Bewegung setzt. Ich selbst bin zwar in diesem Augenblick ein Mystiker, meiner Gesundheit wegen, indem ich, nach der Vorschrift meines Arztes, alle Anreizungen zum Denken vermeiden soll. Doch verkenne ich nicht

den unschätzbaren Wert der rationalistischen Bemühungen eines Paulus, Gurlitt, Krug, Eichhorn, Bouterwek, Wegscheider usw. Zufällig ist es mir selbst höchst ersprießlich, daß diese Leute so manches verjährte Übel forträumen, besonders den alten Kirchenschutt, worunter so viele Schlangen und böse Dünste. Die Luft wird in Deutschland zu dick und auch zu heiß, und oft fürchte ich zu ersticken, oder von meinen geliebten Mitmystikern, in ihrer Liebeshitze, erwürgt zu werden. Drum will ich auch den guten Rationalisten nichts weniger als böse sein, wenn sie die Luft etwas gar zu sehr verdünnen und etwas gar zu sehr abkühlen. Im Grunde hat ja die Natur selbst dem Rationalismus seine Grenzen gesteckt; unter der Luftpumpe und am Nordpol kann der Mensch es nicht aushalten.«

18 Nach »ängstlich« in Gs und R¹ noch: »und Gott weiß, daß ich niemals eine sonderliche Beklemmung empfunden habe, wenn z. B. eine blanke Klinge mit meiner Nase Bekanntschaft zu machen suchte, oder wenn ich mich des Nachts in einem verrufenen Wald verirrte, oder wenn mich im Konzert ein gähnender Leutnant zu verschlingen drohte –«.

19 f. Statt »der Östreichische Beobachter« in Gs »mancher politische Beobachter und Wortführer«.

36 Nach »Linie« in Gs und R¹: »und bildete dadurch einen Gegensatz zu mir, der ich damals nur in der Hogarthschen Wellenlinie lebte.«

136 5 ff. V. 171–175 in Gs, R¹, R²:

> »Staunen würdest du, mein Kindchen,
> Spräch ich aus das rechte Wort
>
> Sprech ich jenes Wort, so dämmert
> Und erbebt die Mitternacht,«

(zu den Varianten im »Buch der Lieder« s. Bd 1. S. 742).

141 1 »Rez-de-Chaussee« in Gs, R¹, R² »Parterre«.

143 35 Nach »lächeln.« folgt in Gs und R¹: »Die Dame war noch unverheiratet, obgleich schon in jener Vollblüte, die zum Ehestande hinlänglich berechtigt. Aber es ist ja eine tägliche Erscheinung, just bei den schönsten Mädchen hält es so schwer, daß sie einen Mann bekommen. Dies war schon im Altertum der Fall, und, wie bekannt ist, alle drei Grazien sind sitzen geblieben.«

144 24 Nach »Theater Fenice.« folgt in Gs und R¹: »Beide waren entzückt von der Kunst der Improvisatoren. Nürnberg war der Damen Vaterstadt; doch von dessen altertümlichen Herrlichkeiten wußten sie mir wenig zu sagen. Die holdselige Kunst des Meistergesangs, wovon uns der gute Wagenseil die letzten Klänge erhalten, ist erloschen, und die Bürgerinnen Nürnbergs erbauen sich an welschem Stegreif-Unsinn und Kapaunen-Gesang. O Sankt Sebaldus, was bist du jetzt für ein armer Patron!«

145 13–27 »und meinte ... eifern.« in Gs nur: »Letztere erwies mir viele
Aufmerksamkeiten, mit den Augen wechselten wir einige Noten, doch
unsere respektiven Herzen gaben keine ausgedehnte Vollmacht, die
Unterhandlungen wurden abgebrochen und beiderseitig die schönste
Gute-Nacht zugewünscht.«

16–20 »frug ... rezitierte.« in R¹: »die Rede kam auf Goethes Werke.
Keiner meiner ästhetischen Kollegen würde sich hier die Gelegenheit
rauben lassen, über letztere ein lang und breites Gespräch einzuflechten.
Aber ich schreibe nicht gerne was unwahr ist, und wir haben wirklich
nicht lange über Goethe gesprochen, indem ich, aus Furcht, daß ich
mich, wie ein deutscher Literatus, am Lieblingsthema festschwatzen
möchte, das Gespräch auf andre Gegenstände leitete, und so kamen
wir auf römische Vasen, Angorakatzen, Lord Byron, Makkaroni, türkische Shawls usw. Die ältere Dame lispelte sehr hübsch einige Sonnen-
untergangsstellen aus Byrons Gedichten.«

38 Statt »welches freudige Wiedersehen!« in Gs, R¹ und R²: »und im
Geiste waren wir wieder in unserem gelehrten Sibirien, wo die Kultur
so groß ist, daß die Bären in den Wirtshäusern angebunden werden,
und die Zobel dem Jäger guten Abend wünschen.«

146 27f. »Ein junger ... Berlin« in Gs »Ein junger Sachse, der kürzlich in
Berlin«.

31–147,21 »Er sprach ... merkte er noch viel weniger,« heißt in Gs nur: »Er
hatte nicht bemerkt, daß die Berliner Theater-Repertoire, wodurch die
Bühne zur Gesindestube der Musen gemacht wird, wahrhafte Meister-
stücke der Ironie sind, und den Namen ihres hochgebornen Verfassers auf
die Nachwelt bringen werden. Der junge Mensch begriff auch nicht,«.

147 19 Nach »verschreiben braucht;« steht in R¹ noch: »in der ›Macht der
Verhältnisse‹ soll ein wirklicher Schriftsteller, der schon mal ein paar
Maulschellen bekommen, die Rolle des Helden spielen; in der ›Ahn-
frau‹ soll der Künstler, der den Jaromir gibt, schon wirklich einmal
geraubt, oder doch wenigstens gestohlen haben; die Lady Macbeth
soll von einer Dame gespielt werden, die zwar, wie es Tieck verlangt,
von Natur sehr liebevoll ist, aber doch mit dem blutigen Anblick eines
meuchelmörderischen Abstechens einigermaßen vertraut ist; und endlich, zur Darstellung gar besonders seichter, witzloser, pöbelhafter Gesellen soll der große Angeli engagiert werden, der große Angeli, der
seine Geistesgenossen jedesmal entzückt, wenn er sich erhebt in seiner
wahren Größe, hoch, hoch, ›jeder Zoll ein Lump!‹ –« Zu dieser Stelle
gehört Heines Berichtigung in der Schlußbemerkung des Bandes: »Auf
S. 217, Z. 8 v. u. steht ›Angeli‹ statt ›Wurm‹. Ehrlich gestanden, Ersteren habe ich niemals gesehen und die gewiß sehr bedeutende Namens-
verwechselung ist zufällig.«

24 f. »das schon Plato und Cicero« in Gs »der verstorbene Philosoph Plato und der bekannte Cicero«.

31 »unser Kabinett« in Gs »etwas«.

32 »den Bundestag« in Gs »etwas Anderes«, in R¹ »den . . .«.

148 1 f. »unsern allzugroßen Freund im Osten« in Gs »ein großes Reich«.

7 »beim diplomatischen Korps« in Gs »bei Vielen«.

8–11 »oft eine . . . zu machen.« in Gs »manche schöne Tänzerin noch privatim unterhalten wird.«

14–16 »Sprünge . . . Röhnisch,« in Gs »die Entrechats, und studiert Anatomie an den Bewegungen einer Tänzerin,«.

16 »Lenden« in Gs »dergleichen«.

17 f. »daß er . . . hat.« in Gs: »daß er so Wichtiges vor Augen hat.«

28 »Fürstenknechte« in Gs »Untertänigen«.

33 f. »alle . . . setzen« fehlt in Gs.

149 6 »Läuse« in Gs »gewisse Tierchen«.

150 18–21 »Ein anderer . . . hinablief.« fehlt in Gs.

25 »Brüste« in Gs »Brust«.

152 19–153,4 »Ein wohlbekannter . . . habe.« fehlt in Gs.

153 14 Nach »verkaufen,« in Gs »und er schloß mit der Bemerkung: ›Die Empfindung ist doch das schönste Gefühl.‹«

27 f. Nach »prächtig,« in Gs »der Prätor auf seinem Stuhle«.

29–31 Statt »Marcus . . . offenbarend,« in Gs »Pr. N. als Legator«.

33 f. »Genien . . . gekleidet,« in Gs »Genien (der Akzent liegt nicht auf dem I) gekleidet,«.

155 28 f. Fehlt Gs.

159 Nach Str. 5 folgt in Gs zusätzlich:

>»Und bebt mein Herz dort unten,
>Braust oben der Wasserfall,
>Die Eichen und Buchen schauern,
>Es trillert die Nachtigall.«

Str. 6, V. 3 »Da« in L²⁻⁵ »Dort«; Str. 6 lautet in Gs, R¹, R² (und L¹, s. auch Kommentar Bd 1, S. 745):

>»Und bebt mein Herz dort unten,
>So klingt mein kristallenes Schloß,
>Es tanzen die Fräulein und Ritter,
>Es jubelt der Knappentroß.«

162 7 f. »Daß ich . . . verdenken.« in Gs (als Abschluß): »Daß ich dieses letztere tat, wird mir, bei so wichtigen Gründen, wohl niemand verdenken, und es hat mich auch bis auf diese Stunde noch nicht gereut.«

9–166,11 Fehlt in Gs.

102 *Motto:* Aus der »Denkrede auf Jean Paul«, der am 14.11.1825 gestorben
war, gehalten am 2.12.1825 in Frankfurt a. M., zuerst veröffentlicht im
»Morgenblatt« Nr. 294 vom 9.12.1825. Hatte sich H. in den »Briefen
aus Berlin« noch distanziert geäußert über den krassen Stilwechsel in
den Jean Paul'schen Romanen, in denen »eine schöne, reine Gemüts-
welt ... schnell wieder versinkt in häßlichen, schneidend kreischenden
Wogen eines exzentrischen Humors« (S. 67,3 ff.), so macht er sich
jetzt in der »Harzreise« die Vorteile dieses Stimmungswechsels selbst
zunutze. Er versucht, die disparatesten Eindrücke und Stimmungen in
der Dichtung festzuhalten. Zugleich zeigt das Motto, welche Bedeutung H. der Dichtung und damit seiner »Harzreise« beimißt: sie ist ihm
ein Bekenntnis zu einer Zeit voll Glück und Jugend. – Erster, noch
romantisch verbrämter Hinweis auf die Zweckform seiner Dichtung,
die später immer offener zutage tritt.

103 1 ff. *Schwarze Röcke, seidne Strümpfe ...:* Die Gedichte der »Harzreise«
faßte H. 1827 im »B. d. Lieder« zu dem Zyklus »Aus der Harzreise«
zusammen, Bd 1, S. 167–177, vgl. die Anm. dort S. 741–745. – 21 *Die
Stadt Göttingen:* Einen authentischen und kulturhistorisch aufschluß-
reichen Bericht über das Göttinger Studentenleben im Jahre 1824 gibt
H.s Bekannter Eduard Wedekind: Studentenleben in der Biedermeierzeit. – 27 *Lüder:* Wilhelm Lüder, ein durch seine Kraft bekannter
Göttinger Student. – 32 *konsiliiert:* 1821 wurde H. wegen einer Her-
ausforderung zum Duell für ein halbes Jahr von der Universität
Göttingen verwiesen. – 34 *Schnurren, Pudel:* Studentenjargon für
Nachtwächter, Pedelle.

104 2 *Profaxen:* Professoren. – 10 *Bovden:* Bovenden, Dorf nördlich von
Göttingen. – 31 *K.F.H.Marx:* »Göttingen in medizinischer, physischer und historischer Hinsicht«. Göttingen 1824. S. 138 f.: »Hübsch
gebildete Füße will mancher Tadelsüchtige unseren Schönen absprechen; gewiß mit Unrecht. Denn sollte auch hie und da aus Vorsicht
gegen Krähenaugen der Schuh etwas weit gemacht werden, damit er
nicht drücke, so muß doch jeder zugeben, daß, wenn auch manche in
breiten Schuhen geht, doch die meisten auf ihren eigenen Füßen stehen.«
– H.s »grundgelehrte Abhandlung« stellt eine – ihm auch von Laurence
Sterne geläufige – Parodie der knöchernen wissenschaftlichen Methodik
seiner Zeit dar. Wahrscheinlich macht er sich im geheimen auch über
den wegen seiner Zitiersucht öfters verspotteten Freund Eduard Gans
lustig (vgl. »Ideen«, S. 307,17), denn H. schreibt in einem Brief an Varnhagen am 14.5.1826 über Gans: »Ich liebe ihn sehr, und dachte an ihn,
als ich in der ›Harzreise‹ den göttingischen Anfang schrieb.«

105 8 *Ullrichs Garten:* bei Studenten beliebter Biergarten am Stadtrand
von Göttingen. Nach dem Bericht Wedekinds (Studentenleben, S. 70)
war H. dort fast allabendlich anzutreffen. – 14f. *der gelehrte ⁎⁎:* In
H.s Handexemplar des ersten »Reisebilder«-Bandes, in das er Korrekturen für die 2. Aufl. eintrug, findet sich an dieser Stelle die Notiz
»Blumenbach«, die jedoch von H.s Freund Johann Peter Lyser stammt,
vermutlich aber auf H.s eigene Angabe zurückgeht (vgl. »Reisebilder«
1. Teil. Faks. Ausg. [s. Lit.-Verz. S. 959], S. 118 und Vorw. S. 23 f.).
Der Göttinger Physiologe und Naturhistoriker Johann Friedrich Blumenbach schöpfte sein polyhistorisches Wissen aus seinen außerge-
wöhnlich umfangreichen Exzerptensammlungen und Memoirenzet-
teln. – In den französischen Ausgaben der »Reisebilder« heißt es an
dieser Stelle »le savant Eichhorn«, gemeint ist der Staats- und Rechtswissenschaftler Karl Friedrich Eichhorn, der 1817–1829 Professor in
Göttingen war. – 30f. *Georgia Augusta:* Name der Universität Göttingen. – 35 *Pandektenstall:* Bezeichnung für die Juristische Fakultät;
Pandekten sind eine Sammlung von Auszügen aus dem Corpus juris
civilis.

106 2 *Tribonian, Justinian, Hermogenian:* Juristen der römischen Kaiserzeit. –
4 *mit verschlungenen Händen:* Die Wechselsche Druckerei, in der eine
Ausgabe des Corpus juris erschienen war, zeigt als Signum ineinander
verschlungene Hände. – 7f. *Schäfer und Doris:* die Universitätspedelle
P. H. Schäfer und C. C. Dohrs. Mit den »halbjährigen Schriften« sind
die Personalverzeichnisse der Universität gemeint, die Schäfer als Pe-
dell herausgab. – 37 *das Rossinische Lied:* Das bekannte Studentenlied
stammt natürlich nicht von Rossini.

107 13 *Fusia Canina:* Diese Bezeichnung für die Magd konnte nicht sicher
erklärt werden. Man vermutet, daß H. eine scherzhafte Wortver-
drehung von »Furia Canina« vornimmt, einem römischen Gesetz, das
die durch Testament verfügte Freilassung einschränkte. Möglicherweise hatte er dabei die Bedeutung »Fuselkanne« im Sinn, womit er
auf das Wirtshausmilieu anspielte (vgl. Heine: Werke. Hrsg. von E.
Elster. 2. Aufl. Bd 3, S. 447). – *Trittvogel:* studentischer Ausdruck für
Geldforderer. – 36 *König Nebukadnezar:* Vgl. Altes Testament, Buch
Daniel 4, 29f.

108 5 *Spucknäpfe für Liebesgötter:* Diese Formulierung erwähnt H. schon
in einem Brief an Immanuel Wohlwill vom 1.4.1823 als einen Ausspruch der Frau von Leopold Zunz. – 9 *Türmchen und Bastionen:* Die
Darstellung weiblicher Reize im Bilde einer Festung ist im Barock
weit verbreitet. Wie häufig wendet H. hier den alten Bildgebrauch
ins Ironische um.

109 11f. *Rusticus, der Lykurg Hannovers:* Anton Bauer, bekannter Straf-

rechtslehrer in Göttingen, der an der Ausarbeitung des Strafgesetz-
buchs von Hannover beteiligt war. – 14 *Cujacius:* eigentlich Jacques
de Cujas, berühmter französischer Rechtsgelehrter des 16. Jahrhunderts.
H. meint jedoch mit diesem Namen seinen Lehrer Gustav Hugo, bei
dem er promovierte (vgl. Brief vom 22.7.1825 an Moser). – 18 f. *der
die Bäume von oben herab beschneidet:* Damit spielt H. auf die Auslegung
einer strittigen Corpus-juris-Stelle über das Beschneiden von Grenz-
bäumen in Hugos »Lehrbuch der Geschichte des Römischen Rechts«
an. – 38 *Prometheus:* Mit dem gefesselten Prometheus ist in der 2. französischen Ausg. der »Harzreise« von 1858 auf Napoleon angespielt, der
auf St. Helena gefangen gehalten wurde, denn es heißt dort: »la force
insultante et la violence muette de la sainte alliance ont enchainé le
héros sur un rocher dans l'océan«. Die Verbindung Prometheus – Napoleon wird außerdem gestärkt durch den Passus in der »Reise von
München nach Genua« am Schluß von Kapitel XXVIII: »Vielleicht,
nach Jahrtausenden, wird ein spitzfindiger Schulmeister, in einer
grundgelehrten Dissertation, unumstößlich beweisen: daß der Napoleon Bonaparte ganz identisch sei mit jenem andern Titane, der den
Göttern das Licht raubte und für dieses Vergehen auf einem einsamen
Felsen, mitten im Meere, angeschmiedet wurde, preisgegeben einem
Geier, der täglich sein Herz zerfleischte.« (S. 374,24 ff.)

110 7 *Münchhausen:* nämlich Gerlach Adolf Freiherr von Münchhausen,
hannoverscher Staatsmann und erster Kurator der Universität Göttingen. – 34 *Gottschalk:* Friedrich Gottschalcks »Taschenbuch für Reisende in den Harz« (Magdeburg 1806) war bis zur Mitte des 19. Jahrhunderts der maßgebende Harz-Reiseführer. Das Buch erschien 1817
in 2., 1823 in 3., 1843 in 5. Auflage. H. hat vermutlich nicht die 3. verb.
Aufl. benutzt, sondern die 1. oder 2., weil er nach der Beschreibung Gottschalcks noch den 1819 abgerissenen Dom in Goslar suchte (vgl.
S. 122,35 ff.).

111 9 *Handwerksburschen:* H. spricht in der literarischen Abhandlung »Die
romantische Schule« von seiner Bewunderung und Vorliebe für wan-
dernde Handwerksburschen und deren Lieder: »Gar oft, auf meinen
Fußreisen, verkehrte ich mit diesen Leuten und bemerkte, wie sie zuweilen, angeregt von irgend einem ungewöhnlichen Ereignisse, ein
Stück Volkslied improvisierten oder in die freie Luft hineinpfiffen …
Die Worte fallen solchen Burschen vom Himmel herab auf die Lippen,
und er braucht sie nur auszusprechen, und sie sind dann noch poetischer
als all die schönen poetischen Phrasen, die wir aus der Tiefe unseres
Herzens hervorgrübeln. Der Charakter jener deutschen Handwerks-
burschen lebt und webt in dergleichen Volksliedern.« (Bd 4 dieser
Ausg.). Bei der »Harzreise« stellte sich allerdings nachträglich heraus,

daß es H. nicht mit einem »echten« Handwerksburschen zu tun hatte. Vielmehr entpuppte sich sein Begleiter als ein nicht ungebildeter Handlungsreisender aus Osterode, namens Carl Dörne, der den Schneidergesellen vor H. nur spielte und nach der Lektüre der »Harzreise« seinerseits eine Beschreibung seiner Fußreise mit H. im »Gesellschafter« (Blatt 138 vom 30.8.1826, Beilage Bemerker Nr. 26) erscheinen ließ:

Reise von Osterode nach Clausthal

(Seitenstück zu H. Heines „Harzreise".)

Im Herbst 1824 kehrte ich von einer Geschäfts-Reise von Osterode nach Clausthal zurück. Durch eine Flasche Serons de Salvanette, die ich bei meinem alten Freunde St. getrunken, waren meine Lebensgeister dergestalt exaltiert, daß man mich hätte für ausgelassen halten können. Etwa auf der Hälfte des Weges traf ich mit einem jungen Manne zusammen, den ich genau beschreibe, damit er sich überzeugt, daß ich ihn wirklich damals gesehen. Er war etwa 5 Fuß 6 Zoll groß, konnte 25–27 Jahr alt sein, hatte blonde Haare, blaue Augen, eine einnehmende Gesichtsbildung, war schlank von Gestalt, trug einen braunen Überrock, gelbe Pantalons, gestreifte Weste, schwarzes Halstuch und hatte eine grüne Kappe auf dem Kopfe und einen Tornister von grüner Wachsleinwand auf dem Rücken. Der Serons de Salvanette war lediglich schuld daran, daß ich den Reisenden sogleich nach der ersten Begrüßung anredete, und nach Namen, Stand und Woher und Wohin fragte. Der Fremde sah mich mit einem sardonischen Lächeln von der Seite an, nannte sich Peregrinus und sagte, er sei ein Kosmopolit, der auf Kosten des türkischen Kaisers reise, um Rekruten an zu werben. »Haben Sie Lust?« fragte er mich. – »Bleibe im Lande und nähre dich redlich!« erwiderte ich, und dankte sehr. Um indessen Gleiches mit Gleichem zu vergelten, gab ich mich für einen Schneidergesellen aus und erzählte dem türkischen Geschäftsträger: daß ich von B. komme, woselbst sich ein Gerücht verbreitet, daß der junge Landesherr auf einer Reise nach dem gelobten Lande von den Türken gefangen sei, und ein ungeheures Lösegeld bezahlen solle. Herr Peregrinus versprach, sich dieserhalb bei dem Sultan zu verwenden, und erzählte mir von dem großen Einflusse, den er bei Sr. Hoheit habe.

Unter dergleichen Gesprächen setzten wir unsere Reise fort, und um meine angefangene Rolle durch zu führen, sang ich allerlei Volkslieder, und ließ es an Korruptionen des Textes nicht fehlen, bewegte mich auch überhaupt ganz im Geiste eines reisenden Handwerksburschen. Ich vertraute dem Gefährten, daß ich ein hübsches Sümmchen bei mir

trage, Mutterpfennige, es mir daher um so angenehmer sei, einen mann-
haften Gesellschafter gefunden zu haben, auf den ich mich, falls wir von
Räubern sollten angefallen werden, verlassen könnte. Der Ungläubige
versicherte mich unbedenklich seines Schutzes. »Hier will es mit den
Räubern nicht viel sagen«, fuhr er fort; »aber Sie sollten nach der Türkei
kommen, da kann man fast keinen Fuß vor den andern setzen, ohne auf
große bewaffnete Räuberscharen zu stoßen; jeder Reisende führt daher,
in jenen Gegenden, zu seinem Schutze Kanonen von schwerem Kaliber
mit sich, und kommt dessenungeachtet oft kaum mit dem Leben davon.« – Ich bezeigte dem Geschäftsträger Sr. Hoheit mein Erstaunen
und lobte beiläufig die deutsche Polizei, deren Tätigkeit es gelungen,
daß ein armer Reisender ganze Stunden Weges zurück zu legen im
Stande sei, ohne gerade von Räubern ausgeplündert zu werden. »Was
wollten wir machen« – fuhr ich fort – »wenn hinter jedem Busche und
aus jedem Graben mehrere gefährliche Kerle hervor spränge und sich
von dem erschrockenen Wanderer Alles ausbäten, wie der Bettler in
Gellerts Fabel?« – »Haben Sie Gellert gelesen?« fragte mich mein Begleiter. – »Ja!« erwiderte ich; »ich habe in meiner Jugend Lesen und
Schreiben gelernt, meine Lehrjahre bei dem Schneidermeister Sander
zu Halberstadt im lichten Graben ausgestanden und seitdem bei mehreren Meistern in Cassel und Braunschweig gearbeitet, um den eigentlichen Charakter der männlichen Kleidung weg zu kriegen, welcher
oft schwerer zu studieren ist, als des Mannes Charakter, der den Rock
trägt.« – Hier sah mich Herr Peregrinus wieder von der Seite an, wurde
nach und nach einsilbiger und verstummte endlich gar. – Er hatte
überhaupt eine hofmännische Kälte an sich, die mich immer in einiger
Entfernung von ihm hielt, und um den Scherz zu enden, klagte ich
über Müdigkeit, ließ mich auf einen Baumstamm nieder und lud meinen Begleiter ein, ein Gleiches zu tun. Der aber antwortete, wie ich
vermutet hatte: es bliebe ihm für heute keine Zeit zur Ruhe übrig,
lüftete seine Kappe und ging seines Weges, mich zum baldigen Nachkommen einladend. –

Ich hätte dieses kleine Reise-Abenteuer für immer der Vergessenheit
übergeben, der »Gesellschafter« Bl. 11 von diesem Jahre mag's verantworten, daß ich's erzähle. In dem bezeichneten Blatte las ich nämlich
zu meiner größten Überraschung die »Harzreise von H. Heine im
Herbst 1824«, und fand mich darin als den reisenden Schneidergesellen
mit vielem Humor abkonterfeit. Zu meiner Beruhigung habe ich aus
der besagten »Harzreise« ersehen, daß mein damaliger Begleiter nicht
Peregrinus, sondern H. Heine heißt, daß er kein Geschäftsträger Sr.
Hoheit, sondern ein Jurist ist, der von Göttingen kommt und, wie er
selbst sagt, zu viel Jurisprudenz und schlechte Verse (wahrscheinlich

von Andern) im Kopfe hat. – Meine Wenigkeit beschreibt Hr.Heine in seiner »Harzreise« folgendermaßen:

»Auf dem Wege von Osterode nach Clausthal traf ich mit einem reisenden Schneidergesellen zusammen. Es war ein niedlicher kleiner junger Mensch, so dünn, daß die Sterne durchschimmern konnten, wie durch Ossians Nebelgeister, und im Ganzen eine volkstümlich barocke Mischung von Laune und Wehmut.«

Das Wahre an der Sache ist, daß ich mir selbst etwas mehr Korpulenz wünschte. Die Wehmut streich ich aber, mit Hrn. Heine's Erlaubnis und berufe mich dieserhalb auf das ganze Clausthal.

Was nun die doppelte Poesie anbetrifft, die ich einem Kameraden zu Cassel beimaß, und von welcher Hr. Heine glaubt, daß ich darunter doppelt gereimte Verse oder Stanzen verstanden, so muß ich zur Steuer der Wahrheit bekennen, daß ich daran nicht dachte, vielmehr nur sagen wollte: der Kamerad ist von Natur ein Dichter und wenn er getrunken hat, sieht er Alles doppelt und dichtet also mit der doppelten Poesie. – Die Redensarten, welche mir Hr. Heine in den Mund legt, sind wörtlich richtig und gehörten mit zu meiner Rolle. Hr. Heine und ich haben uns hiernach auf eine spaßhafte Weise getäuscht.

Nun Scherz bei Seite! Ich versichere Hrn. Heine, daß, ob ich gleich zu seiner »Harzreise« einige Haare hergeben müssen, ich ihn dessenungeachtet nicht im geringsten anfeinde, vielmehr seine humoristische Beschreibung mit wahrem Vergnügen gelesen habe.

Ich schließe mit der Bemerkung, daß ich den jungen Kaufmann mit seinen 25 bunten Westen und eben so vielen goldenen Petschaften, Ringen, Brustnadeln u.s.w., welcher sich Hrn. Heine in der Krone zu Clausthal aufgedrungen, sehr gut kenne, und versichern kann, daß derselbe seine Persons-Beschreibung sehr ungnädig vermerken würde. Er liest aber keine Journale, eben weil er so viele Westen, Ringe und Brustnadeln trägt, und seines so erschrecklich zusammengesetzten Anzuges wegen keine Zeit zum Lesen übrig hat; nur zum Fragen nimmt er sich welche. Ich verrate dem Handlungs-Beflissenen nichts, sondern wünsche nur, daß ich mit dem Hrn. Heine noch einmal zusammen treffen möge, um demselben meinen versöhnlichen Dank für den Genuß ab zu statten, welchen ich durch Lesung seiner humoristischen »Harzreise« gehabt, und um den Verfasser zu überzeugen, daß ich mit der löblichen Schneiderzunft in gar keiner Verbindung stehe.

O......   *Carl D . . . e.–*

Heine an Friedrich Merckel, 6.10.1826: »Den Schneidergesellen hat mir Christiani zu lesen gegeben; er hat mich ziemlich amüsiert.« – 16 *»Herzog Ernst«:* Die Lebensgeschichte Herzog Ernsts II. von Schwaben (gest. 1030) gab den Stoff zu dem bekannten Spielmannsepos und zu vielen phantastisch erweiterten Sagen und Dichtungen bis ins 19. Jahrhundert. – 22 *»Ein Käfer auf dem Zaune saß...«:* Dieses Volkslied hat H. später zu einer eigenen Fassung umgearbeitet unter dem Titel »Die Launen der Verliebten« (Gedichte 1853/54, »Le Livre Lazaré«. Bd 6 dieser Ausg.). – 28f. *»Leidvoll und freudvoll, Gedanken sind frei!«:* verballhornte Form von Klärchens Lied »Freudvoll / Und leidvoll, / Gedankenvoll sein,« in Goethes »Egmont«. – 31 *»Lottchen bei dem Grabe ihres Werthers«:* »Lotte bei Werthers Grab«, zuerst als Flugblatt anonym erschienen: Wahlheim 1775; dann bald mehrfach in Zeitschriften abgedruckt und vertont. Verfasser: Karl Ernst v. Reitzenstein. Dieses Lied fand als eine der zahlreichen in die bürgerlich-erbauliche Moral umgewandelte Weiterdichtung des Wertherschicksals weiteste Verbreitung.

112 29 *Hoffmann:* Gemeint sind die unharmonischen Landschaftsschilderungen bei E. T. A. Hoffmann. Erste distanziertere Stellungnahme H.s zu Hoffmann, dem H. in den »Reisebildern« viel verdankt (z. B. die grellen Widersprüche, die unvermittelten Übergänge in der künstlerischen Darstellung). Wenn H. hier sagt: »Die Wildheit der Gegend war durch ihre Einheit und Einfachheit gleichsam gezähmt. Wie ein guter Dichter, liebt die Natur keine schroffen Übergänge«, so ist eine Anspielung auf den harmonisierenden Stil Goethes zu spüren, mit dem H. sich vor und während der Niederschrift der »Harzreise« beschäftigte. In einem Brief vom 17.6.1823 an Karl August Varnhagen von Ense z. B. erwähnt er einen eigenen Aufsatz über Goethe, der allerdings nicht erhalten ist (vgl. Heine: Briefe. Bd 1, S. 87 u. Bd 4, S. 55). Am 28.7.1827 bekennt er in einem Brief an Johann Hermann Detmold, der H. seine ersten poetischen Versuche zur Beurteilung vorlegte, daß er sich aus der Tiefe des Hoffmannschen Einflusses »an den eigenen Haaren« wieder heraufgezogen habe und warnt den Freund vor der »leuchtenden Nachtseite« der Poesie (vgl. ebd. Bd 1, S. 318f. u. Bd 4, S. 157f.).

113 4f. *dumme Kropfleute und weiße Mohren:* Dieses scheinbare Reiseerlebnis ist sicherlich Fiktion, denn H. hat die Kenntnis von dieser medizinischen Abnormität zweifellos aus Gottschalcks Harzreiseführer, wo es S. 215f. heißt, daß die Einwohner des abgelegenen Dorfes Lerbach »ein eigenes Völkchen bilden, das sich durch Natur, Gesichtsbildung, schwerfällige Sprache und große Kröpfe auszeichnet, arm und abergläubisch ist, und sich gern unter sich verheiratet. [...] Die meisten Weiber sind hier mit Kröpfen versehen, welches man dem steten Bergsteigen und dem Trinkwasser Schuld gibt. – Eine im nördlichen Deutschland seltene Naturerscheinung findet man in L., nämlich:

zwei Kakerlaken, oder weiße Mohren. Es sind Geschwister, von armen Eltern hier geboren, deren übrige Kinder von gewöhnlicher Farbe sind. Gegen ein kleines Geschenk zeigen sie sich gern.« – 24 f. *Kloster-schule zu Düsseldorf:* Vor seinem Eintritt ins Düsseldorfer Lyzeum besuchte H. die Normalschule im älteren Franziskanerkloster.

114 4 *zur Bekehrung jener Leute:* H. meint die Juden und spielt auf die damaligen Bekehrungsbestrebungen an.

116 25 *Lafayette:* aktuelle politische Anspielung H.s auf den französischen General Lafayette, der am amerikanischen Unabhängigkeitskrieg teil-genommen hatte und nun gerade 1824 bei einem Besuch in den Ver-einigten Staaten begeistert gefeiert wurde. – 36 *Sturm auf der Nordsee:* Vgl. die Schilderung des Sturmes auf H.s Reise von Cuxhaven nach Helgoland in seinem Brief vom 23.8.1823 an Moser und das Gedicht XI aus dem Zyklus »Die Heimkehr« (Bd 1, S. 113).

117 24 *Herzog von Cambridge:* Der jüngste Sohn des englischen Königs Georg III. war seit 1816 Generalstatthalter des mit England in Personal-union verbundenen Hannover.

119 10 *Märchen:* Motive aus den »Kinder- und Hausmärchen« der Gebrü-der Grimm: »Nähnadel und Stecknadel« aus »Das Lumpengesindel«; »Strohhalm und Kohle« aus »Strohhalm, Kohle und Bohne auf der Reise«; »Schippe und Besen« aus »Der Herr Gevatter«, »der befragte Spiegel« aus »Sneewittchen«; sprechende »Blutstropfen« aus »Der Liebste Roland«.

120 15 *Hofrat B.:* Ein seit R² getilgter Passus der »Harzreise« (vgl. die Lesarten zu S. 126,15 S. 750) weist den Hofrat B. als den Ästhetiker und Literarhistoriker Friedrich Bouterwek aus, da dort dessen 1824 erschienenes Werk »Die Religion der Vernunft« genannt wird. H. be-suchte in Göttingen Bouterweks Vorlesungen. – 18 f. *Adalbert von Chamisso:* Chamisso, H. von Berlin her bekannt, wanderte ebenfalls im Jahre 1824 durch den Harz. Am 14.5.1826 schreibt H. an Varnhagen über Chamisso: »Als er durch Göttingen reiste, haben wir uns beide durch gleiche Schlemihlität nicht auffinden können; ich hörte nur im Gasthof, daß er in einem einspännigen Fuhrwerk nach Clausthal gereist sei.« Zu dem Wort »Schlemihl« vgl. »Romanzero«, 3. Buch, das Ge-dicht »Jehuda ben Halevy«, V. 745 ff. (Bd 6 dieser Ausg.); zu Chamisso vgl. »Die romantische Schule« (Bd 3 dieser Ausg.).

122 35 *von dem uralten Dom:* Vgl. Anm. zu S. 110,34.

123 10 *Karyatiden:* weibliche Figuren als Träger von Gebälk, Gesims o. ä. – 14 *Christuskopf:* Neben zahlreichen anderen Einzelheiten des ehemali-gen Doms, die H. nach Gottschalcks Beschreibung erwähnt, findet sich im Reiseführer auch der Hinweis: »Ferner einen Christus am Kreuz, aus Holz geschnitzt, auf dessen Gesicht das Hinsterben meisterhaft aus-

gedrückt ist« (S. 158). H. nimmt also mit seinem »freilich höchst meisterhaft [. . .] aber [. . .]« direkt zu Gottschalcks Wertung Stellung und teilt im folgenden seinen eigenen Eindruck mit. – 26f. *quis? quid? . . .:* H. karikiert hier das aus der Rhetorik stammende und zu seiner Zeit noch gebräuchliche Fragenschema zur Behandlung von Aufsatzthemen.

125 13 *Clotar:* Vermutlich lehnt sich H. hier an Brentanos Drama »Die Gründung Prags« an, denn Brentano schreibt dazu als Nr. 11 seiner »Anmerkungen«: »Kotar ist nach einer Krainerischen Sage der Mann im Mond, welcher ihn durch Wasserzugießen wachsen macht.« (Clemens Brentano: Sämtliche Werke. Bd 4. Hrsg. v. Friedhelm Kemp. München 1966. S. 852.)

126 19f. *der Östreichische Beobachter:* Zeitung reaktionären Charakters, die als offiziöses Regierungsorgan in Wien 1810–1832 erschien. Die Geister der Revolution sind gemeint. – 22 *Saul Ascher:* 1767–1822, ein philosophisch gebildeter Buchhändler, Anhänger Kants, den H. aus Berlin kannte. Er galt als Verteidiger des aufgeklärten Judentums und gehörte wie H. dem »Verein für Kultur und Wissenschaft der Juden« an. 1819 erschienen in Berlin seine »Ansichten von dem künftigen Schicksale des Christentums«, auf die H. hier anspielt. Aus seinen zahlreichen Veröffentlichungen seien genannt: »Eisenmenger der Zweite« (1794, gegen Fichte gerichtet), »Vernunft und Glaube« (1798), »Die Germanomanie« (1815). – Auch in einem Brief vom 20. 7. 1824 an Moser berichtet H. einen Traum, in dem eine Menge Juden, darunter H.s Bekannte aus Berlin, nach Jerusalem zogen. Dort heißt es u. a.: »Ehemalige Vereinsjungen trugen die Gebeine von Saul Ascher.« H. wies – im Bewußtsein der Komik dieses Traumstücks – seinen Freund Moser ausdrücklich darauf hin: »Vielleicht amüsiert Dich der Nekrolog Saul Ascher's, den Du darin finden wirst.« (1. 7. 1825)

127 23 *jene entsetzliche Geschichte:* »Das warnende Gespenst«. Karl Varnhagen von Enses »Deutsche Erzählungen« erschienen 1815.

130 32ff. *Auf dem Berge steht die Hütte . . .:* Vgl. »Bergidylle«, Bd 1, S. 168 bis 175 und Anm. S. 742–745.

138 1ff. *König ist der Hirtenknabe . . .:* Vgl. »Der Hirtenknabe«, Bd 1, S. 175f. und Anm. S. 745.

139 20 *Genoveva:* Nach der Legende wurde Genoveva, die Tochter des Herzogs von Brabant, von ihrem Gemahl, dem Pfalzgrafen Siegfried (um 750) des Ehebruchs beschuldigt und zum Tod verurteilt. Sie entkam dem Urteil und lebte sechs Jahre lang in der Waldeinsamkeit und ließ ihren Sohn Schmerzenreich von einer Hirschkuh nähren. H. kannte sowohl das Volksbuch, in dem die Legende weite Verbreitung fand, als auch Tiecks Dramatisierung (1799). In der »Romantischen Schule«

(Bd 3 dieser Ausg.) vergleicht er ›Original‹ und Bearbeitung: »So schön auch die Tiecksche ›Genoveva‹ ist, so habe ich doch weit lieber das alte, zu Köln am Rhein sehr schlecht gedruckte Volksbuch mit seinen schlechten Holzschnitten, worauf aber gar rührend zu schauen ist, wie die arme nackte Pfalzgräfin nur ihre langen Haare zur keuschen Bedeckung hat, und ihren kleinen Schmerzenreich an den Zitzen einer mitleidigen Hirschkuh saugen läßt.«

140 16 *Meister Retzsch:* Fr. August Moritz Retzschs »Umrisse zu Goethes Faust« (26 Radierungen) erschienen 1816 in Stuttgart, ein Nachdruck 1825 in Göttingen. – 20 *»Abendzeitung«:* Vgl. Anm. S. 699 zu »Briefe aus Berlin«, S. 10,1. – 24 *»Ratcliff« und »Almansor«:* Am 25. 10. 1824 erzählt H. seinem Freund Moser in einem Brief von seiner Harzwanderung unter anderem: »Das ergötzlichste darunter ist, wie ich auf dem Harz einen Theologen gefunden, der meine Tragödien mit sich schleppte, um sie, während der schönen Reisemuße zu seinem Vergnügen – zu widerlegen.« – 32 *Doktor Faust:* Kurz vor seiner Harzwanderung beschäftigte sich H. mit Plänen zu einer eigenen Faustdichtung. (Vgl. auch Bd 6 dieser Ausg.: »Der Doktor Faust«.)

142 27f. *Der Brocken ist ein Deutscher:* Auch bei H.s folgender Darstellung finden sich reiche Anklänge an Gottschalcks Harzführer, wo es S. 111 heißt: »Wer schöne malerische Landschaften vom Brocken zu erblicken hofft, wird sich getäuscht finden. Dazu steht man viel zu hoch, dazu erscheint Alles zu klein, und ist viel zu entfernt vom Beobachter. Aber eben darin besteht das Eigentümliche dieses Umsichtspunktes, daß man hier nicht, wie auf anderen Bergen, und selbst auf der Schneekoppe des Riesengebirges, eine schöne Landschaft nahe vor sich hat, sondern über alles um sich her erhaben ist, ringsum durch Nichts im Sehen gehindert wird, eine ungeheure Fläche Land und Gebirge überblickt, die gleich einer Landkarte ausgebreitet ist, und ein natürliches Panorama genannt werden kann.«

143 6f. *»Der Blocksberg ist der lange Herr Philister«:* Aus Matthias Claudius’ »Rheinweinlied« (»Bekränzt mit Laub den lieben vollen Becher«). – 32 *»Schierke« und »Elend«:* Namen zweier Harzdörfer.

145 15f. *Stelle aus Goethes Reisebriefen:* In den »Briefen aus der Schweiz«, 2. Abt., schreibt Goethe am 3. 10. 1779: »Ein junger Mann, den wir von Basel mitnahmen, sagte [beim Anblick der gewaltigen Felsen auf einem Passweg bei Biel], es sei ihm lange nicht wie das erste Mal, und gab der Neuheit die Ehre. Ich möchte aber sagen: wenn wir einen solchen Gegenstand zum erstenmal erblicken, so weitet sich die ungewohnte Seele erst aus, und es macht dies ein schmerzliches Vergnügen, eine Überfülle, die die Seele bewegt und uns wollüstige Tränen ablockt. Durch diese Operation wird die Seele in sich größer, ohne es zu

wissen, und ist zum zweiten Male jener ersten Empfindung nicht mehr
fähig. Der Mensch glaubt verloren zu haben, er hat aber gewonnen;
was er an Wollust verliert, gewinnt er an innerem Wachstume.« –
23 f. *Elise von Hohenhausen:* Die Schriftstellerin und Übersetzerin
Byronscher Werke lernte H. in Berlin kennen. Er verkehrte dort mit
Varnhagen, Immermann, Chamisso, Gans u. a. in ihrem Salon. Sie gab
H. den Beinamen »der deutsche Byron«. Nach Byrons Tod 1824
schrieb H. an Moser: »Der Todesfall Byrons hat mich übrigens sehr
bewegt. Es war der einzige Mensch, mit dem ich mich verwandt
fühlte, und wir mögen uns wohl in manchen Dingen geglichen haben.«
(25.6.1824) Vgl. auch den Abschnitt über Heine in Ludolf Wienbargs
»Ästhetischen Feldzügen« (Hamburg 1834), abgedruckt in diesem Bd,
S. 914 ff. – 31 *Hexenaltar und die Teufelskanzel:* Gottschalck, S. 116,
erzählt die Sagen von den Felsen »Hexenaltar« und »Teufelskanzel«
sowie vom »Hexenbrunnen«.

146 6 *Hofrat Schütz:* Professor in Halle, begründete mit Wieland und
Bertuch 1785 die Jenaische »Allgemeine Literaturzeitung«. Ab 1804
setzte er mit Ersch die »Hallesche Literaturzeitung« fort. – 13 *Hallesche
Bierwürden:* Die Studenten aus Halle gründeten sogenannte Bierstaaten
in den umliegenden Dörfern, so die »Königreiche« »Cypern« und
»Lichtenstein«. – 14 *die zwei Chinesen:* H. erwähnt in einem Brief aus
Berlin am 1.4.1823 an Immanuel Wohlwill die zwei gelehrten Chinesen, »die auf der Behrenstraße 65 für sechs Groschen zu sehen« seien. –
29 *Wisotzki:* Besitzer eines Berliner Restaurants. – 30 *»Schnell fertig ist
die Jugend mit dem Wort«:* Zitat aus Schillers »Wallensteins Tod«, II,2. –
36 *Intendanz:* Unter der Intendanz des Grafen Karl Moritz von Brühl
an den »Königlichen Schauspielen« in Berlin, 1815–1828, wurden das
Streben nach historischer Treue der Kostüme, der Aufwand an Ausstattung und Dekoration und die Prunkwirkung übertrieben.

147 4 f. *Bankier Christian Gumpel:* Lazarus Gumpel war wie H.s Onkel
Salomon Bankier in Hamburg. Als Gumpelino ist er eine der Haupt-
figuren in den »Bädern von Lucca«. – 14 *Lichtenstein:* Professor der
Zoologie und Begründer des Zoologischen Gartens in Berlin. –
15 *»Menschenhaß und Reue«:* beliebtes und oft gespieltes Stück von
August von Kotzebue, erschienen 1789. – 26 f. *diplomatische Bedeutung
des Balletts:* Daß die folgende politische Allegorie, die sich gegen die
Hauptkräfte und Schlagworte der Restauration richtet, die Zensur
passieren werde, glaubte H. von Anfang an nicht. Schon als er Friederike Robert das Manuskript für den Almanach »Rheinblüten« schickt,
in dem die »Harzreise« zunächst veröffentlicht werden sollte, schreibt
er: »Erscheint die Persiflage des Balletts etwas zu stark, so erlaube ich
gern, die ganze Partie, die damit zusammenhängt [...] ausfallen zu

lassen.« (15.5.1825) Und als H. »Die Harzreise« schließlich an Gubitz für den »Gesellschafter« sendet und dabei auf die Zensur zu sprechen kommt, heißt es wieder: »Am meisten fürchte ich für die Ballettwitze« (23.11.1825). Wie sehr die Zensur diese Passage tatsächlich entstellt und ihres politischen Zündstoffs beraubt hat, ist aus den Lesarten, S. 753 ersichtlich. – 27 f. *Hoguet:* Choreograph und Ballettänzer in Berlin. – *Buchholz:* Privatgelehrter in Berlin, Verfasser historischer Darstellungen, schrieb zum Beispiel eine »Geschichte Napoleon Bonapartes«. Außerdem wirkte er als Herausgeber mehrerer historisch-politischer Zeitschriften und des »Historischen Taschenbuchs oder Geschichte der europäischen Staaten seit dem Frieden von Wien«.

148 36 *Cervantes:* Im »Don Quixote« 1. Buch, 2. Kapitel. Vgl. auch in Bd 4 H.s »Einleitung zu Don Quixote«. Das Zitat in der »Harzreise« auch wörtlich im Brief an Moser vom 30.9.1823.

149 32 *smollieren:* in der Studentensprache: Brüderschaft trinken. – 34 *Methfesselsche Melodien:* Vgl. H.s Aufsatz über den Liederkomponisten Methfessel, Bd 1, S. 428 f.

150 4 *»Die Schuld«:* überaus erfolgreiches Schicksalsdrama von Adolf Müllner, 1815 in Leipzig erschienen.

151 11 ff. *»Meine Seele ist traurig! . . .«* H. parodiert den ossianischen Stil. – 36 ff. *»Schön bist du, Tochter . . .«* Übersetzung von Ossians Hymnus »Dar Thula«.

152 32 ff. *»Warum weckst du mich, Frühlingsluft? . . .«:* H. übernimmt hier fast wörtlich Goethes Übersetzung von Ossians Lied »Berrathon« im »Werther«, 2. Buch.

153 2 *Weenderstraße:* die schon S. 105,2 erwähnte Hauptstraße von Göttingen. – 25 *Falcidia:* Die »Lex Falcidia«, 40 v. Chr., enthielt Bestimmungen über das Erbrecht. Die Worte »quicunque civis romanus« sind die Anfangsworte des 2. Kapitels des Gesetzestextes. Gans, Göschen und Elvers sind bekannte Juristen der Zeit. Mit den »zwölf Tafeln« meint H. das röm. Zwölftafelgesetz aus dem Jahre 450 v. Chr.

154 15 ff. *»Heller wird es schon im Osten . . .«:* Vgl. »Auf dem Brocken« Bd 1, S. 176 und Anm. S. 745.

155 2 *östliche Rosen:* Anspielung auf die Mode der orientalisierenden Lyrik im Gefolge von Goethes »West-östlichem Divan« (1819). 1822 erschienen Rückerts »Östliche Rosen« und 1821–1824 Platens »Ghaselen«. Vgl. auch Immermanns Xenien »Östliche Poeten« im Anschluß an »Die Nordsee. Dritte Abteilung« S. 242. – 4 *Congrevische Blicke:* Brennende Blicke; nach dem Erfinder der Brandrakete William Congreve, englischer Artilleriegeneral und Techniker (1772–1828). – 14 f. *Der Palast des Prinzen von Pallagonia:* Palast in Palermo, dessen Geschmacklosigkeiten Goethe ausführlich in der »Italienischen Reise« (9.4.1787)

beschreibt. – 21 *Johannes Hagel:* Statt der geläufigen Form ›Janhagel‹, für hergelaufenes Volk, Pöbel. – 29 *Clauren:* Pseudonym für Karl Gottlob Samuel Heun (1771–1854), dem Verfasser zahlreicher und vielgelesener Trivialromane.

156 28 *Theophrast:* An einer Stelle seiner fragmentarischen ›Aufzeichnungen‹ (vgl. Bd 5 dieser Ausg.) schreibt H.: »So will Paracelsus die Blumen nach dem Geruch klassifizieren – wie viel sinnreicher als Linné nach den Staubfäden!« Demnach meint H. auch in der »Harzreise« den Arzt und Theosophen Theophrastus Bombastus von Hohenheim, genannt Paracelsus (1493–1541), den er auch in seiner Schrift »Zur Geschichte der Religion und Philosophie in Deutschland«, 2. Buch behandelt (vgl. Bd 3 dieser Ausg.).

159 10ff. *Ich bin die Prinzessin Ilse . . . :* vgl. »die Ilse«, Bd 1, S. 176 und Anm. S. 745.

160 19f. *gar nichts, nämlich die Idee:* karikiert die Hegelsche Philosophie und deren höchstes Prinzip. – 24f. *Vetter, der zu Mölln begraben liegt:* Till Eulenspiegel. – »Abendzeitung«: vgl. Anm. zu »Briefe aus Berlin« S. 10,1. Dort erschien am 8. und 9. September 1824 Theodor Hells Gedicht »Der Ilsenstein und Westerberg im Ilsentale«.

161 12 *Niemann:* F. L. Niemann: »Handbuch für Harzreisende«. Halberstadt 1824.

162 8 *verdenken:* H. spielt mit diesen Sätzen wohl auf seinen Übertritt zum christlichen Glauben an. Er ließ sich am 28.6.1825 während seiner Göttinger Studienzeit in Heiligenstadt, einer kleinen Stadt im Eichsfeld bei Göttingen, taufen. – 36 *Georg Sartorius:* seit 1814 Professor für Geschichte und Politik in Göttingen. Er nahm im Auftrag des Herzogs von Weimar 1814 am Wiener Kongreß teil und war dann Abgeordneter bei der hannoverschen Ständeversammlung. H. widmete ihm auch das Sonett »An den Hofrat Georg S. in Göttingen« (Bd 1, S. 223).

164 21 *Vierlanderinnen:* aus der Landschaft Vierlanden bei Hamburg. – 26f. *noch ungehenkter Makler:* Wie zeitnah und unmittelbar H.s »Reisebilder« vom Publikum aufgenommen wurden, zeigt eine Reaktion auf diese Stelle. Der Hamburger Makler Joseph Friedländer (Neffe von John Friedländer, dem späteren Gatten von H.s Cousine Amalie, der der Dichter sehr nahe gestanden hatte), den H. angeblich nicht kannte, fühlte sich in dieser Charakterisierung getroffen und rempelte H. auf offener Straße an. Zu diesem Vorfall bemerkt H. in einem Brief an Moser vom 14.10.1826: »Daß ein stinkiger Jude in Hamburg überall herumgelogen hat, er habe mich geprügelt, wirst Du gehört haben. Der Schweinehund hat mich bloß auf der Straße angegriffen, ein Mensch, den ich nie im Leben gesprochen habe. Jenen Angriff (er hat mich kaum an dem Rockschoß gefaßt, und das Volksgewühl des

Burstahs hat ihn gleich fortgedrängt), jenes Attentat, jenen Conat hat
der Kerl noch obendrein abgeleugnet, als ich ihn deshalb bei der Polizei
verklagte. Dies war mir Alles, was ich wünschte. Er sagte aus, ich hätte
ihn wegen eines Grolls von 1815 (ich war damals noch gar nicht in
Hamburg) in meinen Schriften angegriffen und nachher auf der Straße.
– Diese Geschichte wurde von infamen Schurken hinlänglich benutzt.«
Ähnlich äußert er sich auch in Briefen an Friedrich Merckel. Und noch
in »Ideen. Das Buch Le Grand« spielt H. darauf wieder an (vgl. S. 294 f.).

Diese Episode fand sogar noch einen literarischen Nachtrag: in
Adolf Müllners »Mitternachtblatt für gebildete Stände« erschien am
6. 1. 1826 (Jg. 1. Nr. 135. S. 540) folgende anonyme Glosse, als deren
Verfasser man zunächst H. vermutete, die aber von Müllner selbst
stammt. (Vgl. Heine: Briefe. Bd 4, S. 139–141.):

Das Kurier-Reise-Bild

Ein beliebter humoristischer Schriftsteller in H . . . . schilderte in einer
seiner Schriften einen Maitag, der ihm alles in dem freundlichsten Lichte
gezeigt hatte, und schloß die Beschreibung mit den Worten: »Sogar den
schwarzen, noch ungehenkten Makler, der dort mit seinem spitzbübi-
schen Manufakturwaren-Gesicht einherläuft, bescheint die Sonne mit
ihren tolerantesten Strahlen.« Ein Makler des Ortes bezog diese Worte
auf sich, und fiel den Schriftsteller auf offener Straße mit Tätlichkeiten
an. Die Sache machte Aufsehen, und wurde auch in der weit entfernten
Residenzstadt M. bekannt. »Was? rief ein reicher und talentvoller
Maler-Dilettant aus, mit diesem einzigen Pinselstriche hat der Autor ein
lebendes Original so getroffen, daß es sich selber erkannte? Das Gesicht
muß ich sehen!« Er nahm auf der Stelle Extrapost, reiste nach H . . . .
und hatte sich kaum in dem Gasthofe zum *** einquartiert, als er auch
schon den Kellner fragte: »Kennen Sie den schwarzen Makler mit dem
Manufakturwaren-Gesichte?« Der Gefragte zögerte zwar mit der Antwort, weil er nicht wußte, wen er vor sich hatte; aber er konnte sich
eines Lächelns nicht enthalten, welches die Frage deutlich bejahete.
»Hier ist ein Maxd'or; Sie erhalten doppel soviel, wenn Sie mir noch
heute Gelegenheit verschaffen, diesen Mann zu sehen.« – Nichts wird
leichter sein, erwiderte der Kellner mit einer dankbaren Verbeugung;
wenn Ew. Gnaden ihn zu *sprechen* wünschen – »Nichts da von Sprechen,
sehen will ich ihn, von Gesicht, weiter nichts, hier oder anderswo, das
gilt gleich, nur bei Tage und sobald als möglich.« Der Kellner verbeugte
sich noch tiefer und verließ das Zimmer nicht ohne Verwunderung über
das seltsame Gelüst des Fremden, den er nach der Beschaffenheit seiner
Kleidung, seines Reisewagens und der Livrée des Bedienten nicht füglich für einen Maler halten konnte. Aber wenige Minuten drauf kam

er mit froher Hast zurück: »Ew. Gnaden dürfen sich nur an das Fenster bemühen, der Schwarze kommt eben die Straße herauf, ich will ihn anreden und einige Augenblicke aufhalten.« Gesagt, getan. »Getroffen! rief der Maler, so wahr Gott lebt, getroffen mit dem einzigen Federzuge!« Als der Kellner wieder in das Zimmer trat, um seinen Doppel-Maxd'or zu empfangen, stand das Manufakturwaren-Gesicht schon auf dem Papier in seinen Hauptzügen, und jener empfing mit dem versprochenen Lohn auch gleich den Auftrag, Postpferde zur Rückreise zu bestellen. Einige Wochen nach seiner Zurückkunft hatte der Schnell-Portrait-Maler große Gesellschaft bei sich, man kam wieder auf die Geschichte mit dem Makler und dem Humoristen zu sprechen, und ein Rechtsgelehrter meinte, sie würde dem Makler übel bekommen, da er doch unmöglich *beweisen* könnte, daß der Humorist eben *ihn* gemeint habe. »Das kann er gar nicht leugnen,« sagte der Maler; »sobald das Original sich selbst produziert, muß jede Jury den Kopisten für schuldig erkennen.« Er holte das inzwischen ausgeführte Bild herbei, und – *nicht* bloß aus Artigkeit gegen ihren Wirt – gestanden alle, daß, wenn *er* getroffen habe, der Humorist den animum injuriandi schwerlich würde ablehnen können. Das Bild gilt in M. für eines der Ausdrucksvollsten dieses Künstlers, und heißt wegen jener schnellen Reise das Kurier-Reise-Bild.

*

Am Ende des ersten »Reisebilder«-Bandes, 1. Auflage, also nach der »Nordsee. Erste Abteilung« findet sich noch folgende

»Anmerkung.

Obschon ich mich bei der Korrektur dieses Bandes unsäglich abmühte, so sind doch gewiß viele Errata stehen geblieben, und ich würde sie auch gern nachträglich verbessern, wenn ich sie nur in diesem Augenblick gleich aufzufinden wüßte. Zufällig sehe ich eben auf S. 123, Z. 7 v.u. [Seitenzahlen der 1. Aufl.] steht ›erwämte‹ statt: ›erwärmte‹. Auf S. 217, Z. 8 v.u. steht ›Angeli‹ statt: ›Wurm‹. Ehrlich gestanden, Ersteren habe ich niemals gesehen und die gewiß sehr bedeutende Namensverwechslung ist zufällig. S. 53, Z. 4 v.ob. steht ›Bettlerwort‹ statt: ›Bettelwort‹. Letzteres ist der bessere Ausdruck. – Die übrigen Verbesserungen sollen nachgeliefert werden im zweiten Teile der Reisebilder, welcher noch außerdem recht viel Hübsches enthalten wird, z.B. abgebrochene Erzählungen, halbe Ansichten der Hauptstädte Nord-Deutschlands, sogar Bemerkungen über polnische Wälder und deutsche Literatur usw. – Saumseligen Freunden, die noch immer Mspte von mir zurückhalten und vielleicht von gedruckten Bitten stärker gerührt werden, als von geschriebenen, wird recht liebevoll angedeutet: daß

Briefe und Pakete, mit der Aufschrift ›an Heinrich Heine, Dr. Jur., per Adresse der Herren Hoffmann und Campe in Hamburg‹ jederzeit richtig an mich befördert werden.«

DIE NORDSEE. ERSTE UND ZWEITE ABTEILUNG

DRUCKVORLAGE UND LESARTEN

Als Druckvorlage dient die 2. Aufl. der »Reisebilder« (= R²), die der Schreibweise der Walzelschen Edition angeglichen wurde. Im folgenden Lesartenverzeichnis sind die wichtigsten Textvarianten der 1. und 3. Aufl. angegeben; die jeweils von der 1. zur 2. und von der 2. zur 3. Aufl. der der »Nordsee. Erste und zweite Abteilung« ermittelten ca. 30 Interpunktionsänderungen dagegen sind nicht berücksichtigt, da in den meisten Fällen kaum zu entscheiden ist, ob es sich bei den Änderungen um Wünsche Heines oder um Willkürlichkeiten bzw. Versehen des Setzers handelt.

Auf die Varianten zu der Textgestalt der »Nordsee« in den verschiedenen Fassungen des »Buchs der Lieder« wurde meist verzichtet, da der 1. Band dieser Ausgabe (S. 179–212) die »Buch der Lieder«-Fassung (5. Aufl.) abdruckt und über die Variantenverhältnisse Auskunft gibt (S. 746–764) und somit die vergleichende Lektüre durch Autopsie möglich ist. Ein ausführlicher inhaltlicher Kommentar zu den Nordsee-Gedichten befindet sich ebenfalls in Bd 1. S. 746–764.

168 Motto: Der ersten Abteilung der »Nordsee« R¹ (Reisebilder. 1. Teil 1826) setzt Heine folgendes Motto voran: »Uneigennützig zu sein in Allem, am uneigennützigsten in Liebe und Freundschaft, war meine höchste Lust, meine Maxime, meine Ausübung, so daß jenes freche, spätere Wort ›Wenn ich dich liebe, was gehts dich an?‹ mir recht aus der Seele gesprochen ist. (Aus Goethes Dichtung und Wahrheit, Vierzehntes Buch.)«. Das Motto der zweiten Abteilung in R¹ (Reisebilder. 2. Teil. 1827), »Xenophons Anabasis IV. 7.«, wird von R² an das gemeinsame Motto beider Abteilungen. Diese Xenophon-Stelle enthält den berühmten Ausruf des Griechenheers beim Anblick des Schwarzen Meeres »Thalatta! Thalatta!« (»Das Meer! Das Meer!«), der wiederum das erste Gedicht (»Meergruß«) der zweiten Abteilung eröffnet. Das Goethe-Motto fällt weg.

169 Widmung erst seit R².

170ff. Reihenfolge der Gedichte: In R¹ eröffnet *V Huldigung* als *I* die erste Abteilung. Diese Reihenfolge bleibt in allen L-Fassungen erhalten, wobei dort das Gedicht *Huldigung* den Titel *Krönung* trägt. Damit verschieben sich in R¹ und L die Gedichte *Abenddämmerung, Sonnenuntergang, Die Nacht am Strande, Poseidon* um jeweils eine Stelle; ab *VI Erklärung* ist die Reihenfolge in allen Fassungen der »Nordsee. Erste Abteilung« identisch.

In »Nordsee. Zweite Abteilung« weicht die allen R-Fassungen gemeinsame Reihenfolge von L ab: *IX Echo* schließt ohne Überschrift und eigene Zählung in L an *VIII Der Phönix* an; *X Seekrankheit* fehlt; damit erhalten die Gedichte *XI Im Hafen* und *XII Epilog* dort die Nummern *IX* und *X*.

Erste Abteilung

171 II Sonnenuntergang: V. 9 »hinter« in R³ »unter«.

172 III Die Nacht am Strande: V. 3 »platt« in R¹ »glatt«.

175 IV Poseidon: V. 28 »eigenen« in R¹ »eignen«.

180 VII Nachts in der Kajüte: V. 47 in R³ »Und sie nicken und sie winken«
    (in L⁵ »Und sie blinken und sie winken«); V. 52 »verbirgt« in R¹ »verhüllt«.

181 VIII Sturm: V. 15 in R¹ »an den Mastbaum«; V. 16–17 gekürzt aus R¹
          »Und lechzt, voll Fraßbegier, nach dem Mund,
          Der vom Ruhm deiner Tochter ertönt,
          Und lechzt nach dem Herzen,«.

    V. 18 »Und« fehlt in R¹.

184 X Seegespenst: V. 49–51 gekürzt aus R¹
          »Das melancholisch menschenleer ist,
          Nur daß am untern Fenster
          Ein Mädchen sitzt,
          Den Kopf auf den Arm gestützt,«.

    V. 59 »Fünfhundert Jahre lang« in R³ »Jahrhunderte lang«.

187 XII Frieden: V. 44–71 fehlen in »Nordsee« L.

Zweite Abteilung

188f. I Meergruß: V. 14 »Flatterten« in R³ »Flattern«; V. 27 »bewahrst«
    in R¹ »bewahrest«; V. 37 »schmaragdene« in R¹ »schmaragdne«.

194f. V Der Gesang der Okeaniden: V. 9 »kehren wieder« in R³ (und in
    L³–L⁵) »kehren zurück«; nach V. 24 folgte in R¹ der Vers »Mit weißer
    Seligkeit gefüllte;«; V. 45 »altes« in R¹, R³ (und L) »kaltes«; V. 58
    »Kummergequälter« in R¹ »kummergequälter«; V. 61 »dein Niobe-
    Herz« in R³ »wie Niobe einst«; V. 69 »schenkte« in R¹ »gab«.

197 VI Die Götter Griechenlands: V. 31 »hast« fehlt in R¹; V. 50 »andre«
    in R³ »andere«.

200 IX Echo: Dieses Gedicht in L ohne Überschrift an VIII Der Phönix
    angeschlossen. V. 1 »An den Mastbaum« in R¹ »Am Mastbaum«.

201 f. X Seekrankheit: Fehlt in L. V. 11 »Geschichten« in R³ »Geschicht-
    chen«; V. 45 »Und laulig dünnen Traktätchen;« gekürzt aus R¹
                 »Und Gemütsdiarhee-verbreitenden
                 Dünnen Traktätchen;«.

    V. 56–57 fehlt in R³.

204 XI Im Hafen: V. 64 »droben am Himmel« in R¹ »dort oben«; V. 65
    »die« in R¹ »eine«; V. 66 fehlt in R¹; V. 67 »Weltgeistnase« in R³ »Wein-
    geistnase«.

205 XII Epilog: V. 4 »Gedanken der Dichter« in R¹ »Gedanken der Liebe«.

ZUR ENTSTEHUNG

Heines Gedanke, seine »Reisebilder« in mehreren Bänden und Fortsetzungen herauszubringen, läßt sich schon bis 1825, bis vor die Veröffentlichung des ersten Bandes also, zurückverfolgen. Als Heine nämlich am 15.12.1825 seinem Freund Moser einen ersten Plan zu einer Sammelveröffentlichung vorlegt, spricht er bereits von dem Titel »Wanderbuch 1ter Teil« (vgl. die Einleitung zum ersten »Reisebilder«-Band, S. 717f.), und er fährt fort: »Den 2ten und 3ten Teil des Wanderbuchs bilden wills Gott eine neue Sorte Reisebilder.«

Diesen »neuen« Inhalt der künftigen »Reisebilder« deutet er am 14.5.1826 an, als er Varnhagen den eben erschienenen ersten Band schickt, von dessen Wirkung er sich hinsichtlich seines Ruhms nicht allzuviel verspricht: »Auch hab ich, wie gesagt, in Hinsicht des Buches kein gutes Gewissen, und bedarf dennoch des Ruhmes jetzt mehr als sonst. [...] Ich bin in dieser Hinsicht besorgt, nicht sowohl wegen der miserablen Wirtschaft in unserer Literatur, wo man von dem Unbedeutenden so leicht im öffentlichen Urteil überflügelt wird, sondern auch, weil ich im zweiten Bande der ›Reisebilder‹ über solche Misere rücksichtslos sprechen werde, die Geißel etwas schwinge, und es mit den öffentlichen Stimmführern auf immer verderben werde. So etwas tut not, wenige haben den Mut, alles zu sagen, ich habe keine zurückgehaltenen Äußerungen mehr zu fürchten, und Sie sollen Ihr liebes Wunder sehen.«

Schon Jahre zuvor, als Heine selbst noch von traditionellen Vorstellungen bestimmt war und etwa meinte, das wahre Dichtertum müsse sich vor allem im Verfassen von Tragödien bewähren, hatte er ein kritisches Literaturprogramm aufgestellt: »Kampf dem verjährten Unrecht, der herrschenden Torheit und dem Schlechten! Wollen Sie mich zum Waffenbruder in diesem heiligen Kampfe, so reiche ich Ihnen freudig die Hand. Die Poesie ist am Ende doch nur eine schöne Nebensache.« (An Karl Immermann, 24.12. 1822) Und jetzt – nach Erscheinen des ersten »Reisebilder«-Bandes: »Die Prosa nimmt mich auf in ihre weiten Arme, und Sie werden in den nächsten Bänden der ›Reisebilder‹ viel prosaisch Tolles, Herbes, Verletzendes und Zürnendes lesen; absonderlich Polemisches. Es ist eine gar zu schlechte Zeit,

und wer die Kraft und den freien Mut besitzt, hat auch zugleich die Verpflichtung, ernsthaft in den Kampf zu gehen gegen das Schlechte, das sich
so aufbläht, und gegen das Mittelmäßige, das sich so breit macht, so unerträglich breit.« (An Wilhelm Müller, 7.6.1826)

Das erste Buch der »Reisebilder«, in dem die Prosa noch umrahmt und
durchwoben war von Lyrik, erfüllte dieses neue Programm für Heine erst
unvollkommen. An Karl Simrock schreibt er, »daß es nicht bloß das Interesse des Tages erregen will«, und überspitzt: »Ich habe deshalb alle Polemik
daraus verbannt, obschon es mich jetzt sehr juckt mal, besonders in Hinsicht
der Literatur, meine Meinung zu sagen. Ich denke in den folgenden Bänden
der Reisebilder das in Prosa zu bewirken was Ihr mit Euren Xenien und
Hexameter zu bewirken strebt.« (26.5.1826) Aus Briefen dieser Zeit wird
deutlich, daß die Wörter »neu«, »kritisch«, »eigentümlich«, mit denen die
Arbeit gekennzeichnet wird, verwandte Begriffe sind, die auf die ent-
stehende kritische Literatur Heines überhaupt hinweisen. Diese kritische
Literatur, wie sie im ersten »Reisebilder«-Teil vorliegt, deckt sich nach
Heines Ansicht noch nicht mit dem Entwurf seiner Absichten und Möglichkeiten. So ist es verständlich, daß er bei Erscheinen des ersten Bandes mehr
vom Künftigen als vom Fertigen spricht. Dieser künftige zweite Teil wird
»das wunderbarste und interessanteste Buch, das in dieser Zeit erscheinen
mag« (an Friedrich Merckel, 6.10.1826), Heine »muß den zweiten Teil unendlich besser geben, und es soll geschehen« (an denselben, 13.10.1826), er
»soll viel Verwunderliches enthalten«, »soll ein außerordentliches Buch werden und großen Lärm machen. Ich muß etwas Gewaltiges geben« (an Moser,
28.7. und 14.10.1826). »In Betreff des zweiten Bandes der ›Reisebilder‹
dürfen Sie die kühnsten Erwartungen hegen, d.h. Sie dürfen viel Kühnes
erwarten; ob auch Gutes? Das ist eine andere Frage. Auf jeden Fall sollen
Sie sehen, daß ich frei und edel spreche und das Schlechte geißle, mag es
auch noch so verehrt und mächtig sein.« (An Joseph Lehmann, 16.12.1826)

Inhaltlich und formal kündigt sich Neues in Heines Schaffen an: das
Abrücken von den nach klassischer und romantischer Ansicht eigentlich
dichterischen Gattungen, Lyrik und Drama, und die Hinwendung zur
Prosa mit ihren eben skizzierten neuen Möglichkeiten; d.h. der Übergang
von der »hohen« Dichtung zur Zweckform – deren Spuren dann später die
jungdeutschen Schriftsteller breittreten sollten – spiegelt sich auch im Inhalt
wider: das traditionelle Modell des alten Reiseberichts, dem die »Harzreise«
noch relativ stark verpflichtet war, soll jetzt im zweiten Band unterbrochen
und aufgelockert werden. Nur der Titel und einige Passagen aus der »Nordsee. Dritte Abteilung« erhalten die Reisefiktion noch aufrecht – im übrigen
sind die »Reisebilder« »vorhanden der Platz, wo ich dem Publikum alles
vorbringe, was ich will« (an Karl Immermann, 14.10.1826). Und im selben
Brief bittet Heine Immermann sogar, seinerseits Beiträge für den »Reise-

bilder«-Band beizusteuern. Auch Varnhagen, dem er die Anordnung seiner verschiedenen Schriften erklärt, »damit Sie sehen, wie es mir ein Leichtes ist, im 2. Teil der Reisebilder alles einzuweben, was ich will«, fordert er auf: »Haben Sie daher in dieser Hinsicht irgend einen besonderen Wunsch, wünschen Sie eine bestimmte Sache ausgesprochen zu sehen, so sagen Sie es mir, oder, was noch besser ist, schreiben Sie selber in meinem Stil die Lappen, die ich in meinem Buche einflicken soll, und Sie können sich auf meine heiligste Diskretion verlassen. *Ich* darf jetzt alles sagen, und es kümmert mich wenig, ob ich mir ein Dutzend Feinde mehr oder weniger aufsacke. Wollen Sie in meinen Reisebildern ganze Stücke, die zeitgemäß sind, hineingeben, oder wollen Sie mir bloß die Proskriptionsliste schicken – ich stehe ganz zu Ihrem Befehl.« (24. 10. 1826) Kurz zuvor hatte er schon Moser von der »Lieblingsidee« seines neuen Bandes geschrieben, »worin ich ›von allen Dingen und von noch einigen‹ spreche«: »Willst Du mir nicht einige neue Ideen dazu schenken? Ich kann da Alles brauchen. Fragmentarische Aussprüche über Zustand der Wissenschaften in Berlin oder Deutschland oder Europa – wer könnte die leichter hinskizieren als Du? Und wer könnte sie besser verweben als ich? Hegel, Sanskrit, Dr. Gans, Symbolik, Geschichte, – welche reiche Themata. [. . .] Willst Du aber über jene Themata etwas Abgeschlossenes schreiben, z. B. einen ganzen wichtigen Brief, so will ich ihn – versteht sich, ohne Dich zu nennen – als fremde Mitteilung in dem zweiten Teile meiner Reisebilder aufnehmen.« (14. 10. 1826)

Dieser Öffentlichkeitscharakter, der die Literatur in die Nähe des Feuilletons rückt – bezeichnenderweise wurde Heine bald darauf Herausgeber von Cottas »Neuen allgemeinen politischen Annalen« in München und wiederholte zum Beispiel seine Bitte an Varnhagen und Moser, Beiträge einzusenden, jetzt für die Zeitschrift (19. und 30. 10. 1827) – und sie zum Diskussionspodium allgemein bewegender Tagesfragen macht, wird bald eine übliche Form bei den Jungdeutschen. Doch wird man Heine nicht gerecht, ihn nur als Anreger und Vorläufer dieser literarischen Richtung zu sehen; auch Goethe etwa betrachtete seine »Wanderjahre« (erste Fassung 1821, zweite 1829) als Rahmenform, in der er alles Mögliche unterbringen, zu Tagesfragen Stellung nehmen und Ideen vielfältiger Art ausbreiten konnte. Und Goethe legt sogar einen fremden Text, eine Übersetzung aus dem Französischen (»Die pilgernde Törin«), in sein eigenes Werk ein. Auflockerung und Bereicherung der Dichtung mit aktuellen Themen wurden allgemein üblich, auch auf konservativer Seite; von eigener Art – und damit tendiert Heine zu den Jungdeutschen – sind dagegen Schärfe, Polemik und Feuilletonstil. –

Bis zum Herbst 1826 sind die Mitteilungen Heines über den Inhalt des zweiten »Reisebilder«-Bandes spärlich. Am 15. 12. 1825 spricht er noch unbestimmt von »einer neuen Sorte Reisebilder, Briefen über Hamburg, und dem Rabbi, der leider jetzt wieder liegt« (an Moser). Die »Briefe über Hamburg« wurden nicht geschrieben, möglicherweise gingen aber Materialien dazu in den »Schnabelewopski« über. Den »Rabbi« möchte Heine auch nächstens im zweiten »Reisebilder«-Band erscheinen lassen (14.2.1826 an Moser, Mai 1826 an Zunz [Brief 152], 26.5.1826 an Lehmann, 28.7.1826 an Moser), doch später schweigt er darüber, der neue »Reisebilder«-Teil ist ohne den »Rabbi« erschienen (vgl. die Entstehungsgeschichte zum »Rabbi«, Bd 1, S. 827–841).

Im eben erwähnten Brief an Moser vom 28.7.1826, der erst am 14.10. vollendet wurde, ist jetzt neben der zweiten Abteilung der »Nordsee«, die den zweiten Band eröffnen soll und die »weit originaler und kühner als die 1. Abteilung« ist, auch die Rede von »einem selbstbiographischen Fragment« in »rein freiem Humor«; darauf kommt Heine wieder zu sprechen, als er am 24.10. Varnhagen einen ausführlichen Veröffentlichungsplan gibt: »Der zweite Teil der ›Reisebilder‹ wird I. die zweite und dritte Abteilung der ›Nordsee‹ enthalten, die letztere in Prosa, die erstere wieder in kolossalen Epigrammen, noch originaler und großartiger als die früheren; dann II. ein Fragment aus meinem Leben, im kecksten Humor geschrieben, welches Ihnen gefallen soll, und III. das Ihnen bekannte Memoire über Polen. – Vielleicht, wenn der Raum des Buches es erlaubt, gebe ich IV. dem Publikum: Briefe aus Berlin, geschrieben im Jahre 1822. Aber mißverstehen Sie mich nicht, dies ist bloß eine Form, um mit besserer Bequemlichkeit alles zu sagen, was ich will, ich schreibe die Briefe eigentlich jetzt und benutze dazu einen Teil des äußeren Gerüstes der Briefe, die ich wirklich im Jahre 1822 im ›Westfälischen Anzeiger‹ drucken ließ.«

Dieses »selbstbiographische Fragment« ist vermutlich ein Teil eines umfangreichen »Memoiren«-Manuskripts, das wiederum der gemeinsame Konzeptbestand für »Schnabelewopski« und »Ideen. Das Buch Le Grand« war. Im Spätherbst 1826 löst Heine aus den Memoirenkonzepten Passagen über die Düsseldorfer Jugendzeit heraus und verarbeitet sie im Winter 1826–27 zu einem kritischen Fragment von bis dahin noch nicht geübter autobiographisch-politischer Offenheit. Der autobiographisch-philosophische Ansatz in den Memoiren wird nicht mehr fortgeführt, als Heine plötzlich den politischen Akzent in der angekündigten Schrift so stark betont: an Rudolf Christiani schickt er Mitte November 1826 (Brief 176) »das 2te Kapitel meiner ›Ideen zur Geschichte‹« (wie Heine sein »selbstbiographisches Fragment« vor dem endgültigen Titel ›Ideen. Das Buch Le Grand« nannte) zur Beurteilung mit den Worten: »Verdamme nicht meine Härte; man hat mich gezwungen, zum Schwert zu greifen [...] Wahrlich meine Stellung begünstigte nie meine Ausbildung zum weichen Minneliederdichter – aux armes! armes! dröhnte mir immer in die Ohren – Alea jacta est.« (Vgl. die Hypothesen über den Zusammenhang von »Schnabelewopski« und »Ideen. Das Buch Le Grand« Bd 1, S. 847–850.)

Das »Memoire über Polen«, 1823 im »Gesellschafter« veröffentlicht, wurde jetzt nicht noch einmal abgedruckt; ebenso kam Heines Plan, die »Briefe aus Berlin« quasi neu zu schreiben, nicht zustande, sie erschienen vielmehr stark verkürzt als »Ballast«, um die für die Freiheit von der Vorzensur vorgeschriebenen zwanzig Bogen des »Reisebilder«-Bandes zu erreichen (vgl. dazu die Einleitung zu »Briefe aus Berlin« und »Über Polen«, S. 689). In einer Schluß-Anmerkung macht Heine selbst darauf aufmerksam:

» *Anmerkung.*

Ein Schriftsteller ist oft übel daran; allerhöchstäußere Bedingnisse können verlangen, daß ein Buch, welches er in die Welt schicken will, über 20 Druckbogen enthalte, während er mit seinen guten »Ideen« nur die Hälfte zu füllen vermag. Hannövrischer Adel und Briefe aus Berlin werden dann als Ballast mitgenommen. So kann es auch geschehen, daß im zweiten Teile der Reisebilder nicht alles geliefert wird, was in der Schlußnote des ersten Teiles [vgl. S. 768] versprochen worden, z.B. die Druckfehler; und diese mögen erst im dritten Teile ihre Stelle finden. Freunde des Verfassers, die ihm Mitteilungen zu machen haben, werden auf jene Schlußnote noch ganz besonders hingewiesen.«

Dieser Band erschien nun Ende Mai 1827 mit folgendem Inhalt: »Die Nordsee. Zweite Abteilung 1826.« »Die Nordsee. Dritte Abteilung 1826.« »Ideen. Das Buch Le Grand. 1826.« »Briefe aus Berlin.« (vgl. Übersicht, S. 713).

Über die »Nordsee. Zweite Abteilung«, die Heine wegen ihrer engeren Verwandtschaft mit der ersten Abteilung im »Buch der Lieder« (Oktober 1827) und in der zweiten Auflage der »Reisebilder« zusammenstellt, berichtet der Kommentar zum »Buch der Lieder« Bd 1, S. 629ff., bes. S. 651–655, 752–764.

Heines Aufenthalt auf Norderney im Sommer 1825 und 1826 bietet nur den äußeren Anlaß zu seinem Prosastück, an dem er seit Oktober 1826 arbeitet (an Varnhagen, 24.10.1826), der Plan zu einer Reisebeschreibung taucht nur vereinzelt und unscharf auf (an Christian Sethe, 1.9.1825, an Moses Moser, 8.10.1825), gegen Friedrich Merckel äußert er sich vielmehr am 6.10.1826: »Im Grunde ist es auch gleichgültig, was ich beschreibe; Alles ist ja Gottes Welt und der Betrachtung wert; und was ich aus den Dingen nicht hinaussehe, das sehe ich hinein.« Oder: »[...] die dritte Abteilung der Nordsee besteht aus Briefen, worin ich alles sagen kann, was ich will.« (an Varnhagen, 24.10.1826) Und tatsächlich beziehen sich Heines Betrachtungen nur anfangs auf das Badeleben von Norderney und dessen Bewohner, bald schweift er in freien Ideen-Assoziationen ab zu anderen Themen.

Innerhalb der »Reisebilder« steht die dritte Abteilung der »Nordsee« als Verbindungsglied zwischen der »Harzreise« und den beiden ersten »Nordsee«-Teilen auf der einen und den »Ideen. Das Buch Le Grand« auf der an-

dern Seite. Mit der »Harzreise« stimmt sie noch in dem äußerlich festge-
haltenen Rahmen einer Reiseschilderung überein, mit den lyrischen »Nordsee«-Zyklen verbindet sie der Hintergrund des Meeres; dagegen schließt die
Napoleon-Begeisterung schon an die »Ideen« an. – Reminiszenzen aus der
Göttinger Zeit – Heines Eindrücke von den jungen adligen Studenten etwa
oder die Erinnerung an den Besuch bei Goethe auf seiner Harzwanderung –
wirken nach, werden jetzt aber aus ihrer persönlichen Beziehung herausge-
löst und mit anderen allgemeingültigen Themen zusammengestellt. Heine
begnügt sich nicht mehr damit, sein Mißfallen an der Politik der Restauration verschlüsselt auszudrücken (wie z.B. in der Ballett-Allegorie in der
»Harzreise«), sondern geht jetzt über zur offenen Kritik. Einige seiner Themen, Kritik an Adel und Klerus, Emanzipation, Napoleon-Idee, Literatur-
kritik werden von nun an seine Werke kennzeichnen.

Der Aufforderung Heines an Immermann, Moser und Varnhagen, eigene
Beiträge für den zweiten Band der »Reisebilder« beizusteuern, war nur
Immermann gefolgt. Er lieferte eine Anzahl von »Xenien«, die Heine an das
Ende der »Nordsee« stellt. Sie sollten später den Streit mit Platen herauf-
beschwören (vgl. S. 830ff.).

In den »Ideen. Das Buch Le Grand« verbindet Heine zwei Themenbe-
reiche auf teilweise verschlüsselte und mehrfach gebrochene Weise: den
autobiographischen Bereich seiner Jugenderinnerungen und Jugendlieben
und den politischen der Napoleonapotheose. Das Amalien-Erlebnis – bisher
nur lyrisch gespiegelt – macht den Kern des autobiographischen Teils aus,
auf Amalie bezieht sich höchstwahrscheinlich das mehrfach wiederholte
Leitmotiv zu Beginn und Ende der Schrift. Die beiden Namen »Evelina«
und »Signora Laura« lassen sich trotz erheblicher Bemühungen der Forschung noch nicht eindeutig klären, es ist ungewiß, ob es sich um tatsächliche oder fiktive Personen handelt (vgl. dazu William Rose: Ein biographischer Beitrag zu Heines Leben und Werk. In: Weimarer Beiträge 3, 1957,
S. 586–597). Allerdings kann mit großer Wahrscheinlichkeit vermutet
werden, daß mit der angeredeten »Madame« Heines Berliner Bekannte
Friederike Robert, die Gattin Ludwig Roberts und Schwägerin Rahel
Varnhagens, gemeint ist, der Heine seine Liebe zu Amalie anvertrauen
konnte (vgl. Karl Hessel: Heines ›Buch Le Grand‹. In: Vierteljahresschrift
für Litteraturgeschichte 5, 1892, S. 546–572). Für Heines Berichte aus seiner
Düsseldorfer Schulzeit ist auch das späte »Memoiren-Fragment« (Bd 5 dieser
Ausgabe) zu vergleichen.

Das Wort »Idee«, das auch in Briefen vor der Entstehung des zweiten
»Reisebilder«-Bandes häufig erscheint und hier einen Teil des Titels bildet,
ist das Organon, mit dessen Hilfe Heine seine zugleich poetische und kri-
tisch-politische Gedankenwelt formuliert und ihre künstlerische Realisie-
rung erreicht. Dabei verwendet er diesen Zentralbegriff der Geistesge-

schichte spielerisch und vieldeutig, was das Verständnis seiner Schrift erschwert. Parodistisch wie schon in der »Harzreise« wertet er ihn ab, wenn er etwa einen Kutscher sagen läßt: »Nu, nu, eine Idee ist eine Idee! eine Idee ist alles dumme Zeug, was man sich einbildet« (Kapitel XIV), bezeichnet aber gleichzeitig Napoleon, das verehrte und bewunderte Genie, als »Mann der Idee, der ideegewordene Mensch« (Brief vom 1.5.1827 an Varnhagen). Wie ernst es Heine gerade mit diesem Thema ist, bezeugt auch ein Brief an Friedrich Merckel vom 10.1.1827, in dem es heißt: »Das Buch wird viel Lärm machen, nicht durch Privatskandal, sondern durch die großen Weltinteressen, die es ausspricht, Napoleon und die französische Revolution stehen darin in Lebensgröße.«

Napoleon, bereits in der »Nordsee« begeistert geschildert, verkörpert für Heine auch hier den Vertreter der großen Revolution, er ist Symbol des emanzipierten, fortschrittlichen Staatswesens. Und in der Erfüllung dieser Revolutions- und Freiheitsidee sieht Heine die Aufgabe seiner politischen Schriftstellerei. Sakralisierende Züge unterstützen Feierlichkeit und Bedeutung, mit der Heine Napoleon in Düsseldorf einreiten läßt: er vergleicht seinen Einzug mit dem Einzug Christi in Jerusalem, ungestüm erwartet vom Volk, begleitet von einem goldenen Stern. »Und auf diesem Gesicht stand geschrieben: Du sollst keine Götter haben außer mir.« »Es war ein Auge klar wie der Himmel, es konnte lesen im Herzen der Menschen, es sah rasch auf einmal alle Dinge dieser Welt, während wir anderen sie nur nacheinander und nur ihre gefärbten Schatten sehen.« Mit ganz ähnlich christlichem Kolorit stellt Heine die Wirkung dar, die noch von dem toten Kaiser ausstrahlt: »Und Sankt Helena ist das heilige Grab, wohin die Völker des Orients und Okzidents wallfahren in buntbewimpelten Schiffen, und ihr Herz stärken durch große Erinnerung an die Taten des weltlichen Heilands, der gelitten unter Hudson Lowe, wie es geschrieben steht in den Evangelien Las Cases, O'Meara und Antommarchi.« (Kapitel VIII und IX)

Doch die Napoleon-Darstellung erfolgt nicht nur direkt, sondern auch aus dem Blickwinkel der Gestalt eines seiner Soldaten, dem nach Jahren aus Rußland zurückkehrenden Trommler Le Grand, der im Titel erscheint. Diese zweite Perspektive, die das weltpolitische Geschehen noch einmal aus niederer Sphäre spiegelt und wiederholend variiert, bildet ebenfalls eins der Stilmittel Heines, die den Gegenstand seiner Schrift vielfach brechen und interessant machen. Zugleich wird durch die erzählerische Verschränkung von Jugenderinnerung und Liebesgeschichte mit der Napoleon-Handlung, die Diskontinuität, wobei Heine Sterne und Jean Paul folgt, private und öffentliche Sphäre andeutungsweise und unausgesprochen aufeinander bezogen, eine Technik, die ganz eindeutige und offene Partien mit dem Schleier des Geheimnisses umgibt und gleichzeitig intime Begebenheiten in einen größeren und offenen Raum stellt.

Heine schätzte selbst die »Ideen« am meisten unter den Texten des zweiten Teils der »Reisebilder«: »Ich denke, der Legrand wird Dir gefallen haben; alles übrige im Buche, die Gedichte ausgenommen, ist Futter für die Menge, die es auch mit vielem Appetit verzehrt. Ich habe durch dieses Buch einen ungeheuren Anhang und Popularität in Deutschland gewonnen; ich habe jetzt eine weitschallende Stimme. Du sollst sie noch oft hören, donnernd gegen Gedankenschergen und Unterdrücker heiligster Rechte. – Ich werde eine ganz extraordinäre Professur erlangen in der Universitas hoher Geister.« (9.6.1827 an Moser) Und am 30.10. an Moser nennt er sein soeben erschienenes »Buch der Lieder« »ein harmloses Kauffahrteischiff«, das »unter dem Schutz des 2ten Reisebilderbandes ruhig ins Meer der Vergessenheit hinabsegeln« wird. »Daß letzteres Buch ein Kriegsschiff ist, das allzuviel Kanonen an Bord führt, hat der Welt erschrecklich mißfallen. Der 3. Band soll noch fürchterlicher ausgerüstet werden, das Kaliber der Kanonen soll noch größer ausfallen, und ich habe schon ein ganz neues Pulver dazu erfunden. Soll nicht soviel Ballast wie der zweite Band führen.«

»Erschrecklich mißfallen« hatte der zweite »Reisebilder«-Teil tatsächlich den deutschen Zensurbehörden. Heine sah das voraus und reiste am Tage der Auslieferung des Buches von Hamburg nach England, um von dort aus die Reaktion auf sein Werk abzuwarten. In England sammelte er schon neue politische und soziale Erfahrungen und Eindrücke für weitere »Reisebilder«. »Es war nicht die Angst, die mich wegtrieb, sondern mehr das Klugheitsgesetz, das jedem ratet, nichts zu riskieren, wo gar nichts zu gewinnen ist.« (1.5.1827 an Varnhagen) Und tatsächlich boten die Napoleon-Begeisterung, Heines mehr oder weniger offenes Eintreten für die Revolution, die scharfe Adels- und Klerus-Kritik und nicht zuletzt das Kapitel XII der »Ideen«, die Satire auf die Zensoren, genug Ärgernis für die österreichische, hannoversche und mecklenburgische Zensur, um das Buch in diesen Staaten zu verbieten. Die Preußische Behörde dagegen sah trotz mancher Bedenken zu einem Verbot keinen Anlaß; bloß der Oberpräsident der Rheinprovinz ließ das Buch auf eigene Faust beschlagnahmen (vgl. H.H.Houben: Verbotene Literatur. Bd 1. Berlin 1924, S. 386f.).

Die Nachricht von dem Verbot jedoch hatte die Aufmerksamkeit auf das Buch nur gesteigert. »Ich sehe auch vorher, daß die Guten des Landes mein Buch hinlänglich herunterreißen werden, und ich kann es den Freunden nicht verdenken, wenn sie über das gefährliche Buch schweigen. Ich weiß sehr gut, man muß staatsfrei gestellt sein, wenn man über meinen Legrand sich äußern will. Ich denke, Robert wäre wohl jetzt, vermöge seiner äußeren Stellung, derjenige, welcher sich am besten des Buches annehmen könnte«, schrieb Heine am 1.5.1827 an Varnhagen (Ludwig Robert äußerte sich wirklich darüber im »Morgenblatt«, allerdings mehr paraphrasierend als tatsächlich den Gehalt erfassend. Der Artikel ist abgedruckt unten S. 786 ff.), und damit hatte er die Reaktion auf sein Buch in Deutschland richtig einge-schätzt, denn Varnhagen hatte ihm, wie Heine Friedrich Merckel am 1.6. mitteilt, geantwortet: »Aufsehen, viel Aufsehen macht Ihr Buch, und Dümmler und Konsorten nennen es nach ihrem Buchladenmaß ein gutes, aber die Leser verstutzen, sie wissen nicht, ob sie ihr Vergnügen nicht heim-lich halten und öffentlich ableugnen sollen, selbst die Freunde tun erschreck-lich tugendhaft als ordnungsliebende Gelehrte und Bürger« – »kurz, aus serviler Angst wird Alles getadelt«, fügt Heine enttäuscht hinzu. Und an Moser schreibt er: »Wenn Du dort in der Journalenwelt etwas für den 2. Reisebilderband tun kannst, so unterlaß es nicht. Es wird nicht an er-bärmlichen Ausfällen auf mich fehlen; – und die Freunde sitzen gewöhnlich still. Auch ist es für Beamte, königl. preußische, etwas mißlich, über mein Buch sich ehrlich auszusprechen. Ich will Dich, den Nichtbeamten, darauf aufmerksam machen, aber ich weiß, es hilft nichts, Du bist zu tief, als daß man Dich leicht zum Schreiben bewegen könnte.« Der Freund verfaßte keine Besprechung, doch in zahlreichen Organen setzte man sich mit dem Buch sogleich auseinander. Die unten abgedruckten Rezensionen vermitteln ein deutliches Bild über die tatsächliche Aufnahme und die unterschiedliche. Beurteilung.

Durch den starken Absatz des Bandes ermutigt und – nach seinem Verle-ger Campe – durch das Verbot der »Reisebilder« am Rhein »unbegreiflich gekitzelt und eitel gemacht« – »Dieser Kitzel wird ihn der Poesie entrücken und der Politik zuführen, wo mehr Ruhm zu erlangen ist, wenigstens mit weniger Mühe.« (Campe an Immermann, 5.10.1827) – hören wir schon ein halbes Jahr nach Erscheinen von dem Plan einer zweiten Auflage wie von einem künftigen dritten Band (an Varnhagen, 19.10.1827). Doch unter den vielen Ereignissen der kommenden Jahre (vgl. die Entstehungsgeschichte zum dritten und vierten »Reisebilder«-Teil) zog sich die Veröffentlichung einer zweiten Auflage bis Ende des Jahres 1831 hin, nachdem bereits der dritte Band Ende 1829 mit der Jahreszahl 1830 erschienen war. Heine dachte zunächst daran, »die mangelnden Seebilder und die ›Berliner Briefe‹, die ich wegschmeiße, durch Darstellungen aus England« zu ersetzen (an Varn-hagen, 16.6.1830), doch sollten diese erst in den »Nachträgen« erscheinen. Heine füllte vielmehr den Raum, den zuvor »Nordsee. Zweite Abteilung« und die gekürzten »Briefe aus Berlin« eingenommen hatten, mit »neuen Frühlingsliedern« auf (vgl. Heines »Vorwort zur zweiten Auflage«, S. 209 f.; die Gedichte des »Neuen Frühlings« gingen später in die Sammlung »Neue Gedichte« ein, Bd 4 dieser Ausgabe). Die neue Auflage hat also folgenden Inhalt: »Nordsee. Dritte Abteilung. 1826.« – »Ideen. Das Buch Le Grand. 1826.« – »Neuer Frühling« (vgl. die Übersicht, S. 713). Dieser zweite Band der »Reisebilder« erfuhr zu Heines Lebzeiten noch drei weitere Auflagen,

1843, 1851 und 1856, die Heine, ohne weitere Veränderungen vorzunehmen, Campe nach dem Text der zweiten Auflage drucken ließ (vgl. Briefe vom 30.9.1839 und vom 27.4.1843 an Campe).

AUFNAHME UND KRITIK

Von H. Heines Reisebildern hat der zweite Teil vor kurzem die Presse verlassen, eine der merkwürdigsten Gestalten, welche eine Leipziger Messe zu Tage förderte. Das Buch zu rezensieren ist eine mißliche Aufgabe, für die sich vor der Hand bei uns kein Paladin gefunden. Der Rezensent muß beide Rockschöße aufnehmen und auf den Schuhspitzen gehen, will er nicht in diesen Irrgängen des Witzes überall anstoßen und auftreten, was Flecke gibt, Schmerzen und ärgerliche Berührungen. Es möchten nur wenige sein, mit denen der Verfasser nicht versucht es zu verderben, und daher kann man dem eleganten Buche das Prognostikon stellen, daß es viel gelesen werden wird. Von dem Talente des Dichters finden sich auch hier leuchtende Spuren; aus den Seebildern (Nordsee) welche einladend dem Bande voranstehen, haben wir in unserm Blatte bereits einige der besten nach dem Manuscripte mitgeteilt; den Meergruß, der den Reigen führt, geben wir gern noch einmal als Probe zum Weiterlesen. Aber dann kommt es wild und bunt. Auch Immermann hat sich zu Heine gesellt um kritisch auszuschlagen, als geschähe dies in dem nicht allzu voluminösen Buche nicht schon genug. Sollte aber die Zeit der Xenien nicht schon wieder vorüber sein, nachdem sie zahm und wild, als Raketen und Schwärmer, endlich sogar mit ihren neu aufgelegten Eltervätern an unsern Ohren, in schnellerm und matterem Fluge, vorausgesaust sind? Man könnte immer, dünkt mich, wieder ein zehn Jahr vorübergehen lassen. Daß der Dichter zum Schluß seine Korrespondenz aus Berlin mit abdrucken lassen, geht, nach Berliner Redensart, über den Spaß.   *a.*

Berliner Conversationsblatt. Jg. 1827, Nr. 93 (11.5.) S. 372.

*

Der Dei von Algier, bei der letzten Belagerung seiner Hauptstadt durch die Engländer, verwundert und unwillig über die Wirkung der Congreve'schen Raketen, meinte: »Diese mörderischen Kugeln müsse der Kopf eines Algierers und das Herz eines Engländers erfunden haben!« Wie dem Dei von Algier, so geht es manchen Lesern der Heineschen Schriften, denen die Raketen dieses Congreve etwas zu nahe vorübergestreift sind, oder gar die Nasenspitze unsanft berührt haben. Sie gestehen ihm zu, daß er Kopf habe, so gut, oder vielleicht mehr, als irgend einer der Ihrigen, aber ein Herz – wie sie es kaum bei dem bösen Feinde vermuten. Der Dei von Algier hat etwas parteiisch geurteilt; die Leser der Heineschen Schriften mögen es wohl auch mitunter tun. Wir haben im vorigen Jahrgange dieser Zeitschrift über den ersten Teil der »Reisebilder« Bericht abgestattet [vgl. S. 727ff.], und dürfen uns daher bei der Anzeige des kürzlich erschienenen zweiten Bandes etwas kürzer fassen. Musis et mulis ist auch dieser zweite Teil gewidmet; wer aber von den beiden Gattungen mehr darin bedacht ist, als im ersten Teile, das ist in der Tat schwer zu entscheiden. Die Musen, betrachtet man sie genauer, sind freilich ein wenig schamrot darüber, daß sie beständig sich in solcher Gesellschaft befinden – doch auch diese Gesellschaft, so wenig sie den olympischen Jungfrauen anstehen mag, uns armen Bewohnern der Erde, die wir hier weniger Ambrosia und mehr Langeweile haben, uns vertreibt sie die Zeit, denn sie ist witzig, oder vielmehr der Wirt, der sie uns präsentiert, legt ihr gar artige Witze in den Mund; wir lachen über die Gesellschaft, und wer nicht lacht, der befindet sich gewiß selber darunter; wir gestehen, es sei eine gar niedliche Peitsche, das satirische Geißelchen des Herrn Heine, und wer sich kratzt – den juckt es. »Zusehen wollen sie Alle!« sagt der Gerichtsdiener Klaus in den deutschen Kleinstädtern; alle loben sie das Buch: es ist ganz vortrefflich geschrieben, wir gäben wer weiß was darum, sagen sie, wenn wir so schreiben *könnten*, aber – fügen die Delikaten hinzu – wir möchten es doch um keinen Preis selber geschrieben haben. Ja, zusehen wollen sie Alle! – Wie der erste Teil, so enthält auch dieser zweite: Poesie und Prosa, Erfundenes und Erlebtes, Dichtung und Wahrheit; doch überall guckt des Dichters Subjektivität nicht bloß durch: es ist das ganze Buch sein gedrucktes Ich, eine in den verschiedensten Formen durchgeführte Lyrik. Wir könnten, nachdem wir seine Werke gelesen, nicht bloß seine Biographie schreiben, sondern auch allenfalls den ganzen äußern Menschen zeichnen, wie er leibt und lebt. Freilich gehört dazu kein geringes Maß von Darstellungsgabe, sich selber und mitunter auch andere so porträtieren, wie es der Verfasser tut; aber es kann auch keine Alltagsnatur sein, die den Leser fast durch nichts anders, als durch ihre Selbstkritik so lange zu fesseln weiß.

»*Seebilder*«, eine Fortsetzung der im ersten Teile befindlichen, poetischen Ausstellung, eröffnen den zweiten; »*Norderney*« ist die Überschrift und der Gegenstand des folgenden Aufsatzes, dem sich zwanzig Kapitel »*Ideen*« anschließen. Den Beschluß machen »*Briefe aus Berlin*«, die der Autor selber als Ballast bezeichnet. Die »Ideen« haben noch den besondern Titel: »*Das Buch Le Grand*«, was ungefähr wie »das Buch Hiob«, »das Buch Esther«, klingt; Le Grand aber ist ein französischer Tambour. Der Tambour ist an *Evelina* dediziert; so heißt hier des Dichters Geliebte, die sich bekanntlich anderweitig verheiratete, und der er so niedliche, maliziöse Liederchen zum Hochzeitsgeschenk gemacht hat. Dieses Mal behandelt er sie aber mit einer ganz ausnehmenden Aufmerksamkeit – und nimmt er sich auch bisweilen etwas heraus, so weiß er sich doch immer hinterher gar galant zu entschuldigen, und zwar so bittersüß-höflich, daß uns seine Entschuldigungen immer an den französischen Akademiker Duclos erinnern, der sich einmal in der Seine badete, als oben am Ufer eine junge, hübsche Dame vorüberfuhr und mit dem Wagen umfiel. Duclos, nackt wie er war, sprang höflich herzu und half der Dame auf die Beine; diese aber sah ihn etwas verschüchtert an, und Duclos, indem er ihr wieder in den Wagen half, bat mit einem kleinen, sardonischen Lächeln: »Verzeihung, Madame, bitte tausend Mal zu verzeihen, daß ich keine Handschuhe anhabe!« –

Napoleon ist der gefeierte Held unseres Dichters. Wir Deutsche, wir sind ein versöhnliches Volk; wir haben den Heldenkaiser ein paar Jahre gehaßt, haben mit ihm, wie die gekränkte Hausfrau mit dem tyrannischen Eheherrn, ein wenig geschmollt; doch kaum hat die Zeit eine dünne Scheidewand zwischen ihm und uns gezogen, so gedenken wir seiner mit Wehmut. Bei uns gönnt man ihm die Apotheose, die ihm in dem Lande streitig gemacht wird, dessen Ruhm er auf Adlersfittigen bis zu den Pyramiden Ägyptens, bis zu den Säulen des Herkules und bis zum Eise des Nordpols getragen hat. Was unser Dichter von dem Kaiser sagt, ist des Kaisers und des Dichters würdig; Sankt Helena und die Engländer bilden das Relief zu seiner Darstellung, der es, wie bei dem überreichen Stoffe sich leicht denken läßt, an pikanten Ein- und Ausfällen nicht fehlt. Nächst dem Napoleon erhebt der Verfasser – wen? – den Poeten Immermann! Er nennt ihn den ersten, jetzt lebenden deutschen Dichter. Je nun, wenn die Proben, die sich in den »Reisebildern« von Immermann befinden, davon Zeugnis geben sollen, so würde der *Erste* als der zu nehmen sein, bei dem man von unten anfängt. Die Disticha, die Herr Immermann uns hier gibt, sind zwar gereimt, aber zugleich auch ziemlich umgereimt. Z.B.:

Wenn ich Euch gefall Ihr Leute, dünk' ich mich ein Leineweber;
Aber, wenn ich Euch verdrieße, seht, das stärkt mir meine Leber.

Ein ächter Leberreim! Zum Glück ist wahrscheinlich den meisten Lesern der Heineschen »Reisebilder« bekannt, daß Herr Immermann schon Besseres, größtenteils zwar Nachahmungen Shakespeares und Goethes, aber doch auch mit so viel eigenem Geiste geschrieben hat, daß er, wenn auch nicht zu den *ersten* Dichtern, doch zu denen gezählt werden kann, die eine Anwartschaft auf *künftigen* Ruhm haben. Treffende Bemerkungen über unsere neueste Literatur befinden sich übrigens in dem Aufsatze: »Norderney« des uns vorliegenden Buches.

Die »Seebilder«, die sich, zwölf an der Zahl, in diesem Bande befinden, sind nicht durchgehends so schön, als die des ersten Teiles. Vielen sieht man es an, daß der Dichter sich selbst und die ersten Seebilder an Originalität des Gedankens und des Ausdrucks habe übertreffen wollen, aber – »man erkennt die Absicht und wird verstimmt«. Als gelungen nennen wir die Bilder: I., X., XI. und XII. [. . .] Wie wir hören, ist der Dichter nach England gereist; von dieser Reise dürfen wir, bei seinem großen Beobachtungstalent, einen Schatz von neuen Bemerkungen über das charakteristische Land, für den dritten Teil der »Reisebilder« erwarten.   A–e–i.

Berliner Schnellpost für Literatur, Theater und Geselligkeit 2 (1827) Nr. 77 (15.5.) S. 305–307.

*

Was ich im vorigen Jahre von dem ersten Teile der Heine'schen Reisebilder preisend und tadelnd gesagt [vgl. S. 725ff.], gilt in vollen, ja noch erhöhten Maßen auch von diesem zweiten. Der Leser findet stets seine Rechnung, sei es nun im angenehmen Erstaunen, in heiterer Befriedigung, in großartiger Erhebung, in unwiderstehlichem Lachen, oder in heimlichem Ärger, in heftiger Ungeduld, in empörtem Unwillen; denn zu allem diesen ist reichlich Anlaß, nur nicht zur Langeweile, für welche, bei dem Reichtum und Wechsel der Gegenstände, dem raschen Witz, den beweglichen Gedanken und Bildern, der Leser keine Zeit behält. Was zuerst auffällt, ist die Überdreistigkeit, mit der das Buch alles Persönliche des Lebens nach Belieben hervorzieht, das Persönliche des Dichters selbst, seiner Umgebung in Freunden und Feinden, in Örtlichkeiten ganzer Städte und Länder; diese Dreistigkeit steigt bis zum Wagnis, ist in Deutschland kaum jemals in dieser Art vorgekommen, und um ihr ein Gleichnis aufzufinden, müßte man fast an die berühmten Junius-Briefe in England erinnern, mit dem Unterschiede, den die politische Richtung und der englische Maßstab für diese letztern bedingt. Aber neben und mit dieser Dreistigkeit und Ungebühr, die in ihren oft rohen und geradezu frechen Äußerungen auch der beste Freund des Dichters durchaus nicht zu entschuldigen unternehmen kann, entfaltet sich eine Innigkeit, Kraft und Zartheit der Empfindung, eine Schärfe und Größe der Anschauung, eine Fülle und Macht der Phantasie, welche auch der erklärteste Feind nicht wegzuleugnen vermag! In diesem zweiten Teile seines Buches hat der Verfasser zugleich einen ganz neuen Schwung genommen. Seine poetische Welt, anhebend von der Betrachtung seiner individuellen Zustände, breitet sich mehr und mehr aus, sie ergreift Allgemeineres, wird endlich universell; und dies nicht nur in den Stoffen, die notwendig so erscheinen müssen, sondern auch in denjenigen, welche sich recht gut in einer gewissen Besonderheit behandeln lassen und fast immer nur so behandelt werden, in allem nämlich, was die Gefühlsstimmung überhaupt und alles

Gesellschaftsverhältnis im Allgemeinen betrifft. Es ist, als ob nach einem großen Sturme, der den Ozean aufgewühlt, die Sonne mit ihren glänzenden Strahlen die Küsten beleuchtete, wo die Trümmer der jüngsten Schiffbrüche umherliegen, Kostbares mit Unwertem vermischt, des Dichters eigner ehemaliger Besitz und die Güter eines geistigen Gemeinwesens, dem er selber angehört, alles untereinander. Das Talent unsres Dichters ist wirklich ein beleuchtendes; die Gegenstände, mögen sie noch so dunkel liegen, weiß er mit seinen Strahlen plötzlich zu treffen und sie, wenigstens im Fluge, wenigstens von Einer Seite, hell glänzen zu lassen. Der Lebensgehalt europäischer Menschen, wie er sich als Wunsch, als Seufzer, als Verfehltes, Unerreichtes, als Genuß und Besitz, als Treiben und Richtung aller Art darstellt, ist hier in gediegenen Auszügen ans Licht gebracht. Die Ironie, die Satire, die Grausamkeit und Rohheit, mit welchen jener Lebensgehalt behandelt wird, sind selbst ein Teil desselben, so gut wie die Süßigkeit, die Feinheit und Anmut, welche sich dazwischen durchwinden; und so haben jene Härten, die man dem Dichter so gern wegwünscht, in ihm dennoch zuletzt eine größere Notwendigkeit, als man ihnen anfangs zugesteht. – Das Buch hat verschiedene Abteilungen. In der ersten werden die Bilder des See- und Küstenlebens fortgesetzt, welche schon im ersten Bande unter der Überschrift: die Nordsee, begonnen haben; zwölf Gedichte, kolossale Epigramme, wie schon die früheren genannt worden, stehn voran, reich an überraschenden, witzigen, aber auch an erhabenen, tiefergreifenden Wendungen; von hinreißendem, melodischen Zauber sind besonders zwei, der Phönix und Echo, in welchen der gemeinsame Refrain: Sie liebt ihn! sie liebt ihn! jeden Musiker von Gefühl zur Tonsetzung auffordert; die Götter Griechenlands und der Gesang der Okeaniden sind in andrer Art außerordentlich; sodann folgt in Prosa eine Schilderung des Seebades Norderney, voll beißender, scherzhafter und zum Teil auch sehr ernster Laune, in welcher eine tiefe Gesinnung sich nicht verkennen läßt; vor allem anziehend und geistreich sind einige Blätter über Napoleon und seine Geschichtschreiber. Den Beschluß dieser Abteilung machen Xenien von Immermann und Heine; sie zu loben wäre hier unangemessen, sie werden ohnehin schon von selbst sich durchbeißen, denn scharfe Zähne haben sie, mit denen sie auch zuweilen den Unrechten fassen mögen! Die zweite Abteilung ist der eigentliche Kern des Buches, sie ist überschrieben: Ideen. Das Buch Le Grand. Davon eine Vorstellung in der Kürze zu geben, ist ganz unmöglich. Bei vielen und sehr großen Ungezogenheiten enthält dieser Aufsatz die tiefsten und wahrhaftesten Geschichtsbilder, und Napoleon ist darin mit den seltsamsten Mitteln, so rührenden und erhabenen als possenhaften und polemischen, höchst originell vor Augen und Seele geführt. Durch die Zuschrift dieses Buches an eine Dame, und die zwischen den Vortrag unaufhörlich sich durchdrängende Anrede: Madame! erhält das Ganze, in welchem sich Liebesgeschichte und Volks-

und Weltgeschichte und wissenschaftliches und bürgerliches Treiben mit
unerschöpflicher Wunderlichkeit der Formen und Übergänge verschränkt,
eine noch seltsamere Farbe. Man muß das selbst lesen, um einen Begriff
davon zu haben. Die dritte Abteilung gibt Briefe aus Berlin vom Jahre 1822,
welche gleichfalls im Scherz manchen Ernst andeuten, im Ganzen jedoch
milder und sanfter sind als die vorangegangenen Aufsätze. Wollte man aus
dem Buche einige Proben mitteilen, so müßte man sich bald in Verlegenheit
befinden, denn fast jedes Blatt bietet die außerordentlichsten Züge, deren
gedrängte Fülle gerade den Charakter des Buches ausmacht; dasselbe ist
gleichsam eine Sammlung von Einfällen, deren jeder, wie in einem Pandä-
monium, sich auf den kleinsten Raum zu beschränken sucht, um dem Nach-
bar, der sich aber eben so wenig breit macht, Raum zu lassen. Mögen die
Kritiker des Tages immerhin vorzugsweise die skurrile Außenseite be-
schreien und anklagen, dem sinnigen Leser kann nicht verborgen bleiben,
welch heller, echter Geisteseinblick, welch starke, schmerzliche Gefühlsglut,
mit Einem Worte, welch edle und tiefe Menschlichkeit hier in Wahrheit
zum Grunde liegt!

Varnhagen von Ense (anonym) in: Der Gesellschafter. Jg. 1827, Nr. 82
(23.5.). Wiederholt in: Varnhagen von Ense: Zur Geschichtsschreibung und
Literatur. Hamburg 1833. S. 587–590.

*

Da diese Schrift füglich auch jeden andern Titel haben könnte, und vermutlich selbst nicht weiß, wie sie dazu kommt, just der zweite Teil eines gewissen
andern ersten Teils zu sein, so wird von jenem ersten Teil hier nicht gehandelt werden; sondern ... Aber wir sehen gar nicht ein, warum wir über ein
zwar außer, aber eben dadurch unordentliches Buch eine ordentliche Kritik
verfassen sollen. Es ist bei weitem angemessener eine Briefseite zu geben, die
ein Freund des raschen Verfassers über dessen neueste Schrift rasch niederschrieb, weil, wie den Autor Gefühle und Gedanken, ihn der Abgang der
Post drängte. Die Kritik wird auf diese Weise – wie es unbescheidene Autoren verlangen – bescheiden sein, indem sie eilig die Feder laufen läßt, sich
also nicht vornehm über das beurteilte Werk erhebt und demselben sogar
durch möglich getreue Nachahmung huldigt. Also:

   Madame! Ich lege *Heines* letztes Buch so eben aus den Händen, und habe
es – Sie doch gewiß auch, Madame – ausgelesen. Lallaralla, la – la – la! –
Sie sehen, wie begeistert ich von meinem Autor bin. Verstehen Sie nur das
Wort »mein *Autor*« in seinem ganzen himmeltiefen und höllenlichten Sinn,
in welchem sich Geburt und Grab, Vernichtung und Schöpfung so innig
durchdringen und umschlingen, wie ich Sie, Madame, nämlich in Gedanken

– in jenem ewig tragischen Gedanken, in welchem ich fortwährend sterben würde, wenn Sie mir nicht mit einem Veilchenblicke das Leben gerettet hätten. Die Franzosen trinken Tee von Veilchen – ach! von getrockneten – und der Tambour Legrand sagte mir, er trockne auch die von Tränen feuchten Augen, und bewältige den Krampf des Herzens. – Madame! Ihr Veilchenblick hat mich ganz aus dem Konzept gebracht. Ich kehre zu meinem Autor zurück, der deshalb buchstäblich mein Autor ist, weil er mich, so zu schreiben, erschaffen hat; – nicht etwa wie Allah aus nichts, nicht etwa wie Brama aus Hand und Fuß, sondern wie der Vogel Greif aus einer Feder seines Fittichs; und dann ließ mich mein Autor laufen, und so schreibe ich Ihnen im Drange unendlicher Gefühle, Madame, wie er. – Sie wollen eine Kritik des *Heine*schen Buchs? – L'art est difficile; aber die Kritik dieser Art noch diffiziler! – Madame! Sie haben zwar ein hartes Herz, aber doch weiche Momente, glauben Sie also: die Schellenkappe auf meinem Haupte soll nur den tiefen Schmerz überklingeln, den ich über dieses treffliche Buch nur deshalb empfinde, weil es so trefflich und doch kein Buch ist. – Ich habe Sie belogen, Madame, mein Schmerz ist nur Scherz, meine Schellen aber sind peinliche Fesseln, mit denen ich an die Galeere meiner mich selbst vernichtenden Ironie geschmiedet bin; und mit denen ich um Hilfe schelle, wenn mir mein Geier mit den blauflammenden Augen das Herz anfrißt. Verstehen Sie, Madame? – Hol mich der Geier! ich glaube, der Geier sind Sie, Madame. Doch nein, Sie lieben mich ja gar nicht und also gewiß nicht zum – Fressen. Tralla la la la! Aber ewig spreche ich von mir und meiner albernen Liebe; und soll doch von *Heines* Buch sprechen. Ich habe es gelesen, ausgelesen! Er ist ein allseitiges Buch, voll der herrlichsten Einfälle! Keine Seite, auf der nicht Vortreffliches stände! Gedanken, Empfindungen, Ansichten, Scherz, Ernst, Liebe, Haß, Spott, Ehrfurcht und alles andere und das Gegenteil von diesen und – jenem. Und nicht nur Einmal, nein, Zweimal hab ichs gelesen, und beide Male gefiel es mir beinahe gleich gut. Aber wenn es mir auch das erste Mal ein bißchen besser als das zweite Mal gefiel, so ist das durchaus nicht die Schuld des Autors, sondern jenes komischen Ungefährs, welches man Witz des Schicksals nennt. Ich muß mich erkären. Das erste Mal nämlich durchblätterte ich das nicht aufgeschnittene Heft – ich war noch nicht entschlossen es zu kaufen – und da geschah es, daß die abgebrochenen Stellen, die ich las, ein innig zusammenhängendes und vollkommen abgeschlossenes Kunstwerk bildeten. Nicht nur die schönen *Nordseebilder*, die Enkel der *Tieck*schen Reisegedichte, nicht nur die *Ideen*, sondern, au contraire; auch die Briefe aus Berlin waren so besonnen und doch so begeisterungsvoll, daß ich über den gediegenen Kunstwert, über den innigen Zusammenhang des Ganzen nicht genug staunen konnte, und mir steif und fest einbildete, unser lieber *Heine* müsse eine geraume Zeit über Form und Inhalt nachgedacht und alles in seiner vernunftbeherrschten Phantasie nicht allein fix, sondern auch schon fertig gemacht haben, bevor er nur das erste Wort dieses grandiosen Werks, nämlich »*Thalatta*« niederschrieb. – Und diesen Menschen, Madame, lieben Sie nicht? Sie zerreißen ihm das Herz – ich aber schnitt sein Buch auf, las dasjenige im Zusammenhange, was ich so eben nur fragmentarisch gelesen hatte, und wurde nun den Witz des Schicksals gewahr. Just im Zusammenhang war das Buch ohne allen Zusammenhang, just als Ganzes zerstückelt, just als Kunstwerk gar keine Kunst. Ja ich sahe nur noch ein Buch des Buchbinders, nur er hatte es gebunden, und ohne ihn wäre mir das Werk ohne Band total ungebunden erschienen. Aber Ungebundenheit ist Heldenart. Ungebundenheit – parbleu Madame! muß Sie bezaubern. Lesen Sie nur, wie ungebunden und ohne Scheu mein Autor, nicht nur Die ganze Welt, nein, sogar einzelne hohe und niedre Bekannte in den Staub tritt. Mut, parbleu Madame! Mut ist ja sonst so beliebt bei Frauen; und Sie, Sie verschmähen meinen Autor? – Ungebundenheit ist Heldenart; und sind nicht *Napoleon* und sein Tambour *Legrand* die Vorbilder *Heines*? – Steigert er ihre Heldenart nicht bis zur Heldenunart, wenn er gefeierte Leute austrommelt? – Madame! Sie sind ein deutsches Weib mit Lilienhänden, Rosenwangen und Veilchenaugen; Sie leben in seliger Abgeschiedenheit mit jenen Blumenkindern, welche die bräutliche Erde ihrem Gatten, dem Frühling, gebiert; die Weste schmeicheln, der stille Weiher zeigt Ihnen das schönste Spiegelbild; die Vögel, selbst die losen, singen Ihr ewiges Lob; Sie horchen beim Abendrot dem schönen Märchen, das Ihnen die Natur erzählt, und in dem Veilchenkelch Ihrer Augen glänzt dann ein mondbestrahlter Tautropfen himmlischer Sehnsucht. Sie haben also in Ihrer zufriedenen Einsamkeit gar keine Idee von Politik, sonst würde ich Sie aufmerksam machen auf den überschwenglichen Hymnus, den mein *Heine* seinem Napoleon singt. – Hier wird das Kleinste groß, die Selbstliebe Demut, die Demut Anbetung, und die Anbetung Religion, die ihren Beweis nur in sich selbst hat. – O, daß *Novalis* doch noch lebte! Er würde diesen Hymnus lesen, und tief beschämt jene Worte auslöschen, die er mit einem Flammenpfeil in Klios eherne Tafel grub. – Sie heißen:

»Das Ideal der Sittlichkeit hat keinen gefährlicheren Nebenbuhler, als das Ideal der höchsten Stärke, des kräftigsten Lebens. Es ist das Maximum des Barbaren, und hat leider in diesen Zeiten der verwilderten Kultur, gerade unter den größten Schwächlingen, sehr viele Anhänger erhalten. Der Mensch wird durch dieses Ideal zum Tiergeiste; eine Vermischung, deren brutaler Witz eben eine brutale Anziehungskraft für Schwächlinge hat.« – Bemerken Sie aber, daß diese Worte viel älter, als St. Helenas großes Grab sind: sie passen nicht mehr. Jetzt hat die Melodie andre Worte. Sie heißen:

»Worüber Ihr, mit wildem Triebe, zu blinder Tierwut Euch entflammt; das ist es, was ich an ihm liebe; ja eben das, was ihr verdammt. Das aber, was an ihm zu hassen, der innre Richter mir gebeut; das – sagt ichs Euch – Ihr könnt's nicht fassen; weil Ihr darin ihm ähnlich seid.« – Doch wozu das Alles? Sie haben ja keine Idee von Politik, Madame! Lassen Sie dergleichen, das gänzlich außer Ihrer Sphäre liegt, und auch außerhalb des *Heine*schen Buchs liegen würde, wenn es nicht dennoch darin vorkäme. Sie werden darin hundert und hundert andere köstliche Stellen finden, die Ihnen bald ein Lächeln, bald eine Träne, bald einen Nachgedanken abzwingen; Sie werden, von einer geistreichen Phantasie fortgerissen, das Buch nicht aus den Händen legen können, obgleich Sie am Ende, und sogar schon früher, sehen werden, daß es kein Buch ist; und doch werden Sie sich sagen müssen, daß dieses Nicht-Buch 19000 Mal besser ist, als 19000 Bücher, die in den letzten Tagen bei uns erschienen sind. Würde ich Ihnen sonst so viel davon schreiben, Madame? – Aber ich bin ein intimer Freund des Verfassers und 19000 Taler würde ich drum geben, wenn mein *Heine*, mit seinem eminenten Talente, einmal ein Werk, bevor er es schriebe, zwei Mal durchdenken wollte, um ein regelrechtes Kunstgebilde zu geben; wäre es auch nur als Gegensatz seiner blauen Regellosigkeit, die eine Folge von dem ist, was er selbst eingesteht, nämlich: daß er bei den verbis irregularibus mehr Prügel bekommen hat, als bei den verbis regularibus. – Vous pleurez, Madame? – Tun Sie das nicht! Le ridicule touche au sublime. Sie werden das überall in dem köstlichen Buche bestätigt finden. Haben Sie die Güte, unserm *Heine* den Vorschlag mit den 19000 Talern zu machen; und sollte er, was ich vermute, behaupten, daß er selbst diesen Brief geschrieben habe, so nennen Sie mich; und sollte er auch Sie nicht erkennen, so sagen Sie ihm, Madame, daß Sie die Redaktion des Morgenblatts sind. –

Ludwig Robert (anonym) in: Morgenblatt. Jg. 1827. Beilage Literaturblatt. Nr. 48 (15.6.) S. 189f.

*

Schon bei der Anzeige des *ersten* Bandes dieser humoristischen Sammlung [vgl. S. 733f.] haben wir dem Talente des Vfs. Gerechtigkeit widerfahren lassen, aber auch die bedeutenden Mängel gerügt, die derselbe sich in der Ausbildung und Gestaltung seiner Ideen zu Schulden kommen läßt. Es kommen auch hier wahrhaft rührende und unleugbar echt witzige Stellen vor, so daß der Charakter des wahren Humors darin lebendig hervortritt. Unter den erstern zeichnet sich besonders der Tod des französischen Tambours aus; zu den letztern gehört die Verteidigung der Hölle: daß es nämlich Verleumdung sei, wenn man behaupte, die Verdammten müßten zur Strafe schlechte Predigten lesen; so arg sei es in der Hölle nicht, eine solche Qual vermöchten die Teufel nicht zu ersinnen. Aber zuweilen kann der Satyr des Vfs. seine Bocksnatur durchaus nicht verbergen; er verliert sich bis zu den ärgsten Gemeinheiten und Zoten, die den gebildeten Geist unmöglich ergötzen können. So werden auch die meisten Deutschen, für die doch der Vf. schreibt, nicht in sein unmäßiges Lob Napoleons und in seine Elegie über das Schicksal desselben einstimmen können: denn wenn dieser Komet auch um seiner Größe willen bewundert werden muß, so wird sich doch das erquickende Gefühl des freiern Aufatmens bei seinem Verschwinden nicht verleugnen. Über eine andre Verirrung des Vfs. in Absicht auf das Christentum haben wir uns schon bei der Beurteilung des *ersten* Bandes mißbilligend erklärt. Er scheint die Bemerkung Jean Pauls in der Vorschule zur Ästhetik: »daß der Witz ein Gottesleugner sei«, wörtlich zu verstehen. Was die formlosen Gedichte angeht, mit welchen dieser *zweite* Band beginnt, so läßt sich eben über die Form nichts sagen, und ihr Inhalt ist nicht von der Art, daß man den Mangel der Form vergessen könnte.

Allgemeine Literaturzeitung, Halle, Leipzig. Jg. 1827, Erg.-Bl. Nr. 85, S. 680.

*

Könnte mit größerem Rechte *humoristische Studien* heißen. In den Gedichten ist allenfalls noch so etwas von Naturanschauung zu verspüren, in den Briefen und Abhandlungen aber konnte die bewegbare Brücke, welche der Vf. von dem Orte aus zu gewissen Ideen schlägt, eben so gut von einem anderen Standpunkte aus angelegt werden. Selten gibt ihr der Ort mehr als eine Erinnerung, einen Namen, und auch diesen nicht allemal. Der Panegyrikus auf *Goethe* und die Verteidigung des Dichterfürsten gegen dessen Widersacher könnte eben so gut von der Studierstube, oder vom Vesuv aus, ja mit noch besseren Beziehungen, datiert sein, als von der Insel Norderney. Über Professor- und Studenten-Unarten, Adelstolz und allerlei Mißbräuche eines verjährten Schlendrians, die neueste Überschwenglichkeit der Poesie und andere Gebrechen der Zeit fördert der Vf. allerlei gute und halbschierige Einfälle zu Tag; er zeigt sich als einen geschickten Dialektiker, der mit Erfolg Logik gehört (obgleich er gerade diese Kollegien nicht erwähnt), und weiß seine Fechterstreiche so künstlich zu führen, daß man nicht einsehen kann, welchen er im Ernste ficht, und welchen er nur in die Luft schickt, ob er die Blößen, die der Gegner gibt, zum Beispiel für andere angreifen will, oder nur um seine Geschicklichkeit daran zu zeigen. Daß er öfters eine falsche Parade haut, daß es ihm mehr um den Glanz und Schimmer eines witzigen Kopfes, als um die einfache Wahrheit zu tun ist, daß er von dem Humor *fait* macht, und dieser nicht immer ein lauterer, ungezwungener ist, möchte er wohl selbst nicht leugnen können. Später wird er auch einsehen, daß sein Auflehnen gegen Philisterhaftigkeit und andere Torheiten und Unziemlichkeiten, seien es nun scheinbare oder wirkliche, nicht, wie es ihm jetzt deucht, eine Eigentümlichkeit seiner Natur, sondern das Erbteil einer aufgeweckten, beobachtenden, schnell aburteilenden Jugend ist. Hat er diese Überzeugung erlangt: so wird er auch nicht mit unrichtigen Titeln behagliche Leser ärgern, die bei einem Pfeifchen, oder dem Strickstrumpf, auf weichem Lehnstuhl in aller Gemächlichkeit aus dem Buche herauslesen mochten, wie es da draußen in der Welt zugehe, und statt dessen Ideen- und Gedanken-Flüge aufgetischt erhalten, die längst hinter ihnen liegen, und in die sie sich nicht mehr so recht zu finden wissen, ja die sie vielleicht niemals gehabt haben. Poetisch Gestimmte werden dagegen, trotz mancher Unvollkommenheit und Jugendlichkeit des Werks, sein Gutes nicht verkennen; der Humor wird ihnen, trotz seiner Bissigkeit, Lust und Lachen erregen; aus den Impertinenzen eines übersprudelnden Geistes, der tolle Kritik liebt, wird ihnen wahre Hoheit der Ideen durchleuchten, obgleich noch in geistiger Anarchie in ziemlichem Grade befangen; ja selbst wahre, lebendige Poesie, ein Begriff von Geschichte, trotz der Ironie, wird sich darin ahnen, und sogar zuweilen schon erkennen lassen. Vor allem wird sich die Hoffnung festsetzen, daß, wenn dieser Most ausgebrauset, ein milder lieblicher Wein, der Blume und Körper und Feuer hat, daraus entstehen werde. k.

Jenaische Allgemeine Literatur-Zeitung. Jg. 1827, Nr. 171 (Sept.) Sp. 407f.

*

Selten kommt ein Beurteiler in den Fall, reine Freude über ein Werk zu empfinden; noch seltener aber möchte sich wie hier sehr große Freude mit gleich starkem Un- und Widerwillen paaren. Der Verf. des vorliegenden Werkes ist nicht mehr unbekannt; der Beurteiler hat daher nicht nötig, das Publikum erst mit seiner *Manier* (dies ist das prägnante Wort) bekanntzumachen, sondern darf nur aus dem Werke selbst die Belege entnehmen, weshalb er diese Manier anfeindet und wodurch auf der andern Seite die große Anerkennung, die er dem Talente des Dichters schuldig ist, begründet wird. Das zweite Bändchen der Reisebilder enthält gleich dem ersten [. . .] Gedichte und kleine Aufsätze, die sich großenteils an die Orte knüpfen, wo sich der Verf. eben aufhält oder aufgehalten hat, größernteils aber und inniger in Beziehung zu dem Leben und der Anschauungsweise derselben stehen. Die Gedichte könnten *fast* alle schön sein, wenn der Dichter es *wollte:* eine seltene Kraft, die wir ihm hiermit (nur einigermaßen bedingt) zusprechen; allein, er zertrümmert meistens selbst, wir dürfen wohl sagen, mit einer gewissen Rohheit der Seele das was er Schönes und Erhabenes erzeugt hat, indem er es mit der schroffsten Trivialität absichtlich paart oder schließt. Die Gewalt für Diktion ist oft hinreißend groß oder schön, je nachdem der

Gegenstand es verlangt; daß er dabei im Übergefühl seiner Kraft das Gesetz der Sprache oft zu verspotten scheint, hängt gewiß mit seiner ganzen Weise, das Schöne ironisch, ja, höhnisch zu behandeln, streng zusammen. So lange dies sich nur in Form äußert, indem er z. B. Wortbildungen schafft, aus denen der Leser zwar sogleich ahnet, was der Dichter eigentlich aussprechen will, aber nicht wirklich, scharf in die Grenzen der Richtigkeit und Schönheit der Form gebannt, wie es die Vollendung der Kunst fordert, ausspricht, so lange läßt sich dies als eine gewisse Jugendlust, die sich aber nicht besonders um die Vollendung der Form kümmert, wenn der Gedanke nur da ist, wohl mit Vergnügen als Eigenheit des Dichters verzeihen; ja, man kann den Fehler liebenswürdig finden und wird nicht in Verlegenheit sein, ihn durch Beispiele aus fast allen großen Dichtern in ihrer Jugendzeit zu erklären und zu entschuldigen. Wenn aber der Gedanke, nicht nur der einzelne, sondern der eines ganzes Gedichts, ja, wenn die Poesie selbst auf solche Art beleidigt wird, dann fordern höhere Gesetze eine strengere Rechenschaft. Als Beispiel jener Formverletzungen sehe ich gleich aus dem ersten Gedicht die Zeile an: »Du tapferes Rückzugherz!« wo der strenge Begriff, der in dem Worte Rückzugherz liegt, nahe an das Lächerliche streift, wiewohl ein poetischer Sinn des Verfs. Gefühle leicht ahnen kann und auch die nicht zu tadelnde antithetische Beziehung zwischen dem Worte *tapfer* und dem Begriff *Rückzug* wohl zu schätzen wissen wird. Gewissermaßen der Übergang von solchen Formsünden zu Gedankensünden bilden absichtlich schlechte, geschmacklose Bilder und Vergleiche, deren wir zwei aus demselben Gedicht entnehmen, zu deren richtigen Würdigung man bedenken und es uns glauben muß, daß das Gedicht mit einem dithyrambisch erhabenen Schwung geschrieben ist, der, während wir die erste Hälfte desselben lesen, uns auch nicht im mindesten darauf vorbereitet, daß wir auf Wendungen stoßen werden, die nur der scherzhaften Idylle oder Satire angemessen sind. Die Beispiele lauten:

> O! wie hab' ich geschmachtet in öder Fremde!
> Gleich einer welken Blume
> *In des Botanikers blecherner Kapsel*, *(!!)*
> Lag mir das Herz in der Brust – – –

Und ferner:

> Du tapferes Rückzugherz!
> Wie oft, wie bitteroft
> Bedrängten dich des Nordens Barbarinnen!
> Aus großen, siegenden Augen
> Schossen sie brennende Pfeile;
> Mit *krummgeschliffenen* Worten

Drohten sie mir die Brust zu spalten,
Mit *Keilschriftbillets* zerschlugen sie mir
Das arme, betäubte Gehirn – u.s.w.

So sehr auch Leser vor solchen absichtlichen Karikaturen des Gedankens und Ausdrucks schon zurückschrecken werden, so sind dies doch die kleinsten Proben von des Dichters Willkürlichkeiten gegen Stoff und Form. Ein Gedicht, überschrieben: »Untergang der Sonne«, schildert dieses majestätische Schauspiel auf der See mit glühenden Farben; zwischen die großartige Schilderung treten windige Gedanken ein. Es wird die Allegorie durchgeführt, als sei die Sonne das Weib des Meergotts und teile nur ungern, tieftrauernd, das nasse Bett des Gemahls. Plötzlich aber fällt es dem Dichter ein, die ernste, würdige Haltung des Gedichts durch eine Art von Humor zu unterbrechen, den Zwist beider Eheleute scherzhaft zu behandeln und den Meergott zu schildern, wie er, um dem Gezänk der Frau zu entgehen, verzweiflungsvoll hinauftaucht an die Oberfläche. Das Gedicht schließt dann mit den Worten:

So sah ich ihn selbst, verflossene Nacht,
Bis an die Brust dem Meer enttauchen.
Er trug eine Jacke von gelbem Flanell,
Und eine lilienweiße Schlafmütz,
Und ein abgewelktes Gesicht.

Zu solchen Dingen ist kritisch eigentlich gar nichts zu sagen. Man kann es nur eine künstlerische Frechheit nennen, so zu verfahren. Ein anderes ist es, wenn die epigrammatische Wendung eine Spitze bildet, oder wenn eine tiefere, ironische Beziehung die Gedanken größer ans Licht stellt, oder sich, wie im Shakespeare, die komische Larve in schroffe, aber doch künstlerisch umgebildete Wirklichkeit neben die tragische zeigt: da ist Sinn und Bedeutung, oft die tiefste, zu erkennen; und auch unserm Dichter fehlt es nicht an Anlage dazu. Aber Züge wie der eben aufgestellte bedeuten gar nichts und können nur gedankenlosen Lesern durch ihre neue Schroffheit für etwas Wirkliches gelten. Wir wollen aber fragen, was ein Musiker tut, der ein Stück schön und rührend, oder groß und erhebend einleitet und plötzlich ohne allen Grund mit einer tollen Dissonanz aufhört oder in einen Walzer fällt? Oder, was wir von einem Bildhauer zu halten hätten, der eine Venus aufs schönste vollendet, ihr aber statt der Nase einen Schnabel macht, oder ihr einen Schnurrbart malt? Beide sind in gleichem Fall mit Herrn Heine, dem wir für diese Sünden die Epistel an die Pisonen in Erinnerung bringen:

Humano capiti cervicem pictor equinam
Jungere si velit – – –
Spectatum admissi risum teneatis amici? –

Hiermit sind aber auch die schroffsten Fehler des Dichters fast erschöpft. Wie wir nun die Ursachen unseres Un- und Widerwillens angegeben haben, so sind wir es ihm auch schuldig, unsere große Anerkennung seines poetischen Genius zu motivieren. Wir sprachen schon von der oft mächtigen Gewalt seiner Diktion, von den schönen und erhabenen Gedanken, die diese beleben. Von jeder Seite des Buchs her könnten wir Beispiele davon anführen. Wir begnügen uns mit einem, wie es der Zufall gibt; es ist aus dem schönen Gedicht: »Der Schiffbrüchige«, entnommen, einem der wenigen, vielleicht dem einzigen, welches sich ganz rein von den obigen Rügen erhält. Man lese und urteile, ob es leicht ist, so glühend, so zart und doch bestimmt vor Augen stellend zu schildern, wie hier der Dichter (dem in dieser Stelle gewiß niemand dieses Epitheton streitig machen wird) tut:

> Es lebt ein Weib im Norden,
> Ein schönes Weib, königlich schön.
> Die schlanke Zypressengestalt
> Umschließt ein lüstern weißes Gewand;
> Die dunkle Lockenfülle,
> Wie eine selige Nacht, ergießt sich
> Von dem hohen, flechtengekrönten Haupte,
> Sie ringelt sich träumerisch süß
> Um das süße, blasse Antlitz;
> Und aus dem süßen, blassen Antlitz,
> Groß und gewaltig, strahlt ein Auge
> Wie eine schwarze Sonne.

Wer will ableugnen, daß hier der Dichter mit den besten seiner Zeit kühn um den Preis ringen darf? Wer mag also bezweifeln, daß es großenteils nur in seinem Willen liegt, wenn er nicht überall derselbe ist? Großenteils sage ich mit gutem Bedacht; denn wenn wir von diesem aphoristischen Buch abgehen und uns anderer Werke des Verfs., insbesondere seiner Tragödie »Ratcliff« erinnern, so tritt es ziemlich evident hervor, daß ihm Nichts schwerer wird als ein Ganzes zu gestalten, oder besser, die Kunstwerke aus der Vergangenheit für die Zukunft anzulegen, während die Gegenwart dabei nur das Zufällige wird. Dagegen zeigt er auf der andern Seite das größeste Talent, die Gegenwart zu fesseln und ihrer äußern Gestalt das Mögliche abzugewinnen. Vorbereiten und Auflösen ist nicht seine Sache, aber das Bild des Augenblicks festhalten und mit brennenden Farben vor die Seele stellen, das versteht er als Meister. In jedem Kunstwerk aber, selbst in dem kleinsten an Umfang, soll ein denkender Sinn des Dichters mehr oder weniger sichtbar sein; wir wollen in dem Gedicht einen Hauptgedanken, eine Hauptanschauung versinnlicht sehen, es muß, um es praktisch auszudrücken, einen Inhalt haben, wodurch es einen Namen, d.h., eine Überschrift bekommt,

Daß dazu allemal selbst in einem aphoristischen Gedicht eine Wendung, eine Spitze, ein Abschluß nötig ist, fühlt unser Dichter sehr deutlich. Oftmals aber hat er bloß (wiewohl fast immer schön) phantasiert und findet kein bestimmtes Ziel; dann wird er ironisch gegen sich selbst und endigt mit einem dissonierenden Griff in die Leier, weil ihm die notwendige Auflösung nicht zu Gebot steht oder eigentlich keine solche möglich ist. Wenn wir daher auch oben zugaben, es liege großenteils in dem Willen des Dichters, wenn er nicht immer so treffliche Gedichte liefere als er könne, so ist doch die Frage die, ob er *alle* die hier gegebenen Gedichte wirklich zu in sich vollendeten hätte schaffen können; ob er, wenn er es verschmähen will, uns nur mit schönen Einzelheiten zu beschenken, im Stande sei, so viel zu produzieren, als er bisher getan? Vielleicht glaubt er aber, das Wesen des humoristischen Dichters gestatte ihm, sich um das Ganze eines Werks eben nicht zu kümmern; aber dies wäre freilich ein großer Irrtum. Die größten Dichter sind ihm hier als Beispiele entgegen. Shakespeare braucht man nur zu nennen; Sterne erhält seine Totalität durch eine Einheit der Welt- und Lebensansicht, die sich durch alle die bunten Formen seiner Schriften bekundet (bei dem Verf. scheint gerade hier eine große Gewißheit vorzuwalten), und Jean Paul zeigt außer dieser noch den größesten Fleiß in der Anlage im Großen und der Ausbildung in den einzelnen Teilen seiner Kunstwerke. Wie gesagt also, wir leiten des Dichters Fehler aus zwei Ursachen her: die eine Mangel an Willen, und die andere Mangel an Kraft, und eine bestärkt sich durch die andere. Gewiß ist es ihm aber möglich, wenn er sich entschließt, die erste ganz wegfallen zu lassen, die zweite bedeutend zu vermindern; und so, aber auch nur so, wird er im Stande sein, da wirklich Schönes, was eine Dauer des Eindrucks hervorbringt, zu liefern, wo er jetzt nur Andeutungen davon gibt.

Wir gehen zum zweiten Hauptteil seines Buches über, der aus in Prosa geschriebenen Aufsätzen besteht, die teils Reise-, teils Jugend- oder Lebenserinnerungen überhaupt herbeiführen. Hier darf man mit der Form nicht so streng sein als im Gedicht, daher fallen des Schriftstellers Absichtlichkeiten und auch oft Nachlässigkeiten nicht so stark auf; doch, jene freche Sünden des Gedankens beleidigen hier wie dort. Der Inhalt dieser Aufsätze ist schwer zu erzählen. Die erste Hälfte derselben, »Die Nordsee« betitelt, enthält Erinnerungen aus Norderney, die mit Geist und Witz, der auf jeder Seite des Buchs lebt, geschrieben sind. Die »Xenien«, angeblich von Immermann, beleidigen durch eine nichtmotivierte Selbstüberschätzung des Verfs. Diese geht überhaupt durch das ganze Buch, und wird dann um so beleidigender, wenn sie sich hinter Ironie verbirgt, wobei man doch recht gut sieht, der Verf. tut als ob er scherzt, meint es aber ernstlich genug. Indes sind die Xenien, um auf diese zurückzukommen, oft sehr witzig, treffend und sehr prägnant ausgesprochen. Hierauf folgen »Ideen«, oder, »Das Buch Le

Grand«, Evelina gewidmet. Hier wiederholt der Verf. seine alten Klagen über Mißhandlungen, die ihm das schöne Geschlecht zugefügt; doch überschleicht uns dabei unwillkürlich das Gefühl, als habe er es nicht besser verdient. Die Byronsche Sucht, sich selbst als einen frechen Lästerer des Heiligen, oder als einen aus dem Paradiese Verstoßenen und Verworfenen darzustellen, um interessanter zu erscheinen, ist eine unmännliche Zeitkrankheit. [. . .] Wenn wir indes die Person des Dichters vergessen und bloß bei dem Werke stehen bleiben, so wird, die oft erwähnten absichtlichen Herausreißungen aus dem Fluß der Begeisterung oder des Scherzes abgerechnet, das Buch jeden Leser unwiderstehlich anziehen. Lebendige Darstellung, eine wunderbare Verschmelzung des Romantischen mit dem Wirklichen (dahin gehört z. B. die Geschichte von der kleinen Veronika), eine edle Verehrung des Großen, leider aber oft durch Spott und Irrtum getrübt, geistvolle Einfälle, Funken des Witzes, dabei oft Gedanken, die, wenn sie auch nicht tief zu nennen sind, doch wenigstens aus dem Innern der Seele stammen, kurz, Reichtum an einzelnen Vortrefflichkeiten, wie sie selten ein Buch besitzt. Mit Kraft, wenngleich mit einer jugendlichen Schonungslosigkeit, greift der Verf. das Gemeine und Schlechte, insbesondere die Philister unserer Zeit an. Daß sein Buch deshalb an manchen Orten verboten worden, gereicht ihm wohl nur zur Ehre; daß es aber wegen einer zur Schau getragenen Unsittlichkeit in einem Staat, in der höchsten Bedeutung des Worts gedacht, verboten werden mußte (der Verf. setzt nämlich oft etwas darein, frecher und schlechter zu scheinen als er ist und sein kann), will ich nicht ganz ableugnen; man kann indes vielleicht von keinem Staate behaupten, daß er schon reif und rein genug wäre, sich einen solchen Ruhm anzumaßen, und daher könnte ein Verbot deshalb in der Wirklichkeit ebenso als Willkür erscheinen wie die oben angeführten. Über das Einzelne des Inhalts läßt sich nichts Ausführlicheres sagen, eben weil es zu einzeln ist; einigermaßen aber auf einiges Treffliche hinzuweisen, nachdem ich mich oft, aus Achtung vor dem Talent des Verfs., so streng gegen ihn erklärt habe, das scheint mir Ruhm und Pflicht zugleich. So empfehle ich denn den Lesern insbesondere die Beschreibung von der Einführung der französischen Herrschaft zu Düsseldorf, und von dem Einzug Napoleons, der mit wahrer Würdigung dieses großen Mannes geschrieben ist; ferner wird ihn die schon erwähnte Geschichte der kleinen Veronika und die damit wunderbar verknüpfte Schilderung der drei Schwestern zu Andernach (eine meisterhafte Beschreibung verschiedenartiger weiblicher Schönheiten) gewiß im hohen Grade anziehen. Die »Briefe aus Berlin«, die das Buch beschließen, sind eine müßige Zugabe, die besser weggeblieben wäre; sie sind überexaltiert geschrieben und werden daher oft sehr matt.

Wenn der Verf., was wir schwer glauben, sich entschließen kann, nicht bloß unsere, sondern eine mißbilligende Meinung überhaupt sine ira et studio zu prüfen und zu beherzigen, und Mut und Kraft besitzt, den schwersten Kampf, den mit sich selbst, zu beginnen, und wenn er in diesem Kampf den Sieg über sich erstreitet, so sind wir überzeugt, daß das was er in scherzender Weise als ernstlich gemeint über seinen eignen Nachruhm sagt, sich dereinst erfüllen kann, wiewohl es ihm noch viele Mühe kosten wird. Bleibt er aber bei dem was er begonnen, so wird er zwar eine Zeitlang Aufsehen erregen, aber, wie so viele Erscheinungen dieser Zeit, die mit blendendem Glanz auftraten und das Publikum eine Zeitlang gewissermaßen in überraschter Gefangenschaft hielten, bald spurlos verschwinden und (eine strenge Nemesis!) viel tiefer in der Meinung sinken, als er sich darin erhoben hat. Denn wem man zu viel gegeben, dem nimmt man auch leicht zu viel; abgesehen davon, daß nichts schwerer ist als einem großen Rufe Genüge leisten, besonders wenn er plötzlich, wie durch einen glücklichen Wurf, gewonnen ist.

75.

Blätter für literarische Unterhaltung. Jg. 1828, Nr. 15 u. 16 (17. u. 18. 1.) S. 57–59, 61 f.

*

Bei der Anzeige des *ersten* Teiles d. *Reiseb.* im Maihefte unserer Lit. Zeit., Nr. 134., 1827 [vgl. S. 745], rügten wir das *Gemeine*, den *faden Witz*, wodurch der Genuß an dem Edeln, Bessern, das dem Leser sich darböte, meist ganz verdorben werde. Auch hier würden sich wieder Beispiele dazu finden lassen, solchen Tadel auszusprechen. Aber sie würden viel *seltener* sein, und wir schweigen daher um so mehr davon, weil des wahrhaft originell Komischen und Burlesken, der schneidendsten Ironie, selbst des Kühnen und Erhabenen so viel ist, daß solche Verstöße gegen das Schickliche, gegen die regelrecht einhergehende Form, minder gefühlt und übersehen werden. Am meisten finden sich dergleichen in den (XII) *Bildern der Nordsee*, unter denen zuerst *die Götter Griechenlands* vorzüglich ansprechen werden. Gut, daß der Dichter nicht in Spanien lebt.

> »Die *neuen*, herrschenden, tristen Götter,
> Die Schadenfrohen im Schafspelz' der Demut.« –

sie, welche Griechenlands Götter besiegten, würden ihn verbrennen. Echt komisch ist »*die Seekrankheit*« und in ihr die *Sehnsucht* nach dem deutschen Vaterlande, und ein Meisterstück von jovialischem Humor: *Im Hafen*, d. h. hier

> »Im guten Ratskeller zu Bremen«.

Eine dritte Abteilung von der »*Nordsee*«, in Prosa, gibt ein humoristisches Gemälde der Insel *Norderney*; aber mit tausend Absprüngen über Gegenstände, wie sie gerade die Ideen-Assoziation in den Sinn führte. Besonders sind die Urteile über *Goethe*, die beissende Ironie über *Metempsychose*, und die *Sedezdespötchen*, wie er die mediatisierten Fürsten nennt, die kühnen Gedanken über *Napoleon* und die vier Hauptschriftsteller über ihn: *Maitland, O'Meara, Las Cases* und *Antommarchi*; die Ansichten über *Segur* und *W. Scott*, die Schilderung von Düsseldorf und dem kleinen Tambour *Le Grand*, der auf seiner Trommel dem Dichter die *Geschichte* lehrte, fast eben so viele Sprühteufel, als sich Gedanken darin finden. Ein Meisterstück ist das Bild, wie der Kaiser (Napoleon) in Düsseldorf erscheint und (bis zum Schlusse, wo Prof. *Saalfeld* in Göttingen zu sehr absticht) die Totenklage über den gefallenen Helden. Vermutlich wird Göttingen über H. das Anathem aussprechen. Oft grenzt der Witz, den er z. B. mit Heeren treibt, ans Boshafte. *Briefe aus Berlin* 1822, mit komischem Pathos über: *Wir bringen dir den Jungfernkranz*, und vielen frappanten Zeichnungen des Volkslebens ausgestattet, machen den Beschluß. Das Ganze darf Keiner ungelesen lassen, dem Originalität, selbst bei manchen Fehlern, lieber ist, als das gemächliche *Nach*treten. Übrigens bewundern wir *die* Zensur, welche hier so Vieles stehen ließ, daß wir es sogar in diesem Blatte nicht wieder *nachzuschreiben* gewagt hätten.

Leipziger Literatur-Zeitung. Jg. 1830, Nr. 89 (14. 4.) Sp. 710f.

*

Rezension der zweiten Auflage:

Prof. Wolff in Weimar hat in seinen jüngst erschienenen Vorlesungen über die schöne Literatur Europas [. . .] Heine sehr richtig in folgenden Worten charakterisiert: »daß er einer der reichsten Dichter sei, ist keine Frage, seine Phantasie hat eine unendliche Kraft, einen wunderbaren Zauber und mitunter eine seltne Zartheit; sein Witz ist glänzend und schlagend, seine Sprache erfreut sich, wenn er will, des anmutigsten Wohllauts, aber alle diese Gaben achtet er nicht; sie sind ihm nicht jungfräuliche Begleiterinnen, sondern gefesselte Sklavinnen seines Hohnes, die dieser selbst mißhandelt, wo es gilt, dem Leben wehe zu tun, weil es dem Dichter weh tat, und dieser sich rächen will. Zerstören ist seine Lust, und seine Dichtungen haben daher nie etwas Erhebendes, Begeisterndes und Versöhnendes, weil sie stets nur seinen Zwiespalt mit dem Leben schildern, und das Leben ist ihm Alles. Diese Grundempfindungen seines Seins weiß er übrigens, wie ein geschickter Tonkünstler, unendlich zu variieren, indem er den Mißklang seines Wesens bald in Grauen, bald in starre Verzweiflung, bald in wilde Sinnlichkeit, oder in fratzenhaften Spott kleidet. Heine ist zu sehr Kind der Zeit, und der harte Tadel, den er in mehr als einer Hinsicht verdient, trifft diese mehr, als ihn. So ist die Frechheit, die er dem Gemeinen entgegen setzt, als Zuchtrute, nicht sein ursprüngliches Eigentum, er hat sie dem Leben um ihn her abgeborgt, und stellt sie um so treuer dar, als er sie stets in den kursierenden Wendungen und Ausdrücken des Tages reden läßt. Eben deshalb scheint diese Weise Manier, sie ist es aber nicht, es ist der eigentümlichste Ausdruck seines Hasses, wie der Mensch im Zorn überhaupt leicht das, was ihn ärgert, übertreibend nachäfft, um dadurch recht bitter den zu kränken, der es seiner Meinung nach verdient, weil er die Ursache des Ärgers ist. Daher auch seine innere Gesetzlosigkeit, die sein größter Feind ist, da sie seinen Leistungen die möglichste Vollendung, nach der doch jeder Dichter streben muß, verwehrt. Hieraus nun erklärt sich auch die anscheinend leichte Kunst, in seiner Denk- und Sinnesweise zu dichten, welche so viele Nachahmer hervorlockte.«

Der geistreiche Beurteiler hätte noch hinzufügen sollen, aus welchem Grunde unsre Zeit in diese Selbst-Verhöhnung gefallen, die wir auch außerhalb Deutschland bei Lord Byron, Janin etc. finden und die sich sogar in die Sprache der Tribunen und Journale eingeschlichen hat, denn je länger je weniger kann man deren Selbstironisierung verkennen. Die Erscheinung wird am auffallendsten, wenn wir ins Mittelalter zurückblicken. In jener finstern Zeit der Barbarei, der Wirren und Not, die schwer das Leben drückten, und der äußern wie der geistigen Armut waren die Menschen dennoch zufrieden mit der Welt, und fühlten sich in derselben heimisch. Wurde es ihnen ja zu arg, so flüchteten sie in die Gnade Gottes, aber es fiel ihnen nicht ein, beständig mit der Welt zu hadern, wie mit einem geizigen Onkel, der dem lüderlichen Neffen nicht genug Geld zu seinen Verschwendungen geben will, oder wie mit den Ärzten, wenn man durch eigne Schuld unheilbar geworden ist. Die Leute litten auch Not, und entbehrten namentlich an Lebensbequemlichkeiten und Genüssen unendlich mehr als wir, und doch waren ihre Herzen stark und fielen nicht leicht in Kleinmut und Verzweiflung, und ihr Verstand war zu besonnen und gesund, als daß sie hätten die Torheit begehn können, die schöne Gotteswelt zu verhöhnen, bloß weil es ihnen darin einmal nicht wohl ging. In unsrer Zeit aber herrscht die Eitelkeit, der man den philosophischen Namen der Subjektivität gibt, um sie zu beschönigen. Die Welt soll sich nach uns richten, nicht wir nach ihr; sie soll so aussehen, nicht wie sie ist, sondern wie sie durch die Brille unsrer Laune erscheint. Der eine malt sie rosenfarben, schwarz der andre, und jeder schwört, daß sie so sei. Wenn sie aber endlich nicht leugnen können, daß die wirkliche Welt anders ist, als wie sie es haben wollen, so rächt sich ihre Eitelkeit durch Spott. Wir sehn daher in neuerer Zeit eine Gattung von Spöttern, die scheinbar den alten Aristophanen, Lucianen, Juvenalen, Rabelais verwandt, in der Wahrheit ganz das Gegenteil von ihnen sind; denn wenn jene

Alten, selbst in sich klar und voll Ruhe, Besonnenheit und Vernunft, die Widersprüche, das verworrene unruhvolle Treiben und die Narrheiten andrer schilderten, so zeigen uns dagegen viele der Neuern nur ihre eigne Unklarheit, innere Zerwürfnis, Torheit und Verkehrtheit, darin die übrige vernünftige Welt wie in einem Hohlspiegel erst durch optische Täuschung zur Karikatur wird. Daher die zahllosen und groben Ungerechtigkeiten unsrer modernen Hypochonder, die wie Börne und Heine, nach dem Vorgang Byrons, nicht selten über unschuldige, ja heilige Dinge spotten, und sich, wenn nicht aus Affektation, dann in reinem Wahnwitz, gerade darin gefallen.

Ich betrachte sie als Symptome einer vorübergehenden Krankheit der Zeit, einer künstlichen Überreizung, eines überwuchernden Triebes, der nicht Nahrung genug findet, eines zu schnellen Wachstums, das auch im physischen Leben Spannung, Mißbehagen, fliegende Hitze, Zorn oder Betrübnis, Sinnenkitzel und zugleich Neigung zum Selbstmord erzeugt, wie jeder an sich selbst erfährt, oder es in medizinischen Büchern ausführlich lesen kann. Ist unsre Zeit nicht wirklich in einem etwas zu schnellen Wachsen begriffen, wie ein Jüngling, dessen Leib in die Höhe schießt, ohne daß ihm die Breite folgen kann? Die innere Befriedigung und Naivität der Kindheit ist von uns gewichen, zur wahren Mannheit sind wir noch nicht gereift, wir leben in den Schul- und respektive Flegeljahren. Das Altertum mit seinen Kämpfen und seiner schönen Kunst liegt wie der Kindheit Spielerei, und die gnadenreiche Kirche des Mittelalters wie die Mutterliebe hinter uns. Wir treten jetzt in die gärenden Jahre, wo wir etwas wollen, uns etwas dünken, und doch bald von Blödigkeit, bald vom alten kindischen Mutwillen ergriffen werden. Wir wollen gern lernen, denn wir sind neugierig und ehrgeizig, aber der Schulmeister ärgert uns. Wir glühen in der ersten Liebe, aber sie ist eine ganz andere, als jene alte fromme Mutterliebe, sie befriedigt uns nicht, sie wühlt unser Wesen bis zum innersten Grunde auf, bald wollen wir in unersättlicher Habgier alles haben, bald zittern wir vor der Verweigerung auch der kleinsten Gunst, verzweifeln knabenhaft und wollen uns, wie Werther, erschießen. Wenn man dem Zeitalter den Puls fühlt, so wird man in seinem Blutumlauf jene politischen und poetischen Krisen, jenes Schwanken zwischen allzukühnem Drange und allzu schlaffer Resignation ganz genau wahrnehmen können. Wir dürfen uns darüber nicht wundern, aber auch überzeugt sein, daß die Zeit schon von selbst zu Jahren kommen wird, und daß man in etlichen tausenden derselben vielleicht mit Rührung auf die Periode der Byrons und Heines zurücksehn wird, wie ein Greis auf einen tollen Liebesbrief, den er als Jüngling geschrieben.

Morgenblatt. Jg. 1833. Beilage Literaturblatt Nr. 5 (11.1.) S. 17f.

VORWORT ZUR ZWEITEN AUFLAGE

209 14 *Veränderung [des dritten Bandes]*: H. hatte noch kurz vorher, am
16.6.1830, an Varnhagen geschrieben: »Im dritten Bande wird auch
der Graf hinausgeschmissen [die Platen-Polemik], und somit, denke
ich, werden die ›Reisebilder‹ ein respektables Standwerk.« Vgl. »Zur
Entstehung« des 3. Bandes S. 824. – 21 *Ludwig Uhland:* Zu einem sehr
viel kritischeren Urteil über Uhland kommt H. später in der »Romantischen Schule« (Bd 3 dieser Ausg.), Ansätze dazu finden sich jedoch
bereits hier in der Hervorhebung der zeitkritischen »modernen Lieder,
die keine katholische Harmonie der Gefühle erlügen wollen und vielmehr, jakobinisch unerbittlich, die Gefühle zerschneiden, der Wahrheit wegen.«

210 5 *andere Zeitgenossen:* die Saint-Simonisten, in deren Kreis H. in Paris trat.

DIE NORDSEE. DRITTE ABTEILUNG

DRUCKVORLAGE UND LESARTEN

Erstdrucke und »Reisebilder«-Veröffentlichungen:

Mi: Teilveröffentlichung unter dem Titel »Über Napoleon, die von Scott
erwartete Lebens-Beschreibung desselben und Ségurs Geschichte des
russ. Feldzugs. Ein Fragment.« in: Mitternachtblatt für gebildete
Stände vom 16.3.1827, Nr. 44.

NapA: Dass. in: Neue allgemeine politische Annalen 24 (1827) S. 3–11.
Dieser Text entspricht S. 232,35–240,4.

R¹: »Reisebilder«. 2. Teil. 1. Aufl. Hamburg 1827. S. 41–128.

R²: »Reisebilder«. 2. Teil. 2. Aufl. Hamburg 1831. S. 1–80.
Diese Fassung ist um die Vorrede (s. S. 209f.) vermehrt, der Text jedoch
stark gekürzt.

Als Druckvorlage dient nach der Walzelschen Ausgabe R²; die Lesarten
verzeichnen die wichtigsten Varianten der Teilveröffentlichungen und R¹.

216 33–37 »Ich würde . . . erklären.« in R¹: »Auch hat man, für die Bade-
zeit, eine Person vom festen Lande hierher verpflanzt, die alle Sünden
der fremden Gäste in sich aufnehmen, und dadurch die Insulanerinnen
vor allen schlimmen Einflüssen sichern soll. Allein, das ist eine schlechte
Maßregel, die nicht für eine kleine Insel, sondern allenfalls für eine

große Seestadt paßt, wo die öffentlichen Personen gleichsam die Bollwerke und Blitzableiter sind, wodurch die Moralität der Bürgerstöchter geschützt wird; wie man mir denn wirklich in Hamburg ein breites Weibsbild gezeigt hat, das solchermaßen den halben Wandrahm deckt, so wie auch eine lange, magere Blitzableiterin, wodurch die große Johannisstraße im Sommer gesichert wird.

Wie gesagt, die Tugend der Insulanerinnen ist vor der Hand geschützt, und wenn sie Kinder mit badegästlichen Gesichtern zur Welt bringen, so erklärt sich dieses aus jenen psychologischen Gesetzen,«.

217 33f. »die geistliche Schutzwehr ... aussieht,« in R[1]: »ihre geistliche Schutzwehr, Pastor und Kirche, unerwähnt gelassen. Ersterer ist ein starker Mann mit einem großen Kopfe, scheint weder den Rationalismus noch den Mystizismus erfunden zu haben, und sein größtes Verdienst ist, daß bei ihm eine der schönsten Frauen dieser Welt logiert hat. Wie seine Kirche aussieht,«.

230 11 Nach »Rosse.« in R[1] zusätzlich: »Was aber ein britischer Freiheitston ist, habe ich erst kürzlich erfahren, indem ich, im wildesten Seewetter, ein englisches Schiff vorbeisegeln sah, auf dessen Verdeck mehrere Menschen standen, und Wind und Wellen fast frevelhaft trotzig überbrüllten, mit ihrem alten: rule Britania, rule the waves, Britons never shall be slaves!«

234 36–235,2 »worauf ... Teilen.« gekürzt aus R[1] (ganz ähnlich in: Mi, NapA): »worauf folgende Worte Kants, die ich unlängst in der Morphologie erwähnt sah, hinzuweisen scheinen:

›Wir können uns einen Verstand denken, der, weil er nicht wie der unsrige diskursiv, sondern intuitiv ist, vom synthetisch Allgemeinen, der Anschauung eines Ganzen als eines solchen, zum Besondern geht, das ist, von dem Ganzen zu den Teilen. Hierbei ist gar nicht nötig zu beweisen, daß ein solcher intellectus archetypus möglich sei, sondern nur daß wir in der Dagegenhaltung unseres diskursiven, der Bilder bedürftigen Verstandes (intellectus ectypus) und der Zufälligkeit einer solchen Beschaffenheit, auf jene Ideen eines intellectus archetypus geführt werden, diese auch keinen Widerspruch erhalte.‹«

237 24–238,3 Fehlt in Mi, NapA.

238 31f. »Heldengedicht« in Mi, NapA »Heldengeschlecht«.

240 38 Nach »begreifen.« steht in R[1] noch folgender längerer Passus: »Oft, wenn ich die Morning-Chronicle lese, und in jeder Zeile das englische Volk mit seiner Nationalität erblicke, mit seinem Pferderennen, Boxen, Hahnenkämpfen, Assisen, Parlamentsdebatten usw., dann nehme ich wieder, betrübten Herzens, ein deutsches Blatt zur Hand, und suche darin die Momente eines Volkslebens, und finde nichts als literarische Fraubasereien und Theatergeklätsche.

Und doch ist es nicht anders zu erwarten. Ist in einem Volke alles öffentliche Leben unterdrückt, so sucht es dennoch Gegenstände für gemeinsame Besprechung, und dazu dienen ihm in Deutschland seine Schriftsteller und Komödianten. Statt Pferderennen haben wir ein Bücherrennen nach der Leipziger Messe. Statt Boxen haben wir Mystiker und Rationalisten, die sich in ihren Pamphlets herumbalgen, bis die einen zur Vernunft kommen, und den anderen Hören und Sehen vergeht und der Glauben bei ihnen Eingang findet. Statt Hahnenkämpfe haben wir Journale, worin arme Teufel, die man dafür füttert, sich einander den guten Namen zerreißen, während die Philister freudig ausrufen: sieh! das ist ein Haupthahn! dem dort schwillt der Kamm! der hat einen scharfen Schnabel! das junge Hähnchen muß seine Federn erst ausschreiben, man muß es anspornen usw. In solcher Art haben wir auch unsere öffentlichen Assisen, und das sind die löschpapiernen, sächsischen Literaturzeitungen, worin jeder Dummkopf von seines Gleichen gerichtet wird, nach den Grundsätzen eines literarischen Kriminalrechts, das der Abschreckungstheorie huldigt, und, als ein Verbrechen jedes Buch bestraft. Zeigt der Verfasser desselben etwas Geist, so ist das Verbrechen qualifiziert. Kann er aber sein Geistesalibi beweisen, so wird die Strafe gemildert. Freilich, bei dieser literarischen Kriminaljustiz ist es ebenfalls ein großes Gebrechen, daß dem richterlichen Ermessen so viel überlassen bleibt, um so mehr, da unsere Bücherrichter, eben so wie Falstaff, sich ihre Gründe nicht abzwingen lassen, und manchmal selbst geheime Sünder sind und voraussehen, daß sie morgen von denselben Delinquenten gerichtet werden, über die sie heute das Urteil sprechen. Die Jugend ist in unserer literarischen Kriminaljustiz ein bedeutender Milderungsgrund, und mancher alte Schriftsteller wird gelinde beurteilt, weil man ihn für ein Kind hält. Sogar die in der letzten Zeit aufgekommene Erfahrung, daß junge Menschen, zur Zeit der Entwickelung ihrer Pubertät, ein krankhaftes Gelüste tragen, Brand zu stiften, hat auch in der Ästhetik ihren Einfluß gehabt, und man urteilt deshalb gelinder über so manche Flammentragödie, z.B. die Tragödie jenes feurigen Jünglings, der nichts geringeres als den königlichen Palast zu Persepolis in Brand gesteckt hat. Wir haben, um Vergleichungen fortzusetzen, gewissermaßen auch unsere Parlamentsdebatten, und damit meine ich unsre Theaterkritiken; wie denn unser Schauspiel selbst gar füglich das Haus der Gemeinen genannt werden kann, von wegen der vielen Gemeinheiten die darin blühen, von wegen des plattgetretenen französischen Unflats, den unser Publikum, selbst wenn man ihm am selben Abend ein Raupachsches Lustspiel gegeben hat, gar ruhig verzehrt, gleich einer Fliege, die, wenn sie von einem Honigtopfe weggetrieben wird, sich gleich mit dem besten Appetit auf einen Quark

setzt und ihre Mahlzeit damit beschließt. Ich habe hier vorzüglich im
Sinne Raupachs ›Bekehrten‹, die ich vorigen Winter zu Hamburg, von
den ausgezeichnetsten Schauspielern aufführen sah, und zwar mit eben
so vielem Beifall, wie ›die Schülerschwänke‹, ein parfümiertes Quärk-
chen, das gleich darauf, an demselben Abend, gegeben wurde. Aber auf
unserem Theater gedeiht nicht bloß Mist, sondern auch Gift. In der Tat,
höre ich wie in unseren Lustspielen die heiligsten Sitten und Gefühle
des Lebens, in einem liederlichen Tone und so leichtfertig sicher abge-
leiert werden, daß man am Ende selbst gewöhnt wird, sie als die gleich-
gültigsten Dinge zu betrachten, höre ich jene kammerdienerliche Lie-
beserklärungen, die sentimentalen Freundschaftsbündnisse zu gemein-
schaftlichem Betrug, die lachenden Plane zur Täuschung der Eltern
oder Ehegatten, und wie all diese stereotypen Lustspielmotive heißen
mögen, ach! so erfaßt mich inneres Grauen und bodenloser Jammer,
und ich schaue, ängstlichen Blickes, nach den armen, unschuldigen
Engelköpfchen, denen im Theater dergleichen, gewiß nicht ohne Erfolg, vordeklamiert wird.

Die Klagen über Verfall und Verderbnis des deutschen Lustspiels,
wie sie aus ehrlichen Herzen hervorgeseufzt werden, der kritische Eifer
Tiecks und Zimmermanns, die bei der Reinigung unsers Theaters ein
mühsameres Geschäft haben, als Herkules im Stalle des Augias, da unser
Theaterstall gereinigt werden soll während die Ochsen noch darin
sind; die Bestrebungen hochbegabter Männer, die ein romantisches Lustspiel begründen möchten, die trefflichste und treffendste Satire, wie
z. B. Roberts ›Paradiesvogel‹ – nichts will fruchten, Seufzer, Ratschläge,
Versuche, Geißelhiebe, alles bewegt nur die Luft, und jedes Wort, das
man darüber spricht, ist wahrhaft in den Wind geredet.

Unser Oberhaus, die Tragödie, zeigt sich in höherem Glanze. Ich
meine hinsichtlich der Kulissen, Dekorationen und Garderoben. Aber
auch hier gibt es ein Ziel. Im Theater der Römer haben Elefanten auf
dem Seile getanzt und große Sprünge gemacht; weiter aber konnt es
der Mensch nicht bringen, und das römische Reich ging unter, und bei
dieser Gelegenheit auch das römische Theater. Auf unseren Theatern
fehlt es in den Tragödien zwar auch nicht an Tanz und Sprüngen, aber
diese werden hier von den jungen Tragöden selbst vollbracht; und da
es wohl geschah, daß Frauenzimmer durch große Sprünge plötzlich
zum Manne geworden, so handelt ein weibisches Poetlein wahrhaft
pfiffig, wenn es mit seinen lahmen Jamben recht große Alexander-
sprünge versucht.«

38–241,4 »Da ich . . . geflossen sind.« verändert aus R¹: »Da aber einmal von der deutschen Literaturmisere die Rede ist, und ich jetzt noch
nicht gesonnen bin, mich reichlicher darüber zu verbreiten, so mag

wohl hier eine fügliche Stelle sein zum Einschalten der folgenden
Xenien, die aus der Feder Immermanns, meines hohen Mitstrebenden,
geflossen sind, und die mir derselbe jüngsthin geschenkt hat.«

TEXTANMERKUNGEN

212 *Motto:* Die angegebene Stelle, der Anfang der Abhandlung »Graf Wilhelm zur Lippe«, lautet: »Die deutschen Lebensgebiete haben von jeher
den eignen Anblick gewährt, daß sie die Fülle der herrlichsten Gaben
und Kräfte immer auch durch den Drang der größten Schwierigkeiten
und Hindernisse umstellen, und kaum der übermächtigsten Anstren-
gung dann und wann gestatten, zu ihrem Ziel in das offene Weite
völlig durchzubrechen. Die Anlage zum Großen, die Kraft zum Täti-
gen, der Eifer der Gesinnung, erscheinen hier stets in reichster Darbie-
tung, aber alsobald setzt das Leben sich ihnen entgegen von allen Seiten,
drängt sie nieder auf geringere Stufen und beschränkt sie auf engeren
Raum, als ihrem inneren Berufe zu gebühren schien. Die Gemütskraft
und Geistesstärke des Einzelnen mag noch so groß sein, die der Nation,
verteilt und belebt in ihren getrennten Gliedern, steht mächtiger daneben, und verwehrt die großen freien Bahnen, die wir bei andern
Völkern jedem Außerordentlichen so bald und leicht eröffnet sehn.
Unsre Literatur wie unsre Politik sind reich an Beispielen dieser Eigenheit; unsre Helden in beiden, unsre Fürsten, Feldherren, Staatsmänner,
Reformatoren, Bildner in Kunst und Leben, alle mußten ihre größten
Gaben, ausgestattet für Vollgewinn, um geringeren verwenden, der
selbst nur um jenen Preis erreichbar wurde. Auch Luther und Friedrich
der Große, gerüstet und berufen für die Gesamtheit des Vaterlandes,
konnten in dessen Vielgestalt und Zersplitterung, wie mächtige Werke
sie auch darin gebildet, nicht das Ganze vereinigend umfangen.« Wie
H. am 24. 10. 1826 an Varnhagen schreibt, hat er das Buch in Norderney
im Sommer 1826 gründlich gelesen.

218 15 f. *Philipp Reiser:* Hier liegt eine Namensverwechslung H.s vor: es
handelt sich um Karl Philipp Moritz' autobiographischen Roman »Anton Reiser«, dessen 5. posthum hrsg. Buch die ungenau zitierten Goethe-
Verse enthält. Der genaue Wortlaut der Stelle findet sich in den 1838
veröffentlichten Paralipomena zu »Faust« und in dem erst 1887 aufge-
fundenen »Urfaust«-Manuskript als eigene Szene: »Landstraße.

    Faust: Was gibt's, Mephisto, hast du Eil?

              Was schlägst vorm Kreuz die Augen nieder?

    Meph.: Ich weiß es wohl, es ist ein Vorurteil,

              Allein genug, mir ist's einmal zuwider.«

– 27 f. *»unser drittes nachwachsendes Geschlecht«:* In der Einleitung zu den »Noten und Abhandlungen zu besserem Verständnis des West-östlichen Divans« gibt Goethe seiner Hoffnung auf kommende Generationen Ausdruck: »[...] und ein zweites, drittes nachwachsendes Geschlecht entschädigt mich doppelt und dreifach für die Unbilden, die ich von meinen früheren Zeitgenossen zu erdulden hatte.«

219 11 *Clauren-Lächeln:* Vgl. Anm. zu S. 155,29. – 22 f. *Bertholds Tagebuch:* Martin Hieronymus Hudtwalkers (Pseud. Oswald) viel gelesener Studenten- und Burschenschaftsroman »Bruchstücke aus Karl Bertholds Tagebuch«, Berlin 1826, der auch eine mögliche Quelle für Heines Darstellung der Sage vom »Fliegenden Holländer« darstellt (vgl. Anm. zu S. 223,13 und Bd 1, S. 853 f.). – 37 *Zodiakus von Dendera:* Tierkreisdarstellungen unter den Deckengemälden des Tempels der Göttin Hathor (Aphrodite) in Dendera (Oberägypten), entstanden unter der Regierung Kleopatras. Zu H.s Zeit galten sie als sehr viel älter, so daß er sie ironisch-hyperbolisch mit dem Alter des Hannövrischen Adels verbinden konnte. H. erwähnt die Darstellung nochmals in den »Geständnissen«, Bd 5 dieser Ausg. – 38 f. *quecksilbergefüllter Jüngling:* boshafte Gegenüberstellung von »quecksilbergefüllt« (Quecksilber war ein wichtiges Heilmittel gegen Syphilis) und »Tugend und Reinheit«.

220 13 f. *La illah ...:* (arab.) »Es gibt keinen Gott außer dem einen Gott und Mohammed ist der Gesandte Gottes.« Hauptsatz des mohammedanischen Glaubensbekenntnisses. – 37 ff. *mit Archenhölzern unmutigen Augen ... Corinnaaugen:* Anspielung auf die beiden einseitigen Italien-Bücher von J.W. Archenholz: »England und Italien« (1785) und Madame de Staël: »Corinne ou l'italie« (1807).

221 6 *Verdienst Goethes:* Das hier ausgesprochene Urteil über Goethe – auch aufschlußreich für die ganz unterschiedliche Art von Goethes »Italienischer Reise« und H.s »Reisebildern« – wird bestätigt durch Briefäußerungen nach H.s Besuch bei Goethe in Weimar am 2.10.1824 im Anschluß an seine Harzwanderung: »Über Goethes Aussehen erschrak ich bis in tiefster Seele, das Gesicht gelb und mumienhaft, der zahnlose Mund in ängstlicher Bewegung, die ganze Gestalt ein Bild menschlicher Hinfälligkeit. Vielleicht Folge seiner letzten Krankheit. Nur sein Auge war klar und glänzend. Dieses Auge ist die einzige Merkwürdigkeit, die Weimar jetzt besitzt. Rührend war mir Goethes tiefmenschliche Besorgnis wegen meiner Gesundheit. Der selige Wolf hatte ihm davon gesprochen. In vielen Zügen erkannte ich den Goethe, dem das Leben, die Verschönerung und Erhaltung desselben, so wie das eigentlich Praktische überhaupt, das Höchste ist. Da fühlte ich erst ganz klar den Kontrast dieser Natur mit der meinigen, welcher alles Praktische unerquicklich ist, die das Leben im Grunde geringschätzt

und es trotzig hingeben möchte für die Idee. Das ist ja eben der Zwiespalt in mir, daß meine Vernunft in beständigem Kampf steht mit
meiner angeborenen Neigung zur Schwärmerei. Jetzt weiß ich es auch
ganz genau, warum die goetheschen Schriften im Grunde meiner Seele
mich immer abstießen, so sehr ich sie in poetischer Hinsicht verehrte
und so sehr auch meine gewöhnliche Lebensansicht mit der goethischen
Denkweise übereinstimmte. Ich liege also in wahrhaftem Krieg mit
Goethe und seinen Schriften, so wie meine Lebensansichten in Krieg
mit meinen angeborenen Neigungen und geheimen Gemütsbewegun-
gen.« (An Rudolf Christiani, 26. 5. 1825) Und an Moses Moser, 1. 7. 1825:
»Er ist nur noch das Gebäude, worin einst Herrliches geblüht, und nur das
war's, was mich an ihm interessierte. Er hat ein wehmütiges Gefühl in
mir erregt, und er ist mir lieber geworden, seit ich ihn bemitleide. Im
Grunde aber sind ich und Goethe zwei Naturen, die sich in ihrer
Heterogenität abstoßen müssen. Er ist von Haus aus ein leichter Lebe-
mensch, dem der Lebensgenuß das Höchste, und der das Leben für und
in der Idee wohl zuweilen fühlt und ahnt und in Gedichten ausspricht,
aber nie tief begriffen und noch weniger gelebt hat. Ich hingegen bin
von Haus aus ein Schwärmer, d. h. bis zur Aufopferung begeistert für
die Idee und immer gedrängt, in dieselbe mich zu versenken, dagegen
aber habe ich den Lebensgenuß begriffen und Gefallen daran gefunden,
und nun ist in mir der große Kampf zwischen meiner klaren Vernünftig-
keit, die den Lebensgenuß billigt, und alle aufopfernde Begeisterung als
etwas Törichtes ablehnt, und zwischen meiner schwärmerischen Neigung, die oft unversehens aufschießt und mich gewaltsam ergreift und
mich vielleicht einst wieder in ihr uraltes Reich *hinabzieht*, wenn es
nicht besser ist zu sagen, *hinaufzieht*; denn es ist noch die große Frage,
ob der Schwärmer, der selbst sein Leben für die Idee hingibt, nicht in
einem Momente mehr und glücklicher lebt als Herr von Goethe während seines ganzen 76jährigen egoistisch behaglichen Lebens.« – H. erkennt trotz seiner eigenen Distanz zu ihm die Größe und Bedeutung
Goethes an. Ebenso charakterisiert er hier treffend und typisch jugend-
lich urteilend seine eigenen angeblichen Schwächen und Eigenheiten
und die seiner Zeitgenossen (»denn wir, die wir meist alle krank sind,
stecken viel zu sehr in unseren kranken, zerrissenen, romantischen Gefühlen«). Vgl. auch H.s Goethe-Darstellung in der »Romantischen
Schule«, Bd 3 dieser Ausg. – Im Gegensatz zu den jungdeutschen
Schriftstellern, als deren Vorläufer man H. ansehen kann, beteiligte er
sich niemals an dem gehässigen Streit gegen Goethe. – 13 f. *ein gegen-
ständliches Denken*: Mit diesem Ausdruck bezeichnete Christian August
Heinroth in seinem »Lehrbuch der Anthropologie« (1822) Goethes
Denkvermögen. Dieser stimmte der Formulierung Heinroths dankbar

zu in dem Aufsatz »Bedeutende Fördernis durch ein einziges geist-
reiches Wort« (»Zur Morphologie« II, 1823). – 29 *Schubarth:* Karl
Ernst Schubarth ist der Verfasser einer historischen Abhandlung über
Homer: »Ideen über Homer und sein Zeitalter« (1821) und einer Schrift
über Goethe: »Zur Beurteilung Goethes mit Beziehung auf verwandte
Literatur und Kunst« (1. Aufl. 1818, 2. Aufl. in 2 Bdn 1820).

223 13 *Geschichte vom fliegenden Holländer:* Die Sage vom fliegenden Holländer gestaltet H. ausführlicher im VII. Kap. des »Schnabelewopski«
(Bd 1, S. 528–532 und Kommentar S. 853 f.) Dort ist auch eine mögliche
Quelle H.s, nämlich die Erwähnung der Sage in »Bertholds Tagebuch«
(vgl. Anm. zu S. 219,22), angegeben. Richard Wagners Opernlibretto
ist, besonders was die Gestaltung des Schlusses der »Sage« angeht, von
H.s Version stark beeinflußt. – 33 *»Evelina!«:* Anspielung noch ungeklärt, vgl. Anm. zu S. 247.

224 17 ff. *»Eine schöne Welt...«:* 5. Str. von Wilhelm Müllers Gedicht
»Vineta« (in »Muscheln von der Insel Rügen«, erschienen Sept. 1826 im
Taschenbuch »Urania«). Am 7.6.1826 schrieb H. an Wilhelm Müller,
wie sehr er dessen Lieder schätze und welchen Einfluß sie auf seine
eigene Arbeit hätten: »[...] aber ich glaube erst in Ihren Liedern den
reinen Klang und die wahre Einfachheit, wonach ich immer strebte,
gefunden zu haben. Wie rein, wie klar sind Ihre Lieder, und sämtlich
sind es Volkslieder [...] es drängt mich mehr, Ihnen zu sagen, daß
ich keinen Liederdichter außer Goethe so sehr liebe wie Sie.« Zum Motiv der versunkenen Stadt vgl. »Seegespenst«, »Nordsee. Erste Abteilung«, X, S. 182. – 26 *blendend weißen Segel:* Zum Vergleich der weißen
Segel mit vorbeiziehenden Schwänen vgl. »Die Nordsee. Zweite Abteilung« IX, »Echo«: »Wie Schwänenzüge schifften vorüber, / Mit
schimmernden Segeln, die Helgolander,« (S. 200, V. 5–6).

226 5 *Roßtrappe:* Felsklippe im Bodetal im Harz (vgl. »Die Harzreise«,
S. 163,23).

227 31 *Dr. L.:* H.s Studiengenosse Eduard Wedekind erzählt in seinem
Tagebuch: »Auch begegnete uns der Dr. Lachmann, ein hiesiger junger
Dozent, dem die Arroganz auf der Nase geschrieben steht. Er ist in den
bestimmten Stunden auf der Bibliothek, hat aber Launen und diese
auch gegen Heine geäußert. – ›Der Mann sagte mir neulich‹, fing Heine
ganz pfiffig an, ›ich dürfte mir die Bücher nicht selbst aus den Börten
nehmen, und bis jetzt habe ich es doch immer getan.‹ – ›Das ist aber
auch verboten‹, wandte ich ihm ein. – ›Ja, er hat aber auch sonst Launen‹, erwiderte Heine, ›das soll er mir büßen‹, setzte Heine ganz
schalkhaft hinzu; ›wenn ich ihn nicht mehr brauche, gehe ich mit
einem ganzen Trupp auf die Bibliothek, und dann soll er mir klettern,
immer nach den höchsten Börten, und wenn er dann die Bücher nicht

finden kann, so sage ich ihm: er weiß ja nichts.‹« (Wedekind, Studentenleben, S. 76) Dr. Friedrich Lachmann war ein Stiefbruder des Philologen Karl Lachmann. – 38 *Hertha:* Bei Tacitus (»Germania«, Kap. 40) lautet die Form »Nethus«.

228 6 *vier Kollegien:* Von diesen Bonner Vorlesungen spricht H. ähnlich in dem Entwurf zu einer Fortsetzung der »Harzreise« S. 613. Dort äußert H. sich auch ausführlich über Sesostris. – 8 *Schlegel:* Vgl. die Anm. zu S. 243,27f. – 31 *Aktäon:* Die griechische Sage berichtet, daß der Jäger Aktäon die Göttin Diana beim Bad überraschte. Diana verwandelte ihn daraufhin in einen Hirsch und ließ ihn von seinen eigenen Hunden zerreißen. In Abbildungen wird die Verwandlung Aktäons durch Hörner dargestellt.

229 27 *deutsche Legion:* Sie wurde 1803 aus den aufgelösten Armeen Kurhannovers und des Herzogtums Braunschweig gebildet und von England angeworben. Vgl. dazu den Brief an Christian Sethe vom 1.9. 1825: »Die hannövrischen Offiziere hier haben mir nichts weniger als mißfallen. Sie haben nicht so viel Verstand wie die Preußen, aber sie sind honoriger, und unter der Uniform, die sie selten tragen, steckt ein Gentleman im feinsten Zivilrock. Ich meine aber hier vorzüglich die Offiziere, die in der Legion gedient, und die von Spanien, Portugal, Irland, England, Sizilien, manche sogar von den jonischen Inseln und von Ostindien so viel Hübsches und Wackeres zu erzählen wissen. Wie pauver klingt dagegen Jena, die Katzbach, Leipzig, Bellallianz, und gar Paris, die letzte Station unseres Ruhmes, wohin wir – Gott weiß wie! – gelangt sind.« – 35f. »*Vieler Menschen Städte gesehen . . .«:* Homer, »Odyssee«, 1. Gesang, V. 3 (in der Voss'schen Übersetzung).

230 5f. *Stammbäume, woran Pferde gebunden sind:* Das Pferd ist das Wappentier Hannovers. – 36 *Rüxners Turnierbuch:* »Thurnier-Buch. Von Anfang, Ursachen, Ursprung und Herkommen der Thurnier im heyligen Römischen Reich Teutscher Nation . . .« Simmern 1530 (von Georg Rüxner, anonym erschienen) war durch seine irreführenden und phantastischen Angaben über Adel, Rittertum und Turnierwesen bekannt. In Arnims Roman »Die Kronenwächter« tritt Rüxner selbst als Freund des Helden auf.

231 7 *Thersites:* Bei Homer (»Ilias«, 2. Gesang, V. 216–219) heißt es von ihm: . . . »Der häßlichste Mann vor Ilios war er gekommen: / Schielend war er und lahm am anderen Fuß, und die Schultern / Höckerig, gegen die Brust ihm geengt, und oben erhub sich / Spitz sein Haupt, auf dem Scheitel mit dünnlicher Wolle besäet.« Wegen seiner Schmähreden wurde er unter dem Gelächter des Volkes von Odysseus verprügelt. – 24 *die Fabel von dem Bären:* Vgl. ähnlich »Atta Troll« (Kaput IV; Bd 4 dieser Ausg.), dort auch über H.s mögliche Quellen, Lessings und

Gellerts Fabeln »Der Tanzbär«. – 30 *Nation, wie sie Werther nennt:* »und
wie mir die Nation von Herzen zuwider ist« heißt es von der Adels-
gesellschaft im Brief vom 15. März im 2. Buch des »Werther«. –
38 f. *mediatisierte Fürsten:* Viele kleine Grafen und Fürsten verloren 1803
durch den Reichsdeputationshauptschluß ihre Reichsunmittelbarkeit.

232 27 *Beschälern:* Zuchthengsten. – 29 f. *etwas stark kritisiert:* Wie H.s
Schilderung des Hannoverschen Adels auf diesen gewirkt haben muß,
geht indirekt hervor aus einem Brief an Rudolf Christiani vom 19.9.
1827, als H. sich wieder auf Norderney aufhielt: »14 Tage habe ich
auf Norderney zugebracht, aus Übermut ging ich hin, lebte recht be-
haglich unter meinen Feinden – hannövrisches Gesindel ist zu lumpig,
sich mir persönlich entgegen zu stellen und vermag nur einen unwissenden Pöbel aufzuhetzen. Ein Freund, Professor Dirxen warnte mich
ernstlich abzureisen. Der Assessor Strülker der sonst in Lüneburg war,
und den ich in Norderney kennen und lieben lernte, warnte mich
ebenfalls sehr dringend, und nur solch dringenden Anraten, verbunden
mit meiner eigenen Furchtsamkeit, bewegte mich, mich fortzube-
wegen. – Spaß bei Seite, es ist kein Spaß, auf wüster Insel von einem
vernunftlosen, erbitterten Barbarengesindel umgeben zu sein. Man hat
den Weibern dort gesagt, ich hätte sie als gar zu häßlich geschildert,
diese waren mit einigem Rechte aufgebracht – und das Schicksal des
Orpheus stand zu befürchten.« Vgl. dazu auch den Brief vom 11.9.1827
an Friedrich Merckel. – 34 f. *der große Kaiser:* Im folgenden charakterisiert und vergleicht H. vier Napoleondarstellungen von Augen-
zeugen: Sir Frederick Lewis Maitland: »Buonapartes Ankunft und Aufenthalt auf dem kgl. großbrit. Schiffe Bellerophon, nebst genauen
Nachrichten über alles, was sich vom 24. Mai bis zum 8. Aug. 1815
zugetragen hat« (Aus d. Engl., Hamburg, Campe 1826). Der Original-
titel lautet: »Narrative of the surrender of Buonaparte« (London 1826).
Maitland war Kommandant des Bellerophon. – Barry Edward O'Meara:
»Napoleon in exile, or a Voice from St. Helena« (London 1822).
O'Meara war bis Juli 1818 Napoleons Arzt. Sein Buch enthält seine
Gespräche mit Napoleon. – Emanuel Augustin Dieudonné Marquis
de Las Casas: »Mémorial de Ste Hélène (8 Bde, Paris 1823–24). Diese
Memoiren hat Napoleon dem Marquis z. T. selbst diktiert. – Francesco
Antommarchi: »Les derniers moments de Napoléon« (2 Bde, Paris
1823). Er wurde nach O'Mearas Entfernung dessen Nachfolger. Zu
Heines Urteil über Napoleon vgl. besonders: »Ideen. Das Buch Le
Grand« und sein kritischeres Urteil in »Die Reise von München nach
Genua«, Kapitel XXIX bis XXXI.

234 32 *Frau von Staël:* wurde 1803 von Napoleon aus Paris ausgewiesen;
sie kehrte erst nach seinem Sturz zurück. In der Autobiographie ihres

Exils »Dix années d'exile (Paris 1821) setzt sie sich auch mit der Persönlichkeit Napoleons auseinander. – 36 *Kant:* Das Folgende ist ein
ungenaues und gekürztes Zitat aus Kants »Kritik der Urteilskraft«
(2. Teil § 77). In den Erstdrucken (vgl. die Lesarten S. 000) bringt H.
den Passus ausführlicher und nennt auch seine Quelle, nämlich Goethes
Aufsatz »Anschauende Urteilskraft«. Dort hat Goethe die Kant-Stelle
exzerpiert und gedeutet.

235 37f. *Buch aus Walter Scotts Feder:* In Nr. IV der »Englischen Fragmente« (S. 548) beschäftigt sich H. ausführlich mit Scotts inzwischen
erschienenem Buch »The Life of Napoleon Buonaparte«.

236 16 *Bullock:* Quelle: W. Bullock: »Reise nach Mexiko im Jahre 1823«.
Aus dem Engl. Jena 1824. (Ethnograph. Archiv. Bd 26).

237 25 *Byron:* Über H.s Verhältnis zu Byron vgl. den Kommentar zu
seinen Byron-Übersetzungen Bd 1, S. 800f. – Hier eine kritischere
Äußerung über Byron. Die Bemerkungen in der »Harzreise« (S. 145, 18 ff.)
sind gewiß als Spott über das populäre Byron-Verständnis aufzufassen.
– 34 *W. Alexis:* Willibald Alexis (d. i. W. Häring) gab seinen ersten
Roman »Walladmor« (1825) und auch noch den folgenden »Schloß
Avalon« (1827) als Übersetzungen Scottscher Romane aus. Alexander
Aug. Ferdinand von Opeln-*Bronikowski* schrieb zahlreiche vielgelesene
Romane mit Stoffen aus der polnischen Geschichte in Walter Scotts
Manier.

238 10f. *wir Deutschen werden es übersetzen:* Das Werk ist tatsächlich gleich
nach seinem Erscheinen dreimal ins Deutsche übersetzt worden (Stuttgart 1827–28; Zwickau 1826–28; Gotha 1826–31). – 12 *Ségur:* Paul
Philippe Comte de Ségurs »Histoire de Napoléon et de la grande armée
pendant 1812« (Paris 1824) erschien in deutscher Übersetzung von
Friedrich Kottenkamp in Mannheim 1825. An Moses Moser schreibt H.
unmittelbar nach der Lektüre: »Mein Bruder hat mir auch gesagt, daß
Du vom Ségur so sehr erbaut seist und ihn den neuen Sallust nanntest.
Ich hatte daher nichts eiliger zu tun, als ihn zu lesen, begann vorgestern
und verschlang schon diesen Morgen den letzten Gesang. Dieses Buch
ist ein Ozean, eine Odyssee und Ilias, eine Ossianische Elegie, ein Volkslied, ein Seufzer des ganzen französischen Volks! Ein Sallust? Meinet-
halben! Ich kann nicht darüber urteilen. Ich bin noch wie betäubt.«
(Br. Nr. 132)

239 3 *Ellore:* Die Tempelgrotten von Ellora in Vorderindien zeigen Darstellungen aus den großen indischen Epen, u. a. aus »Râmâyana« und
»Mahâbhârata«. – 11 *Rolandslied:* Das Rolandslied in der uns heute bekannten Fassung der französischen »Chanson de Roland« galt zur damaligen Zeit als verschollen; es wurde 1837 von François Michel veröffentlicht. Sowohl das Drama Immermanns »Das Tal von Ronceval« (1822) als

auch die 1805 veröffentlichte Romanzensammlung Friedrich Schlegels
mit dem Titel »Roland« (auf diese geht H.s Schreibung ›Roncisval‹
zurück) stützten sich auf eine lateinische Quelle, die Turpinsche Chronik. – 26 *König von Neapel:* Der Schwager Napoleons, Joachim Murat,
König von Neapel, war Oberbefehlshaber über die Kavallerie auf dem
Rußlandfeldzug. – 29 f. *Prinz Eugène:* Napoleons Stiefsohn Eugène
von Leuchtenberg. Der Zusatz »der edle Ritter« ist Anspielung an den
Beinamen des berühmten Prinzen Eugen von Savoyen (1663–1736),
der eine führende Rolle in den Türkenkriegen Österreichs und bei der
Eroberung Ungarns spielte. – *Ney, Berthier, Davoust, Daru, Caulaincourt:*
hohe Militärs und engere Vertraute Napoleons auf dem Rußlandfeldzug. – 37 *weil sein Orestes noch lebt:* Noch lebt Napoleons Sohn, der
Herzog von Reichstadt, der – wie Orest die Schmach seines Vaters an
der Mutter Klytämnestra – das unwürdige Schicksal seines Vaters Napoleon an den Feinden rächen und die Herrschaft wieder übernehmen
kann. Auf ihn setzte die bonapartistische Partei bis zu seinem Tod 1832
ihre Hoffnungen. (Vgl. »Französische Zustände«, Artikel V, Bd 3 dieser
Ausg.)
240 25 *Singe unsterbliche Seele:* Anspielung an den 1. Vers von Klopstocks
»Messias«: »Singe, unsterbliche Seele, der sündigen Menschen Erlö-
sung«.
241 3 *Xenien:* Zu den folgenden Xenien vgl. auch die Entstehungsgeschichte S. 772 ff. – 8 ff. *Der poetische Literator:* Die Kritik richtet sich
gegen den Dichter und Literarhistoriker Franz Horn (1781–1837) mit
seinem redseligen und weitschweifigen vierbändigen Werk »Geschichte
und Kritik der Poesie und Beredsamkeit der Deutschen von Luthers
Zeit bis zur Gegenwart« (Berlin 1822–1829). Über seinen Shakespeare-
Kommentar in 5 Bdn »Shakespeares Schauspiele, erläutert« (Leipzig
1823–1831) macht sich H. im »Atta Troll« (Kaput XVIII, Bd 4 dieser
Ausg.) lustig. – 19 ff. *Dramatiker:* Die gemeinten Dramatiker sind:
1. Adolf Müllner; er verfaßte zunächst zahlreiche sog. Schicksals-
tragödien, verlegte sich aber dann auf eine betriebsame Redaktionstätigkeit. In seinem »Mitternachtblatt« vom 29. Juni 1827, Nr. 104 antwortete er Heine: »Bitterer rächst du, mein Bester, den dir angetanen
Tort: / Deine Werke ruhn im Laden, aber du schreibst immerfort.« –
2. Friedrich Freiherr de la Motte-Fouqué, Reiterleutnant während der
Befreiungskriege. Lektüre und Einfluß von Fouqués Dichtung sind in
H.s Jugenddichtung deutlich nachweisbar (vgl. besonders »B. d. Lieder«,
darin »Die Heimkehr«, Bd 1, S. 105–165 und Anm.). Zu H.s späterem
kritischeren Urteil über Fouqué und seine deutsch-romantischen Ten-
denzen vgl. »Die romantische Schule« (Bd 3 dieser Ausg.). – 3. Ernst
Freiherr von Houwald; er schrieb gefühlvolle und tränenreiche Schick-

salstragödien. Die Aufführung von Houwalds Rührstück »Das Bild« verspottete Heine in einem gleichnamigen Vierzeiler (Bd 1, S. 246). – 4. Ernst Raupach, vielschreibender und erfolgreicher, aber auch stark angegriffener Bühnenautor in der Schiller-Nachfolge. Vgl. dagegen H.s Urteil über Raupach in dem später getilgten Zusatz der 1. Fassung (R¹) S. 802 ff.

242 9 ff. *Östliche Poeten:* Nach Goethes »West-östlichem Divan« (1819) wurde Lyrik im orientalisierenden Stil vor allem des Saadis und Hafis zur Modeströmung. Dem *»Alten Dichter«* (Goethe) folgten die *»kleinen Sänger«:* Rückert mit seinen »Östlichen Rosen« (1822) und Platen mit Ghaselen (1821 und 1824). Platen erkannte sich sofort in diesen Versen: Er schreibt in einem Brief am 12. März 1828 (an Fugger): »Daß die Epigramme auf mich und Rückert gehen, daß wir beide die ›kleinen Sänger‹ sind, unterliegt keinem Zweifel. Daß Immermann sie gemacht, ist verzeihlich, daß aber Heine sie aufnimmt, sie vertritt, daß er mir Sottisen durch die dritte Hand sagt, ist nicht verzeihlich und ist nebenbei eine echt jüdische Handlungsweise. Überdies sind die ›Reisebilder‹, wie ich höre, ein sehr populäres Buch; er hat also vor ganz Deutschland meine Gedichte für etwas Gespieenes erklärt.« Die ›Xenien‹ Immermanns lernte Platen kennen, als er an seinem Lustspiel »Der romantische Ödipus« arbeitete. Sie wirkten auf die endgültige Gestalt dieser Satire ein. Zu dem Verhältnis Heine-Platen vgl. S. 830 ff. – 24 ff. *Glokkentöne:* Der Berliner Hofprediger und Professor Friedrich Strauß veröffentlichte in den Jahren 1815–1819 eine autobiographische Sammlung in 3 Bdn mit dem Titel »Glockentöne. Erinnerungen aus dem Leben eines jungen Geistlichen«, die zahlreiche Auflagen erreichte. Der gefühlvolle und selbstgefällige Ton, in der Nachfolge der Empfindsamkeit und typisch für das geistliche Biedermeier, forderte den Spott Immermanns heraus.

243 10 ff. *Orbis pictus:* (lat.) »Die gemalte Welt«. Titel eines illustrierten Lehrbuchs von Joh. Amos Comenius: »Orbis pictus. Die sichtbare Welt, das ist aller vornehmsten Welt-Dinge Lebens-Verrichtungen Vorbildung und Benamung« (Nürnberg 1658). Hier faßt der Titel Xenien verschiedenartigster Inhalte zusammen. – 20 *»Ganz bewältigt er ...«:* wendet sich vermutlich gegen Platens lediglich formal perfekte Reimtechnik und Metrik in seinen Gedichten. – 24 f. *Damals mochtst ...:* Friedrich Schlegel veröffentlichte 1799 seinen programmatisch-romantischen Roman »Lucinde«, in dem er aus seiner frühromantischen Konzeption heraus u. a. für die außereheliche Liebe eintrat und damit Anstoß erregte. Später (1808) trat er wie zahlreiche andere Romantiker zum katholischen Glauben über. – 27 f. *Erst in England ...:* August Wilhelm Schlegel übersetzte Shakespeare, Calderon

und »Blumensträuße der italienischen, spanischen und portugiesischen
Poesie« (1804). Seit 1818, also während H.s eigener Bonner Studienzeit,
war er Professor für Sanskrit in Bonn (vgl. H.s Aufzählung seiner
Bonner Vorlesungen S. 228). 1823 war eine Bearbeitung Schlegels von
»Bhagavad-Gîta«, einer Episode aus dem erwähnten Epos »Mahâbhârata« mit lateinischer Übersetzung erschienen. H.s sich wandelndes
Urteil über seinen einstigen Lehrer spiegelt sich in einer Reihe von
Werken: In dem frühen Aufsatz »Die Romantik« (1820, Bd 1 dieser
Ausg., S. 399-401); in den ins »B. d. Lieder« aufgenommenen und den
beiden unterdrückten Sonetten (Bd 1, S. 65 und S. 222), in den verschiedenen Äußerungen in den »Reisebildern« und schließlich in der
scharfen Kritik in der »Romantischen Schule« (Bd 3 dieser Ausg.), vgl.
jeweils auch die Kommentare.

244 3 *Fausses couches:* (frz.) Fehlgeburten. – 21 *Panduren:* südungarische
Kriegstruppe, die wegen ihres draufgängerischen Mutes und ihrer
Disziplinlosigkeit, selbst im eigenen Land, verhaßt und gefürchtet war.

IDEEN. DAS BUCH LE GRAND

DRUCKVORLAGE UND LESARTEN

»Reisebilder«-Veröffentlichungen:
R¹: »Reisebilder.« 2. Teil. 1. Aufl. Hamburg 1827. S. 129-296.
R²: »Reisebilder.« 2. Teil. 2. Aufl. Hamburg 1831. S. 81-250.

Druckvorlage ist mit der Walzelschen Ausgabe die Fassung R², die von R¹
nur geringfügig abweicht:

257 8 f. »die Seerosen erröten verschämt,« fehlt in R¹.
     10 Petersen (Walzelsche Ausg.) hält »Quabben« für einen Druckfehler
     und ändert in »Quallen«.
260 3 »Hostie« in R¹ »Lilie«.
     20 »16, 000« in R¹ »12, 000«.
261 25 »man« in R¹ »deutsche Journale«.
268 22 »pokat, pokadeti – pikat – pik – pik« fehlt in R¹.
275 3 f. »Kronprinz von Preußen« in R¹ »Kronprinz von – – – – –«.
276 7 »gerechten« in R¹ »eisernen«.
     8 »schrieb unsichtbare Worte darauf« in R¹ »schreibt einst Worte
     darauf«.

14 Für »Könige« in R¹ drei Gedankenstriche.

284 23 Nach »zusammenbringen« in R¹ noch »Apropos, Madame, die dreiprozentigen Böckhs sind flau, aber die fünfprozentigen Hegels sind gestiegen –«.

291 20 »Herr Marr« fehlt in R¹.

296 12 Nach »hat,« in R¹ Zusatz »an dessen Bildung kein Aristoteles Anteil hatte, dieser«.

TEXTANMERKUNGEN

246 *Motto:* aus Adolf Müllners »Die Schuld«, IV, 9.

247 *Evelina:* Hinter dem Namen Evelina, der auch schon in der »Nordsee. Dritte Abteilung« (S. 223f.) erscheint, wird in der Heine-Forschung vielfach H.s Cousine Therese Heine vermutet, zuweilen aber auch Friederike Robert. Nach William Rose: Ein biographischer Beitrag zu H.s Leben und Werk. In: Weimarer Beiträge 3 (1957) S. 591 bleibt die Anspielung noch ungeklärt.

248 4 *Altes Stück:* Der wiederholte Vorspruch bezieht sich wohl auf den Verlauf von H.s Verhältnis zu seiner Cousine Amalie Heine, die John Friedländer heiratete; vgl. ähnlich in »Lyrisches Intermezzo« XXXIX, Bd 1, S. 90 und Anm. S. 711. – 5 *Madame:* Wahrscheinlich redet H. damit Friederike Robert an, vgl. »Zur Entstehung« S. 777. – 21 f. *Jagorsche Küche:* von H. geschätztes Restaurant in Berlin, auf das er in den »Briefen aus Berlin« ausführlich zu sprechen kommt, vgl. S. 10,5; 17,24 ff.

250 30 *Via Burstah:* Straße in Hamburg.

251 4 *Bethmann:* bekannte Schauspielerin, gestorben 1814. – *la belle ferronière:* berühmtes Bildnis einer Geliebten Franz I. von Frankreich, vermutlich von Leonardo da Vinci, befindet sich im Louvre. – 7 *Signor Unbescheiden:* besaß einen bekannten Austernkeller in Hamburg. – 10 *Glas:* Die Spiegelung der Welt im Glas ist ein altes orientalisches Motiv, das H. auch in »Die Nordsee. Zweite Abteilung«, »Im Hafen« verwendet. Vgl. die ausführliche Darstellung des Motivs und seiner Quellen für H. in Bd 1, S. 760. – 32 f. *Strada San Giovanni:* Johannisstraße in Hamburg. – 34 *In alten Märchen ...:* Monolog Almansors (vgl. Bd 1, S. 318, V. 1239–1256).

253 23 f. *Das Leben ist der Güter höchstes ...:* kritische Korrektur an Schillers Schlußversen der »Braut von Messina«: »Das Leben ist der Güter höchstes nicht, / Der Übel größtes aber ist die Schuld.« – 31 f. *Immermanns Edwin:* aus Immermanns gleichnamiger Tragödie, 2. Akt.

254 3 ff. *»Nicht mir rede ...:* »Odyssee«, 11. Gesang, V. 488–491. Die Stelle

nimmt H. nochmals auf in seinen späten Gedichten »Epilog« und »Der
Scheidende« (Bd 6 dieser Ausg.). – 10 f. »*Ich will lieber ein lebendiger
Hund sein...*«: Wortspiel mit dem Bibelzitat Pred. Salom. 9,4:
»Denn ein lebendiger Hund ist besser als ein toter Löwe.«

256 15 *Jagernaut:* indischer Wallfahrtsort Dschaggarnath, wo man den
Gott Krischna verehrt. – 17 *Kalkuttenbraten:* Kalkutische Hühner =
Truthühner. – 20 *Ramo:* richtig Rama, der Held des indischen Epos
»Râmâyana«, für dessen Verfasser Valmiki gilt. H. spielt auch in der
»Nordsee. Dritte Abteilung« auf das Epos an. – 23 *Dame in Berlin:*
Nach der Untersuchung von Albert Ludwig (ZfdPh 61, 1936, S. 309
bis 314) handelt es sich um Amalie von Imhoff, eine Nichte der Frau
von Stein, selbst Schriftstellerin (»Die Schwestern von Lesbos«), deren
Mutter in zweiter Ehe mit Warren Hastings, Generalgouverneur von
Britisch-Ostindien, verheiratet war. Amalie von Imhoff verkehrte in
Berlin in denselben Salons wie H. – 28 *Franz Bopp:* 1791–1867, Be-
gründer der vergleichenden Sprachwissenschaft. Schon seine 1. Schrift
»Über das Konjugationssystem der Sanskritsprache in Vergleichung
mit jenem der griechischen, lateinischen, persischen und germanischen
Sprache« (Frankfurt a. M. 1816) war epochemachend. In seinem Werk
»Nalus« (London 1819) veröffentlichte er Episoden aus dem indischen
Epos »Mahâbhârata« mit lateinischer Übersetzung. H. wurde 1824 in
Göttingen von dem Orientalisten Gottfried Eichhorn gebeten, Bopps
Werk »Ardschunas Reise zu Indras Himmel nebst anderen Episoden des
Mahâbhârata«, in der Ursprache zum erstenmal hrsg. Berlin 1824, für
die »Göttingischen Gelehrten Anzeigen« zu rezensieren. Trotz seiner
Beschäftigung mit indischer Dichtung bei August Wilhelm Schlegel in
Bonn sah sich H. außerstande, eine wissenschaftliche Rezension von
Bopps Buch zu verfassen (vgl. Brief vom 20.7.1824 an Moses Moser).
Auch Moser, der sich viel mit Sanskrit befaßte, fühlte sich nicht in der
Lage, die von H. im Brief vom 20.10.1824 von ihm an seiner Stelle
erbetene Rezension des Werkes zu schreiben.

257 17 f. »*Tiotio, tiotio...*«: aus Aristophanes' »Vögeln« in der Vossischen
Übersetzung (1821), II, 159. H. urteilt über die Übersetzung der »Vögel« in einem Brief an Friederike Robert vom 12.10.1825: »und wenn
Sie auch die plumpvossische Übersetzung jener ›Vögel‹ lesen, so merken Sie es dennoch nicht, denn keiner vermag jene unendlich schmel-
zende und himmelstürmend kecke Vögelchöre zu übersetzen, jene
nachtigalljubelnde, berauschende Siegeslieder des Wahnsinns.« Vgl.
auch Kap. XI, S. 282,14 und Anm.

260 5 *die kleine, tote Veronika:* ist möglicherweise identisch mit der »kleinen
Very«, von der H. in den »Florentinischen Nächten« erzählt (Bd 1,
S. 564 ff. und Kommentar S. 855 ff.). – 34 *der kleine Wilhelm:* Der

Jugendgespiele H.s hieß Fritz von Wizewski, ihm gilt noch das Gedicht
»Erinnerung« im »Romanzero« (Bd 6 dieser Ausg.).

261 24 *Aber mein Ruhm:* Vgl. zu diesem Satz die Fassung R¹ in den Lesarten S. 814.

262 36 *Aber es wurde plötzlich anders:* Im März 1806 wurde das Bayern
gehörige Herzogtum Berg mit der Hauptstadt Düsseldorf als Großherzogtum an Frankreich abgetreten und erhielt Napoleons Schwager
Joachim Murat als späteren Großherzog. – 38 *da war der Vater abgereist:*
Der frühere Kurfürst von Berg, Max Joseph, rückte jetzt zum König
von Bayern auf.

263 25 ff. *Alouisius, Gumpertz:* bekannte Gestalten der Stadt Düsseldorf,
auch in volkstümlichen Liedern überliefert.

266 17 *Niebuhr:* Der Historiker Barthold Georg Niebuhr (1776–1831) wies
erstmals in seiner »Römischen Geschichte« (1810/11) nach, daß Livius
in seiner Historie der römischen Königszeit viel Sagenhaftes verarbeitet
hatte. – 19 *Jahrszahlen:* Die hier scherzhaft eingeführte Mnemonik
erscheint bei H. auch in der Geschichte des kleinen Simson im »Schna-
belewobski« (Bd 1, S. 539). – 31 *Bankier Christian Gumpel:* erscheint
wieder an zentraler Stelle in den »Bädern von Lucca«.

267 1 *Tod Hamans:* Nach Buch Esther, Kap. 7 wurde Haman, der per-
sische Minister des Xerxes, gehängt. – *Wadzeck:* Der Philantrop Franz
Daniel Friedrich Wadzeck (gest. 1823), Leiter einer Wohltätigkeits-
anstalt, nannte sich »Vater von 360 Kindern der Straße und Tröster der
Witwen, welche bessere Tage gekannt«. H. vergleicht ihn, dies wörtlich
nehmend, mit der, vor allem bei Shakespeare, sinnenfreudigen Kleo-
patra.

268 21 f. *katal* (schlagen), *›pokat‹* (suchen): gebräuchliche Paradigmata für
die hebräische Konjugation. – 27 *Adelung:* Johann Christoph Adelung,
heute noch auf Grund seines Wörterbuches (»Versuch eines vollständigen grammatisch-kritischen Wörterbuchs der hochdeutschen Mund-
art« 1774–1786) bekannt, gab wegen seiner aufklärerisch-rationalisti-
schen Sprachauffassung in seiner weit verbreiteten »Deutschen Sprach-
lehre für Schulen« (1781) und seinem »Umständlichen Lehrgebäude der
deutschen Sprache« (1782) Anlaß zu Kritik und Spott. – 29 *Rektor
Schallmeyer:* Über H.s Lehrer vgl. »Geständnisse« (Bd 5 dieser Ausg.). –
31 *Schramm:* Josef Schramm: »Kleiner Beitrag zum Weltfrieden«,
Elberfeld 1815.

269 6 *Lehrbuchseelen:* Gemeint sind die in den Lehrbüchern angegebenen
Einwohnerzahlen. – 8 *Zichorien und Runkelrüben:* Sie wurden auf
Grund der Kontinentalsperre angepflanzt. – 10 f. *die Deutschen wurden
gelenkig:* Anspielung auf die patriotische Turnbewegung unter Friedrich Ludwig Jahn.

270 5 *Abbé d'Aulnoi:* Über ihn vgl. das Memoirenfragment (Bd 5 dieser
Ausg.). – 17 *Glaube:* Vgl. zu der Parallelsetzung von Religion und
Geschäft die Anm. zu S. 36,20. – 26 *Bologna:* Mit Bologna ist Göttingen gemeint, wie aus dem Satz in den »Bädern von Lucca« (S. 412,20)
zu schließen ist: »Göttingen selbst ist in Bologna lange nicht so bekannt,
wie man schon, der Dankbarkeit wegen, erwarten dürfte, indem es
sich das deutsche Bologna zu nennen pflegt.«

272 33 *Schmalz:* Der Berliner Staatsrechtslehrer Theodor Anton Heinrich
Schmalz verdächtigte in seiner Schrift »Berichtigung einer Stelle in der
Venturinischen Chronik für das Jahr 1808« (1815) die patriotischen Bestrebungen der Jugend als staatsgefährdend. – 35 *Pausanias:* »Graeciae
descriptio«, Buch 10, Kap. 18.

273 19f. *Professor Saalfeld:* Der Göttinger Historiker Joh. Chr. Fried. Saalfeld, Verfasser der »Geschichte Napoleon Buonapartes« (Leipzig 1815)
und der Schrift »Hundert und etliche Fanfaronaden des Corsikanischen
Abenteurers Buona-Parte« (1814) war ein erbitterter Gegner Napoleons.

274 23 *als ich ihn selber sah:* Vom 2. bis 5. November 1811 hielt sich Napoleon in Düsseldorf auf. H.s frühlingshafte Naturkulisse ist Fiktion.

276 30 *Las Casas, O'Meara und Antommarchi:* Über ihre Napoleondarstellungen spricht H. zusammenhängend in der »Nordsee. Dritte Abteilung« S. 232 f. – 32 *Londonderry:* Henry Robert Stewart Castlereagh,
Marquis von Londonderry, englischer Staatsmann, der die Reaktion
unterstützte und auf Napoleons Sturz hinarbeitete.

277 10ff. *»Gleich wie Blätter . . .«:* Homer, »Ilias«, 6. Gesang, V. 146–149.

278 7 *preußisch:* Durch den Wiener Kongreß war der größte Teil des
Herzogtums Berg 1815 an Preußen gekommen. Seit 1821 residierte
Prinz Friedrich von Preußen, ein Neffe Friedrich Wilhelms III., in
Düsseldorf.

279 34 *Dame ohne Kopf:* Nach einer Düsseldorfer Sage geht der Geist der
Jakobe von Baden im Düsseldorfer Schloß um; da sie mit den Ständen
ihres Landes verfeindet war, kam bei ihrem plötzlichen Sterben der
Verdacht eines gewaltsamen Todes auf. (Das Gespenst wird auch in der
»Romantischen Schule« erwähnt, Bd 3 dieser Ausg.)

280 12f. *Schicksal der armen Franzosen:* Die hier geschilderte Situation entspricht dem Gedicht »Die Grenadiere« aus dem »B. d. Lieder« (Bd 1,
S. 47). – 27 *Volkslied:* Diese beiden Strophen sind fast wortgetreu
nach dem Gedicht »Rewelge« aus »Des Knaben Wunderhorn« zitiert.

282 14 *Du sublime au ridicule il n'y a qu'un pas:* ›Vom Erhabenen zum
Lächerlichen ist es nur ein Schritt.‹ Ausspruch Napoleons auf der
Flucht aus Rußland am 10.12.1812 gegenüber seinem Gesandten de
Pradt in Warschau. De Pradt teilt ihn in seiner »Histoire de l'ambassade
dans le Grand-duché de Varsovie en 1812«, Berlin 1816, S. 215 mit.

H. hat dies Werk entweder selbst in Händen gehabt, oder Napoleons
Ausspruch ist schon geflügeltes Wort geworden. Die Worte charak-
terisieren H.s eigenen Stil und beziehen sich zugleich auf seine Darstellung Napoleons in den »Ideen«, in denen er ihn erst auf dem Gipfel
seiner Macht und Herrlichkeit vorführt und dann den jähen Schicksals-
wandel in St. Helena zeigt. (Vgl. Loewenthal, Studien S. 77.) – Die
folgenden Sätze haben ihre Parallele in dem Brief vom 12.10.1825 an
Friederike Robert, die hier vermutlich angeredete »Madame«: »Das
Ungeheuerste, das Entsetzlichste, das Schaudervollste, wenn es nicht
unpoetisch werden soll, kann man auch nur in dem buntscheckigen
Gewande des Lächerlichen darstellen, gleichsam versöhnend, – darum
hat auch Shakespeare das Gräßlichste im ›Lear‹ durch den Narren
sagen lassen, darum hat auch Goethe zu dem furchtbarsten Stoffe, zum
›Faust‹, die Puppenspielform gewählt, darum hat auch der noch größere
Poet (der Urpoet, sagt Friederike), nämlich unser Herrgott, allen
Schreckensszenen dieses Lebens eine gute Dosis Spaßhaftigkeit beige-
mischt. –« In Aristophanes' Komödie »Die Vögel«, der diese Sätze zugleich auch gelten, sieht H. »den göttertrotzenden Wahnsinn der Menschen, eine echte Tragödie, um so tragischer, da jener Wahnsinn am
Ende siegt und glücklich beharrt in dem Wahne, daß seine Luftstadt
wirklich existiere, und daß er die Götter bezwungen und alles erlangt
habe, selbst den Besitz der allgewaltig herrlichen Basilea.«

284 20 *Mein Freund G.:* H.s Berliner Bekannter Eduard Gans, den H.
öfters wegen dessen Zitierleidenschaft und seines von Hegel beeinfluß-
ten wissenschaftlichen Schematismus, besonders in dem Werk: »Das
Erbrecht in weltgeschichtlicher Entwickelung«, Berlin 1824ff., verspottete. – 28 *Michael Beer:* Der Verfasser des »Paria«, »Struensee« u.a.
Vgl. H.s Rezension von »Struensee«, Bd 1, S. 430–444 und Kommentar
S. 817–820. – 34 *Hausnummer:* Dieser Einfall ist aus der Fortsetzung
der »Harzreise«, S. 614, übernommen. – 36 *Ponce de Leon:* Lustspiel
von Clemens Brentano, wo es richtig heißt: »Diese schlechten Musi-
kanten und guten Leute« (V, 2).

285 3 *»Spittas Sangbüchlein«:* Der Verfasser des »Sangbüchlein der Liebe für
Handwerksleute« (1824), Carl Johann Philipp Spitta, war ein Studien-
freund H.s aus der Göttinger Zeit. Beide hatten sich durch ihr Interesse
am Volkslied zusammengefunden. H. schätzte mehrere seiner Gedichte,
äußerte sich aber schon am 4.9.1824 an Rudolf Christiani kritisch über
das »Handwerksbüchlein«. – 28 *Steinweg:* Straße in Hamburg, in der
sich zahlreiche jüdische Restaurants befanden. – 29 *viele Berliner Gelehrte:* H. spielt wohl besonders auf die Professoren Christian Friedrich
Rühs und Jakob Friedrich Fries an, die durch mehrere Schriften zu den
frühesten Theoretikern des Antisemitismus wurden: Rühs: »Über die

Ansprüche der Juden an das deutsche Bürgerrecht« (1816), »Die Rechte
des Christentums und des deutschen Volks. Verteidigung gegen die
Ansprüche der Juden und ihre Verfechter« (1816); Fries: »Über die
Gefährdung des Wohlstandes und Charakters der Deutschen durch die
Juden« (1816). H. erwähnt die beiden zusammen in Briefen an Moses
Moser vom 23. 8. 1823 und 21. 1. 1824. – 37 *Tacitus:* berichtet in den
»Historiae«, lib. V, 4, daß die Juden im Tempel zu Jerusalem einen
goldenen Esel anbeteten.

286 14 *Gesneri:* Diese Abhandlung des Göttinger Philologen Johann Matthias Gesner befindet sich tatsächlich in den »Commentarii Societatis
Regiae Scientiarum Gottingensis«, T. II, Göttingen 1753. – 23f. *alle
große Männer zitieren, die verliebt gewesen sind:* Die Namen der folgenden Aufzählung H.s finden sich fast in derselben Reihenfolge und
ebenfalls in latinisierter Form, mit Anekdoten zu den einzelnen Personen geschmückt, bei Johann Adam Bernhard: »Kurtzgefaßte Curieuse
Historie derer Gelehrten, darinnen von der Geburth, Erziehung, Sitten,
Fatis, Schriften etc. gelehrter Leute gehandelt . . .« (Frankfurt a. M.
1718) S. 149, 153–155 innerhalb der Kapitel »Von verliebten oder vielmehr verhurten Gelehrten« (S. 145–149) und »Von Gelehrten / die
große aestim vor das Frauenzimmer gehabt / oder kürtzer / von gelehrten
Haasen« (S. 152–156). (Vgl. Loewenthal, S. 54–59.) – 27f. *große Männer
zitieren, die keinen Tabak geraucht:* Im folgenden orientiert sich H.
offensichtlich wieder an Bernhard, bei dem er ein Kapitel »Von gelehrten Tobackschmauchern« (S. 282–286) findet, das beginnt: »Des
Raphaelis Thori Hymnus Tabaci ist bey dem Isaaco Elseviro 1628 zu
Leyden in 4. aufgeleget worden« und wo es dann u. a. weiter heißt:
»Ludovicus à Kinschot hat dieses Tractätgen von dem autore erhalten,
und zum Druck befördert, wie er in der praefation meldet, und zugleich des autoris Brieff an ihn mit inseriert . . .« Nach Mitteilung von
Kinschots Versvorrede fährt Bernhard fort: »Aber diese plaisir ist nicht
allen Gelehrten gleich angenehm. Mabillon konnte nicht einmal den
Rauch einer frembden Pfeiffe vertragen. In seinem Itinere Germanico
klagte er p. 18 über die Tabacks Depauchen in denen teutschen Wirtshäusern und schreibet: quod molestus ipsi fuerit tabaci grave olentis
foetor. [. . .] Dem verstorbenen Graevio war dieses Kraut auch eine
Panace, darum hat ihm einer ein Sonnet darauf verfertigt [. . .] Mons.
Bayle schreibt in seinem Dictionaire von dem M. Z. Boxhornio, er habe
sich sagen lassen, daß er einen absonderlichen Hut bey dem Rauchen
pflegen aufzusetzen, derselbe habe ein Loch gehabt, durch welches er
seine Pfeiffe gestecket, damit sie ihm in seinem studiren nicht hinderlich
fiele [. . .]« H. treibt mit den großenteils wörtlichen Zitaten aus Bern-
hards monströsem Kompendium seinen Spott mit aller falschen Ge-

lehrsamkeit. – Der Verfasser des »Hymnus Tabaci« heißt Raphael Thorius, nicht Thorus, wie H. ihn – irregeleitet durch den bei Bernhard zitierten Genitiv Thori – nennt.

287 1 *Boxhornius:* Marcus Suevius Boxhorn(ius), 1612–1653, Philologe und lateinischer Dichter in Leiden. – 7 f. *all die großen Gelehrten zitieren, die sich ins Boxhorn jagen ließen und davon liefen:* Auch für diese Passage fand H. Material bei Bernhard in dessen Kapitel: »Von Gelehrten: die flüchtig worden« (S. 412–416). H.s folgender Satz lehnt sich an den Beginn dieses Kapitels an: »M. Johann Georg Martius hat die Fuga Literatorum ob singularia divinae Providentiae Documenta memorabili geschrieben.« – 14 *Rabbi Jizchak Abarbanel:* Mit Isaak ben Jehuda Abarbanel, der 1492 bei der Vertreibung der spanischen Juden nach Venedig floh, hat sich H. während seiner Studien zum »Rabbi von Bacharach« beschäftigt. Er erwähnt ihn dort im 3. Kap. (Bd 1, S. 496, vgl. Anm. dazu S. 845 f.). – 15 f. *welche an der Börse auf dem schwarzen Brette verzeichnet sind:* Bei Bernhard heißt es in dem Kapitel: »Von Gelehrten / die in Schulden gerathen« (S. 402): »Jener Doctor Juris zu Leipzig wurde Schulden wegen ans schwartze Brett geschlagen.«

288 16 *Heeren:* Arnold Hermann Ludwig Heeren: »Ideen über Politik, den Verkehr und den Handel der vornehmsten Völker der alten Welt«. Göttingen 1793–96.

289 25 *Gedankenquaterne:* Quaterne: Begriff aus dem Lottosystem.

290 5 *Gubitz:* Vgl. Anmerkung zu »Briefe aus Berlin«, S. 57, 36. – 11 *Langhoffschen Druckerei:* Dort wurden die 1. Auflagen des ersten und zweiten »Reisebilder«-Bandes gedruckt. – 16 *Horazische:* Horaz, »De arte poetica«, V. 388.

291 17 *Pangloß:* In Voltaires Roman »Candide ou l'optimisme« ist er der Vertreter des Leibnizschen Optimismus. – 38 *Schuppii lehrreiche Schriften:* Johann Balthasar Schupp (1610–1661) gibt in seinen »Lehrreichen Schriften« (1663) satirische Schilderungen über Deutschland.

292 36 f. *der Turm, der gen Damaskus schaut:* Vergleich aus dem Hohelied Salomonis 7,4.

293 27 *Benauigkeit:* zum Verbum benauen ›in die Enge treiben‹, ›ängstigen‹, im 18. und 19. Jahrhundert in Norddeutschland gebräuchlich; richtiger Benautheit ›Beklommenheit‹.

294 29 *den größten Obskuranten:* Mit der folgenden Episode spielt H. wohl auf die Affäre an, die seine Bemerkung über »den schwarzen, noch ungehenkten Makler« in der »Harzreise« (S. 164, 26 f.) ausgelöst hat; vgl. dazu die Anm. S. 766 ff.

295 18 ff. *»Am Rhein, am Rhein . . .«:* Matthias Claudius »Rheinweinlied«. – *»Dies Bildnis . . .«* Arie aus Mozarts »Zauberflöte«. – *»O weiße Dame . . .«* Arie aus Boieldieus Oper »Die weiße Dame«.

296 5 f. *Ahasveros . . . Provinzen:* Buch Esther 1,1. – 8 *Philoschnaps:* Die
Anspielung ist noch ungeklärt. – 10 *Trauerspieldichter:* bezieht sich auf
Friedrich von Uechtritz, »den ich . . . sehr barbarisch eingeschlachtet
habe« (an Friedrich Merckel, 1.1.1827) und sein Trauerspiel »Alexander
und Darius« (1827). Die satirische Anspielung bedauerte H. bald. In
einem Brief vom 6.12.1829 an Immermann schreibt er: »Auf der
Leiche Platens sitzend, gestehe ich ganz ruhig mein Unrecht gegen
Uechtritz, der nur privatim einiges Harte verdient hatte. Es ist mir
lieb, ihn doch mit Namen nie genannt zu haben, und bei nächster
Auflage soll alles auf ihn Bezügliche wegfallen«, was aber nicht geschah. Noch in den »Briefen aus Berlin« hatte H. viel von Uechtritz'
dramatischem Talent erwartet, vgl. S. 65,5 und Anm. – 15 *Köchin:*
Ludwig Tieck schrieb zu »Alexander und Darius« eine Vorrede. –
18 *Clauren:* Vgl. Anm. zu S. 155,29 und 57,24. – 35 *Wilibald Alexis –
Salat:* Wortwitz mit Alexis' eigentlichem Namen Häring.

297 11 *5588:* Nach jüdischer Zeitrechnung, die mit dem Jahr 3761 v.Chr.
beginnt, ist 1827 das 5588. Jahr seit der Weltschöpfung. – 33 *Fouché:*
Die »Mémoires de Fouché, Duc d'Otranto« sollen nicht von ihm selbst,
sondern von dem Historiker Alphonse de Beauchamp verfaßt sein.
Der Ausspruch stammt nicht von Fouché.

298 34 ff. *»Stein ist schwer . . .«:* Sprüche Salomonis 27,3.

300 36 f. *»Ich bin der Allernärrischste . . .«* Sprüche Salomonis 30,2.

302 20 *Abendrot:* Vgl. »Heimkehr« XL, Bd 1, S. 128.

304 2 f. *Thomas Paine:* liberaler Politiker und Schriftsteller, der in seinem
Hauptwerk »The Rights of Man« das Vorgehen und den Sinn der
französischen Revolution gegen Burke verteidigt. – *Système de la na-
ture:* von Holbach, vgl. Anm. zu S. 82,35 f. – *den westfälischen Anzeiger:*
Im »Rheinisch-Westfälischen Anzeiger« erschienen seit 1819 Beiträge
H.s, 1822 die »Briefe aus Berlin«.

305 30 f. *ein schöner Stern, der schönste von allen, fiel vom Himmel herab:* Im
folgenden Kapitel nennt sich H. »Ritter vom gefallenen Stern«, vgl.
auch das Gedicht »Es fällt ein Stern herunter«, »Lyrisches Intermezzo«
LIX, Bd 1, S. 100.

307 17 *Ganesa:* in der indischen Mythologie der Gott der Klugheit; abge-
bildet wird er als ein kleiner Mann mit einem großen Bauch und einem
Elefantenkopf. Sein Tier ist die Ratte, auf der er auch reitend darge-
stellt wird. Man vermutet mit Ganesa eine Anspielung auf Eduard
Gans, H.s Berliner Bekannten, vgl. Anm. zu S. 20,37. – 19 *Maneka:*
Nach der indischen Mythologie wurde die schöne Maneka auf die
Erde gesandt, um den König Wiswamitra während seiner Bußübun-
gen in Versuchung zu führen.

308 19 *Zahnweh im Herzen:* Auf diese Stelle spielt H. vermutlich in einem

Brief an Friederike Robert an (Mitte Dezember 1829, Br. Nr. 281):
»Ach, schöne Friederike, ich bin unglücklich, und in solcher Lage hat
man kaum das Recht, an schöne Frauen zu denken, viel weniger
ihnen zu schreiben. Ich leide nämlich an einem hohlen Zahn und an
ein hohles Herz, die beide eben wegen ihrer Hohlheit mir viel Qual
verursachen. Leider habe ich nicht die Courage, mich der heilsamsten
Operation zu unterziehen; ich meine in Betreff des Zahnes – Wenn ich
an Sie denke, fühle ich manchmal Linderung – ich meine in Betreff des
Herzens.« Eine Bestätigung der Annahme, daß mit der angeredeten
»Madame« Friederike Robert gemeint ist. – 30 *von andern Dingen:*
Jungfernkranz, Maskenbälle, Lust und Hochzeitsfreude sind die Themen der gekürzten Fassung der »Briefe aus Berlin«, die sich in der
1. Auflage dieses »Reisebilder«-Bandes hier anschlossen.

ZUR ENTSTEHUNG

Heine, der sich seit dem Erscheinen seines zweiten »Reisebilder«-Bandes in London aufhält, beschäftigt sich in dieser Zeit wieder ernsthaft mit dem Plan, nach Paris zu gehen. Von dort oder noch von London aus möchte er unter anderem Artikel für deutsche Zeitschriften publizieren und denkt dabei an das Cottasche »Morgenblatt« als wirksames Organ (1.5.1827 an Varnhagen). Über Varnhagens Vermittlung kam auch wirklich eine Verbindung mit Cotta zustande: schon am 1.6., während er noch an der Konzeption des »Buchs der Lieder« arbeitet, mit Campe darüber in Schwierigkeiten gerät (vgl. Bd 1, S. 629–634) und gleichzeitig das Aufsehen über den zweiten »Reisebilder«-Teil erlebt, kann er dem Freund Friedrich Merckel eine positive Mitteilung über Cotta geben. Cotta hatte ihn – nicht zuletzt aus seiner Begeisterung für Napoleon und seiner Neigung zum Parlamentarismus, die er mit Heine teilte – als Mitarbeiter an seinen Zeitschriften angenommen und ihm mit Friedrich Ludwig Lindner die Herausgabe der »Neuen allgemeinen politischen Annalen« in München (ab 1828) angeboten. Die Möglichkeit, im eigenen Land zu bleiben, verdrängt noch einmal in Heine den Emigrationsplan, und er sagt Cotta zu.

Über seine Tätigkeit bei Cotta äußert sich Heine später – am 12.1.1828 an Wolfgang Menzel – befriedigt: »Was Ihre Anfrage in Betreff meiner Verhältnisse zu Cotta betrifft, so kann ich kurz andeuten, daß ich mich für all seine literarischen Institute interessieren soll, und ganz besonders mit Lindner die Redaktion der politischen Annalen zu führen habe. Dieser letzteren habe ich mich unterzogen, alles andere Redigieren u. dergl. habe ich abgelehnt. So auch das Mitredigieren des Auslandes [einer anderen Zeitschrift Cottas], um das ich mich nur beiläufig bekümmere. Cotta hält viel auf mich, folgt mir, wo ich ihm rate (ich gehöre zum literarischen Staatsrat) ich bin ganz mit ihm zufrieden und er wird immer Ursache haben, es mit mir zu sein, da ich wenig verspreche und immer mein Versprechen halte. Ich halte ihn für einen sehr edlen Menschen, für wahrhaft liberal und daher werde ich mit ihm fertig.« Einen authentischeren Bericht über sein Verhältnis zur Redaktionstätigkeit als in dem Brief an den Herausgeber des Literaturblatts zum Cottaschen »Morgenblatt« vermittelt ein Brief an

Campe vom 1.12.1827, in dem es heißt: »Alle Verhältnisse zu meiner Zufriedenheit reguliert. Ich mag nun ein Amt nehmen oder nicht nehmen, für mein Lebensbedürfnis ist gesorgt. Ich brauch nicht mal zu schreiben, wo ich nicht will. Die Annalen redigiere ich mit Dr. Lindner. So wie ich auch einige Hauptartikel des Auslands redigiere. Sein Sie ohne Sorge, Campe, der 3te Reise-Bilder-Band leidet nicht darunter, und ihm sollen meine besten Stunden gewidmet sein. Wären nicht dergl. Rücksichten gewesen, so hätte ich mich vielleicht beschwätzen lassen, das Morgenblatt, dessen Redakteur eben gestorben, oder die Hauptredaktion des Auslandes zu übernehmen und dabei sehr, sehr viel Geld zu verdienen. Aber ich will frei sein, und wenn das Klima wirklich so fürchterlich ist, wie man mir droht, will ich nicht gefesselt sein; finde ich meine Gesundheit gefährdet, so packe ich meinen Koffer und reise nach Italien.« Aus diesem Brief geht deutlicher hervor, daß Heine auf die Dauer für eine Herausgebertätigkeit nicht geschaffen war, sie als notwendigen Broterwerb betrachtete und letztlich nach freier literarischer Betätigung strebte. So verpflichtete er sich auch trotz Cottas vorteilhaften Angebots nur für ein halbes Jahr.

Ausschlaggebend für Heines Verbleiben in Deutschland war natürlich der Erfolg der »Reisebilder« beim deutschen Publikum, und er gedenkt, die beiden ersten Bände bald fortzusetzen. Schon vor der Zusage an Cotta, am 20.8.1827, als Heine wieder zur Erholung auf Norderney weilte, schrieb er Merckel: »Für Campen will ich wieder ein gutes Buch liefern« – mit polemischerem Charakter: »Der 3. Band soll noch fürchterlicher ausgerüstet werden, das Kaliber der Kanonen soll noch größer ausfallen, und ich habe schon ein ganz neues Pulver dazu erfunden. Soll nicht soviel Ballast wie der zweite Band führen. –« (30.10.1827 an Moser) Und am 28.11. – bereits in München – schreibt Heine an Varnhagen in Zusammenhang mit Wolfgang Menzels Buch über »Die deutsche Literatur«, das er soeben bei dem Verfasser in Stuttgart gelesen hatte und das er im kommenden Jahr in den »Neuen allgemeinen politischen Annalen« rezensierte (vgl. Bd 1, S. 444–456, 820–825): »Der jetzige Gegenstand der Goetheschen Denkweise, nämlich die deutsche Nationalbeschränktheit und der seichte Pietismus, sind mir ja am fatalsten. Deshalb muß ich bei dem großen Heiden aushalten, quand même – wahrscheinlich lasse ich im dritten Teil der Reisebilder wieder eine Batterie gegen das Pustkuchentum losfeuern.«

Schon zu Beginn seiner halbjährigen Arbeit an den »Neuen allgemeinen politischen Annalen«, in denen er den größten Teil seiner »Englischen Fragmente« veröffentlichte (vgl. die Entstehungsgeschichte zum vierten Teil der »Reisebilder«, S. 877 ff. und die Lesarten, S. 902 ff.), hören wir von dem Plan zu einer Italienreise (12.2.1828 an Varnhagen), und dieser Gedanke taucht bald immer häufiger auf. Durch das Klima bedingte gesundheitliche Gründe, »seichtes, kümmerliches Leben. Kleingeisterei« (1.4.1828 an Varnhagen),

besonders aber Unbehagen und mangelnde Arbeitslust an der Redaktion
verleiden ihm den Aufenthalt in München, obwohl er sich dort bald neue
Freunde und Gönner erworben hatte: den Düsseldorfer Dichter Eduard von
Schenk, der zu dieser Zeit dem bayrischen Universitätswesen vorstand und
bei König Ludwig versuchte, für Heine eine Professur für Literatur an der
Münchner Universität zu erlangen; den Dramatiker Michael Beer; den
Grafen Bothmer und seine Töchter; den russischen Diplomaten und Dichter
Tjutschew, dessen Haus der Mittelpunkt des geistigen und literarischen
München war; oder die Heine schon aus Berlin bekannte Schriftstellerin
Elise von Hohenhausen. Daneben verkehrte Heine zum Befremden aller mit
dem berüchtigten politischen Spitzel und Denunzianten Wit von Dörring
(vgl. S. 646 und Kommentar S. 935ff.). Heine ist in seiner Münchner Zeit
ständig Angriffen von klerikaler und konservativer Seite ausgesetzt gewesen, die ihm seine scharfe Polemik in den »Reisebildern« übelnahm. »Ich
bin jetzt umlagert von Feinden und intrigierenden Pfaffen«, schreibt er
schon am 15.2.1828 an Johann Hermann Detmold. Die Anfeindungen
gegen ihn erfolgten anfangs nur vereinzelt und mündlich, verstärkten sich
aber in zunehmendem Maße, je länger er sich in München aufhielt, und
fanden dann am 18.8.1828 – als Heine bereits nach Italien unterwegs war –
in der katholischen Zeitschrift »Eos, Münchener Blätter für Poesie, Literatur
und Kunst« (Nr. 132), die seit Juli 1828 das Motto »Judaeis quidem scan-
dalum, Gentibus autem stultitiam« trug und Organ der Münchner Romantiker Görres, Baader, Ringseis war, ihren Höhepunkt (vgl. den Abdruck des
Angriffs S. 873ff.). Der Verfasser dieses Artikels und einiger weiterer im
kommenden Jahr, der Heine als Dichter der »Reisebilder« und als Herausgeber von Cottas Zeitschrift angriff, ihm aber vor allem seine jüdische Her-
kunft und antichristliche Gesinnung vorwarf, war der Kirchenhistoriker
Ignaz Döllinger, ein Freund Platens. Platen hatte sich aufs höchste durch die
Immermannschen »Xenien« am Ende der »Nordsee« im zweiten »Reisebilder«-Teil getroffen gefühlt und beabsichtigte, sich zu revanchieren. Von
seinen literarischen Vergeltungsplänen hatte Heine durch seinen Freund
Kolb zwar erfahren (vgl. »Die Bäder von Lucca«, S. 463), wußte jedoch noch
nichts Konkretes; er mußte aber ahnen, daß das hohe Ansehen Platens und
Döllingers wie dessen Kreises am bayrischen Hof seine Hoffnung auf eine
Professur trotz des Eintretens seines Gönners Eduard von Schenk in Frage
stellte.

    Gleich nach Beendigung seiner Tätigkeit an Cottas Zeitschrift, Mitte Juli
1828, setzt Heine seinen Reiseplan in die Wirklichkeit um und bricht für
vier Monate nach Italien auf. Er reist über Tirol und den Brenner nach
Verona, von dort nach Mailand, Lucca, Florenz und weiter nach Bologna
und Venedig und über Verona wieder zurück nach München. Längere
Aufenthalte legt er in Livorno, Lucca und Florenz ein. Von Lucca aus

schreibt er an Moser am 6.9.1828: »Wenn ich nach Deutschland zurück-
kehre, will ich den 3. Band der Reisebilder herausgeben. Man glaubt in
München, ich würde jetzt nicht mehr so sehr gegen den Adel losziehn, da
ich im Foyer der Noblesse lebe und die liebenswürdigsten Aristokratinnen
liebe – und von ihnen geliebt werde. Aber man irrt sich. Meine Liebe für
Menschengleichheit, mein Haß gegen Klerus war nie stärker wie jetzt, ich
werde fast dadurch einseitig.« Ganz anders dagegen klingt einige Wochen
später ein Brief an Eduard von Schenk: »Im Bade zu Lucca, wo ich die
längste und göttlichste Zeit verweilte, habe ich schon zur Hälfte ein Buch
geschrieben, eine Art sentimentaler Reise. [. . .] und es wird viel Artiges
und meist Sanftes enthalten.« Immer noch hofft Heine auf die erwünschte
Professur in München und stellt daher Schenk, der inzwischen, am 1.9.1828,
zum Innenminister ernannt worden war und stärkstes Ansehen bei Ludwig I.
genoß, sogar die Dedikation seines neuen Buches in Aussicht.

Mit diesen beiden divergierenden Äußerungen kann Heine kaum ein und
dasselbe Werk gemeint haben. Vermutlich dachte er zunächst daran, seine
Reiseeindrücke für zwei verschiedene Schriften zu verwerten, wie er ja zu
dieser Zeit auch mit zwei verschiedenen Verlagen in Verbindung stand: für
Campe eine polemische Satire, ähnlich seinem zweiten »Reisebilder«-Band,
für Cotta eine italienische Reisebeschreibung, »eine Art sentimentaler Reise«
nach Sterneschem Vorbild oder auch nach dem eigenen Vorbild der »Harzreise«. An Cotta schreibt er, er habe den Anfang des »italienischen Tage-
buchs ausgearbeitet, d.h. die starken Worte und Kapitel ausgemerzt, so daß
das beikommende Manuskript im Morgenblatte abgedruckt werden kann«
(11.11.1828). Und als im Dezember des Jahres 1828 im Cottaschen »Morgenblatt« eine Reiseartikel-Serie Heines unter dem Titel »Reise nach Italien«
erschien, hatte diese tatsächlich noch wenig polemischen Charakter. Persönliche Angriffe, z.B. gegen Maßmann, und schärfere satirische Spitzen,
wie sie in der »Reisebilder«-Fassung der »Reise von München nach Genua«
zu finden sind, in die die Artikel aus dem »Morgenblatt« eingingen, fehlten
hier noch (vgl. die Lesarten, S. 855 ff.).

Bald nach Übersendung des Manuskripts an Cotta aus Florenz muß Heine
seine Hoffnung, durch Schenk eine positive Nachricht über die Münchner
Professur zu erhalten, endgültig aufgegeben haben. Als er seinen sehnlich-
sten Wunsch gescheitert sah, ist er – auch aus Existenzgründen – sogar
bereit, bei Cotta wieder als Herausgeber der Fortsetzung der »Annalen«, von
denen sein ehemaliger Kollege Lindner zurücktreten wollte, eine feste
Stellung zu erlangen. Nach der Enttäuschung und Erbitterung über seine
vereitelte Universitätskarriere wird jetzt Heines Ton, der in den Briefen
an Schenk bewußt harmlos und unpolitisch gehalten war, wieder schärfer,
polemischer. Vertraute Gedanken aus dem zweiten Teil der »Reisebilder«
kehren wieder: »Lieber Kolb, der Baron Cotta kann Ihnen selbst sagen, wie

wenig Privatinteresse mich dabei leitet [die »Annalen« herauszugeben];
mein einziger Wunsch ist nur, der liberalen Gesinnung, die wenig geeignete
Organe in Deutschland hat, ein Journal zu erhalten, und ich dächte, auch Sie,
Kolb, bringen gern ein Opfer für einen solchen Zweck. Es ist die Zeit des
Ideenkampfes, und Journale sind unsere Festungen.« Als Titel der Zeitschrift empfiehlt er: »›Neue Annalen; eine Monatsschrift für Politik, Literatur und Sittenkunde‹, und als Motto schlage ich Ihnen vor die Worte: ›Es
gibt in Europa keine Nationen mehr, sondern nur Parteien‹.« (An Gustav
Kolb, 11.11.1828)

    Zu der beruflichen Misere kam eine persönliche: auf der Rückreise von
Florenz, in Venedig, bekam Heine Nachricht von einer schweren Krankheit
seines Vaters; er machte sich sogleich zu den Eltern auf, erfuhr aber am
22.12. in Würzburg, daß sein Vater bereits vor drei Wochen gestorben war.
Er reist nach Hamburg, wo Campe auf den nächsten Band der »Reisebilder«
drängt. Von Heines Redaktionsplänen hören wir nichts mehr; seine Briefe
zwischen Anfang November 1828 und März 1829 sind nicht erhalten. Von
Hamburg siedelt er nach Berlin, von dort im April nach Potsdam über, um
den dritten Band auszuarbeiten. Von dem – auch mit Rücksicht auf Schenk –
harmlosen Charakter seines Italien-Berichts, wie er im »Morgenblatt« des
Vorjahres abgedruckt ist, sollen jetzt keine Spuren mehr bleiben: »Mein
großes humoristisches Werk [wohl die Anfänge der »Bäder von Lucca«]
habe ich wieder bei Seite gelegt, und mach mich jetzt aufs neue an die
italienische Reise, die den dritten Teil der ›Reisebilder‹ füllen soll, und worin
ich mit allen meinen Feinden Abrechnung halten will. Ich habe mir eine
Liste gemacht, von allen denen, die mich zu kränken gesucht, damit ich,
bei meiner jetzigen weichen Stimmung, keinen vergesse. Ach, krank und
elend wie ich bin, wie zur Selbstverspottung, beschreibe ich jetzt die glän-
zendste Zeit meines Lebens, eine Zeit, wo ich, berauscht von Übermut und
Liebesglück, auf den Höhen der Apenninen umherjauchzte und große, wilde
Taten träumte, wodurch mein Ruhm sich über die ganze Erde verbreite bis
zur fernsten Insel, wo der Schiffer des Abends am Herde von mir erzählen
sollte; jetzt, wie bin ich zahm geworden, seit dem Tode meines Vaters!«
(An Friederike Robert, 30.5.1829) Ausdrücklich betont er auch Moser
gegenüber, daß der ursprüngliche Italienreise-Bericht jetzt für den dritten
Teil der »Reisebilder« einen neuen Ton bekommen soll: »Du wirst sehen,
daß ich nicht im Gleise der alten Manier, sondern in einer neuen freien
Form weiterschreibe.« (30.5.1829) Als Heine bald darauf, am 7.6., Cotta
etwas von den neuen Manuskripten schickt, ist diese Sendung von einem
ernsten, sehr bestimmten Brief begleitet, der deutlich die Intrigen erkennen
läßt, die in München und auch anderswo gegen ihn gespielt werden, und
unter denen Heine leidet. Gleichzeitig ist er noch tief enttäuscht über die
zerstörten Berufsaussichten und gekränkt über Schenks Schweigen zu

dieser Angelegenheit: »Ich finde jetzt, daß es oft drauf abgesehen ist, mich zu beschränken und zu avilieren, und ich muß mich daher männlicher zu verhärten suchen, als mir eigentlich selbst lieb ist. Von Schenk habe ich bis jetzt noch keinen Brief erhalten, und nur meine Gutmütigkeit hält mich noch davon ab, hierin eine Beleidigung zu sehen.« Über die Manuskripte heißt es: »Indem ich Ihnen beiliegend etwas Italienisches, wie Sie zu haben wünschten, für das Morgenblatt schicke, hoffe ich, daß Sie nichts Anstößiges drin finden mögen, indem es das Gemäßigste ist, was ich geben kann und ich deshalb schon gegen die geringste Verstümmelung protestieren muß. Ist der unverkürzte, unverkümmerte Abdruck nicht möglich, so bitte ich, mir das Mspt. unter Varnhagens Adresse zurückzuschicken.« Da Heines Einsendungen erst nach mehr als fünf Monaten, im November 1829 unter dem Titel »Italienische Fragmente« im »Mórgenblatt« erschienen – die Erstfassungen von Teilen der »Reise von München nach Genua« und die beiden Anfangskapitel der »Stadt Lucca« (vgl. die Lesarten S. 855 ff. u. 897 ff.) –, scheint es zwischen Verleger und Autor zu Differenzen darüber gekommen zu sein. Auf eine mögliche Kürzung durch Cotta deutet auch der Titel »Fragmente« hin. Möglicherweise wollte Cotta mehr und andere Beiträge haben und veröffentlichte nicht alles, was ihm Heine zusandte. Darunter befanden sich vermutlich auch schon polemische Passagen gegen Platen, die dann erst in den »Bädern von Lucca« zur Veröffentlichung kommen sollten. Auf Unstimmigkeiten solcher Art weist jedenfalls ein Brief Heines an Cotta, geschrieben nach dem Abdruck der »Fragmente« im »Morgenblatt«, hin: »wenn ich dies Jahr weniger gab als ich wohl beabsichtigte, so lag die Schuld nur in der Natur meines Talents, da dieses nur selten im Stande ist, den milden Ton des Morgenblatts zu treffen, weshalb mir auch die Redaktion einiges zurückschicken und ich noch viel mehr zurückbehalten mußte.« (14. 12. 1829) Seinem Freund Immermann berichtet Heine: »Sämtliche Redakteure Cottascher Zeitschriften sind mir feindlich, im ›Morgenblatt‹ verstümmeln sie meine Aufsätze aufs schändlichste.« (17. 11. 1829)

Frühestens seit Mitte Juni, nachdem Heine an Cotta die ›italienischen Manuskripte‹ geschickt hatte, er also mit der ersten Fassung des später »Reise von München nach Genua« genannten Textes im wesentlichen fertig war, wird er sein »großes humoristisches Werk« (30. 5. 1829 an Friederike Robert), die bis dahin gediehenen Teile der späteren »Bäder von Lucca«, wieder in Angriff genommen haben. Wahrscheinlich hat er auch zu diesem Zeitpunkt daran gedacht, den novellistischen Charakter des ersten Teils der »Bäder« – noch bei Erscheinen des dritten »Reisebilder«-Bandes bezeichnet Heine diese Partie ohne den abschließenden satirischen Essay über Platen als »Fragment eines größeren Reiseromans« (an Immermann, 26. 12. 1829) – mit der Polemik gegen seinen Widersacher Platen zu verbinden, dessen

»Romantischen Ödipus« er soeben von Campe erhalten hatte. Am 15.6. schreibt er nämlich an Moser im Zusammenhang mit dem »Romantischen Ödipus« von seinem »diesjährigen Feldzug gegen Pfaffen und Aristokraten«, den er demnächst literarisch zu führen gedenkt.

Ausgelöst wurde die Kontroverse zwischen Heine und Platen bereits durch Immermanns »Xenien«, die Heine im Anhang zur dritten Abteilung der »Nordsee« im zweiten Teil der »Reisebilder« 1827 veröffentlichte. Durch diese Verse fühlte sich Platen gekränkt und sinnt sogleich auf Vergeltung: »Was den Juden Heine betrifft, so wünschte ich wohl, daß meine Münchner Freunde (denn er ist in München) ihn gelegentlich mystifizierten und ihn zur Rede stellten, was ihn zu dem Wagestück verleitet, einen offenbar Größern, der ihn zerquetschen kann, so unbarmherzig zu behandeln? Er solle sich gnädiger anlassen und meine Ghaselen, die den Beifall Goethes, Schellings und Silvester des Sacys erhalten, wenigstens nicht ganz verachten . . .« (Platen an Fugger, 8.2.1828. Vgl. August von Platen: Briefwechsel. Hrsg. von Paul Bornstein. München 1931. Bd 4, S. 378.) Und am 12.3., ebenfalls an Fugger: »Daß die Epigramme auf mich und Rückert gehen, daß wir beide die ›kleinen Sänger‹ sind, unterliegt keinem Zweifel. Daß Immermann sie gemacht, ist verzeihlich, daß aber Heine sie aufnimmt, sie vertritt, daß er mir Sottisen durch die dritte Hand sagt, ist nicht verzeihlich und ist nebenbei eine echt jüdische Handlungsweise.« (Ebenda S. 394) Der in seiner Eitelkeit getroffene Platen verbindet also ohne weiteres die Kritik an der Dichtung mit seinem Haß auf das Judentum: der literarische Streit weitet sich aus zu einem Streit um die ganze Person und nimmt demzufolge gefährliche Ausmaße an.

In seinem Lustspiel »Der romantische Ödipus«, geschrieben aus der allgemeinen Oppositionsstimmung Platens gegen das romantische Drama, von dessen Einflüssen er sich selbst nur mit Mühe befreien konnte, wählte er Immermann als »Stellvertreter der ganzen tollen Dichterlingsgenossenschaft«, obwohl er von ihm nur sein mißglücktes Drama »Cardenio und Celinde« kannte, und hatte Gelegenheit, ausführlich auch auf den Angriff Immermanns und Heines einzugehen. Unmittelbarer Anlaß zu diesem satirischen Lustspiel waren Immermanns »Xenien« jedoch nicht gewesen. Platen hatte vielmehr schon den »Romantischen Ödipus« begonnen, als er durch seinen Freund, den Grafen Fugger, von Heines »Reisebilder«-Band erfuhr. Nachträglich verschärfte und konkretisierte Platen seinen Angriff natürlich und bezog auch Heine mit ein.

Heine, der kurz vor der Italienreise in München durch seinen Freund Kolb von Platens Intrigen und dessen Lustspiel hörte, fühlte sich nicht etwa erst jetzt, als die Kontroverse bereits in einen persönlichen Streit übergegangen war, von diesem abgestoßen, sondern war schon vorher, nach der Lektüre Platenscher Gedichte zu einem negativen Urteil über ihn gelangt.

Schon am 2.5.1828 schreibt er an Wolfgang Menzel: »Lesen Sie doch sobald als möglich Cottas Grafen Platen, nämlich dessen eben erschienene Gedichte, er ist ein wahrer Dichter. Leider! leider, oder besser, schrecklich! schrecklich! das ganze Buch enthält nichts als Seufzen nach Pedrastie. Es hat mich daher bis zum fatalsten Mißbehagen angewidert.« Hieraus geht auch eindeutig hervor, daß Heine sich damals schon an Platens Veranlagung stieß und sie nicht erst nach Platens Angriffen gegen ihn als Waffe anführt. In Italien ließ Heine Platen durch dessen damaligen Intimus Karl Friedrich Rumohr die Drohung zukommen, es sei ihm ein Leichtes, ihn bei dem deutschen Publikum als Aristokraten verdächtig zu machen, und seine Vergötterung des eigenen Geschlechts müsse den Damen ans Herz gelegt werden (vgl. Platen an Schelling, 13.2.1828. Platen: Briefwechsel. Bd 4, S. 493).

Wie aus einem Brief Campes an Immermann vom 16.2.1829 (abgedruckt in Heine, Briefe. Bd 4, Kommentar, S. 202) hervorgeht, hatte Heine, der sich in seiner Stellung als Jude angegriffen und von einem Vertreter des Adels zu Unrecht herabgesetzt fühlte, schon vor der Veröffentlichung des »Romantischen Ödipus« im Mai 1829, als er das Stück also nur vom Hörensagen kannte, die feste Absicht gehabt, an Platen Vergeltung zu üben. Und später, am 3.2.1830, schreibt er darüber an Immermann: »als ich in München zuerst hörte, daß der Graf Platen gegen Sie ein Pasquill schreibe, sagte ich zu Schenk (vielleicht auch zu Beer, ich weiß nicht mehr genau), daß ich ihn dafür züchtigen werde, selbst wenn er mich darin verschont.«

Im Juni bekam Heine Platens Satire durch Campe zu Gesicht. Die Wirkung auf Heine geht wieder aus einem Brief Campes an Immermann hervor: »Der 3te Reisebilderband ist der Vollendung nahe, und Heine meinte, der Graf wäre ihm eben so gekommen, wie ein Wild bei der Treibjagd die Reihe der Schützen passiert; er würde ihm gehörig auf den Pelz brennen. Während meiner kurzen Anwesenheit hatte er nicht Zeit, die Lektüre zu vollenden, denn wir waren meistens beisammen und hatten besseres zu tun wie Platens Misere zu verarbeiten; daher kenne ich den *ganzen* Eindruck nicht, den es auf Heine gemacht hat, aber so viel ist mir klar geworden, daß er sich darüber und die Infamie, die so sehr nach Erbärmlichkeit schmeckt, sehr verletzt fühlte, und besonders Ihretwegen.« (12.6.1829; abgedruckt in Heine, Briefe. Bd 4, S. 211) Höchstwahrscheinlich las Heine jetzt, und nicht, wie er in den »Bädern von Lucca« behauptet, erst zwei Monate später während seines Aufenthalts auf Helgoland, das Platensche Machwerk und begann seinerseits die Polemik gegen den Verfasser. Wenige Tage später nämlich spricht er von seinem »diesjährigen Feldzug gegen Pfaffen und Aristokraten«, der dann in den »Bädern von Lucca« literarische Gestalt annehmen sollte, während die spätere »Reise von München nach Genua« nicht mehr wesentlich über die Teile hinaus gedieh, die Heine bereits am 7.6. zum Abdruck im »Morgenblatt« an Cotta abgeschickt hatte.

Eine Passage aus dem »Romantischen Ödipus« (5. Akt), die besonders auf
Heine zielt, sei hier abgedruckt:

> *Nimmermann*
>   Bin ich nicht ein großer Mensch?
> Berlin vergöttert meine Kunst, und meiner Kunst
> Kritiken stehn im Hegelischen Wochenblatt,
> Als Pfand von seinem Werte. Dort erklärt' ich auch,
> Weshalb der getaufte Heine, mein Mitstrebender,
> Kein Byron bloß mir, aber ein Petrarca scheint.
> *Verstand*
> (Du ganz kompletter Gimpel!) Mir ein Pindarus!
> *Nimmermann*
> Ihn nennen hätt ich dürfen auch den Pindarus
> Vom kleinen Stamme Benjamin; er nannte mich
> Des jetzigen Zeitabschnittes ersten Tragiker!
> [...]
> *Nimmermann*
> Dies sing ich dir, mein Heine, Samen Abrahams!
> *Chor*
> Er stirbt und wimmernd fleht er schon Freund Hein herbei!
> *Publikum*
> Du irrst, er ruft Freund Hein ja nicht, den herrlichen
> Petrark des Lauberhüttenfests beschwört er bloß.
> *Nimmermann*
> Du bist der ersten Dichter einer, sagst du selbst!
> *Publikum*
> Wahr ists, in einem Liedelein behauptet ers;
> Doch keiner glaubts, wies immer bei Propheten geht.
> *Nimmermann*
> Welch einen Anlauf nimmst du, Synagogenstolz!
> *Publikum*
> Gewiß, es ist dein Busenfreund des sterblichen
> Geschlechts der Menschen Allerunverschämtester.
> *Nimmermann*
> Sein Freund, ich bins; doch möcht ich nicht sein Liebchen sein,
> Denn seine Küsse sondern ab Knoblauchsgeruch.
> *Publikum*
> Drum führt er sein Riechfläschchen auch beständig mit.
> *Nimmermann*
> Mein Heine! Sind wir beide nicht ein paar Genies?
> Wer wagt zu stören, Süßer, uns den süßen Traum?

(Zu Immermanns Vergleich Heines mit Petrarca siehe seine Rezension über
den ersten »Reisebilder«-Band in: Jahrbücher für wissenschaftliche Kritik,
Jg. 1827; in unserem Bd S. 738ff.)

Die gemeinen, oft platten und geistlosen Ausfälle Platens müssen Heine,
der zudem durch persönliches Leid und berufliche Mißerfolge in einer
»weichen Stimmung«, »krank und elend« (an Friederike Robert, 30.5.1829)
und so doppelt anfällig war, zutiefst beleidigt haben.

Platens Pamphlet war um so ungerechtfertigter, als er weder Immermanns
noch Heines bisherige Werke vollständig und gründlich kannte. So schreibt
er an Gustav Schwab am 11.1.1828, nachdem er schon den ersten Akt seines
Lustspiels vollendet hatte: »Sagen Sie mir doch etwas von dem Dichter
Immermann. Ich habe ihn in dieser neuen Komödie als Hyperromantiker
benutzt, habe aber nichts von ihm gelesen als ›Cardenio und Celinde‹.«
(Platen an Gustav Schwab, 11.1.1828. Platen: Briefwechsel. Bd 4, S. 354)
Auch von Heine waren ihm nur einzelne Lieder zu Gesicht gekommen, und
die »Reisebilder« lernte er erst kennen, als das Manuskript schon fertig war.
Vergebens ermahnte ihn Fugger, die Angriffe auf Heine zu mildern und ihm
wenigstens keinen Vorwurf aus seiner jüdischen Abstammung zu machen
– Platen ließ sich zu keiner Besonnenheit bewegen und nahm es sogar dem
Freunde fast übel, daß er für Heine um Schonung bat.

Heine, der inzwischen von Campe mehrfach zu einem Abschluß des
versprochenen neuen Bandes der »Reisebilder« gedrängt worden war, aber
erst Immermanns (harmlosere) gegen Platen gerichtete Satire »Der im Irrgarten der Metrik umhertaumelnde Cavalier« (Hamburg 1829) abwarten
wollte, war nach seinem Helgoland-Aufenthalt am 22.9.1829 in Hamburg
eingetroffen, um dort den Druck zu überwachen. Am 17.11. an Immermann
hören wir von dem Fortgang der Arbeit: »Gestern morgen habe ich den
Grafen Platen ausgepeitscht und gestern abend Karl Immermann applau-
diert. Zu ersterem Geschäfte, das erst zur Hälfte gediehen, habe ich doch
endlich gehen müssen, hab's lang genug aufgeschoben, und ich selbst war
eben so wie die anderen sehr neugierig, was ich tun würde. Sie, Immermann, haben den Richter gespielt, ich will den Scharfrichter spielen oder
vielmehr recht ernsthaft darstellen. Der ›Ödipus‹ hat in Berlin nur Unwillen
erregt; desto mehr wird er hier von einer gewissen Clique, die mit dem
Grafen steißlich einverstanden ist, sehr goutiert.«

Heine hatte es leicht, gegen die dilettantischen und unbeholfen-groben
Ausfälle Platens, die von diesem ohne tieferes Verständnis für Heines
Werke abgefaßt waren, eine fundiertere und geistreichere, zugleich aber
auch vernichtende Erwiderung zu geben. Aus dem 10. und 11. Kapitel der
»Bäder von Lucca« spricht eine eingehende, detaillierte Kenntnis der Platen-
schen Schriften. Heine hatte – wenn natürlich auch nur aus seiner subjekti-

ven Sicht – Charakter und Geist seines Gegners genau erfaßt und ist daher in der Lage, ihn um so empfindlicher im Kern zu treffen. Bester Beweis dafür ist die Wirkungsgeschichte beider Werke: »Die Bäder von Lucca« entbehren trotz der zu breitgetretenen Spöttereien gegen Platens krankhafte homosexuelle Veranlagung heute nicht ihres ursprünglichen Esprits, Platens »Romantischer Ödipus« dagegen ist tot und verdient höchstens noch literarhistorisches Interesse. Heine ist sich seines größeren Schriftstellertalents bewußt, wenn er an Immermann, dem die »Bäder von Lucca« gewidmet sind, schreibt: »Ich habe diesen Wurm jetzt so tief durchschaut, er ist mir so bestimmt aufgegangen in all seiner Misere, daß ich ihn nur noch wie ein eigenes Werk der Phantasie betrachte; ich könnte gleichsam jetzt die Platen-schen Werke fortsetzen und sogar alles selbst schreiben, was er noch gegen Sie und mich vorbringen wird. [Tatsächlich gibt Heine ja im 11. Kapitel der »Bäder« Platen ironisch Ratschläge zu einer wirksameren Darstellung der Polemik gegen ihn selbst.] Nicht gegen ihn habe ich Groll, sondern gegen seine Kommitenten, die ihn mir angehetzt. Ich sah den guten Willen, daß man mich in der öffentlichen Meinung vernichten wollte, und ich wäre ein Tor oder ein Schurke gewesen, wenn ich Rücksichten und Verhältnisse halber schonen wollte. Mein Leben ist so rein, daß ich ruhig abwarten kann, daß man allen Skandal gegen mich aufwühle.« (26. 12. 1829)

Aufnahme und Kritik

Als Mitte Dezember 1829 nach Streitigkeiten des Autors mit seinem Verleger um Papierart und Honorar der dritte Band der »Reisebilder« (Italien 1828. I. Reise von München nach Genua. II. Die Bäder von Lucca) erscheint, ist Heines Selbstbewußtsein doch nicht mehr so unerschüttert, wie es aus den oben zitierten Sätzen spricht. Schon im selben Brief heißt es nämlich gegen Ende: »Der arme Platen! – C'est la guerre! Es galt kein scherzendes Turnier, sondern Vernichtungskrieg, und bei aller Besonnenheit kann ich die Folgen meines Buches noch nicht überschauen. Ich schrieb es unter schlechten Um-ständen, und der Ton der Indifferenz, der vielleicht drin ist, entstand durch Kontrast – ach, ich salbadre. Ich wünsche, daß die Art, wie ich bei Platen die Pedrastie behandle, Ihnen nicht ganz mißfalle.« Immermanns Antwort ist außerordentlich zurückhaltend und läßt trotz vielen Lobs des ganzen Buches das Unbehagen, das ihn beim Lesen der Platen-Angriffe erfüllte, deutlich herausspüren. Mit Moser, dem Heine ein Exemplar unter vorsich-tigen Entschuldigungen für seine Ausfälle schickt, und den er gleichzeitig bittet, Eduard Gans, Joseph Lehmann und Moritz Veit für wohlwollende

Rezensionen zu gewinnen, kommt es sogar zu einem Bruch der schon seit längerer Zeit nur noch lockeren Freundschaft. Weder Gans noch Lehmann ergriffen das Wort zu Gunsten Heines, und Moritz Veit veröffentlichte sogar eine ablehnende Kritik im »Gesellschafter« (vgl. unten S. 841 ff.). Im Bewußtsein, zu weit gegangen zu sein und die Gegenreaktion fürchtend, versucht Heine verzweifelt, möglichst viele Freunde auf seine Seite zu ziehen. An Varnhagen schreibt er: »Was meine literarische Not betrifft, so werden Sie mir da leichter helfen können. Sie haben von jeher unaufgefordert so viel für meine Bücher getan, daß Sie jetzt, wo es sich um meine persönlichsten Interessen handelt, gewiß nicht untätig sein werden. Ich bitte Sie diesmal, suchen Sie öffentliche Stimmen für mich zu gewinnen, es tut wahrhaftig not.« (3. 1. 1830) Johann Peter Lyser fordert er auf: »Sie sollen einen freien humoristischen Aufsatz (keinen Brief) über den 3ten Teil der Reise-Bilder schreiben und ihn zum Abdruck in die Lesefrüchte an Campe schicken. Da man zumeist gegen meine Persönlichkeit zu Felde ziehen wird, so bedarf der persönliche Charakter, der sich in meinem Buche ausspricht, weit mehr als der poetische, künstlerische Charakter des Buches selbst eine Vertretung.« (6. 1. 1830) In derselben Sache wendet er sich am 15. 1. an Johann Hermann Detmold und bittet auch später noch wiederholt seine Freunde um günstige Besprechungen (vgl. besonders die Briefe vom 27. und 28. 2. 1830 an Varnhagen und vom 14. 3. 1830 an Immermann). Heines Bitte kamen Lyser und Varnhagen nach, doch hatte letzterer bereits gegen eine scharf ablehnende Rezension anzukämpfen, wie überhaupt die feindlichen Stimmen die wohlwollenden oder neutralen bald überwogen (vgl. die Abdrucke einiger Rezensionen unten S. 838 ff.).

Schon bei Erscheinen des Bandes denkt Heine in möglichen späteren Veröffentlichungen der »Bäder von Lucca« die Platen-Polemik fallen zu lassen: »Wenn auch mal das Ganze gedruckt wird [Heine bezeichnet in diesem Brief die »Bäder« als »Fragment eines größeren Reiseromans«], wird auch der Graf, wie sich gebührt, aus dem Buche hinausgeschmissen.« (An Immermann, 26. 12. 1829) Und als er eine zweite Auflage der »Reisebilder« plant, schreibt er an Varnhagen: »Im dritten Bande wird auch der Graf hinausgeschmissen, und somit, denke ich, werden die ›Reisebilder‹ ein respektables Standwerk.« (16. 6. 1830) Diese Absicht führte dann Heine zwar nicht aus (vgl. das Vorwort zur zweiten Auflage des zweiten Teils S. 209), aber in den französischen Ausgaben fehlt die Platen-Polemik (Kapitel XI), oder der Name »Platen« ist durch den schon historischen Namen »Ramler« ersetzt.

Für das rechte Verständnis des Streites gegen Platen sind zwei Briefe an Varnhagen außerordentlich aufschlußreich: »In Betreff Platens bin ich Ihres Urteils am begierigsten. Ich verlange kein Lob, und weiß, daß Tadel ungerecht wäre. Ich habe getan, was meines Amtes war. Mag die Folge sein,

was da will. Anfangs war man gespannt: was wird dem Platen geschehen?
Jetzt, wie immer bei Exekutionen, kommt das Mitleid, und ich hätte nicht
so stark ihn treffen sollen. Ich sehe aber nicht ein, wie man jemand gelinde
umbringen kann. Man merkt nicht, daß ich in ihm nur den Repräsentanten
seiner Partei gezüchtigt, den frechen Freudenjungen der Aristokraten und
Pfaffen habe ich nicht bloß auf ästhetischem Boden angreifen wollen, es war
Krieg des Menschen gegen Menschen, und eben der Vorwurf, den man mir
jetzt im Publikum macht, daß ich, der Niedriggeborene, den hochgeborenen
nen Stand etwas schonen sollte, bringt mich zum Lachen – denn das eben
trieb mich, ich wollte so ein Beispiel geben, mag entstehen, was da will –
ich habe es den guten Deutschen jetzt gegeben.« (3. 1. 1830)

»Keiner fühlt es tiefer als ich selbst, daß ich mir durch das Platensche
Kapitel unsäglich geschadet, daß ich die Sache anders angreifen sollte, daß
ich das Publikum, und zwar das bessere, verletzt – aber ich fühle zugleich,
daß ich mit all meinem Talent nichts Besseres hervorbringen konnte, und
daß ich dennoch – coute que coute – ein Exempel statuieren mußte. Der
Nationalservilismus und das Schlafmützentum der Deutschen wird sich bei
dieser Gelegenheit am glänzendsten offenbaren. Ich zweifle, ob es mir gelungen, das Wort Graf seines Zaubers zu entkleiden. Die Satisfaktionsfrage
kommt schon aufs Tapet – Sie erinnern sich, daß ich von Anfang dran
dachte – gleichviel ich hab es in solcher Vorsorge so toll gemacht, daß dem
Grafen mehr dran liegen müßte, von mir Satisfaktion zu bekommen, als
mir von ihm. Die Macht der Verhältnisse soll diesmal ein Lustspiel werden.
Dann wieder die Klage: ich hätte getan, was in der deutschen Literatur
unerhört sei – als ob die Zeiten noch dieselben wären! Der Schiller-Goethe-
sche Xenienkampf war doch nur ein Kartoffelkrieg, es war die Kunstperiode,
es galt den Schein des Lebens, die Kunst, nicht das Leben selbst – jetzt gilt es
die höchsten Interessen des Lebens selbst, die Revolution tritt in die Literatur, und der Krieg wird ernster. Vielleicht bin ich außer Voß der einzige
Repräsentant dieser Revolution in der Literatur – aber die Erscheinung war
notwendig in jeder Hinsicht. Ich glaube nicht, daß ich hier, wie bei meinen
Liedchen, viel Nachfolger haben werde, denn der Deutsche ist von Natur
servil, und die Sache des Volks ist nie die populäre Sache in Deutschland.
Doch, hier läßt sich nichts vorausbestimmen – jeder tue das Seinige. Freilich
glaubt jeder seine eigne Sache zu führen, während er doch nur das Allgemeine repräsentiert. – Ich sage das, weil ich in der Platenschen Geschichte
auf keine Bürgerkrone Ansprüche machen will, ich sorgte zunächst für
mich – aber die Ursachen dieser Sorge entstanden aus dem allgemeinen
Zeitkampf. Als mich die Pfaffen in München zuerst angriffen und mir den
Juden zuerst aufs Tapet brachten, lachte ich – ich hielts für bloße Dummheit. Als ich aber System roch, als ich sah, wie das lächerliche Spukbild
allmählig ein bedrohliches Vampir wurde, als ich die Absicht der Platen-

schen Satire durchschaute, als ich durch Buchhändler von der Existenz ähnlicher Produkte hörte, die mit demselben Gift getränkt manuskriptlich herumkrochen – da gürtete ich meine Lende und schlug so scharf als möglich, so schnell als möglich. Robert, Gans, Michel Beer und andere haben immer, wenn sie wie ich angegriffen wurden, christlich geduldet, klug geschwiegen – ich bin ein Anderer, und das ist gut. Es ist gut, wenn die Schlechten den rechten Mann einmal finden, der rücksichtslos und schonungslos für sich und für andere Vergeltung übt.« (4. 2. 1830)

Die beiden Briefe geben ein deutliches Bild von der Reichweite der Kontroverse zweier Dichter in der ersten Hälfte des 19. Jahrhunderts. Sie darf nicht nur als persönliche Angelegenheit abgetan werden. Auch der alte Goethe wurde ihr nicht mehr gerecht, wenn er sich Eckermann gegenüber äußert: »Und wenn noch die borniert Masse höhere Menschen verfolgte! Nein, ein Begabter und ein Talent verfolgt das andre. Platen ärgert Heine und Heine Platen, und jeder sucht den andern schlecht und verhaßt zu machen, da doch zu einem friedlichen Hinleben und Hinwirken die Welt groß und weit genug ist, und jeder schon an seinem eigenen Talent einen Feind hat, der ihm hinlänglich zu schaffen macht!« (14. 3. 1830)

Wie Platen in Immermann und Heine die schlechten Dichter der ganzen Zeit treffen wollte, so Heine am Beispiel Platens die Aristokraten, Pfaffen und Antisemiten. Die »Kunstperiode« ist tatsächlich vorüber, und die Literatur vertritt »die höchsten Interessen des Lebens selbst«, das heißt sie umfaßt unmittelbar und lebensnah die gesellschaftlichen und politischen Strömungen der Zeit, beschäftigt sich mit Adel und Klerus wie mit den Interessen des Bürgertums, greift damit Probleme an, die durch die Revolution entstanden und durch sie in Bewegung gesetzt wurden.

Heine, der seit der Abfassung der »Reisebilder« Literatur als Mittel betrachtet, die Forderungen des Tages, die Forderungen seiner Zeit des Umbruchs und der entscheidenden gesellschaftlichen Bewegungen zu vergegenwärtigen, ohne daß damit bei ihm, dem Virtuosen, die Literatur zur platten Tendenz absinkt wie bei manchem seiner jungdeutschen Nachahmer – diesem Heine mußte in seinem literarischen und gesellschaftlichen Verantwortungsbewußtsein der Aristokrat Platen, in dessen Dichtungen oft jeder direkte gesellschaftliche Bezug fehlt, der im allgemeinen mit seinen satirischen Lustspielen den Charakter der bloßen *Literatur*-Parodie nicht verläßt, der Perfektion zum Prinzip erhebt, später die metrische Form über die inhaltliche Aussage stellt, kurz: der eine ästhetisch-gereinigte Welt an die Stelle der wirklichen setzt, als Ersatz für das, was ihm Zeit und Welt nicht bieten, ein unbedingtes Angriffsziel sein. Der antisemitische Affekt des Grafen trug entscheidend dazu bei und ebenso Heines Annahme, er stände mit den verhaßten »Pfaffen« in Verbindung.

Wenn wie bei Platen und Heine die stärksten Gegensätze aufeinanderprallen, ist es selbstverständlich, daß Sachlichkeit und Objektivität vergeblich gesucht werden. Wer nach diesen Kriterien mißt, wird nur das Vordergründige, Beleidigungen und Kränkungen, Angriffe und Vergeltungen sehen, wie es Heines Zeitgenossen fast alle taten, nicht aber die großen Bewegungen in der Literatur- und Geistesgeschichte, die der alte Goethe noch einmal in sich vereinte, die aber schon zu seinen Lebzeiten mit impulsiver Kraft in die verschiedensten Richtungen auseinanderdrängten. Zwei dieser Extreme, Heine und Platen, sollten nur Auftakt zu einem umfassenderen Gegensatz bilden: dem der fortschrittlichen Jungdeutschen zu den konservativen Dichtern der Restaurationsepoche.

Heine kommt in seinen Briefen der folgenden Zeit immer wieder aus schlechtem Gewissen auf die Platen-Polemik zurück (vgl. besonders die Briefe vom 27. und 28.2. an Varnhagen, vom 14.3. an Immermann, vom 5.4. an Varnhagen, vom 9.12.1830 an Wolfgang Menzel) und bereute sie sogar später einmal, indem er zugab, seinem Gegner Unrecht getan zu haben (vgl. Heine, Briefe. Bd 4, Kommentar, S. 222). Da »Der romantische Ödipus« wenig Erfolg hatte und kaum gelesen wurde, erschien den Lesern des dritten »Reisebilder«-Teils Heines Angriffe noch ungerechtfertigter, denn den ganzen sozialen und politischen Hintergrund der Affäre verstand kaum jemand im deutschen Publikum. Die Entrüstung wurde allgemein, sie schadete Heines Ansehen empfindlich und machte sein Verbleiben in Deutschland beinahe unmöglich.

Einige der wichtigsten Rezensionen seien hier wiedergegeben:

Rügen.
Platen und Heine.

Soeben ist der 3. Teil von Heines »Reisebildern« erschienen. Hr. H. hat nun einmal die Erfahrung gemacht, daß es bei dem jetzigen Zustande unserer Literatur – *der schönen!!* – für Menschen seines Schlages hinreicht, eben hinzuschreiben und drucken zu lassen, was ihnen durch den Kopf und das Herz fährt, um Aufsehen zu erregen, um sich einen gewissen Ruf zu erwerben – der solidern Vorteile nicht zu gedenken; ganz in der Ordnung also, daß er mit seinen »Reisebildern« fortfährt und wahrscheinlich noch lange fortfahren wird. Daß Hr. Heine viel Witz hat, ist nicht abzuleugnen, und das ist es eigentlich, was er vor Tausenden voraushat; denn die Zerrissenheit, der kleine *Satanismus*, mit dem er sich so breit macht, ist eine in unserer Zeit so gewöhnliche Erscheinung, daß, wie gesagt, Hr. Heine sich nur dadurch von Tausenden unterscheidet, daß er zuerst auf den Einfall gekommen ist, dem Publikum mitzuteilen, was andere für sich behalten, was sie auch schwerlich in einer so unterhaltenden Form zu geben wüßten. Das Gesagte soll die »Reisebilder« gar nicht heruntersetzen, im Gegenteil habe ich sie bisher gegen männiglich verteidigt. Hr. Heine teilt verdiente Hiebe aus, und es kann uns im Grunde gleichgültig sein, von woher sie kommen, wenn sie nur den rechten Fleck treffen. Hr. Heine sagt sogar manche tiefgefühlte, tiefbewegende, echtpoetische Dinge, aber dabei geht es mir meistens so, daß ich es fast wie eine Frechheit ansehe, daß gerade er es sich herausnimmt, diese Dinge zu sagen – – denn, mag man auch zugeben, daß Heine kein ganz gewöhnlicher Mensch ist, so ist es doch nicht wohl möglich, ihn zu achten, und oft will es einem bedünken, daß gerade das Gefühl, keine Achtung zu verdienen, der Hauptgrund des Satanismus und der Frechheit ist, dem Heine sein schriftstellerisches Glück verdankt.

Dieser 3. Teil der »Reisebilder« bestärkt diese Ansicht nur zu sehr. Im Allgemeinen steht er den beiden ersten Bänden sehr nach. Heines Art, die an und für sich nicht natürlich, nicht *gesund* ist, wird hier ganz zur Manier. Überall sieht außerdem der Zweck durch, ein Bändchen zu füllen, coûte qui coûte; was soeben erst im »Morgenblatt« aufgetischt worden, ist hier wieder abgedruckt. Der Witz, der Ernst wird nicht frei und frisch durch die Gegenstände und Erscheinungen geweckt, sondern die Erscheinungen werden herbeigetrieben, um zu Ernst und Scherz Anlaß zu geben; überall scheint die Absicht durch. So muß denn auch das Heiligste zum Gegenstande des Witzes dienen, und Heine wird vergebens durch einige Anfälle sentimentaler Frömmigkeit die Überzeugung in uns ändern, die jene Witze geben! daß ihm nichts ernstlich heilig sei. Noch mehr aber befestigt wird diese Überzeugung, so oft Heine zum Ernst, zur Tiefe übergehen will. Da fühlt man, wie alles ihm nur Thema für Redensarten ist, die denn wirklich oft sehr trivial ausfallen, wie z.B. die politischen, oder ganz abgeschmackt, wie das, was er über Rossini und den Enthusiasmus der Italiener für ihn sagt. Das Widrigste dabei ist, man fühlt es so deutlich, daß Heine selber kein Wort von dieser Salbaderei glaubt; es klingt nach etwas, darum schreibt er es hin. Was soll ferner das ewige Koquettieren mit seiner toten Maria? Ist sie keine Fiktion, wie soll man glauben, daß Heine ein wahres Gefühl, einen tiefernsten Lebensschmerz auf diese Art zur Schau tragen, damit wie mit einem blinkenden Kleinod brillieren könnte? – Nein, sind auch an ergötzlichen Einfällen, treffendem Witz, z.B. über München, Berlin, reisende Engländer, gebildete Juden u. dgl., diese Bilder vielleicht so reich wie die frühern, in allem, was Ernst, Tiefe sein soll, verrät sich immer mehr eine unheilbare Impotenz: aber freilich in unserer Zeit, wo die übersättigte Schlaffheit und aufgeblasene Nichtigkeit überall das große Wort führt, konnte Heines Zerfallensein mit sich selbst als geistige Größe und Tiefe angepriesen werden.

Doch ich komme zu dem Teile des Buchs, der mich eigentlich veranlaßt, hier davon zu sprechen. Graf Platen hatte in seinem »Romantischen Ödipus« Heinen, als getauften Juden, mit Verachtung behandelt. Heine rächt sich dadurch, daß er, auf einige Ausdrücke in einigen von Platens Gedichten fußend, diesen als überwiesenen, offenkundigen P . . . . . . behandelt und füllt in diesem Sinne viele Seiten mit Witzen, Wortspielen u.s.w. *Mit solcher schmutzigen Frechheit, mit solcher niederträchtigen Gemeinheit ist wohl noch nie ein Streit zwischen Schriftstellern geführt worden*, weder bei uns, noch bei andern Nationen. Kann, darf es geduldet werden, daß Menschen wie Heine, die sich selbst nicht achten und an anderer Achtung verzweifeln, einen solchen Ton in der deutschen Literatur einführen und dieses unser höchstes Gut, unsern höchsten Stolz, da uns ein anderes Gemeingut fehlt, vor andern Nationen entehren? Wie dergleichen zu hindern, zu strafen ist, wäre freilich schwer zu sagen, so lange die Gewinnsucht der Verleger aus der Schamlosigkeit der Schriftsteller ihren Vorteil zu ziehen nicht ansteht; aber was an dem einzelnen ist, will ich hier tun, ich will es Hrn. Heine laut zurufen und ich weiß, daß ich im Namen jedes Mannes von Ehre spreche: *was dieser Angriff auf Platen auch für diesen für Folgen haben mag, Heinen bedeckt er mit Schande und mit der Verachtung des bessern Teils des deutschen Publikums, mit der Verachtung aller der Schriftsteller, die selbst noch auf Achtung Anspruch machen können.* Heine täusche sich nicht – und mir deucht, er kann sich nicht täuschen – was er auch noch auf seiner Bahn für Erfolge haben mag, welchen Beifall auch sein Witz, seine Satire finden mag, kein Mann von Ehre kann ihn ferner achten, selbst die – und zu diesen gehöre ich selbst –, die seine Geistesgaben hochstellen, die sich der Hiebe freuen, die sein Witz austeilt, selbst diese müssen ihn als Menschen, als Mann verachten. Und es ist hier nicht einmal die Rede davon, ob die Beschuldigung, die Heine gegen Platen erhebt, gegründet ist; das Verächtliche von Heines Verfahren liegt in der Art, wie er diese Beschuldigung vorbringt, in der Art, wie er das Vergehen, was er dem Gegner vorwirft, behandelt. Heine täusche sich nicht; die Sitten, das tiefste moralische Gefühl, die Grundsätze unsers Volkes, ja aller christlichen Völker fordern, daß solche Vergehen, wenn sie je erwähnt werden müssen, nur mit ernstem Abscheu behandelt werden. Der leichte Ton, die affektierte Überlegenheit eines roué erregt bei uns bloß Verachtung und Ekel. – Wie aber – ist Platen eines solchen Vergehens überwiesen; ist es auch nur wahrscheinlich, daß er dessen schuldig sei? Einige von seinen Gedichten drücken eine gewisse weichliche, weinerliche Freundschaft aus, die allerdings unmännlich, widerlich ist; aber rechtfertigt dies eine *solche* Beschuldigung? – Der Ausdruck dieser Gedichte erinnert zuweilen an Dichtungen der Alten, deren Sinn freilich nicht zweideutig ist; aber ist dies zu verwundern bei einem Dichter, bei dem Nachahmung der Alten ein wesentlicher Charakterzug geworden ist? und berechtigen einzelne Stellen der Art, aus dieser Einseitigkeit entstanden, zu einer *solchen* Beschuldigung? Mit solcher Deutung aber nicht zufrieden, treibt Heine seine Bosheit bis zur dummen Unredlichkeit, indem er Stellen aus Gedichten in diesem Sinne deutet, die ganz offenbar an Frauen gerichtet sind.

Es ist übrigens eigentlich nicht meine Absicht, hier Platen zu verteidigen, sondern nur gegen solche Beschmutzung unserer Literatur zu protestieren. Platen kann sich in gewisser Hinsicht über diesen Angriff nicht beklagen. Er hat Heinen schonungslos beleidigt; und wenn er seinen Mann nur einigermaßen kannte, so mußte er wissen, daß weder Scham noch Ehre diesen zurückhalten würden, jede Blöße, die er etwa geben könnte, bis aufs äußerste zu benutzen; er mußte wissen, daß sogar der Umstand, daß er ihn nicht persönlich, Mann gegen Mann, zur Rechenschaft ziehen könne, von Heine nicht unbenutzt bleiben werde: also habeat sibi. War sein Angriff auf Heine wirklich ganz frei von persönlichen Beweggründen; galt er nur dem Geiste, der in Heines Schriften herrscht, und der, wie sehr er auch in bunten Farben glänzt, ein unsauberer Geist ist, so muß ihn sein Bewußtsein auch gegen solche Schmähungen stählen. Heine wirft Platen auch seine Armut vor; eine solche Niedrigkeit kann nun kaum mehr auffallen. Was er sonst über Platens metrische Pedanterie, sein Selbstlob sagt, ist zum Teil gegründet und witzig; aber wenn er beweisen will, daß Platen kein Dichter sei, so ist das bloß lächerlich. Glauben denn diese Herren insgesamt, Platen, Immermann und Heine, daß solche Übertreibungen die Stelle bestimmen werden, die ihnen in der Meinung der Mit- und Nachwelt gebührt? Zwar mag man Platen als Komödiendichter das Recht der Übertreibung zugestehen; er geißelt Immermann als Repräsentant und Vorkämpfer einer Klasse von Dichtern, die eine solche Züchtigung wohl verdient; ja Immermann selbst gibt der Blößen genug, und die Komödie will nun einmal geißeln und nicht streicheln; aber gerade deshalb soll sie nicht als Urteil gelten wollen, denn dies berücksichtigt auch die Verdienste, und lächerlich ist es dann auch, Immermann Keime wahrer Poesie absprechen zu wollen.   1.

Blätter für literarische Unterhaltung. Jg. 1830, Nr. 23 (23. 1.) S. 91 f.

*

Eine schwierige Aufgabe ist es, einen Dichter wie H. Heine, über den die verschiedenartigsten Meinungen im Umlauf sind, ruhig und unbefangen zu beurteilen. Es liegt weder in unserm Beruf noch in unserer Absicht, ihn gegen ungerechte Angriffe zu verteidigen, oder ihn gar anklagen und zurechtweisen zu wollen: es muß uns vielmehr bei weitem wichtiger sein, zu einer so rätselhaften und scheinbar komplizierten Erscheinung, wie sich H. in der Gesamtheit seines literarischen Wirkens verkündigt, den Schlüssel zu suchen. – Die seltsamsten Gegensätze vereinigen sich in ihm zu wunderlicher Mischung. Er hat ein reines, stilles, frommes Gemüt, das sich gern in dem Kinderglauben einer heitern Märchenwelt heimisch fühlt, das mit der ganzen Kraft und Zartheit, die ihm eigen ist, in einem, solcher Stimmung entsprechenden Zustande Wurzeln schlagen und gedeihen möchte. Er hat einen scharfen Geist, der oftmals, ohne zuvor bedächtig die Schale gelöst zu haben, durch kühne Kombination den Kern durchschaut, der mit einem feinen, erregbaren Nervensinne die Fühlfäden nach außen hin bewegt und in beneidenswertem Reichtum von Bildern, Wendungen und Kombinationen, wie in einem leichtbeweglichen Mienen- und Muskelspiel, die Art und Weise, wie er affiziert worden ist, abspiegelt. Er hat Begeisterung und kann sich begeistern; er hat Gewalt der Sprache und Phantasie. Alle diese schönen Eigenschaften stempeln ihn zum Dichter; aber es fehlt ihnen jene Basis von charaktervoller Kraft, von heiligem Ernst und reinem Willen, welche allein das Talent adelt. Heine hat nie einen andern Zweck gehabt, als sich selbst, er hat immer so viel mit dem Darstellen seiner Persönlichkeit zu tun, daß er sich nie oder nur höchst selten über dieselbe erhebt; er hat sich nach allen Seiten hin gehen und gewähren lassen, und sich immer in diesem Spiele mit sich selbst zu sehr gefallen, als daß er sich und sein Talent mit entschlossener Resignation einem höhern Zwecke hätte unterordnen mögen. Wenn bei andern Dichtern das Individuelle der Quellpunkt aller Poesie ist, so ist es bei ihm die Persönlichkeit. Insoweit daher seine Persönlichkeit interessiert, so weit interessieren auch seine Produktionen. Aber eben dieses Spiel mit sich selbst hat in einer so reichbegabten, aber unbewachten Natur unauflöslichen Zwiespalt erzeugt. Jene stille Gemütlichkeit wohnte in einer reizbaren Lebenskraft unter zaumlosen Leidenschaften und lüsternen Begierden. Mitten in den lockenden Strudel großstädtischer Korruption und Überfeinerung hineingerissen, hat er die Unschuld seines Herzens vergiftet, ohne sie gänzlich zerstören zu können, und ohne sich entschieden nach einer Seite hinzuneigen, schwingt er sich wechselweise nach beiden: bald bricht die Wehmut über den Schmerz eines verlornen Paradieses als elegischer Seufzer oder als verschollenes Märchen durch den herben Schmerz der Gegenwart, bald betäubt er diesen Schmerz durch bittern Hohn, der sich gegen das Liebste, was er hat, gegen sich selbst oder den Gegenstand seiner Sehnsucht kehrt. Dies der Grund seiner bittern Wehmut, seines krankhaften Humors. In diesen Kreis hat er sich selber unfrei hineingebannt, und anstatt daß ein jeder kräftiger Charakter einen Kampf seines Willens mit seinem Schicksal darstellt, hat er seinen Willen in die krause Laune seiner Leidenschaft gesetzt, der er sich sorglos übergibt, und hat in der Laune der Geliebten oder in der konventionellen Geltung der Verhältnisse sein Schicksal anerkannt. Ein interessanter Gegensatz, welcher in den mannigfachsten erdichteten und erlebten Verhältnissen der Gegenstand seiner Gedichte ist; ein Gegensatz, der, wenn er auch nicht unedel genannt werden kann, doch kein edles erhebendes Schauspiel darbietet, weil die moralische Kraft des Willens dabei gänzlich negiert wird. – Nur in einzelnen Liedern und Balladen hat die inwohnende Poesie des Gegenstandes selbst einen reinen Anklang in ihm gefunden; nur selten leuchtet und wärmt ein so reines Feuer wie in seiner

Berg-Idylle, die um so rührender sich von dem dunkeln Grunde einer oft verzerrten Leidenschaft abhebt. Das bewegte Stilleben der kleinen einsamen Hütte, die fromme altdeutsche Kindlichkeit des schönen scheuen Mädchens, die pikante Würze eines ganz modernen Liberalismus und endlich der märchenhafte Zauber am Schlusse des Gedichts vollenden das Ganze zu einem so schönen Gemälde, daß sich nach meiner Meinung die Individualität des Dichters nie selbsttätiger ausgesprochen hat, indem sie jenen fremden Schmerz einmal mannhaft niederhält, um zu einem reinen Genusse ihrer selbst zu kommen. – Der Zwiespalt aber und die Zweideutigkeit seiner Natur sind Anfang und Grundton seines Wesens. Losgerissen von einem heimatlichen Boden, erscheint er uns stets auf Reisen, indem er nur im Schweifen zum Genusse seiner Existenz zu kommen vermeint, und doch blutet sein Herz nach einer Heimat. In dem großen Zufluß neuer Bilder und Gedanken, mit denen er sich auf der Reise bereichert, findet seine Persönlichkeit einen freieren Spielraum, seine innern Zustände erweitern sich und sein Witz schweift frei umher und stachelt die Torheiten und Verkehrtheiten der Menschen. Und indem er mit seinem durchdringenden Geiste die Einseitigkeit und Befangenheit anderer leicht überschaut, kann er gleichwohl nicht aus sich selber heraus und eben diese Wehmut über den Zwiespalt des eigenen Innern bestimmt auch in den Reisebildern seine Ansichten über die äußere Welt der Geschichte, der Politik, der Literatur. Scheint es doch oft, als ob er sich nur darum über die Sachen und die Menschen lustig machte, um seine Aufmerksamkeit von sich selbst abzulenken und die beißendste Satire wird ihm unter der Hand zur bittern Selbst-Persiflage. Jeder selbstständige Zweck, etwa eine klare Erkenntnis der Zustände und der Menschen, liegt ihm hier eben so fern wie früher; nicht als ob es ihm an originellen Ansichten, an glücklichen Bildern und schlagendem Witz fehlte, sondern weil alles nur insofern Wert für ihn hat, als es ihm behagt, als es ihm in der Stimmung behagt, in welcher er sich gerade befindet; weil er die Gegenstände nur durch die gefärbte Brille seiner Persönlichkeit ansieht und sie nur insofern aufzunehmen vermag, als sie dieser mehr oder minder zusagen. Er wird daher schwerlich etwas schreiben, was nicht durch glänzende Gedanken und pikanten Witz seinen Autor verriete; man wird ihm in manchen Fällen beistimmen und in den meisten gestehen müssen, daß, *wenn* die Sache sich so verhält, wie er sie auffaßt, das Recht allerdings auf seiner Seite sein würde. Darum werden so viele an ihm irren; sie suchen eine Norm in ihm und vergessen, daß gerade die geistreiche Normlosigkeit seine Vorzüge und Mängel bedingt. Höchst befremdlich erschien uns in dieser Beziehung die Stelle im dritten Bande der »Reisebilder«, wo er sich mit großer Emphase als einen tapfern Soldaten im Befreiungskriege der Menschheit ankündigt. Wie kommt H. zu diesem Pathos? Es ist ihm wohl nur augenblicklich so vorgekommen. Sonderbar! – aus den mannigfachen Be-

strebungen seines Geistes wählt er gerade diese Richtung heraus, die ihm
wohl am meisten am Herzen liegen mag, und beredet sich, daß dies der
Zweck sei, den er mit Daransetzung seiner ganzen Kraft durchführe. Es ist
ihm doch also jetzt um einen ernsten und heiligen Zweck zu tun, zu dem er
seine Persönlichkeit steigern und erheben müßte und in welchem er sich als
in einer höheren Heimat beruhigen könnte: die Ungebundenheit behagt
ihm nicht mehr und er sucht gleichsam ein Amt. Vielleicht knüpft sich an
dies politische Interesse eine neue Zukunft für ihn an. Bis jetzt aber würde
ihn die linke Seite, zu der er sich bekennt, wohl als einen kecken Freibeuter,
der dem trägen Feinde so manchen Fouragewagen gekapert, so manchen
verlornen Posten niedergestreckt hat, mit offenen Armen aufnehmen; aber
das Schwert auf seinem Grabe wird sie vorerst in einen schlanken Stoß-
degen verwandeln.

Man soll nichts ohne Bewußtsein tun, nicht einmal das Gute: der Teufel
hat sein Spiel und verkehrt das zufällig Gute in zufällig Böses. Wenn Heine
Heuchler entlarvt und Pedanten geißelt, und dadurch der Menschheit dient,
so hat er eben so oft die Menschheit beleidigt, wenn auch nur dadurch, daß
Er, der die Höhen erklimmen sollte, im dumpfen Tale verweilt und in
tatenlosem Schmerze die Höhen bespöttelt. Dies ist nicht der Weg, eine
Martyrkrone zu gewinnen, denn es ist nicht der Weg der Wahrheit. Er ist
ein Märtyrer seines Ichs. – Die Stelle aus den »Reisebildern« lautet wörtlich
so: »Ich weiß wirklich nicht, ob ich es verdiene, daß man mir einst mit
einem Lorbeerkranze mein Grab verziere. Die Poesie, wie sehr ich sie auch
liebte, war mir immer nur heiliges Spielzeug, oder geweihtes Mittel für
himmlische Zwecke. Ich habe nie großen Wert gelegt auf Dichterruhm,
und ob man meine Lieder preist oder tadelt, es kümmert mich wenig. Aber
ein Schwert sollt ihr mir auf den Sarg legen; denn ich war ein braver Soldat
im Befreiungskriege der Menschheit.« – Diese ganze Stelle, in welcher sich
Heine so darstellt, wie er sich gern beurteilt wissen möchte, wirft ein helles
Licht auf unser Urteil über ihn, welches eben dadurch ergänzt wird.

Der vorliegende dritte Band der »Reisebilder« beschäftigt sich hauptsächlich mit München und Ober-Italien; er ist offenbar weit schwächer als die
beiden vorhergegangenen. Wenn man ein Buch, wie billig, nach dem beurteilt, was, dem tiefen Eindruck nach, den es beim ersten Lesen gemacht
hat, unvergänglich darin ist, so beschränkt sich das Ausgezeichnete dieses
dritten Bandes auf einige treffende Witzworte und scharfgesehene Urteile.
Denn wenn auch manche Szene, z. B. die erste von den »Bädern in Lucca«,
meisterhaft gearbeitet ist und die Charaktere des Marchese und seines Die-
ners bis zur Unerträglichkeit spiegelwahr gezeichnet sind, so stehen sie
doch – weder gegenseitig noch zum Ganzen oder vielmehr zur Masse – in
so gar keiner Verbindung, daß man sich an dem Interesse ärgert, welches
diese gemeinen Menschen für sich zu erregen fähig waren. Die Gestalten,

die uns H. vorführt, sind alle nur um ihrer selbst willen da und scheinen uns mit frecher Selbstgenüge zuzurufen: nous voilà! – Sie sind aus dem Leben gegriffen, aus der Gasse oder dem Salon mit all dem anklebenden Schmutze und den widrigen Parfüms auf das Papier gebannt: sie sind da, weil sie da sind, nicht weil sie als Mittel zu einem höheren Kunstzwecke da sind. Wenn man dergleichen Personagen, wie »Signora Lätitia«, mit den beiden verschrumpften Amorosos und der tollen Franscheska, in der Wirklichkeit begegnet, so kann man ihnen doch wenigstens ausweichen und sich allenfalls ärgern, daß solch ein moralischer und physischer Kadaver, der zufällig vegetiert, sich einbilden kann, noch wirklich in der Welt zu existieren. Möge der Dichter immerhin solche Charaktere treu nach der Natur kopieren, durch die Stellung, die er ihnen in dem Ganzen seines Kunstwerks anweist, muß er sie zur Kunstgestalt läutern, muß er ihre innere Nichtigkeit dartun – denn das Gemeine *ist* überhaupt nicht, das heißt als Resultat, höchstens als Werkzeug. Auf diese Weise kommt siegreicher, als durch pfäffisches Moralisieren, durch die Kunst selbst die moralische Weltordnung zu Ehren. Dies aber ist unerläßlich, und Heine tut sich selbst zu viel, wenn er sich zu seinen Gestalten erniedrigt. – Was diesem dritten Bande besonders schadet, ist der gänzliche Mangel an neuen Gedichten. Man kann es H. zum Lobe nachsagen, daß die Poesie ihm nicht zum Handwerk geworden ist: sie ist es ihm vielleicht zu wenig; die Fesseln der Kunstform würden ihn wohltätig zügeln. Doch auch in anderer Beziehung wird es bemerkbar, daß die feingebaute Maschine seines Geistes hier und dort an Beweglichkeit und Federkraft müsse verloren haben. Das schlimmste Omen ist, daß H. anfängt, sich selbst nachzuahmen, was immer, besonders aber bei ihm, etwas Unheimliches in sich hat. Das gespenstische Doppelwesen seines Innern, das uns in früheren Kompositionen, wo nicht erquickt, doch zuweilen wunderbar ergriffen hat, wirft – etwa im Verscheiden? – seine kalten Schlagschatten über seine jetzigen Gemälde. Die Geschichte der toten Maria – wer glaubt daran? Man fühlt wohl, daß es nur der Schatten eines Gespenstes sei, und friert. – Auch so manche literarische Taschenspielereien, die früherhin einen pikanten Beigeschmack hatten, nutzen sich nachgerade ab. Die feierlich-komische heilige Allianz mit Immermann dem Dichter, die mutwilligen und, was unerhört ist, oft witzlosen Neckereien neutraler Gebiete, die zweideutig verkappte captatio benevolentiae durch Erteilung glänzender Epitheta oder Anführung ganz unpassender Mottos – alles dies erregt Widerwillen, sobald es stereotype Manier wird, da es nur als Übermut oder geistreiche Neckerei geduldet wurde. Ein kluger Spieler merkt es sogleich, wenn man ihm in die Karte sieht, und ändert sein Spiel oder er hört auf zu *spielen*.

Zum Schlusse noch einige Worte über den Kampf mit Platen, den H. im letzten Kapitel aufgenommen hat. Schweigen konnte er nicht, *er* nicht, weil man seine Opposition erwartete. Aber warum den Fehler Immermanns wiederholen und mit schwerem Geschütz auffahren? – Wenn H. ruhig über Platen urteilt, müssen wir ihm im Ganzen beistimmen, aber die widrige Phantasie, mit der er seine Beschuldigung einleitet und ausspinnt, hat uns nicht Platens halber, der durch solche Begegnung gehoben wird, sondern Heines wegen im Innersten empört. Sein Buch wird dadurch so verrufen, daß man in guter Gesellschaft, d. h. in der wahrhaft guten, kaum bekennen darf, es gelesen zu haben; ja, die früheren Bände erscheinen durch diesen dritten so gereinigt, wie König Ferdinand durch Dom Miguel.

In wiefern diese wenigen an die Betrachtung des dritten Bandes angeknüpften Bemerkungen das oben mehr im Allgemeinen Gesagte bestätigen, überlassen wir dem aufmerksamen Leser zur Prüfung und Entscheidung. Dies zum Schlusse: Vor allen Dingen muß sich Heine vor einem Stumpfwerden seiner geistigen Sehkraft hüten. Vielleicht aber ist es eben der Überdruß an der losen Form der Reisebilder, welche im letzten Bande – dafür halten wir diesen dritten – durch eine noch losere Form sich selbst persifliert hat, während der Dichter schon auf Höheres sinnt. Die Vermutung liegt nicht allzu fern; möchte sie wahr werden! Eine Krisis liegt auf jeden Fall zu Grunde, welche sich eben so in Überspannung wie in Erschlaffung der Kräfte äußert. Wir müssen das Weitere erwarten, denn wer kann einem Dichtergeiste den Lauf bestimmen, den er zu durchmessen hat?

Moritz Veit in: Der Gesellschafter 14 (1830) Nr. 20 (3.2.) S. 96–98.

*

Der Graf v. Maistre, berühmter Verf. der »Soirées de St.-Pétersbourg«, behauptet, der Schlußstein aller Staatsverfassung sei der Scharfrichter, ohne welchen das Gewölbe derselben sogleich einstürzen würde. Ob sein Satz auch für den Freistaat der Literatur gelten soll, wissen wir nicht; indessen würde Graf Maistre schon der Analogie wegen an dem vorliegenden Buch und an dessen Autor seine Freude haben, denn er fände hier Scharfrichter und Hinrichtung ganz auserlesen vor sich. Hr. Heine, den wir schon auf manchen Reisen begleitet hatten, führt uns diesmal nach Italien, dessen Luft, Früchte, Landschaft, Denkmäler, Lebensart und Sitten er uns in gedrängten, sowohl launigen als launenhaften Zügen darstellt. Der Humor, so schneidend er bisweilen durchfährt, läßt uns aber im Anfang nicht ahnden, daß wir in das herrliche, reiche Land jetzt nur geführt werden, nicht um seine Schätze zu genießen, oder seine Lustbarkeiten anzusehen, sondern um einer aus dem nördlichen Deutschland auf diesen Schauplatz verlegten Exekution beizuwohnen! Der arme Sünder ist der Dichter Graf v. Platen, überwiesen großer Frevel gegen die neuesten deutschen Dichter und Kritiker, in anderweitige Verwickelungen gefährlichst umsponnen und von hochnotpeinlichem Halsgericht verurteilt den Kopf zu verlieren. Auf den Gang des Prozesses können wir uns hier nicht einlassen; die Beschaffenheit der Gesetze und die Richtigkeit ihrer Anwendung lassen wir dahingestellt, über Schuld oder Unschuld des Verurteilten wollen wir keine Meinung äußern: nur Das wollen wir aussprechen, was wir als Tatsache bezeugen können, die Hinrichtung ist vollzogen, der Scharfrichter hat sein Amt als Meister ausgeübt, *der Kopf ist herunter!* – –

Es liegt in der menschlichen Natur ein grausames Vergnügen an fremden außerordentlichen Leiden; wackere Männer und zarte Frauen drängen sich zum Anblick von Martern, von Operationen und Exekutionen, das Volk strömt in hellen Haufen herbei, Scherz und Lust gehen neben dem Schrecklichen ohne Störung ihren Weg. Hr. Heine darf schon aus diesem Grunde auf ein außerordentlich zahlreiches Publikum rechnen, dessen Stimmung er übrigens zu teilen scheint. Unter Liebesglück, unter Scherz und Lachen, im Verlauf der unvergleichlichsten komischen Szenen, mit ununterbrochenem Witzgeträufel führt er uns zu der tragischen Entwickelung, ja diese selbst liegt ganz und gar in jener Vorbereitung. Wir haben in frühern Zeiten arge Geschichten dieser Art erlebt: Lessing, Voß, Wolf, die »Xenien«, die Schlegel, Tieck haben in solcher Weise nachdenkliche Dinge ausgeübt; aber in *so* heitern und lachenerregenden Zerstreuungen haben wir noch keinen literarischen Sünder zu *so* grausamem Ende wandern sehen! Gewiß, wie man auch über den Grund der Sache urteilen mag, die Erfindung und Ausführung all dieser Umstände ist meisterhaft, die beiden Juden Gumpelino und Hyacinth sind ganz neugeschaffene Masken, besonders der Letztere, dessen Erzählungen und Beziehungen auf Hamburg niemand ohne Lachen vernehmen kann. Der ganze Hergang mit diesen beiden Juden, wiewohl nur in schlichter (doch in äußerst gebildeter und wohltönender) Prosa, dünkt uns, wenn denn doch einmal von Aristophanes die Rede sein soll, *Aristophanischer* als alles, was Graf Platen bisher in gekünstelten schweren und doch leeren Versen nach solchem Muster zu arbeiten versucht hat. Und nicht sowohl durch die materielle Belastung, durch die Ersäufung in Satire und Hohn, sondern vielmehr *dadurch* hat Hr. Heine den Gegner völlig abgetötet, daß er ihn in *dem* Fache, auf das derselbe sich am meisten zu Gute tun wollte, in seiner Blöße gezeigt, und ihn nicht nur an Grimm und Spott, sondern auch an *Kunst*, und gerade an *Aristophanischer Kunst*, unendlich überboten hat! Wollt Ihr aristophanisieren, so müßt Ihr es *so* machen; habt Ihr *dazu* nicht Mut und Geschick, nun so bleibt in Gottesnamen dabei, daß ihr Kotzebuisiert, oder Müllnerisiert! –

Wenn von Aristophanes die Rede ist, so kann man nicht umhin, sich auf Frechheit einzulassen. Frech allerdings ist dieses Buch, wie eine schnöde Verteidigung auf schnöden Angriff nur sein kann; frech auch in Nebendingen, in willkürlicher Feindschaft, in allgemeinem Spotte. Wir würden aber doch dem Buche und dem Verf. sehr Unrecht tun, wenn wir verkennen wollten, daß neben der Frechheit auch wahrhaft edler Mut, neben der bittern Satire auch ernste Gesinnung vorhanden ist, und daß die Roheit des Stoffes meist durch die graziöseste Behandlung gemildert wird, welche nicht selten eine tiefere Innigkeit durchblicken läßt, zu der uns der Verf. eigentlich mehr noch als zum gehässigen Streite berufen scheint. Wir machen noch besonders aufmerksam in dieser Beziehung auf die geistvollen und sinnigen Äußerungen des Verfs. über Rossinis Musik und Cornelius' Gemälde.   77.

Karl August Varnhagen von Ense (anonym) in: Blätter für literarische Unterhaltung. Jg 1830, Nr. 44 (13. 2.) S. 176. Wiederholt in: Varnhagen: Zur Geschichtsschreibung und Literatur. Hamburg 1833. S. 590–592.

*

Auch ein Wort über den dritten Teil der Heineschen Reisebilder.

Motto.

»Gleich den Hunden auf der Straße,
die hinter den Wagenrädern herlau-
fen, und sie anbellen, rennt man schrei-
end und die Zähne fletschend hinter
die Freigesinnten her, die doch nur
die Räder sind der rollenden Zeit.
Den lenkenden Geist aber, der sicher
und bequem in der Kutsche sitzt, erreichen – ja, sie gewahren ihn nicht.«
Börne.

Haben Sie den dritten Teil der Reisebilder gelesen? fragte ich den jungen Herrn von ★★★.

Der holde Jüngling ließ das zierlich gelockte Köpfchen auf die linke Schulter sinken und schaute mich so wehmütig an, wie ein Kanarienvogel, der den Pips hat, indem er lispelte: – O mein Guter! ich beschwöre Sie bei dem Heil ihrer ewigen unsterblichen Seele, meiden Sie künftig den Umgang jenes Menschen, der Gott und die Welt und die bestehende Ordnung mit frechem Spott verhöhnt – meiden Sie Heinen, oder Sie sind verloren.

Als ich voriges Jahr einer hübschen Schülerin das Buch der Lieder geborgt hatte, und sie es mir wieder zurückgab, gestand sie mir, daß sie es mit vielem Vergnügen gelesen habe, fragte aber zugleich auch ganz naiv: Warum nennt er sich nicht mehr Clauren? – Ich versetzte ernsthaft: daß der bekannte Prozeß über den Mann im Mond daran Schuld sei. – Madonna schien mit dieser Erklärung vollkommen zufrieden, und fügte nur noch hinzu, indem sie mich schamhaft verstohlen anblickte: Er schreibt aber wirklich auch etwas gar zu frei.

Heine, als ich ihm diese Anekdote erzählte, lachte herzlich darüber, und wahrhaftig! sie ist charakteristisch.

Wohl wenige Leser möchten so unwissend sein, H. Heine und E. Heun (H. Clauren) für eine und dieselbe Person zu halten. – Ja, vielleicht ist meine hübsche Schülerin das einzige Mirakel dieser Art. Aber wenn es darauf ankommt, über Heine ein Urteil zu fällen – so geraten sie Dir, liebes Publikum! meist eben so, als dem kranken Kanarienvögelchen und meiner Schülerin.

Ich will Dir deshalb kein allzuhartes Urteil fällen! – Du hast zu viel zu lesen, um alles verstehen zu können – und wären nur die Rezensenten so, wie sie sein sollten, so wollt' ich gar nichts sagen – denn die aufrichtigen und unparteiischen Rezensenten könnten Dir sagen: So und so viel ist an dem Buche – und Du läsest die Rezension – und schlügst zur Not auch wohl noch das angeführte rezensierte Buch nach und könntest dann fröhlichen Mutes ein wahres gerechtes Urteil aussprechen – aber ach die Rezensenten!!

Sind es denn nicht meistens grimmige Raufbolde – neidische bellende Hunde, die nur beißen wollen und immer nur beißen, gleichviel Wen? [...] Oder es sind heimtückische Schleicher, die sehr sanftmütiglich tun, und sich anstellen, als wollten sie nur raten: »So mußt Du es machen, lieber Bruder in Gott, und nicht so!« – aber mitten in der gemütlichsten Gemütlichkeit langen sie die Kralle hervor und kratzen, wo sie können, bis man ihnen einmal tüchtig auf die Pfoten klopft.

Ich kenne solch einen Schleicher, der zugleich gewaltiger Schulmann ist und der seine Jämmerlichkeit so weit treibt, daß er – hat er sich mit einer Rezension gar zu arg blamiert – vier Bogen lange Abbittebriefe an die Personen schreibt, deren edles uneigennütziges Streben er mit seinem Gifte begeiferte, um seinen hohen Gönnern und somit seinem Bauche, sich gefällig zu erweisen – doch gelingt es ihm nicht immer, wie denn noch kürzlich eine solche Geschichte passierte, die ihn mit Scham erfüllt haben würde, wäre der Nichtswürdige nicht zu infam dazu.

Heine hat sich mit diesem Gesindel bis jetzt noch nicht weiter befaßt, als daß er ihm hie und da einen Seitenhieb zuteilte. Desto furiöser sind sie nun aber auch über ihn hergefallen, um so mehr, als er ihnen Zeit ließ, sich zu rüsten.

Nicht alle sind so dumm, daß sie es nicht merken sollten, wie der *Sache*, für die Heine seine besten Kräfte aufopfert, nicht beizukommen ist – und daß Licht und Freiheit endlich doch den Sieg davon tragen müssen, mögen nun Pfaffen und Adel sich noch so sehr dagegen stemmen. – Sie erkennen ihre Ohnmacht – aber wie der Kopf der Natter auch dann noch Lust hat zu schnappen – (gleichviel wonach!) wenn er schon lange vom Rumpfe getrennt ist, so auch diese Söldlinge der *Hohen* und *Frommen* – ... Wie gesagt, der *Sache* ist nicht beizukommen – aber dem *Streiter*, und das ist Etwas für diese kleinen Seelen.

Wer den dritten Band der Heineschen Reisebilder gelesen, wird mir darin beistimmen: daß der Geist, der in diesem Buche waltet, ein großer und gewiß auch edler ist – aber es finden sich Stellen (besonders in der zweiten Abteilung), an welchen selbst Heines unbedingte Verehrer irre geworden sind: welch ein Jubel daher für seine Gegner!

Ich bin Heines Freund, und eben, weil ich es von ganzem Herzen bin, gehöre ich nicht zu seinen unbedingten Verehrern – ja, vielleicht beurteilen ihn nur wenige so strenge, als eben ich; aber um so mehr kann ich nicht schweigen, wo alles sich bemüht, ihn als einen Irreligiösen – Revolutionär, einen Verächter jeder Sitte, und weiß der Himmel, was sonst alles zu bezeichnen. – Nein, wahrlich! von diesem allen ist Heine nichts. Aber wie er in dem dritten Teil seines Werks das herrlichste, was ihn erfüllt, uns gab – so *mußte* er uns auch (wollte er seinem Charakter treu handeln) seine *größten* Fehler zeigen. *Mußte*, sage ich, denn in der zweiten Hälfte seines Buchs tritt er gegen einen Menschen auf, über welchen die Stimme der Edelsten in unserm Volke, schon längst das Wort der tiefsten Verachtung ausgesprochen, der aber unter einer gewissen Partei – weil er ihr *frönt*, viel Schützer und Genossen hat – welche – (um so mehr, als sie die niedrigsten Kunstgriffe nicht scheuen, wo es ihre Zwecke zu erreichen gilt) gewiß die Gelegenheit, Heinen als einen Heuchler*) auszuschreien, nicht versäumt haben würden, hätte es auch nur einigermaßen den Anschein gehabt, als wolle er seine Fehler verbergen. –

Heine ist frei und offen auf dem Kampfplatz erschienen.

Und was ist es denn im Grunde, warum so großes Geschrei ist? Wollt Ihr den Kämpfer tadeln, daß er nicht im Hofgalakleide erschien? Wollt Ihr ihm ein Verbrechen daraus machen, daß er die noch übrigen Fetzen des alten Gewebes, mit dem einst die alte Riesenspinne Roms, wie ganz Europa, auch unser Vaterland, umsponnen hatte – mit der Spitze seines Schwertes vollends zerreißt? – Fürchtet keine Revolutionen – kein wiederkehrendes Heidentum! – Aber wehe Euch, wenn Ihr es wagen wollt, dem fortschreitenden Riesengeist der Aufklärung Euch entgegen zu stellen – er wird Euch zermalmen! –

J.P.T.Lyser, Maler, in: Lesefrüchte vom Felde der neuesten Literatur. Jg. 1830. Bd 1, Stück 11. S. 161–163.

*

*) Das Einzige, was seine erbittertsten Widersacher ihm bis jetzt noch nicht vorzuwerfen wagten.

Es ist über *Heines* Talent und dessen Richtung schon so viel geschrieben, gesprochen und geschwatzt worden, daß dem Dichter, wenn er dergleichen liest und hört, nichts fataler sein kann, als eben dieses Über-ihn-schwatzen. Spielt das Gedicht, wie eine Spieluhr, das eigene Leben des Dichters ab, seine Melodien und Dissonanzen, dann ist er ein gebornes Gedicht, und demnach so, wie er sein *muß*, wie er ist; und paßt da die Zeit nicht zu ihm, so ist die Zeit daran schuld. Sind aber in der Poesie Gegensätze von dem Leben des Dichters, wer will ihm das wieder verargen; denn Poesie ist einmal Leben und einmal wieder nicht Leben. Das Geschwätz von der Subjektivität und der Objektivität fängt an nachgerade langweilig zu werden, und die da von der »Zerrissenheit, dem Verdüstertsein« des Heineschen Gemütes viel Aufhebens machen, sind noch langweiliger, als jene Langweiligkeit selbst. In Heines Gemüt geht das vor, was in vielen andern Gemütern vorgeht, die keinen Kammerherrnschlüssel und taxfreien Legationsratstitel haben: nämlich die *neueste Zeit*, und Heine ist ein Dichter der Nation. Fühlt er sich unglücklich, so fühlt er sich darum unglücklich, weil die Zeit schroffe Gegensätze zu seinem poetischen Himmel bildet, und weil sie ihm Gebäude zertrümmert, bevor er sie noch aufgebaut. Daß er darüber grollt und nicht weinerlich klagt oder vor der Aristokratie Katzenbuckel schneidet: das liegt in seinem kräftigen Gemüte, in seiner Lebenserfahrung, die aus Ernst aufgebaut und mit Spott übertüncht ist. Laßt ihm doch die Klagen wegen seiner toten Maria; sind sie echt, dann sind sie gerecht; sind sie es nicht, so bleibt doch die Idee eine schöne poetische Fabel, wie *Schiller's* »Thekla« etwa.

Was kann er dafür, daß seine innere Welt reicher ist, als die äußere, daß sie reicher ist, als Eure, die aus einer Sackgasse besteht, welche Ihr mit alten Autoren, mit der Magna charta der Legitimität und mit den Bettlaken der ehelichen Treue ausgefüttert habt, und worin, wie Ihr meint, ein Himmelreich liegt, während statt der Sterne Schafsköpfe auf Euch niederschauen, und die Fadaise Euch *gute* Menschen schilt. Warum ergötzt Ihr Euch nicht an den Gebilden des Dichters, ohne sie ihm als einen Frack an den Leib zu messen wie der Schneider; warum rafft Ihr das bißchen Phantasie nicht auf, und bildet Euch ein, diese gedruckten Bogen seien vom Himmel gefallen, und ihr Verfasser existiere gar nicht auf diesem Rund. Die Deutschen aber sind nur groß und geschäftig im Verlästern, Verkleinern, Verklatschen ihrer Talente; gilt es, Eines zu heben, zu unterstützen, aufzumuntern: da bleiben sie hinterdrein. Wenn ein Mann schöne Elegien macht, so lesen sie wohl die Elegien; sie müssen aber früher wissen, ob Sago- oder Petersiliensuppe sein Leibgericht ist, und da schnüffeln sie auf echt philologische Weise mit den langen Nasen in den Elegien so lange herum, bis sie Petersilie oder Sago herausgerochen haben. Wer selbst Dichter ist, fühlt es, wie unangenehm ihm solche Küchenriecherei ist, und hat er Lust und Laune, so versetzt er von

Zeit zu Zeit den Schnüffelnasen eins auf das Dach; wo sie dann schreien:
»Der Mann ißt Petersilie, er hat aber ein zerrissenes Gemüt; er trinkt bloß
Champagner, hat von Steuerprokurators Lehnchen einen Korb bekommen,
und dichtet jetzt einen geschundenen Bartholomäus.« – Es ist ein Jammer,
daß Dichter nicht wieder Dichter öffentlich beurteilen, daß es Akten-
menschen, Lehrer der Skandierkunst, Salzsteuereinnehmer, hysterische
Frauenzimmer sind, die ihren gesegneten Maßstab an ihn legen, und die ihn
ein »zerrissenes, frevelndes, irreligiöses Gemüt« schelten, weil er nicht zu der
und der Stunde sich den Bart abnehmen läßt, keine Flanelljacke trägt und
den ästhetischen Tee ohne Sahne trinkt. Beurteilen ihn Dichter, so fallen sie
zuweilen zwar auch in den Fehler, daß sie sich erst einbilden, wie sie es
anders gemacht haben würden, und ihm diese ihre Ansicht nun als Norm
vorpredigen. Aber der Dichter vorerst, dann die Frauen und endlich jene
jugendlichen, offenen Gemüter, die gar kein Talent, nicht einmal zu einer
Rezension haben, verstehen und schätzen den Dichter am richtigsten. Jene
wissen, wie es in ihnen vorgeht, diese fühlen, daß es nicht anders vorgehen
kann. Der Dichter ist den Letztern eine neue Welt, die sie erst kennen lernen
und darum nicht zu bemäkeln verstehen. Ich denke mir die alttestamenta-
rischen Urkunden recht komisch, wenn der liebe Gott gleich nach dem
letzten Schöpfungstage die liebe Welt in gutes Packpapier eingepackt und
franko an einen unserer Kritiker vom Fach geschickt hätte, mit der Zuschrift: »Ew. Wohlgeboren übersende hier ergebenst ein Exemplar meines
neuesten, im Selbstverlage erschienenen Werkes, mit der Bitte um eine
geneigte Beurteilung in diesem oder jenem Blatte. Hochachtungsvoll und
ergebenst der *Herrgott*« etc. Welche Supplemente würde nicht das erste
Buch Mosis erhalten haben!?

Doch zurück von dem Unbedeutenden zum Bedeutenden, zu Heine. Wir
freuen uns seines schönen, lebenskräftigen Talentes, seines kühnen Strebens
in der Zeit, seiner wahren Menschenliebe, seiner Begeisterung für das
Vaterland, seines Eifers für das uralte Menschenrecht: der Freiheit und
Gleichheit, und sagen: Ja! er ist ein guter Kämpfer in der guten Sache, und
gleich ihm gibt es noch Manche, die eben so streben, und die ihn lieben, und
die eine spätere Zeit alle mit Freude und Liebe nennen wird. Wir freuen uns
seines heiteren Gedankenspieles, seines Lebensernstes und seines guten Spot-
tes, über die altgewordenen Formen und ihre Träger, über die aristokra-
tischen Haarbeutel, die sich einbilden, Menschen zu sein, weil sie es bei ihrer
Geburt waren; wir freuen uns der frischen, lebendigen Komik, die seine
Gestalten bewegt, und über die poetische Färbung seiner Ideale. Heine
zaubert uns fast märchenhaft einige Figuren in den Vorgrund, sie sind wie
flüchtig entworfen, nur in Umrissen, aber die wunderbare Beleuchtung
bildet die Umrisse zu Formen aus, und für die Phantasie bleibt ein ungeheurer Hintergrund, ähnlich einer reizenden Märchenwelt. Das Schönste

läßt er uns stets selbst ausbilden; doch gibt er stets Farbe, Ton, Stimmung vorher dazu. Und so folgen wir denn diesem *Dichter* (ich bitte, dies Wort von dem Wort *Poet* zu unterscheiden, denn *Platen* ist ein *Poet*) durch das schöne Tirol, vorüber an der holden Spinnerin auf Italiens Grenze, auf das Schlachtfeld von Marengo, und belauschen hier sein Gebet, welches ein Paternoster der Freiheit genannt werden kann, und wir trauern mit ihm endlich über Italiens Trümmern, das eine ganze, große, schöne Leiche ist. Überall in diesen scheinbar flüchtigen Aufsätzen ist das Gepräge der heiligen Natur sichtbar, überall ist Bild, Idee, Neuheit der Anschauung, frappantes Gedankenspiel. In den Bädern von Lucca waltet der Humor, die sarkastische Laune und das Burleske vor. Gumpelino und Hirsch sind köstliche Figuren. Wie müßte, nach dem hier Dargebotenen zu schließen, dem Dichter ein komischer Roman gelingen. Einiges Obszöne hätte wegbleiben können, ohne dem Ganzen Eintrag zu tun, und gefällt auch oft das Überderbe, so muß der Dichter nie vergessen, daß er auch für *Frauen* schreibt. Hat er eine Geliebte oder Schwester, so wird er sicher nicht wollen, daß sie an dergleichen Geschmack finde.

Wir kommen jetzt zu dem polemischen Teile des Werkes, und haben uns so das Unangenehme bis ans Ende aufgespart. Graf von *Platen*, der moderne *Gottsched*, der aus Liebe zur Metrik zum Dichter geworden ist, der die Alten imitiert, weil er glaubt, man brauche keine Phantasie dazu, der alle möglichen Eigenschaften zur Dichtkunst besitzt, nur den Geist nicht, der alle Füße kennt, aber nicht erfinden kann, der sich aber für den ersten Dichter des Jahrhunderts hält, schon darum, weil er ein Graf ist: dieser gräfliche Dichter oder dichterische Graf hat unsern Heine auf eine gemeine, stark nach Aristokratismus (einem christlichen oder gräflichen) riechende Weise angegriffen, und warum? Weil sich Heine erlaubte, mehr Talent zu haben, als der Graf, weil er den *bürgerlichen Immermann* über den gräflichen *Platen* setzte, weil er den Grafen nicht auch als Grafen in der Poesie anerkannte. Hätte der Hr. Graf in seinen bandwurmlangen Zeilen, denen wie beim Bandwurm der Kopf fehlt, den Heine bloß gemein, schmutzig, tölpelhaft angegriffen, so möchte es noch angehen. Aber er hat ihm das *Heiligste* angegriffen, das Schwererrungene, das Bitterverlorne, die tote Liebe, an der sein Herz hängt, den Glauben und die Würde, auf die er stolz ist; er hat aber dies alles noch dazu mit denselben Händen angegriffen, welche so eben den Dichter *Immermann*, ganz wie er ist in einer schmutzigen Stellung, also mit allem, was drum und dran ist, gemalt hatten. Und so läßt sich denn Heines Eifer – *nicht* rechtfertigen; Gott bewahre, denn Heine hat dem Grafen eines *Armut* vorgeworfen, und das ist nicht christlich und nicht liberal; es läßt sich aber *entschuldigen* mit dem gerechten Zorne über empfundene Schmähung, über die beispiellose Arroganz des Kastengeistes, dem der Graf angehört, über die freche Ungezogenheit, die noch etwas vom Mittelalter, eine feudalistische Bengelei an sich hat, die noch voll des erhabenen Stolzes ist, daß ihren Ahnen einstens das jus primae noctis zustand. Der Graf hat in seiner Weise nicht nur Heine und die Liberalen, sondern alle Liberale beleidigt, er hat echt *legitim* unsere neuen, heiligen Ideen beworfen und sich hinter die Grafenkrone gesteckt. Dies mußte empören. Und dies und noch mehr liegt in der Art, wie Platen den Gnadengehalt von König Ludwig annahm. *Heine ist zu weit* gegangen, aber nur ein serviler Verehrer des gräflichen Wappens kann ihn darum verdammen. Daß Heine noch nebenbei den Metriker in der Aristophanenhaut eines schmutzigen Lasters zeiht, wäre nicht das Schlimmste: Heine wird wohl Beweise haben, und ein widernatürliches Laster dieser Art verdient – wenigstens nicht *bürgerlich* zu sein. Daß die Öffentlichkeit aber die Lasterhaftigkeit eines Dichters verschöne: wer wird das verlangen? Der agravierendste Punkt ist jener mit der Armut. Ich habe mich kürzlich mit einem geistreichen Freunde darüber ausgesprochen, welcher derselben Meinung war, und sie vielleicht auch öffentlich aussprechen wird. Wir wiederholen es noch einmal, in der *Art*, wie Heine angegriffen wurde von Platen, lag auch schon die Art, wie er sich verteidigen mußte. Daß er den Grafen- und Pedantenstolz zurecht gewiesen, ist ganz in der Ordnung; war es zu *stark*, so entschuldigt es, wie gesagt, der Angriff zum Teil, *ganz zu* rechtfertigen ist es aber nicht. Platens Verfahren ist aber nicht einmal zu *entschuldigen*. – Sonderbar, daß der begabteste Dichter nimmermehr auf sein Talent so stolz ist, als der kleinste Pedant auf sein Sitzfleisch, seinen philologischen Jammer. Das ists, was uns die Philologen so lächerlich, ja verächtlich macht. – Kurz, der Graf hat sein Teil bekommen; Heine wird, wie ich das von ihm, dem echten Dichter, erwarte, die Scharte durch ein neues Werk wieder auswetzen –; der Graf aber Füße zählen, Silben abwägen, Parabasen machen. Die Metrik wird an Exempeln für die Gymnasialschüler, die Literatur an Tapetenstickerei, die *Poesie* aber gar nicht gewinnen. Platen wird *nie* ein Dichter werden, und Heine wird stets einer bleiben. Die Freunde des Grafen, die Verehrer seines Wappenschildes schreien und schreiben freilich, aber wir setzen ihnen den Bürgerstolz entgegen und vergönnen ihnen diese Art amüsanter Tugend, weil sie für uns zu schlecht ist.

Dir aber, geneigter Leser, wie ich Dich oben bezeichnet, empfehl ich dies Werk zur geistreichen, heitern, gemüt- und sinnerfrischenden Lektüre, freue Dich über Deinen deutschen Dichter, und glaub es nicht, wenn die Silbenstecher und Pedanten jammern, daß die Poesie in Deutschland ausgeht. Die Schneider, welche Kleider machen, auch Verskleider, können einmal, das ist möglich, alle aussterben, die Menschen aber werden bleiben mit der schönen Form, dem herrlichen Gliederbau der Natur und mit der unsterblichen Seele darin. Sie werden *nackt* immer noch Menschen sein, die Schneider aber in all ihren Kleidern nicht. – Die letzten Blätter, lieber Leser, überschlage in den Reisebildern, Du gewinnst nichts durch die Lektüre derselben, Du könntest vielleicht verstimmt werden und unsern Heine weniger lieben, als ers verdient.

Carl Herloßsohn (anonym) in: Der Komet 1 (1830), Beilage Literaturblatt, Nr. 16 (23.4.) Sp. 121–125.

REISE VON MÜNCHEN NACH GENUA

DRUCKVORLAGE UND LESARTEN

Erstdrucke, Handschrift H und »Reisebilder«-Veröffentlichung:

M: Zwei Teilveröffentlichungen in »Morgenblatt für gebildete Stände«:
   1. unter dem Titel »Reise nach Italien« die späteren Kap. I, II (stark gekürzt), IV bis VIII, IX bis XVII der »Reise von München nach Genua« im »Morgenblatt« 22 (1828) Nr. 288–293, 295, 297–298 (1.–12. Dez.).
   2. unter dem Titel »Italienische Fragmente« (Untertitel: »Adda. Verona, Genua.«) die späteren Kap. XXII bis XXV, XXXII bis XXXIII der »Reise von München nach Genua« im »Morgenblatt« 23 (1829) Nr. 265, 284–286 (5., 27.–30. Nov.). (Das Stück in Nr. 266 vom 6. Nov. mit dem Titel »Auf den Appeninen« ist nicht in die »Reise von München nach Genua« eingegangen, sondern stellt die beiden Anfangskapitel von »Die Stadt Lucca« dar; s. Lesarten S. 897).

H: Handschrift Heines der im »Morgenblatt« fehlenden oder nur lückenhaften Kap. II, III, IX, X, XVIII bis XXXIII. Die Elstersche Ausgabe (Bd 3) gibt genau sämtliche Abweichungen von R^1 an und verzeichnet Heines Korrekturen und Streichungen im Manuskript.

R^1: »Reisebilder« 3. Teil. 1. Aufl. Hamburg 1830. S. 1–214.

Für die späteren Auflagen der »Reisebilder« 3. Teil hat Heine keine Änderungen mehr vorgenommen; nur die schon in der 1. Aufl. angegebenen »Errata« wurden verbessert.

Unsere Ausgabe druckt R^1 und gibt die wichtigen Varianten zu M und H, wobei – der Walzelschen Ausgabe, auch in der Auswahl, folgend – die von Heine im Manuskript vorgenommenen Streichungen jeweils durch [ ] wiedergegeben sind. Auf die fragmentarischen Skizzen zu den »Reisebildern«, die unsere Ausgabe in der »Nachlese« (S. 615 und die Lesarten S. 933) druckt, wird an den entsprechenden Stellen verwiesen.

314 Motto fehlt in M.

316 13 »scheene« in M »schöne«. – 27 Nach »Selbstbeantwortungen,« folgt
in M als Abschluß von Kap. II: »seinen Bemerkungen über die See-
handlung, *Saphir*, den eenzigen Menschen, und den großen Fritz,
seinen Parallelen zwischen der Sontag und der Schechner, zwischen
Berlin und München, dem neuen Athen, dem er kein gutes Haar ließ.

›Das wollen Athenienser sind?‹ und ein mitleidig ledernes Lächeln zog
sich um die hölzernen Lippen des Mannes, als er auf eine Gruppe Bier-
trinker hinzeigte, die sich das holde Getränk von Herzen schmecken
ließen, und über die Vorzüglichkeit des diesjährigen Bocks disputierten.
›Das wollen Athenienser sind? – – – –‹«

317 9 »After-Poet« in H »schlechter Poet«.

322 32f. Für »Mund, der überaus liebreizend war,« in H: »Mund, der,
wenn er sich öffnete, und mit einem Organ wie faule Eier, zu sprechen
begann, überaus liebreizend war,«.

326 22 Nach »hervorlauschen,« in M »und ich merkte wohl, es war der
Gott des Frühlings,«.

332 18 »schon etwas abgeliebte,« fehlt in M.

337 18 »dumm« in M »energisch«.

338 26–28 »aber . . . Geld.« in M »aber nicht das Alphorn.«.
28 Vgl. Nachlese S. 615,27–34.

340 1f. »den weißen Rock . . . Hosen.« in M »den angestammten Kaiser.«.

343 23 »östreichische« fehlt in M.

345 28f. »katholische« in M »italienische«.

346 3–16 »Man mag sagen . . . verborgen.« heißt in M kürzer: »In einem
Beichtstuhle sah ich einen jungen Mönch mit denkend ernster Miene,
und ihm beichtete eine Dame, deren Gesicht mir leider durch ihren
weißen Schleier und durch das Seitenbrett verborgen blieb.«

347 12 »Chevrons« in allen Drucken, auch Walzel: »Chevets«. Geändert
nach dem Vorschlag von W. T. E. Kennett in: Mod. Lang. Notes 66 (1951)
S. 263 f.: »Chevets« in diesem Zusammenhang unverständlich; »Chevrons« = Litzen auf der Achsel der Uniform zur Bezeichnung des militä-
rischen Dienstgrades, erscheint im Zusammenhang mit »Dienstjahre«
sinnvoller. Die Altersrunzeln auf der Stirn entsprächen dann den Litzen.
Kennett (und Elster, 2. Aufl. Bd 4. S. 523 f.) vermuten Irrtum Heines.

348 6 »Engländer;« in M »Franzosen;«.
14f. »unser . . . Winter,« fehlt in M.

349 7–9 »und braun geküßt . . . gepickt;« fehlt in M.
12 »göttlich liederlich, sterbefaul;« fehlt in M.

353 2f. »mir . . . ebenfalls« in H: »mir, [daß auch Marx, der Red. der Berl.
Mus. Zeitung,] der [sonst doch das Wesen der Musik so genial begreift
und so poetisch auszudeuten weiß], ebenfalls«.

354 22ff. Vgl. zu Kap. XX Nachlese S. 616,1–617,8 und 617,9–620,20.

355 18 Danach folgt in H noch: »O süßes Grauen, wenn Tod und Liebe
sich verstohlen küssen! Ja das ist es, dies Gefühl ist es, was mich in Trient
so wunderbar bewegte, ohne daß ich ihm einen Namen zu geben
wußte; und indem ich meiner Erzählung vorgreife, gestehe ich, daß
späterhin, in allen lombardischen Städten, gleich beim Eintritt, dieses
Gefühl in meine Seele stieg und darin vorherrschend blieb.«
Kap. XX mit diesem Zusatz ist in H erst später eingefügt.

356 30 »Ala« in M »Adda«, in H »Alla«.

357 3–10 »Auf dem . . . Kindertrompete.« fehlt in M.

34–38 »Brüste . . . Pandekten.« fehlt in M; nach »Pandekten.« folgt
noch in H: »Hugos kritische Nase hätte [da] darin keine tres partes,
sondern nur [duo partes] zwei entdeckt.«

358. 8 Nach »Haare.« folgt in H, M: »Beide sangen, während des Hühner-
rupfens, ein heiteres Duett.«

360 34–38 »Die Barbaren . . . erhalten.« fehlt in M.

361 12f. »süße wöhnliche Leiber,« fehlt in M.

13f. »geschaffen . . . Tag.« fehlt in M.

363 5 Nach »Neffe.« steht in H gestrichen: [»Das Leben des letzteren ist
kürzlich von Daniel Leßmann so treu und anmutig beschrieben worden, daß es [die] rühmliche Erwähnung verdient.«]

368 13 Nach »aufgesetzt hat.« folgt zusätzlich in H: »Herr Eckermann ist
daher von Goethe gleichsam ausgeschaffen worden, und wie jede
Kreatur preist er jetzt noch mehr seinen Schöpfer.

Wenn ich unlängst, in den politischen Annalen, mit einigen Unmut
über solche Kreaturen sprach, so verzeih mir Gott oder Goethe diese
Sünde, und ich will ehrlich gestehen, daß etwas Neid dabei im Spiel
war. Ich gab mir nämlich alle mögliche Mühe ebenfalls etwas zu erschaffen, und ich konnte es nicht weiter bringen als zu gewöhnlichen
Maikäfern. Ich sah deshalb mit Neid auf den Herrn Doktor Eckermann,
d.h. ich war neidisch, daß ich ihn nicht selbst erschaffen, oder aus dem
vorhandenen, ordinären Stoff, wie es Goethe getan, ausgeschaffen
hatte. Damals hatte ich um Mitternacht das Menzelsche Buch gelesen,
und mich in diese literarische Wolfsschlucht so vertieft, daß ich Frei-
kugeln gießen half gegen Goethe selbst. Gott oder Goethe verzeih mir
diese Sünde, und erhalte mich gesund; denn wenn ich mich schlecht
befinde, bin ich immer antigoethianisch gesinnt.«

369 4 Nach »hervorblickt.« folgt in H: »W. Waiblingers italienische Bilder,
die wahrhaft poetisch und gemütvoll aufgefaßt sind, habe ich ebenfalls,
wenn ich sie hie und da in Zeitschriften fand, mit Vergnügen gelesen.«

370 35 Nach »Kinn.« folgt in H: »[Wir tranken zusammen viel Claret,
und ließen old England leben. Dagegen verfluchten wir in Tod und

Hölle alle italienischen Gastwirte und Lord Wellington. Ein kleiner Irländer kam noch mit Extrapost über den Splügen, und half uns auf seinen Landsmann, the hero of Waterloo, fluchen.

Was hilfts! ein Jahr vorher war ich dabei, als Mylord an der Tür des Oberhauses gehißt wurde, und ich pfiff mit, und es schadete ihm doch nichts an seiner teuern Gesundheit. Im Gegenteil, er floriert jetzt noch mehr als früher, und vollbringt die größten Dinge.] Unter den englischen Freunden, die ich in Mailand wiedersah war auch Willie, der herrlichste Junge, der jemals eine Prima Donna unterhalten. Ich muß oft an ihn denken, denn ich trage noch jetzt seine Stiefel an den Füßen. Ich habe sie ihm wahrhaftig nicht vorsätzlich mitgenommen; sie standen neben Signoras Toilette, und ich hatte sie im Dunkeln statt der meinigen angezogen. Sie sind mir etwas zu eng, Signora hingegen paßte mir ganz vorzüglich, wie angemessen. Auch Willies dicke Tante sah ich wieder; gleich einer Fettlawine –«

371 32 Nach »menschlich ansah.« folgt noch in H: »Vielleicht ist im Schmerze das höchste Leben, und die Götter, wenn sie das höchste Leben empfinden wollen, werden sie Menschen und lassen sich geißeln.«

374 8–16 »als seine ... entziehen kann.« in H: »als plötzlich seine Herrschaft gebrochen ward. Es blieb den Östreichern nicht viel zu tun übrig, und sie werden weiterbauen, wo der große Kaiser aufgehört hat – aber in einem anderen Sinne. Dieser beabsichtigte ein Monument, das den spätesten Geschlechtern Kunde gebe von dem Geiste früherer Zeiten und dem hellen Ruhme der Gegenwart; jene beabsichtigen nur eine Festung des Aberglaubens. Auch an dem berühmten Triumphbogen, der die Simplonstraße beschließen sollte, und von Napoleon unvollendet gelassen worden, wird weiter gebaut. Freilich mit einigen Modifikationen. So z. B. Napoleons Statue, die schon fertig war und auf der Spitze dieses Triumphbogens stehen sollte, soll jetzt nicht hinaufgesetzt werden. Aber was hilft es, damit ist wenig gewonnen für jene Leute, die [jede Erinnerung an] gern den Kaiser [vertilgen möchten] unseren Blicken entziehen möchten. Wahrlich, wenn er auch nicht auf der Spitze des Mailänder Triumphbogens zu stehen kommt, so wird ihn dennoch die ganze Welt sehen können. Er braucht ja nicht erst auf eine Säule gestellt zu werden um hervorzuragen; seine natürliche Größe ist dazu hinreichend.«

30 Nach »zerfleischte.« folgt in H ein längerer Zusatz: »Wir, die wir die Zeitgenossen sind, und deren Gedächtnis so kräftig, daß es noch alles frisch und genau weiß, absonderlich die Vor- und Zunamen und den Tag und die Jahrszahl, wir können sehr wohlfeil lächeln über den scharfsinnigen Irrtum eines solchen armen Schulmeisters.«

Die Fortsetzung diese Zusatzes entspricht im wesentlichen dem Text

der »Englischen Fragmente« (s. S. 593,9–594,22 »Manchmal ...
›Bonaparte!‹«).

32–375,2 Statt »unbedingten... war« steht in H: »eingefleischten
Bonapartisten, und verzeihe mir einen Enthusiasmus, der mehr der
Natur gilt, die den Mann hervorgebracht, als den Handlungen des
Mannes selbst. Mögen andre das Loblied der Lebenden singen, ich
singe den Toten, der nichts mehr zu schenken hat. Wenn du aber, lieber
Leser, nicht diese Uneigennützigkeit in Anschlag bringen willst, so ehre
wenigstens [die Überwindung, die es meinem Gemüte kostet] den
Schmerz, den mein Gemüt empfindet, wenn ich einen Mann seiner
Virtus und seines Genius wegen preise, obgleich er beides dazu angewendet, die Revolution mit all ihrer Herrlichkeit zu unterdrücken, und
das gebrochene Adel- und Pfaffenregime mit all seiner Misere wieder
aufzurichten. Denn Napoleon Bonaparte war –«

375 11 Nach »Sieg.« folgt in H noch: »Aber das ist ja eben die Kraft der
Kraft, daß sie uns unmittelbar zur Bewundrung hinreißt, ohne daß wir
erst rechten über ihre Anwendung. So geschieht es, daß in unseren
Tagen Napoleon Bonaparte von einem Demokraten, Marcus Brutus
hingegen von einem geborenen Könige gepriesen wird.

›Edler und Größter! Dich letzten der Römer verehr ich am meisten,
Weil du, treue der Pflicht, alles geopfert und dich.‹

So singt Ludwig von Bayern, und in der Naivetät seiner Größe –
denn alle Größe ist naiv – sagt er noch in einer Note: ›Als Heide verdient Marcus Brutus so gerühmt zu werden.‹ Als ob es hier nur auffallen
könnte, daß ein Christ dieses Lob aussprach, und als ob jenes Epigramm,
durch solche Sicherungsnote, in die Kategorie gewöhnlicher Dichter-
aussprüche versetzt würde! Wahrlich jene Worte haben eine größere
Bedeutung: Denn nachdem Generationen über die Erde gegangen
sind, um eine nach der andern ihr Urteil über die Tat des Marcus Brutus
abgegeben, tritt jetzt auch ein König vor die Gerichtsurne der Geschichte und wirft seine Stimme hinein.

Es sind jetzt achtzehn Jahrhunderte, seitdem ein Schriftsteller für
solche Worte den Tod fand, und es mag zeitgemäß sein, wörtlich mitzuteilen was Tacitus im vierten Buche seiner Annalen darüber berichtet:« (Eine Übersetzung von Tacitus, Annalen, IV, 34–35 liegt –
nicht von H.s Hand – bei.)

379 19–30 »Seltsamer Wechsel ... verdiente.« fehlt in H.

382 31–33 »Die Poesie ... Zwecke.« fehlt in H.

383 30–32 »und daß ... Glauben.« fehlt in M.

385 6ff. Vgl. Nachlese S. 620,21–621,38.

11ff. Vgl. Nachlese S. 622,1–5.

14f. »Christus ... nunnery.« fehlt in M.

TEXTANMERKUNGEN

312 *Motto:* »West-östlicher Divan«, »Buch des Unmuts«. Die in blaue
Kutten gekleideten islamischen Orthodoxen griffen Hafis an, gegen
Hutten richteten sich die braun gekleideten Mönchsorden. H. nimmt
den Vierzeiler aus seinem Zusammenhang und zielt mit »braun« und
»blau« auf Klerus und Adel.

314 5 *Roberts »Macht der Verhätlnisse«:* Ludwig Robert: »Die Macht der
Verhältnisse«, Trauerspiel in 5 Aufzügen. Stuttgart und Tübingen 1819.
III, 7.

315 33 *Nationalkokarde:* Die Aberkennung der bürgerlichen Ehrenrechte
bedeutete zugleich den Verlust der Nationalkokarde. Diese Regelung
hatte Friedrich Wilhelm III. in Preußen eingeführt.

317 9 *After-Poet:* gegen Platens »Der romantische Ödipus« (1828), in
dessen 3. Akt die Sphinx »in Parabasen auf Berlin losschalt«.

318 29 *Werdersche Kirche:* 1824–1830 von Schinkel in Backsteingotik ausgeführt.

319 17f. *Schlösser:* Nymphenburg und Schleißheim. – 36 *Klenzes:* Leo
von Klenze (1784–1864) bestimmte als Hofarchitekt Ludwigs I. mit
seinen zahlreichen Prachtbauten (u. a. Alte Pinakothek, Glyptothek,
Propyläen, Privatgebäude an der Ludwigstraße) das Stadtbild Mün-
chens entscheidend.

321 34 *Sykophanten:* gewerbsmäßige Ankläger im alten Athen; Denunzianten. – *Phryne:* berühmte griechische Hetäre (4. Jahrhundert v. Chr.)
von großem Einfluß; später allgemein ›Dirne‹. – 36 *unser Dichter:*
Platen.

322 5 *»Löwe«:* Leo (von Klenze), der jedoch Baumeister war; vielleicht
meint H. den »Bildhauer« Ludwig Schwanthaler, womit dann allerdings die Namensanspielung unklar bleibt. – 6 *Redner:* Der Ministerialrat Ignaz Rudhart, der im bayrischen Landtag 1828 bei einem Gesetz-
entwurf über den Malzaufschlag das Wort führte, galt als der beste
Redner des bayrischen Parlaments. – 17 *die Figur:* boshafte Karikatur
des Turnlehrers und Germanisten Hans Ferdinand Maßmann, der 1829
eine außerordentliche Professur an der Universität erhielt, was sich
auch H. damals erhofft hatte. H. und Maßmann mögen sich als Studenten schon in Berlin begegnet sein. Der unversöhnliche Haß, mit dem
H. Maßmann verfolgt, wird aber, wie Loewenthal S. 123–134 nachzuweisen sucht, von gegenseitigen Sticheleien und schließlich von einer
Beleidigung von seiten Maßmanns herrühren, der »eine derbe Äußerung über Heines unsittlichen Lebenswandel und dessen schwere Folgen
fallen« ließ (Loewenthal S. 131). In »Ludwig Börne«, 4. Buch, in den
»Neuen Gedichten« XXI, im »Atta Troll«, Caput IV, in »Deutschland«

Caput XI (Bd 4 dieser Ausg.) wiederholt H. stereotyp die Vorwürfe gegen Maßmann. Erst im Nachwort zum »Romanzero« nimmt er sie teilweise und nicht ohne Schadenfreude zurück. – Die Zeichnung H.s entspricht in mehreren Punkten, etwa dem seltsamen Aufzug Maßmanns, seiner Deutschtümelei, seinem Franzosenhaß und seinem fragwürdigen Verhalten bei der sogenannten Demagogenverfolgung, der Wahrheit. – 25 *Helm des Mambrin:* Als Helm des Ritters Mambrin sieht Don Quixote das Rasierbecken Sancho Pansas an.

324 1 *Thiersch:* Friedrich Wilhelm Thierschs (klassischer Philologe) griechische Grammatik erschien 1812, die 3. Aufl. 1826.

325 7 *Villa Hompesch:* Im früheren freiherrlichen Hompeschischen Schloß zu Bogenhausen, auf dem rechten Isarufer, war im Dezember 1827 das Vergnügungslokal »Villa Hompesch zu Neuburghausen« eröffnet worden. – 16 *Prytaneum:* Sitz des Stadtrats in griechischen Städten. – 25 *liebes gestorbenes Kind:* H.s Cousine Mathilde Heine war am 6. April 1828 im Alter von 20 Jahren gestorben. – 27f. *Breihahn:* auch Broihahn, süßes Weißbier, angeblich nach dem Brauer Cord Broyhan (1526) genannt.

329 1 *Nachtigall:* Zu dem persischen Motiv der Liebe von Nachtigall und Rose vgl. das Bild-Chiffren-Verzeichnis zum »B. d. Lieder« Bd 1, S. 670. – 12 *»Trauerspiel«:* Karl Immermanns Schauspiel »Andreas Hofer, der Sandwirt von Passeier« erschien in Hamburg 1828 unter dem Titel »Das Trauerspiel in Tirol«.

330 18 *Belisars:* Der Geschichtsschreiber Procop von Cäsarea begleitete den oströmischen Feldherrn Belisar auf dessen Kriegszügen und hinterließ umfassende Aufzeichnungen über ihn. Eduard von Schenk, bayrischer Staatsmann zur Zeit von H.s Münchner Aufenthalt (vgl. S. 824 ff.), hatte ein Trauerspiel »Belisar« geschrieben (Erstaufführung 1826), Stuttgart 1829. – 31 *Mahâbhârata:* Vgl. Anm. zu S. 243, 27 f. und zu S. 256, 28. – 35 *Hume:* David Hume: »History of England from the Invasion of Julius Caesar to the Revolution of 1688«. 1763. – 37 *Spittler:* Ludwig Timotheus Spittler veröffentlichte 1793 einen »Entwurf der Geschichte der europäischen Staaten«. Die 2. und 3. Aufl. besorgte Georg Sartorius, H.s Göttinger Lehrer.

331 11 *Hormayr:* Der Ministerialrat Josef von Hormayr, den H. in München kennengelernt hatte, war der Verfasser einer »Geschichte Andreas Hofers« (Leipzig 1811). Zuvor hatte er die »Geschichte der gefürsteten Grafschaft Tirol«, Tübingen 1806–1808, geschrieben. 1826 hatte er Immermanns Drama anerkennend rezensiert. – 38 *Martinswand:* Dort stürzte 1493 Kaiser Maximilian I. auf der Jagd ab und wurde der Sage nach von einem Engel gerettet.

333 2 *jetzigen Kaiser:* Diese boshafte Pointe gegen den »jetzigen Kaiser«

Franz I. (Kaiser von Österreich) ist von H. geschickt in die groteske Umgebung eingebaut und wurde auch von der Zensur auf diese Weise nicht entdeckt. – 15f. *»Hesperus«:* Der »Hesperus. Enzyklopädische Zeitschrift für gebildete Leser«, hrsg. v. Ch. K. André, befaßte sich im Jahre 1828 gerade mit dem Vordringen der Jesuiten in Österreich. Am 11. Juli (Nr. 166, S. 663) heißt es von den Jesuiten: »In Brixen angekommen, fanden sie bei dem alten Bischofe Grafen Lodron die beste Aufnahme.«

337 7 *Antisthenes:* So berichtet Plutarch in seinen Lebensbeschreibungen, »Lykurgos«, Kap. 30. H. las auf seiner Reise nach Italien den Plutarch (Brief v. 6. 9. 1828 an Moser).

339 32 *weißen Rock und rote Hosen:* Nach dem Frieden von Preßburg (1805) war Tirol – bis dahin österreichisch (d. h. zum Kaiser mit weißem Rock und roten Hosen gehörig) – an Bayern gekommen (dem *Fürsten mit blauem Rock und weißen Hosen*). Dagegen richtete sich der Tiroler Volksaufstand von 1809.

341 16 *Schön-Elsy:* Elsy heißt die Frau des Wirtes Etschmann in Immermanns »Andreas Hofer«.

344 20 *Marias:* Das Motiv von der toten Maria, das im folgenden immer wieder auftaucht, ist möglicherweise von Sternes »Tristram Shandy« und »Sentimental Journey« angeregt. Die »Florentinischen Nächte« scheinen die Vorgeschichte der toten Maria anzudeuten. Mögliche biographische Parallelen sind ungeklärt.

348 15 *grün angestrichener Winter:* Diese witzige Wendung, die in dem Teilabdruck noch fehlt, gebrauchte H. zuerst in einem Brief an Friederike Robert: »Vorgestern war ich in Sanssouci, wo alles glüht und blüht, aber wie! du heiliger Gott! Das ist alles nur ein gewärmter, grünangestrichener Winter, und auf den Terrassen stehen Fichtenstämmchen, die sich in Orangenbäume maskiert haben.« (30. 5. 1829) Im selben Brief berichtet er von seiner Arbeit an der »italienischen Reise«.

353 3 *Rellstab:* Ludwig Rellstab hatte als Gegner der italienischen Musik in der »Vossischen Zeitung« Rossini angegriffen, Über die italienische Musik vgl. besonders die »Florentinischen Nächte« Bd 1, S. 569 ff. – 20 *Romulus Augustulus II:* Mit dem Sturz des Kaisers Romulus Augustulus brach 476 das weströmische Reich zusammen. Vielleicht meint H. mit Romulus Augustulus II. Kaiser Franz (als Kaiser von Österreich Franz I., als Kaiser des römischen Reiches deutscher Nation Franz II.), durch dessen Niederlegung der Kaiserkrone 1806 das Heilige Römische Reich Deutscher Nation endete. – 36 *Harmodius und Aristogiton:* ermordeten 514 v. Chr. in Athen den Tyrannen Hipparchos.

354 6 *Arlekine:* wie die folgenden Figuren Typen aus der italienischen Commedia dell'arte.

357 17 f. *Bell – und Lancastersche Methode:* Nach dieser Methode haben die
älteren Schüler die jüngeren zu unterrichten.

359 16 *für die gute Hand:* buona mano (ital.) ›Trinkgeld‹.

360 34 f. *Die Barbaren:* Verona war seit 1814 österreichisch.

362 9 *Podesta:* der Palast des Podesta, des Stadtoberhaupts. – 10 f. *Kirch-
turm:* Gemeint ist der Rathausturm.

363 22 *Falstaffsche Bedenken:* In Shakespeare's »Heinrich IV«, 1. Teil, V,4
glaubt Falstaff, der sich tot stellt, daß Percy, dessen Leiche neben ihm
liegt, auch nur eine List angewandt habe. – 30 ff. *Brighella:* wie *Tarta-
glia, Truffaldino, Smeraldina, Pantalone* wiederum Figuren der Commedia dell'arte.

365 13 *das agrarische Gesetz:* Tiberius Sempronius Gracchus beantragte
133 v. Chr., daß kein Bürger mehr als 500 Morgen Staatsgrundbesitz
pachten dürfe.

366 12 *Can Grande:* Can Francesco della Scala, gen. Can Grande I, war Be-
schützer Dantes. – 27 *Antonio della Scala:* der letzte Scaliger, der seine
auf Brudermord gegründete Herrschaft 1387 an die Visconti verlor.

367 19 *früherhin:* in »Die Nordsee. Dritte Abteilung«, S. 220,33. – 30 f. *Ein
Herr Eckermann:* Johann Peter Eckermann schrieb in seiner Erstlings-
schrift »Beiträge zur Poesie, mit besonderer Hinweisung auf Goethe«
(Stuttgart 1823) wörtlich: »Wäre Goethen bei der Schöpfung der Auftrag geworden, etwa die Geschlechter der Vögel hervorzubringen, so
sähen wir es nun alles, wie wir es nun haben, die Raben schwarz, die
Sperlinge grau, den Pfau in seinem prangenden Schmuck, alles verschieden, alles dem jedesmaligen Gegenstande gemäß, und wir erfreu-
ten uns, wie wir es nun der Natur verdanken, einer bis ins Unendliche
gehenden Mannigfaltigkeit, die ewig neuen Genuß gewährt, nie
ermüdet.«

368 12 *Doktorhut:* Aus Anlaß seiner fünfzigjährigen Anwesenheit in Weimar hatte Goethe von der Jenaer Philosophischen Fakultät das Recht
erhalten, zwei Personen für die Doktorwürde vorzuschlagen: er ent-
schied sich für Riemer und Eckermann. – 14 f. *Morgans »Italien«:* Lady
Sidney Morgan: »Italy«, London 1821. Madame de *Staëls* »Corinne ou
l'Italie« erwähnt H. schon in der »Nordsee. Dritte Abteilung«, S. 220,38.
Am 16.11.1826 schreibt H. im Zusammenhang mit seinem »Plan:
nach Paris zu reisen und dort ein europäisches Buch zu schreiben«: »Ich
denke etwas Besseres zu liefern als die Morgan; die Aufgabe ist, nur
solche Interessen zu berühren, die allgemein europäisch sind.« – 26 *italienische Reisebeschreibungen:* Aus Wilhelm Müllers Rezension italienischer Reisebeschreibungen in »Hermes oder Kritisches Jahrbuch der
Literatur« 1820 und 1821 erwähnt H. hier folgende Werke: Karl Phil.
Moritz: »Reisen eines Deutschen in Italien« (1792/93); Joh. Wilh.

Archenholz: »England und Italien« (1785); J.H.Bartels: »Briefe über
Calabrien und Sizilien« (1803); Ernst Mor.Arndt: »Bruchstücke aus
einer Reise durch einen Teil Italiens im Herbst und Winter 1798 und
1799« (1801); Friedr.Joh.Lorenz Meyer: »Darstellungen aus Italien«
(1792); F.Benkowitz: »Reise von Glogau nach Sorrent über Breslau,
Wien, Triest, Venedig, Bologna, Florenz, Rom, Neapel«. Von dem
Verfasser der »Natalis« (1803–05); Ph.J.v.Rehfues: »Neuester Zustand
der Insel Sizilien« (1807), »Gemälde von Neapel und seinen Umgebungen« (1808), »Briefe aus Italien«(1809/10); Wilh.Müller:»Rom, Römer
und Römerinnen« (1820); Aug.Wilh.Kephalides: »Reise durch Italien
und Sizilien« (1818); Dan.Lessmann: »Cisalpinische Blätter« (1828);
»Reisen in Italien seit 1822« von Thiersch, Schorn, Gerhardt und
Klenze (1826).

372　25 *Crociato in Egitto*«: Oper von Meyerbeer, 1824. – 30 *Brera*: Palazzo
di Brera: Gemäldegalerie; *Ambrosiana*: die Bibliothek.

373　32 *Dombau*: Der Bau des Mailänder Doms begann 1386 unter der
Regierung des Giovanni Galeazzo Visconti. Die Arbeit ruhte, bis 1805
Napoleon die Weiterführung unternahm.

374　10 *Triumphbogen*: Er wurde 1814 von den Österreichern zum »Arco
delle Pace« geweiht, 1838 vollendet. – 26f. *mit jenem anderen Titane*:
Die Parallele Prometheus – Napoleon ist schon in der »Harzreise« angedeutet (S. 109,38). – 33 *Bonapartisten*: Die Kapitel XXIX bis XXXI
zeigen eine deutlich kritischere Haltung zu Napoleon, die u.a. auf den
Einfluß der Varnhagens zurückzuführen ist, vgl. die Briefe an Varnhagen vom 6.6.1828 und vom 3.1.1830. Im 2. Brief schreibt H.:
»Durch Moser schickte ich das Exemplar [des 3. »Reisebilder«-Bandes]
und wünsche, daß Ihnen Kapitel XXIX bis XXXI nicht zu schwach
erschienen sei. An wen ich bei der Abfassung dachte und auf wessen
Beifall ich zunächst rechnete, werden Sie gleich merken.« Schärfer
zeigt sich der Gesinnungswandel H.s in den nicht zum Druck gelang-
ten, sinngemäß hierhergehörigen Passagen der Handschrift zur »Reise
von München nach Genua«, vgl. die Lesarten S. 858. Auch das Zusam-
mensein mit Börne 1827 mag H.s Urteil über Napoleon revidiert haben.
In seiner Denkschrift auf Ludwig Börne legt H. den hier Z. 35f. folgenden Ausspruch: »Unbedingt liebe ich ihn nur bis zum achtzehnten
Brumaire« Börne in den Mund (vgl. Bd 4 dieser Ausg.). Ähnlich urteilt
H. dann auch in »Lutetia« (Bd 5). – 35 *achtzehnten Brumaire*: Am 18.
Brumaire (9. November) 1799 stürzte Napoleon das Direktorium, bildete eine Konsularregierung und trat als Erster Konsul an deren Spitze.

379　4 *Diebitsch*: Graf Hans Karl Friedrich Anton von Diebitsch-Sabal-
kanskij, russischer Feldmarschall, der sich im türkischen Feldzug her-
vortat. – 17f. *Kaiser Nikolas*: Nikolaus I. benutzte den Befreiungs-

krieg der Griechen gegen die türkische Herrschaft zu machtpolitischem Vorgehen gegen die Türkei. Zu der Äußerung, der glühendste Freund der Revolution sehe nur im Siege Rußlands das Heil der Welt und müsse den Kaiser Nikolas als den Gonfaloniere (Bannerträger) der Freiheit betrachten, ließ sich H. durch den russischen Diplomaten und Dichter Feodor Iwanowitsch Tjutschew hinreißen, mit dem er in München verkehrte. Er machte H. glauben, das zaristische Rußland sei ein Hort der Freiheit. Diesen schweren Irrtum bereute H. in seiner Einleitung zu »Kahldorf über den Adel«, S. 665f. Über Tjutschew und seine Beziehungen zu H. vgl. Hirths Kommentar in: Heine, Briefe. Bd 4, S. 185f. – 21 *George Canning:* englischer Staatsmann (seit 1822 Außen- und seit 1827 Premierminister), unterstützte im Zusammenhang seines Konzeptes einer europäischen Gleichgewichtspolitik die Freiheitsbestrebungen in Spanien, Südamerika und Griechenland und zog sich dadurch die Feindschaft der Konservativen (der Tories) zu. H. geht ausführlich auf Canning in den »Englischen Fragmenten« S. 560,6ff. ein.

385 4 *an Friedrich Schiller:* und sein Schauspiel »Die Verschwörung des Fiesko zu Genua«. – 24 *Die historische Schule zu München:* 1810 schlossen sich in Rom die »Nazarener«, eine Gruppe meist Münchner Maler unter Peter Cornelius und Overbeck, zusammen. Sie vereinigte eine katholisch-mittelalterliche Kunstauffassung mit reaktionärer politischer Haltung. – 34 *den dritten Landsmann:* Rubens war in Siegen geboren und in Köln aufgewachsen. Cornelius stammte wie H. aus Düsseldorf.

387 13 *zeichnen lernte:* H. erhielt zwar bei dem Bruder des bekannten Malers Peter Cornelius, bei Lambert Cornelius (1778–1823), damals Inspektor der Düsseldorfer Akademie, Zeichenunterricht, dennoch hat H. mit seiner Äußerung über Peter Cornelius recht, die allerdings ironisch zu verstehen ist. Eine Erklärung gibt Peter Cornelius selbst in einem Gespräch über Heine vom 19.3.1865: »Ich habe ihn auch einmal durchgeprügelt [...] Der Lambert ging immer um 11 Uhr aus der Akademie, um eine Stunde außer dem Hause zu geben, und da mußte ich Präceptor spielen. Neben der Elementarklasse war das Zimmer, wo ich stand und malte; es war, ich weiß es noch genau, ein Altarbild. Die Jungen aber, statt zu zeichnen, machten furchtbaren Lärm. Ich ging also hinein und verbot es ihnen, und so ging es eine Weile. Bald aber fingen sie noch viel ärger an. Ich stürzte also in die Klasse. In der linken Hand hielt ich die Palette wie Achilles seinen Schild, in der rechten hatte ich den Malstock, und packte mir nun den ersten, der mir in die Hände kam. Das war der Heine. Ich habe den Malstock auf ihm zerschlagen und ihn schwer geprügelt.« (Nach Herman Riegel: Peter Cornelius. Berlin 1883, S. 76 zitiert bei Josef Körner: Marginalien zu Heine. II. In: Modern Language Notes 54, 1939, S. 401).

DIE BÄDER VON LUCCA

DRUCKVORLAGE UND LESARTEN

Als Druckvorlage dient mit Walzel die 1. Aufl. der »Reisebilder« 3. Teil. Hamburg 1830. S. 215–410. Die späteren Auflagen (vgl. Tabelle S. 713 f.) verbessern die als »Errata« am Ende der 1. Aufl. angegebenen und weitere Druckfehler, so auch die Walzelsche und die vorliegende Ausgabe. Auf die Skizzen zu den »Reisebildern«, die unsere Ausgabe in der »Nachlese« (S. 622 und Lesarten S. 933) druckt, wird an den entsprechenden Stellen verwiesen.

400 34 Nach »Nixe.« vgl. Nachlese S. 622,7–23.

401 15 Nach »können.« vgl. Nachlese S. 622,24–623,13.

404 12 Nach »Bedienten.« vgl. Nachlese S. 623,14–624,2.

419 6 Die Lesart in R¹ »zur historischen Ausdeutung« wurde mit Walzel – entsprechend der französischen Ausgabe von 1834 (»vu que je penche toujours en mythologie du côté de l'interprétation philosophique«) – in »zur philosophischen Ausdeutung« umgewandelt, da nur so der folgende Passus verständlich ist. Walzel vermutet einen stehengebliebenen Fehler aus R¹.

420 25 Im Anschluß an Kap. VI vgl. Nachlese S. 624,3–9.

423 9 Zu »Gedichte?« vgl. Nachlese S. 624,10–26.

426 10 Im Anschluß an Kap. VIII vgl. Nachlese S. 624,27–629,15.

452 24 »Universität« ersetzt das in den »Errata« angegebene »Bibliothek« in R¹.

464 17 »antikatholischem« in R¹ »protestantischem«; die Änderung ist schon in den »Errata« angegeben.

469 21 »Nacht« in den »Errata« für »Themis« eingesetzt.

TEXTANMERKUNGEN

392 *Ich bin wie Weib dem Manne:* aus dem Ghasel VII der »Ghaselen. 2. Sammlung« 1821; Platen, Sämtliche Werke, hist.-krit. Ausg., hrsg. v. Max Koch und Erich Petzet, Leipzig 1910, Bd 3, S. 56:

> Ich bin wie Leib dem Geist, wie Geist dem Leibe dir;
> Ich bin wie Weib dem Mann, wie Mann dem Weibe dir;
> Wen darfst du lieben sonst, da von der Lippe weg
> Mit ew'gen Küssen ich den Tod vertreibe dir?
> Ich bin dir Rosenduft, dir Nachtigallensang,

Ich bin der Sonne Pfeil, des Mondes Scheibe dir;
Was willst du noch? was blickt die Sehnsucht noch umher?
Wirf alles, alles hin: du weißt, ich bleibe Dir!

(11. April 1821).

393 *Immermann:* Gegen ihn und H. richtete sich Platens Lustspiel »Der
romantische Ödipus«, das H. mit den »Bädern von Lucca« vergilt. Vgl.
die Entstehungsgeschichte und den Brief H.s an Immermann vom
17.11.1829, Nr. 274.

394 23 *Neu-Bedlam:* New-Bedlam und St. Luke's sind Irrenanstalten in
London.

395 19 *die armen –:* Diesen Gedankenstrich wie die in Zeile 20 und 22 und
S. 397,7 will H. in der 2. Aufl. durch das Wort »Flöhe« bzw. »Floh« ersetzt haben. Dies teilte er Campe am 8.9.1833 für die neue Auflage mit
und schreibt dazu: »Ich habe mich nämlich, als das Buch gedruckt
wurde, durch Merckels Prüderie verleiten lassen, die armen Flöhe aus-
zulassen; jetzt aber sollen sie wieder hineingesetzt werden.« Campe
ging offenbar aber auf diese punktuelle Äußerung H.s nicht ein und
ließ auch in der 2. Aufl. die Gedankenstriche stehen; H. hat sich dazu
nicht mehr geäußert, also entweder den ursprünglichen Druck doch
wieder akzeptiert oder seine Absicht vergessen.

397 7 *der große deutsche –:* Mit dem Gedankenstrich bzw. in ironischer Bre-
chung mit dem Wort »Floh« (vgl. die vorige Anm.) meint sich H. offenbar selbst. Er hatte sich schon im Gedicht XIII der »Heimkehr« als einen
der besten und bekanntesten deutschen Dichter selbst bezeichnet (vgl.
Bd 1, S. 115) und sich in »Ideen. Das Buch Le Grand« scherzhaft zu den
»großen Männern« gezählt (vgl. S. 286,28). – 13 f. *Gumpelino:* Zum Vorbild dient H. der Hamburger Bankier Lazarus Gumpel, ein Konkur-
rent seines Onkels Salomon Heine.

399 4 *Kean:* Über den Shakespeare-Darsteller Edmund Kean (1787–1833)
schreibt H. im »6. Brief über die französische Bühne« (Bd 3 dieser
Ausg.). – 17 f. *Wenn ich zu Pferde bin . . .:* Shakespeare, »Heinrich IV«,
1. Teil, II, 3.

401 20 *Hyazinth:* Nach Adolf Strodtmann (H. Heines Leben und Werke.
2. Aufl. Berlin 1873, Bd 1, S. 613 f.) soll als Vorbild der Hamburger
Lotteriebote Isaac Rocamora gedient haben, von dessen enormem Zah-
lengedächtnis und dessen biederer Ehrlichkeit H. beeindruckt war. – H.
schreibt am 3.1.1830 an Varnhagen: »Mein Hyazinth ist die erste aus-
geborene Gestalt, die ich jemals in Lebensgröße geschaffen habe. Sowohl im Lustspiel wie im Roman werde ich dergleichen weitere
Schöpfungen versuchen.« H.s Darstellung von Gumpelino und Hyazinth erinnert in ihren grotesk-komischen Zügen vielfach an Don
Quijote und Sancho Pansa. H. schätzte Cervantes' Roman; vgl. die

Beschreibung seiner Eindrücke bei der Lektüre des »Don Quijote« in »Die Stadt Lucca«, Kap. XVI und seine »Einleitung zu Don Quijote« (Bd 4 dieser Ausg.).

404 34 ff. *Schweigend, in der Abenddämmrung Schleier* . . .: Anfangsverse aus Friedrich Matthissons »Elegie«.

405 21 *ein zerrissener Mensch:* 1828 hat der im folgenden genannte Intendanturrat im preußischen Kriegsministerium und Verfasser von Erzählungen und Gedichten Wilhelm Neumann aus Anlaß einer Rezension von Karl Egon Eberts »Dichtungen« (2. Aufl. Prag 1828) von H. gesagt: »Heine stellt die Welt dar in ihrer modern übertünchten Gemeinheit, sein Herz von ihr verletzt und zerrissen, sich selbst hoch über beiden schwebend und mit dem Humor der Verzweiflung ihrer spottend. Diese Freiheit und Kraft, mit der er die Verdorbenheit und seine eigene Zerrissenheit schildert, diese Naivität des Lasters, diese Offenherzigkeit der Schuld, dieser lächelnde Humor unsittlicher Leiden im leichtesten Gewande einschmeichelnder poetischer Formen haben einen Reiz, den man sich ungern gesteht. [. . .] Manche haben bei Heine an Lord Byron erinnern wollen, gewiß zu seinem Nachteil, denn wenn auch der Brite in der Lebensansicht ihm nahe stehen mag, so hat er doch unendlich mehr von der Welt gesehen und ergriffen und ist, wenn auch nicht besser, doch unvergleichlich größer als er.« (Die Rezension ist abgedruckt in Wilhelm Neumann: Schriften. Teil 1. Leipzig 1835. S. 33–54, dort das Zitat S. 43 f.) – Schon in der »Nordsee. Dritte Abteilung« spricht H. von sich und seinen Zeitgenossen im Gegensatz zu Goethe: »denn wir, die wir meist alle krank sind, stecken viel zu sehr in unseren kranken, zerrissenen, romantischen Gefühlen« (S. 221, 7 ff.) und S. 215, 31 ff.: »eben dieser Meinungszwiespalt in mir selbst gibt mir wieder ein Bild von der Zerrissenheit der Denkweise unserer Zeit.« Daß der Ausdruck »Zerrissenheit« zum Modewort wurde, dokumentiert der Novellentitel »Die Zerrissenen« (1832) von Alexander v. Ungern-Sternberg. Zu H.s Verhältnis zu Byron vgl. Bd 1, S. 800 f. – H. ironisiert Wilhelm Neumanns Urteil über ihn, indem er dessen Worte gerade dem dumm-schwärmerischen Gumpelino in den Mund legt.

406 24 *Shelley:* Percy Busshe Shelley bezieht in seinem »Adonais. An Elegy on the Death of John Keats« das Bild von Aktäon (vgl. Anm. zu S. 228, 31) auf sein eigenes Dichtungsverständnis.

407 18 *Jarke:* Der Jurist Karl Ernst Jarcke, als Student in Bonn wie H. Burschenschaftler, seit 1825 Dozent an der dortigen Juristischen Fakultät, veröffentlichte 1827–1830 ein »Handbuch des gemeinen deutschen Strafrechts«. Er wurde während seiner Laufbahn zunehmend reaktionärer, konvertierte 1832 und arbeitete unter Metternich in der österreichischen Hof- und Staatskanzlei. – 26 *»Axur«:* Diese und die fol-

genden Verse stammen aus »Axur, rè d'Ormus«, Oper von Antonio
Salieri (1787), Text von Beaumarchais.

408 24 *Innamorata:* (ital.) Buhlerin, Geliebte.

409 20 *Mezzophante:* Giuseppe Mezzofanti, Professor für Sprachen, soll
gegen Ende seines Lebens 58 Sprachen beherrscht haben.

410 4 *Servituten eines echten Patito:* Pflichten eines echten Liebhabers. –
33 *Seladon:* der verliebte Hirte im französischen Schäferroman.

411 18 *Thibaut:* Anton Friedrich Justus Thibaut, Jurist, seit 1805 Professor
in Heidelberg. – 21 Zu *Gans* vgl. S. 20, 37 und Anm.

412 1 f. *Lemiere, Hoguet:* damals bekannte Tänzer der Berliner Oper, die
H. schon in der »Harzreise« erwähnt.

413 7 *di tanti palpiti:* Arie Tancreds aus Rossinis gleichnamiger Oper.

419 13 *Bethmann:* Der Frankfurter Bankier Simon Moritz Bethmann ließ
Danneckers Marmorplastik »Ariadne auf Naxos« in rötlicher Beleuchtung aufstellen, um eine lebendigere Wirkung zu erzielen.

422 7 *»Adam, wo bist du?«:* nach 1. Mos. 3,9; H. hyperbolisiert die Geliebte
ironisch zum Schöpfergott.

424 36 *der hochherzige Brite:* Gemeint ist der Chef des Londoner Bank-
hauses Nathan Mayer von Rothschild, in dessen Haus H. 1827 auf
Empfehlung seines Onkels Salomon verkehrte.

425 15 *Kinderball:* Die folgende Darstellung ist als verschlüsselte Parodie
zu verstehen auf die Zustände der europäischen Politik und Finanzen
und auf die Rolle, die die Rothschild-Dynastie dabei spielt. Ob H. tatsächlich ein bestimmtes historisches Ereignis zugrunde legt, ist ungewiß. Josef Körner (Marginalien, S. 402–407) und Herman Salinger
(Monatshefte für Deutschen Unterricht 34, 1942, S. 145–152) vermuten
den Kongreß von Verona 1822, der besonders auch als gesellschaftliches
Ereignis zu seiner Zeit in ganz Europa Aufsehen erregte und auf welchem die Rothschilds, besonders Salomon, einträgliche Geschäfte mit
den europäischen Herrscherhäusern machten. Die einzelnen Anspielungen sind nicht eindeutig, etwa die Beziehung der Orden auf bestimmte Länder. Von den Kindern spielt wohl »der kleine mit dem weißen Rock und den roten Hosen« Österreich, d.h. Kaiser Franz, »das
dicke Kind, das in weißen Atlas mit echten silbernen Lilien gewickelt
war« Frankreich, genauer vermutlich Ludwig XVIII. Am meisten Mühe
macht der Forschung »Vetter Michel«: zu denken wäre an den deutschen Michel, also Preußen; Körner versucht den Namen mit Dom
Miguel zu erklären, dem portugiesischen Reaktionsführer und Kron-
prätendenten, der in Wien in der Verbannung lebte, von Metternich
protegiert wurde und in Europa viel Unruhe stiftete. H. kommt in der
»Einleitung zu ›Kahldorf über den Adel‹« (S. 667, 4 ff.) direkt auf Dom
Miguel, den »gekrönten Wicht« zu sprechen. Der Nachweis Salingers,

daß mit »Vetter Michel« Rußland gemeint sein muß, weil es sonst auf dem Ball fehlen würde, ist reine Konstruktion und mißachtet vor allem die Tatsache, daß Salomon Rothschild Rußland gerade in Verona eine hohe Anleihe gab (vgl. Körner).

428   5 *Johann v. Viehesel:* Verballhornung des Namens Fra Giovanni da Fiesole = Fra Angelico. H. kannte gewiß A.W. Schlegels Aufsatz »Johann von Fiesole« (1817).

430   2f. *Mosaik-Gottesdienst:* Hyazinthos meint den mosaischen Tempel-Gottesdienst, die 1816 vom »Tempelverein« in Hamburg durchgeführte Reform des israelitischen Gottesdienstes. – 22 *Sahl:* (niederdt.) Flur.

431   32f. *Das Auge sieht . . .:* Schillers »Lied von der Glocke«, V. 76f.

434   4 *Gudel:* vgl. das Gedicht »Hoffahrt« (»O Gräfin Gudel von Gudel-feld . . .«) in »Neue Gedichte«, Bd 4 dieser Ausg.).

440   8 *Candide:* vgl. Voltaire: »Candide ou l'optimisme«, Kap. 17.

444   6ff. *Nicht Mädchenlaunen . . .:* 2. Quartett aus Platens Sonett »Shakespeare in seinen Sonetten« (Platen, Koch-Petzet, Bd 3, S. 161). – 29ff. *Der Hoffnung Schaumgebäude . . .:* »Neue Ghaselen« II, ebd. S. 104.

445   28 liebend *»die Lende« des Freundes:* »Denn liebend schlingt mein Arm um deine Lende sich;« (ebd. XXXII, V. 2, S. 120). – 29 *Neider«:* ebd. LIV, V. 1f., S. 202. – 33f. *»Nicht eine Silbe soll dein Ohr erschrecken«:* »Sonette. 1. Sammlung«, IX, V. 14, ebd. S. 165. – 35ff. *»Mein Wunsch . . .«:* »Sonette. 1. Sammlung«, XV, 2. Terzett, ebd. S. 168.

446   38f. *im Zuchthaus zu Odensee:* H.s Angabe im Brief vom 26.12.1829 an Immermann: »Der Dieb, der in Odensee im Zuchthaus sitzt, – ist ein Graf Platen« ist nach Rudolf Schlösser: August Graf von Platen. München 1910, Bd 2, S. 222f. und 530f. falsch. Im Zuchthaus von Odensee befand sich zu dieser Zeit kein Häftling namens Platen. H.s Schwager Moritz Emden soll diese Geschichte erfunden und H. erzählt haben (vgl. Heine: Briefe. Bd IV, S. 219).

450   9 *Schmalz:* vgl. Anm. zu S. 272,33.

451   10 *Doktor Lautenbacher:* Ignaz Lautenbacher war wie H. Mitarbeiter an den »Neuen allgemeinen politischen Annalen« und unterstützte deren Kampf gegen die Angriffe der konservativ-katholischen Zeitschrift »Eos«. – 29ff. *»Deine blonde Jugend, süßer Knabe . . .«:* »Sonette, 1. Sammlung« LIII, V. 3–8. Platen, Koch-Petzet, Bd 3, S. 202. – 36f. *der Schatten eines Lorbeerblattes:* Vgl. »Sonette. 1. Sammlung« XLIII, 2. Terzett:

> »Sonst würd' ich sagen, daß auf diese glatte,
> Noch junge Stirn, mit ungewissem Zittern,
> Der Schatten fällt von einem Lorbeerblatte.«

452   21 *»Du bist ein nüchterner, modester Junge«:* Aus dem Sonett »Wahrheit und Dichtung« in Immermanns Satire auf Platen »Der im Irrgarten der

Metrik umhertaumelnde Cavalier. Eine litterarische Tragödie«. Hamburg 1829, S. 34. – 23 *Lustren:* Lustrum = Zeitraum von 5 Jahren. – 33 *Gruithuisen:* Franz von Paula, Astronom und Naturforscher, seit 1826 Professor der Astronomie an der Universität München. – 36 *Don Platen de Collibrados:* Don Ranuco de Colibrados, ein adelsstolzer Hungerleider, ist der Held des gleichnamigen Lustspiels von Ludwig von Holberg.

453 1 *»Lyrische Blätter«:* Leipzig 1821. – 4 f. *dramatisierte Märchen:* »Schauspiele von Aug. Graf von Platen-Hallermünde, 1. Bändchen«, Erlangen 1824 (enthielt »Der gläserne Pantoffel« und »Berengar«). – 10 *gegen Müllner:* war Platens Lustspiel »Die verhängnisvolle Gabel« (1826) gerichtet. Örindur ist der Held von Müllners Schicksalstragödie »Die Schuld«.

454 4 f. *metrischen Verdienste des Grafen:* An Immermann schreibt H. (25. 4. 1830), daß er die metrischen Verdienste Platens nur »aus Perfidie«, »der scheinbaren Gerechtigkeitsliebe wegen« habe gelten lassen und urteilt weiter: »Auch die Metrik hat ihre Ursprünglichkeiten, die nur aus wahrhaft poetischer Stimmung hervortreten, und die man nicht nachahmen kann.« – 35 *»große Tat in Worten«:* »Eher nicht an eure Herzen klopf' ich an, an eure Pforten, / Bis das Schönste nicht getan ich, eine große Tat in Worten«, (»Antwort an den Unbekannten«, V. 39 bis 40. Platen, Koch-Petzet, Bd 2, S. 122).

455 13 *Clauren:* In der »Parabase« nach dem 1. Akt des »Romantischen Ödipus« schreibt Platen über den Zustand der in Deutschland herrschenden Dichtkunst: »Wo ein Clauren sogar Reichtum sich erschreibt, als wär's ein gewaltiger Byron!« – 14 *eine einzige Xenie des Tadels:* Vgl. Immermanns Verse im Anhang der »Nordsee. Dritte Abteilung«. – 20 *zu deren Drittem:* Am Schluß des »Romantischen Ödipus« heißt es V. 1655–1658:

> »Keusch lehnt Klopstock an dem Lilienstab, und um Goethes erleuchtete Stirne
> Glühn Rosen im Kranz: Kühn wäre der Wunsch, zu ersingen verwandte Belohnung!
> Ansprüchen entsagt gern unser Poet, Ansprüchen an euch! An die Zukunft
> Nicht völlig, und stets wird löblicher Tat auch löblicher Lohn in der Zukunft!«

– 21 *Ramler:* H.s Vergleich Platens mit Ramler ist besonders boshaft; denn 1823 gab Platen seinem »Gläsernen Pantoffel« einen »Historischen Anhang«, in welchem er die moralisierende Kritik der älteren Generation, in seinem Fall die des Majors Knebel, in einem Gedicht mit dem Titel »Klagen eines Ramlerianers« und der »Antwort« lächerlich machte.

(Vgl. Platen, Koch-Petzet, Bd 9, S. 169–174). – 29 *Lessing:* Er ließ sich
von Ramler bei seinen eigenen Gedichten und beim »Nathan« metrisch
beraten. – 31 *A. W. v. Schlegel:* Vgl. Anm. zu S. 243,27f.

456 16 »*Sitzfleisch*«: In dem Brief H.s an Immermann vom 25.4.1830 über
dessen »Tulifäntchen« heißt es : »Wenigstens neben den metrischen Mängeln enthält es auch *metrische Vortrefflichkeiten*, die aus der Seele, dem
Ursitz der Metrik, hervorgegangen sind, die kein Graf Platen mit all
seinem Sitzfleisch (dem Aftersitz der Metrik) hervordrechseln könnte.«
(Vgl. weiter Anm. zu S. 454,4f.) – 23 f. *Wasischtas Kuh:* heilige Kuh, die
in dem indischen Epos »Mahâbhârata« eine Rolle spielt. Vgl. die »Heimkehr« XLV, Bd 1, S. 130 und Anm. S. 730f. – 25 f. *in den Berliner »Jahr-
büchern für wissenschaftliche Kritik«:* begründet von Schülern Hegels;
Ludwig Robert rezensierte dort 1829 (Bd 1, S. 601) Platens Gedichte.
In der Rezension heißt es z.B.: »Sicherlich sind solche Freundschaften,
da sie sich der Welt so offenkundig, so unbefangen zeigen, sicherlich
sind sie heilig und rein; aber die fieberische Art, mit welcher sich dieses
Freundschaftsgefühl ausdrückt, erhebt das Herz nicht, empört es. Der
Anblick der ekelhaftesten Mißgeburt kann nicht widerlicher sein als in
diesen schönen Versen das glühende Körperlob der Jünglinge, dieses
für sie kraftlose Schmachten, diese Eifersüchtelei, dieses jammervolle
Verschmähtsein, diese unweibliche Weibheit im Gefühle der Freundschaft!!« – 30 f. »*Aus dem Journal eines Lesers*«: Dieser Aufsatz zur Verteidigung gegen L. Robert im »Morgenblatt« vom 21.11.1829 stammt
von Platens Freund Georg Friedrich Puchta.

457 11 f. *cuncta denique . . . :* Tacitus, »Annalen«, Lib. 15, Kap. 37 (⟩. . . man
sah schließlich alles, was sogar, wenn es sich um eine Frau handelt, die
Nacht verhüllt⟨).

458 6 ff. »*Du liebst und schweigst . . .*«: »Sonette. 1. Sammlung« XLII, V. 1–8.
Platen, Koch-Petzet, Bd 3, S. 196. – 25 *Adler des Gesanges:* Goethe (nach
Körner: Marginalien S. 407). Vgl. »Die Stadt Lucca«, S. 482,29 und Anm.

460 6 *Iliaden und Odysseen:* In Platens Gedicht »Antwort an einen Unge-
nannten« heißt es:

> »Laß mich Odysseen erfinden, schweifend an Homers Gestaden,
> Bald, in voller Waffenrüstung, folgen ihnen Iliaden.« (V. 29–30)

Platen, Koch-Petzet, Bd 2, S. 121.

461 28 »*Ich bin es, ich bin der Poet*«: »Der romantische Ödipus«, 1. Akt, V.
227–229:

> »Als ihn des Bezirks Landpfleger gefragt : ⟩Sprich! Bist du der König
> der Juden?⟨
> Nicht leugnete Der es bescheiden hinweg, er erwiderte ruhig : ⟩Du
> sagst es.⟨
> Euch sagt der Poet : ⟩Das bin ich . . .⟨«

462 13 ff. »*Du, der du sprangst . . .*«: aus Immermanns Sonett »Frühe Vollendung« in »Der im Irrgarten der Metrik umhertaumelnde Cavalier«,
S. 33. – 28 *Ruffiano:* Kuppler, Zuhälter. – 37 f. *Anfälle von Katholizismus:* »Wenn Cotta mir nicht fortwährend hilft, [. . .] so werde ich ka-
tholisch und mache mich zum Pfaffen, wie Winkelmann.« (Brief Platens vom 2.12.1826 an Fugger). Ähnliche nicht ernst gemeinte Äußerungen von Platen wurden bekannt.

463 11 *Pfaffenblättern:* In der katholischen und antisemitischen Zeitschrift
»Eos. Münchner Blätter für Poesie, Literatur und Kunst« erschien am
23. und 25. August 1828 (Nr. 135 und 136) eine lobende Besprechung
der Platenschen Gedichte. In derselben Zeitschrift vom 18.8.1828 (Jg.
12), Nr. 132 (S. 529–531) wurde H. von Ignaz Döllinger diffamiert:

> *Die neuen politischen Annalen und einer ihrer Herausgeber*
>
> *Die allgemeinen politischen Annalen,* ein alter Verlagsartikel des Herrn
> Cotta, sind in neuerer Zeit durch allerlei Hände gegangen. Der Hr. Ver-
> leger fand, daß ein solches Journal sich immer auf der Höhe des Zeit-
> alters halten müsse, und übergab daher, als in Deutschland der Liberalis-
> mus in seiner plumpsten Gestalt stark in die Mode kam, die Redaktion
> desselben einem Hofrat *Murhard,* der dann auch Sorge trug, daß sein
> Pflegekind in den Farben des *Constitutionnel* und des *Courier Français*
> prangte. Das ließ sich indeß nicht sehr lange fortführen; wenn man auch
> in Schwaben, wo sich der Liberalismus ganz besonderer Protektionen
> erfreute, ihn noch eine Zeit lang mit gewohnter Derbheit und unbe-
> hülflicher Rohheit trieb; – im größten Teil des übrigen Deutschlands
> kam er bald wieder aus der Mode, und Hr. *Cotta* fand daher für gut,
> seinem Journal andre Redakteurs auszusuchen, welche wenigstens im
> Stande wären, die alte Schlange in einer zeitgemäßern, etwas verhüllen-
> den Dekoration vorzuführen, so daß sie doch mit Ehren auch in besserer
> Gesellschaft, unter Diplomaten u. dgl. erscheinen könnte. Es kam zu-
> nächst in die Hände eines Ungenannten, der, ohne alle feste Gesinnung,
> das Redaktionsgeschäft wie ein ehrsames Handwerk trieb. Auf diese
> arme Seele ist kürzlich ein Zwillingspaar gefolgt, Herr *Heine* und Herr
> *Lindner,* welche sich's gegenwärtig ernstlich angelegen sein lassen, die
> *Annalen* zu einer politisch-geistigen Puissance zu erheben. Über Herrn
> *Lindner* enthalten wir uns für diesmal alles Urteils; wenn er, wie allge-
> mein behauptet wird, der Verfasser des *Manuskripts aus Süddeutschland*
> ist, so hat er sich dadurch zur Genüge charakterisiert. Hr. *Heine* ist
> kürzlich als Dichter aufgetreten mit einer ansehnlichen Sammlung von
> Reimereien, die er, mit Prosa untermischt, unter dem Titel *Reisebilder*
> herausgegeben hat. In diesen Bildern ist denn auch T. 1. Folgendes zu
> finden:

»An der Wand hing – eine Madonna, so schön, so lieblich, so hingebend fromm, daß ich das Original, das dem Maler dazu gesessen hat, aufsuchen, und zu meinem Weibe machen möchte. Freilich, sobald ich mal mit dieser Madonna verheiratet wäre, würde ich sie bitten, allen ferneren Umgang mit dem heiligen Geist aufzugeben, indem es mir gar nicht lieb sein möchte, wenn mein Kopf durch Vermittlung meiner Frau einen Heiligenschein oder irgend eine andere Verzierung gewönne.« [Diesen Passus aus der »Harzreise« hat Heine in R 2 gestrichen; vgl. Lesarten S. 748 zu S. 110,29.]

Wie zart und geschmackvoll! und zugleich welche edle Dreistigkeit, welch kühner Freimut! Während andere seiner Stammesgenossen ihre israelitische Abkunft sorgfältig zu verbergen suchen, gibt sich unser Herr Politiker ganz unverhohlen als Juden zu erkennen, und wählt für dieses sein Bekenntnis das passendste Vehikel: Lästerung dessen, was dem Christen das Heiligste ist.

Man sieht, Hr. Cotta weiß seine Leute zu wählen, und Hr. Heine besitzt doch wenigstens die erste, einem politischen Schriftsteller des Tags notwendige Eigenschaft: Frechheit und Unverschämtheit. *)

Er ist indessen nicht so ganz Jude, daß er nicht auch an den heiligen Geist glaubte, nämlich an den, der, wie es heißt, die *Zwingherrnburgen* zerbrach, und das alte Recht erneut, daß alle Menschen, gleichgeboren, ein adeliges Geschlecht seien. Dieser neuentdeckte heilige Geist hat, wie ebendaselbst zu lesen ist, seine wohlgewappneten Ritter, unter die sich auch Hr. Heine zählt. Wir geben ihm indessen zu bedenken, ob er bei einer solchen allgemeinen Baronisierung des ganzen Menschengeschlechts, vom Hottentotten an bis hinauf zu den Monarchen-Familien Europa's, wirklich etwas gewinnen dürfte; denn *sein* Stammbaum, der schnurgerade bis auf Abraham zurückführt, ist ja doch begreiflich viel älter, als der des ersten Barons in der Christenheit.

Es versteht sich nun, daß unser Ritter vom heiligen Geist auch den politischen Annalen diesen seinen Geist einhaucht; als Probe sehe man nur seine Rezension von *Menzels* Buch über die deutsche Literatur [Bd 1, S. 444–456] darin findet sich S. 452 f. Folgendes:

»Das Thema des Protestantismus führt uns auf dessen würdigen Verfechter, Johann Heinrich *Voß*, den Herr *Menzel* bei jeder Gelegenheit mit den härtesten Worten und durch die bittersten Zusammenstellungen verunglimpft. Hierüber können wir nicht bestimmt genug unsern Tadel aussprechen. Wenn der Verf. unsern seligen Voß einen »*ungeschlachten niedersächsischen Bauer*« nennt, sollten wir fast auf den Argwohn geraten, er neige selber zu der Partei jener Ritterlinge und Pfaffen, wo-

*) Man hat uns gesagt, Hr. Heine sei zum Christentume übergetreten; die angeführte Stelle beweist aber augenscheinlich das Gegenteil.

gegen Voß so wacker gekämpft hat. Jene Partei ist zu mächtig, als daß man mit einem zarten Galanteriedegen gegen sie kämpfen könnte, und wir bedurften eines ungeschlachten niedersächsischen Bauers, der das alte Schlachtschwert aus der Zeit des Bauernkrieges wieder hervorgrub, und damit loshieb. Hr. Menzel hat vielleicht nie gefühlt, wie tief ein ungeschlachtes niedersächsisches Bauernherz verwundet werden kann, von dem freundschaftlichen Stich einer feinen glatten *hochadeligen* Viper, – die Götter haben gewiß Hrn. Menzel vor solchen Gefühlen bewahrt, sonst würde er die Herbheit der Vossischen Schriften nur in den Tatsachen finden, nicht in den Worten. Es mag wahr sein, daß Voß, in seinem protestantischen Eifer, die Bilderstürmerei etwas zu weit trieb. Aber man bedenke, daß die Kirche jetzt überall die Verbündete der Aristokratie ist, und sogar von ihr hie und da besoldet wird. Die Kirche, einst die herrschende Dame, vor welcher die Ritter ihre Kniee beugten, und zu deren Ehre sie mit dem ganzen Orient turnierten, jene Kirche ist schwach und alt geworden, sie möchte sich jetzt eben diesen Rittern als dienende Amme verdingen, und verspricht mit ihren Liedern die Völker in den Schlaf zu lullen, damit man die Schlafenden leichter fesseln und scheren könne.«

Daß Hr. Heine *Voßens* Partie nimmt, ist in der Ordnung; er hat das mit seinen übrigen Stammesgenossen gemein; denn es ist kein Zweifel, daß sämtliche Juden in den vier Weltteilen, über den Streitpunkt gehörig unterrichtet, sich sogleich und unbedenklich für *Voß* und gegen *Stolberg* erklären würden; es beweist das eben auch für die Güte der Voßischen Sache. Bei Herrn Heine kommt noch, um mich seines Ausdrucks zu bedienen, die spezielle Malice hinzu, die er, als Ritter vom gleichmachenden heiligen Geiste, auf den Adel hat, und die ihn natürlich bestimmt, dem bürgerlichen Voß gegen den adeligen Stolberg Recht zu geben.

Dabei hat die Sympathie, welche er für den tiefen Schmerz des verstorbenen Voß fühlt, etwas wahrhaft Rührendes; Menzel, meint er, möge den Göttern danken, daß er noch nie solche Erfahrungen gemacht; er – Herr Heine – wisse leider nur zu gut, wie wehe der Stich einer solchen hochadeligen Viper tue. Aber – wie in aller Welt mag nur Herr Heine in so nahe Berührung mit einer hochadeligen Viper gekommen sein?

Wir sollten denken, zwischen ihm und dem hohen Adel müsse noch wenig Verkehr stattgefunden haben. Hat ihm vielleicht ein Edelmann auf einem Balle auf den Fuß getreten, oder ihm eine Unverschämtheit etwas derb verwiesen? oder fühlt sich der Ritter schon dadurch gekränkt, daß die Aristokratie der alten christlichen Familien sich gegen den neuen jüdischen Geldadel so spröde und zurückhaltend bezeigt?

Die Kirche soll – so versichert Herr Heine – von der Aristokratie, wenigstens hie und da besoldet sein. Die Kirche befindet sich also gegen den Adel etwa in demselben Verhältnisse, in welchem Hr. Heine zu Hrn. Cotta steht. Für seine Fassungskraft ist freilich diese Erklärung die natürlichste; Bezahlen – was könnte es für Leute, die den Glauben an die Allmacht des Geldes mit der Muttermilch eingesogen, Einleuchtenderes geben? Möge Herr Heine sich bald auch in dem Fache der Geschichte versuchen, – er hat den Schlüssel zu allen großen Begebenheiten der Mit- und Vorzeit gefunden.

Wer sich aber eigentlich von den Adeligen bezahlen lasse, ob die Pfarrer und die armen Kapläne, oder die Bischöfe oder gar der Papst selbst, – darüber schweigt Herr Heine, wir erwarten seine näheren Aufschlüsse. Traurig ist die Sache in der Tat; man denke nur an die möglichen Folgen; am Ende könnte es gar noch der Judenschaft, mit dem Hause Rothschild und Comp. voran, einfallen die Geistlichkeit in ihren Sold zu nehmen; die Mittel dazu hätten sie, und zwar prompter noch und klingender als der Adel, – wehe dann dem Christentum!

Herrn Cotta's längst bewährte Klugheit zeigt sich übrigens auch darin, daß er sich in jetziger Zeit, wo die drei Prozent, die Anleihen und das Haus Rothschild eine so bedeutende Rolle in der Politik spielen, einen Juden zum Redakteur seines politischen Journals ausgesucht hat. Mit seiner angebornen Antipathie gegen die alten Elemente der Staaten: Klerus, Adel, Bürger- und Bauernstand, und mit seinem gleichfalls angebornen Talent für die alles beherrschenden finanziellen Verhältnisse kann Hr. Heine mit der Zeit noch aus einem theoretischen und schreibenden ein tüchtiger praktischer Politikus werden.

464 29 f. *Luther, Lessing und Voß:* werden auch in der »Romantischen Schule« und »Zur Geschichte der Religion und Philosophie in Deutschland« (Bd 3 dieser Ausg.) der katholisierenden Richtung der Romantik entgegengehalten.

465 1 *Jahrgehalt:* Tatsächlich bezog Platen zu dieser Zeit das halbe Gehalt als beurlaubter Offizier und zusätzlich 500 Gulden als außerordentliches Mitglied der Münchner Akademie, also nicht aus der Privatkasse des Königs. Vgl. dazu auch H.s Brief an Immermann vom 26.12.1829.

466 5 *Dichter:* Aristophanes, vgl. H.s Brief an Friederike Robert vom 12.10.1825.

467 1 f. *»Krätze . . .«:* »Der romantische Ödipus«, V. 1038–1040; gegen Houwald V. 1019–1026; gegen Müllner V. 209; gegen Raupach V. 1003–1010. Zu diesen Dramatikern vgl. Immermanns »Xenien«, S. 241,19 ff. und Anm.

468 36 f. *Ja, gleichwie Nero . . .«:* »Der romantische Ödipus«, V. 1477–1478.

470 4 f. *Ach! sie fressen . . . :* »Don Quixote«, Bd II, Kap. 33.

Zur Entstehung

Von dem Plan zu einem vierten Teil der »Reisebilder« hören wir das erste Mal in einem Brief an Varnhagen vom 16.6.1830, als Heine dabei ist, die bisherigen Bände zu überarbeiten, von denen dann auch der erste Teil 1830 in zweiter Auflage erschien. Heine lebt – unterbrochen von einem Sommeraufenthalt auf Helgoland, wo ihn die Nachricht von der Julirevolution in Paris erreicht – seit Ende September 1829 in Hamburg. Er leidet noch unter den Nachwirkungen der Platen-Polemik, genießt aber gleichzeitig seine literarischen Erfolge im Kreise von Freunden und bekannten liberalen Persönlichkeiten in Hamburg: Johann Peter Lyser, Ludolf Wienbarg, August Lewald, David Assur Assing, Baron von Maltitz, Albert Gottlieb Methfessel und anderen; gewinnt durch sie Anregung und Zerstreuung im gesellschaftlichen Leben der Stadt und hofft, trotz der Kritik, der er ausgesetzt ist, in Deutschland eine bürgerliche Anstellung zu finden. Auch aus diesem Grunde spielt er wohl mit dem Gedanken, in einer zweiten Auflage des dritten Teils der »Reisebilder« die Angriffe gegen Platen zu unterdrücken.

Mit »Darstellungen aus England«, also mit den nach seiner England-Reise (im Sommer 1827) in Cottas Zeitschriften »Neue allgemeine politische Annalen«, »Morgenblatt« und »Ausland« 1828 und 1829 veröffentlichten Artikeln, gedenkt er in der Neuauflage des zweiten »Reisebilder«-Bandes die Gedichte der »Nordsee. Zweite Abteilung« und die »Briefe aus Berlin« zu ersetzen.

Da indessen außer den Aufsätzen über England noch Material von der Italien-Reise vorhanden ist, zum Teil bereits veröffentlicht (im »Morgenblatt«, 6. November 1829; vgl. die Lesarten zu »Die Stadt Lucca« S. 897), zum Teil bereits vielleicht niedergeschrieben, anderes noch in gedanklicher Konzeption, entschließt sich Heine zu einem eigenen Band und füllt die Lücke im zweiten Teil der »Reisebilder« in der neuen Auflage mit den Gedichten des »Neuen Frühlings« (Vgl. Bd 4). Nach dem Erfolg der ersten drei Bände mögen auch merkantile Erwägungen zu einem vierten Teil beigetragen haben. Außerdem verlangten die Handlungsfäden der bisherigen Italien-Berichte nach einer Fortsetzung: In den »Bädern von Lucca« war die Handlung unter dem Gewicht der beiden Platen-Kapitel förmlich abgebrochen, doch zuvor hatte sich Heine an den Leser mit den Worten

gewandt: »Ich will Dir nächstens etwas Besseres schreiben, und wenn wir in
einem folgenden Buche, in der Stadt Lucca, wieder mit Mathilden und
Franscheska zusammentreffen, so sollen Dich die lieben Bilder viel anmutiger ergötzen, als gegenwärtiges Kapitel und gar die folgenden.« (S. 426).
Auch eine der Skizzen zu der »Reise von München nach Genua« enthält
schon eine erste Fassung zu einem Teil des späteren Kapitels X der »Stadt
Lucca« und beweist damit, wie die Italien-Berichte innerlich zusammen-
hängen.

Der neue Band erschien im Dezember 1830 mit der Jahreszahl 1831 unter
dem Titel

Nachträge zu den Reisebildern von H. Heine. Hamburg 1831.
Bei Hoffmann und Campe. (Italien III. Die Stadt Lucca.
Englische Fragmente. 1828.)

An Varnhagen, dem Heine am 19.11.1830 von seinem neuen Buch berichtet, heißt es: »In der ersten Hälfte sind etwa drei Bogen schon alt; in der
zweiten Hälfte ist nur der Schlußaufsatz neu.« Daraus geht hervor, daß
Heine von der ersten Hälfte des Bandes, also der »Stadt Lucca« außer den
beiden Anfangskapiteln, die im »Morgenblatt« abgedruckt waren (vgl.
Lesarten, S. 897) auch anderes schon vor längerer Zeit geschrieben haben
mußte. Vermutlich befinden sich innerhalb dieser alten drei Bogen Teile der
übrigen Kapitel der späteren »Stadt Lucca« mit den Themen Religionsfrei-
heit und Staatsreligion, die Heine von Cottas Redaktion zurückbekommen
oder gar nicht erst hingeschickt hatte, da sie nicht imstande waren, »den
milden Ton des Morgenblatts zu treffen« (vgl. Brief an Cotta vom 14.12.
1829 und die Entstehungsgeschichte zum dritten Teil der »Reisebilder«,
S. 824ff.)

Ein großer Teil der »Stadt Lucca« war also schon seit längerer Zeit ge-
schrieben und gehört in den Zusammenhang des dritten, italienischen
»Reisebilder«-Bandes; und ebenso scheinen die »Englischen Fragmente« mit
Ausnahme des um der Zensur willen erst kurz vor Veröffentlichung des
Bandes geschriebenen »Schlußworts« (vgl. die Anmerkung zu S. 602) in die
noch weiter zurückliegende Zeit vor Heines England-Aufenthalt zu reichen.
Das bestätigen der Titel »Nachträge« und Heines Vorwort, in dem er das
Vorliegende »als den Abschluß einer Lebensperiode« bezeichnet, »der zugleich mit dem Abschluß einer Weltperiode zusammentrifft.« Damit mar-
kiert Heine einen deutlichen Einschnitt in seinem privaten und im öffentlichen Leben. Unter dem Eindruck der Julirevolution, die sich auch schon
auf einige deutsche Staaten ausdehnte, hält er es jetzt mehr als zuvor für
seine Pflicht, seine literarischen Fähigkeiten von persönlichen Interessen zu
lösen und sie ganz in den Dienst der Publizistik und Politik zu stellen.
Gleichzeitig hält er nach der Julirevolution in Paris die Epoche der Restaura-

tion für beendet und sieht die Zeit der revolutionären Auseinandersetzung auch mit den deutschen Zuständen im staatlichen und gesellschaftlichen Leben gekommen.

Heines Gedanken zielen also bereits nach vorwärts und deuten auf das politische Programm seiner Schriften in den kommenden Pariser Jahren. Sind aber die beiden Teile des vierten »Reisebilder«-Bandes dann wirklich nur »Nachträge«, Reste einer vergangenen, überwundenen »Lebensperiode«?

Der Brief an Varnhagen vom 19.11.1830 läßt den Charakter dieses Buches deutlicher erkennen. Heine nennt es im Zusammenhang mit seinen Eindrücken von der Revolution »ein zeitbeförderndes Büchlein« und schreibt dazu: »Sie werden sich nicht täuschen lassen durch meine politische Vorrede und Nachrede, worin ich glauben mache, daß das Buch ganz von früherem Datum sei. [. . .] Das Buch ist vorsätzlich so einseitig. Ich weiß sehr gut, daß die Revolution alle sozialen Interessen umfaßt, und Adel und Kirche nicht ihre einzigen Feinde sind. Aber ich habe, zur Faßlichkeit, die letzteren als die einzig verbündeten Feinde dargestellt, damit sich der Ankampf konsolidiere. Ich selbst hasse die aristocratie bourgeoise noch weit mehr. – Wenn mein Buch dazu beiträgt, in Deutschland, wo man stockreligiös ist, die Gefühle in Religionsmaterien zu emanzipieren, so will ich mich freuen, und das Leid, das mir durch das Geschrei der Frommen bevorsteht, gern ertragen. Ach! trage ich doch noch schlimmere Dinge!« Den aktuellen Charakter unterstreicht auch ein Brief an Carl Herloßsohn aus denselben Tagen: »Der Deutsche merkt wohl das Bündnis der Klerisei mit der Aristokratie, aber wenn er auch wünscht, daß man die Wechsler und Taubenkrämer aus dem Tempel hinauspeitsche, so wird er doch verdammt ungehalten, wenn er sieht, daß man bei dieser Gelegenheit hie und da ein Heiligenbildchen verletzt – was doch so leicht geschieht, wenn die Peitsche groß ist und der Zorn noch größer. Vielleicht kommt Ihnen nächstens ein Buch von mir zu Gesicht, worin ich die Publikumsgefühle etwas unsanft streichle, ganz gegen den Strich, und Sie merken dann, was ich oben sagen wollte, und merken auch, daß es mir um die Gunst des Publikums nicht eigentlich zu tun ist. [. . .] es kommt die Zeit, wo der deutsche Michel einsehen wird, daß die Religionsinteressen ein Landesunglück sind, und daß es heilsam wäre, wenn sie samt und sonders im Indifferentismus ersöffen.« (16.11.1830)

Wir sehen deutlich, daß der neue »Reisebilder«-Band tatsächlich ganz und gar nicht in die Vergangenheit weist, sondern auf die Gegenwart, oder besser auf die Zukunft der politischen Verhältnisse zielt, »ist ja das ganze Buch aus der Zeitnot hervorgegangen«, sagt Heine im »Schlußwort«. Die Themen der früheren »Reisebilder«, Kritik an Adel, Religion und Kirche, werden fortgeführt und radikalisiert. Heines Hauptangriff richtet sich in der »Stadt Lucca« gegen die Staatskirche, jene fatale Verbindung von Thron und Altar in der Restaurationszeit, die – nicht nur in Italien – sich gegenseitig schützend liberale Ideen bekämpfen und niederwerfen. Dabei kritisiert er nicht den Katholizismus allein, sondern wendet sich auch gegen Protestantismus und Judentum; er verurteilt jedes »Monopolsystem« der Religionen und tritt ein für »freie Konkurrenz«. Sein Ton ist dabei oft schärfer, die Kritik an den Mißständen direkter als zuvor. Hatte er vorher Emanzipation zum Ziel, so geht er jetzt über zur offenen Revolution, besonders in der »Späteren Nachschrift«, verfaßt im November 1830, also im Zuge der Ereignisse in Paris. Sein Italien-Bericht mündet unmittelbar in die Gegenwart ein mit dem Freiheitsruf »Aux armes citoyens!« Sein Interesse an Italien wird abgelöst durch die Anteilnahme an den französischen Unruhen.

Dieselbe Wendung ist in den »Englischen Fragmenten« sichtbar. Die zahlreichen Einzelbeobachtungen in Heines ehemaligen Zeitschriftenartikeln über England – das Thema England war zu dieser Zeit aktuell und wurde häufig auch in anderen Zeitschriften, besonders in Cottas »Das Ausland«, behandelt – vermitteln in ihrer Zusammenstellung ein mosaikartiges Bild von den Zuständen des englischen Staates, der parlamentarischen Regierung, dem Rechtswesen, dem Staatshaushalt, sie gehen auf soziale Fragen ein, geben eine Charakterisierung des englischen Volkes in allen seinen Klassen und exponieren einige Persönlichkeiten besonders. Der Anschaulichkeit halber legt Heine Übersetzungen von Auszügen aus originalen Parlamentsberichten ein oder bringt Berichte aus dem »Weekly Political Register«, um bei der Darstellung der englischen Staatsschuld möglichst objektiv zu wirken. Seinem eigenen Stil bleibt Heine auch hier treu. Sein Ausspruch »Aber eben, je wichtiger ein Gegenstand ist, desto lustiger muß man ihn behandeln« (S. 586) trifft für die »Reisebilder« allgemein wie für die »Englischen Fragmente« besonders zu.

So sehr Heine den witzigen und aufgelockerten Stil der englischen Parlamentsdebatten lobt, so ist er doch von den übrigen Zuständen Englands enttäuscht. Die Emanzipation, das Hauptziel auch dieser Schrift, findet er in den englischen Verhältnissen nicht verwirklicht. England gehört nicht zu den fortschrittlichen Nationen der Zeit, Fortschritt und notwendige Revolution sieht Heine nur in Frankreich verwirklicht. Daher spielt er auf verschiedenen Bereichen England gegen Frankreich aus: er bezeichnet die Schein-Demokratie in England, die sich mit unbedeutenden Verbesserungen begnügt, als »Altflickerei«, während in Frankreich seit der Revolution »das ganze gesellschaftliche Leben nicht geflickt, sondern neu umgestaltet, neu begründet, ja neu geboren werden sollte« (S. 598). Ähnlich konfrontiert er Wellington, den charakteristischen Vertreter der englischen Aristokratie und Feind aller liberaler Ideen, mit dessen Gegner Napoleon. Wie Heine schon in den »Ideen. Das Buch Le Grand« Napoleon die Züge Christi verliehen hatte, so vergleicht er jetzt Napoleon mit Christus und Wellington mit Pontius Pilatus. »Es gibt keine größern Kontraste als diese beiden, schon in ihrer äußeren Erscheinung. Wellington, das dumme Gespenst, mit einer aschgrauen Seele in einem steif leinernen Körper, ein hölzernes Lächeln in dem frierenden Gesichte – daneben denke man sich das Bild Napoleons, jeder Zoll ein Gott!« (S. 592)

Und in der Bezeichnung der Freiheit als einer neuen Religion, der Religion unserer Zeit, klingen die »Englischen Fragmente« aus mit dem Satz, der auf Heines folgende Pariser Zeit hinweist: »Die Franzosen sind aber das auserlesene Volk der neuen Religion, in ihrer Sprache sind die ersten Evangelien und Dogmen verzeichnet, Paris ist das neue Jerusalem, und der Rhein ist der Jordan, der das geweihte Land der Freiheit trennt von dem Lande der Philister.« (S. 601)

Den kulturgeschichtlichen und biographischen Hintergrund erhellt der Aufsatz von Gerhard Weiß: Heines Englandaufenthalt. In: Heine-Jahrbuch 1963. S. 3–32.

Wenn Heine diesem fortschrittlichen Buch, in dem anders als zuvor Kritik und Polemik in radikalere Revolutionsgedanken umschlagen, den harmlosen Titel »Nachträge« gibt und das Ganze im Vorwort als Abschluß und vergangen bezeichnet, so ist das als bewußte Kaschierung anzusehen. Titel und Vorwort sind Deckmantel, sie sollen den politischen Inhalt äußerlich entschärfen und den Recherchen der offiziellen Zensur entgegenwirken. Daß sich Heine selbst bedroht sah, beweist ein Brief an Johann Hermann Detmold vom 30.11.1830: »Was Sie mir schreiben oder schicken wollen, bitte ich bald zu schreiben oder zu schicken, denn in 14 Tagen verläßt ein neues Buch von mir die Presse, und ich kanns nicht ganz genau wissen, ob ich alsdann nicht den Reisebündel schnüren muß. Ich habe in dieser bedenklichen Zeit, wo das Einschläferungsmittel von oben herab angewendet werden soll, um später umso sicherer zu reagieren, habe ich es für meine Pflicht gehalten, das Unumwundenste auszusprechen.«

Der neue »Reisebilder«-Band erregte wieder viel Aufsehen, wie es der Inhalt hatte erwarten lassen. »Mein jüngstes Buch macht hier viel Glück und überall Lärm«, schreibt Heine am 17.1.1831 an Willibald Alexis, und im selben Brief trägt er sich wieder mit Fluchtgedanken. – In einem Brief vom 19.2. schildert Varnhagen die sich widersprechenden Wirkungen, die die »Nachträge« bei den Lesern hervorgerufen hätten. Er habe keine Stimme vollen Beifalls vernommen. Das Buch sei in allen Händen, und das Einschreiten der Behörden habe seiner Verbreitung nicht geschadet, vielmehr werde es – besonders in den oberen Klassen – viel gelesen und empfohlen (vgl. Heine: Briefe. Bd 4, Kommentar, S. 252).

Die preußische Zensurbehörde hatte tatsächlich eingegriffen und ließ die »Nachträge« am 26.1.1831 »wegen des darin herrschenden Geistes und wegen ihres in Betreff der Glaubenslehre anstößigen Inhalts« provisorisch beschlagnahmen und am 5.4.1831 endgültig in allen Provinzen verbieten. In dem Urteil heißt es, Heines Buch stelle eines der verderblichsten Produkte dar, die in jüngster Zeit ins Publikum gebracht worden seien; es würdige das Heiligste herab, enthalte empörende Blasphemien, beleidige durch schlüpfrige Darstellungen die guten Sitten und erlaube sich neben gehässigsten Invektiven gegen Staatsinstitutionen und Staatsverwaltung eine schmähende Bezeichnung Friedrichs des Großen, den Heine den »witzigen Kamaschengott von Sanssouci« genannt hatte (S. 511).

Als zwei Jahre später der dritte und vierte Teil der »Reisebilder« in neuer Auflage erschienen – letzterer jetzt nicht mehr unter dem Titel »Nachträge«, sondern auf Heines Wunsch als »Reisebilder. Vierter Teil« –, wurde am 31.12.1833 das Verbot des vierten auch auf den erstaunlicherweise bisher unbehelligten dritten Teil ausgedehnt. Das Oberzensurkollegium sah jetzt nachträglich auch in ihm »das Heiligste verspottet, die Religion angegriffen, die Fürsten herabgesetzt, der Stand der Geistlichen entwürdigt und mit der Profanation der edelsten Gefühle schlüpfrige Szenen und den Anstand verletzende Ausfälle verbunden«. – Ende 1835 wurden auch Teil eins und zwei verboten, und Preußen dehnte das eben erlassene Verbot gegen sämtliche Schriften des »Jungen Deutschland« ausdrücklich auch auf Heine aus. In späteren Jahren wurde das Zensurverbot weniger streng beachtet, und der mit den Schlichen der Zensur vertraute Campe wagte es, Heines Schriften neu aufzulegen, obwohl eine offizielle Aufhebung des Verbots Heine gegenüber nicht erfolgt ist.

Wie Heine schon bei Erscheinen des vierten Bandes ahnte – »Nur fürchte ich, wird man sich hinter die Klerisei verstecken und das Buch im Namen der Religion zu verrufen suchen« (an Varnhagen, 4.1.1831) –, wurden die »Reisebilder« neben »De l'Allemagne« und »De la France« 1836 von der katholischen Kirche auf den Index gesetzt, 1845 auch die »Neuen Gedichte« (vgl. Houben: Verbotene Literatur. Bd 1, S. 385–394).

Trotz der Verschärfung seiner politischen Polemik und trotz der Maßnahmen der Behörden gegen seine Schriften hoffte Heine noch immer auf eine Anstellung in Deutschland. Er bat wiederholt Varnhagen um Vermittlung in Berlin oder Wien, bedacht auf wirtschaftliche Unabhängigkeit. »Gelingt es mir binnen kurzem nicht in Deutschland, so reise ich nach Paris; wo ich leider eine Rolle spielen müßte, wobei all mein künstlerisches poetisches Vermögen zu Grunde ginge, und wo der Bruch mit den heimischen Machthabern konsomiert würde. [. . .] – Ich will nichts unversucht lassen und mich zum Äußersten nur im äußersten Falle entschließen.« (4.1.1831) Varnhagen, der die Aussichten für Heine besser überblickte, riet ihm jedoch ab. Er sah klarer als Heine, daß für ihn ein bürgerlicher Beruf in Deutschland unter den gegenwärtigen Verhältnissen unmöglich sei. Auch ein letzter Versuch, in Hamburg als Ratssyndikus angestellt zu werden, schlug fehl.

Als Heine noch einmal in der Einleitung zu »Kahldorf über den Adel«, der letzten Schrift, die er in Deutschland verfaßte, die deutschen Staaten scharf angegriffen hatte, wurde seine Stellung noch gefährdeter. Er setzte seinen lange gehegten Plan in die Tat um und entzog sich einer möglichen Verfolgung seitens der Behörden im Mai 1831 durch seine Übersiedlung nach Paris.

AUFNAHME UND KRITIK

Rüge

Heine, Adler und Lorbeern

»Ich glaube, der Blick, den ich dem Adler zurückwarf, war noch stolzer als der seinige, und wenn er sich bei dem ersten besten Lorbeerbaum erkundigt hat, so weiß er jetzt, wer ich bin.« Diese Worte lesen wir soeben in der Fortsetzung der »Reisebilder« von Heine, und wir gestehen, daß wir nach ziemlichem Nachdenken uns mit der Zuversicht zu beruhigen suchten: daß dem Adler quaestionis wahrscheinlich eine schärfere Fassungsgabe verliehen worden sei als uns, die wir durchaus nicht begreifen konnten, was Hr. Heine mit dem Lorbeerbaum zu schaffen haben könne, und inwiefern selbiger dem frechen Adler als Wegweiser und als Signalement zur Bekanntschaft des Hrn. Heine dienen könnte. Als wir aber weiter in dem opus geblättert, als wir sahen, wie Hr. Heine sich als einen Märtyrer und Vorkämpfer der Freiheit, des Jahrhunderts darstellt, an dessen Grabe Knaben und Jünglinge weinen werden, wie er von Siegen spricht, die er um den Preis seines Herzblutes erkämpft, und wie es nur bei ihm stehe, seine hohe Stellung, seinen Ruhm, seine Grundsätze für eine fette Sinekure zu verkaufen, was er aber nicht tun werde, obgleich er in der letzten Zeit mager und nicht fett geworden sei, wie seine Feinde ihm nachsagten – als wir alles Dies mit jenem Lorbeerbaum zusammenstellten und mit der wiederholten Äußerung des Hrn. Heine, daß er sich sehr krank und angegriffen fühle, da ging uns plötzlich ein furchtbares Licht auf – und so ist denn leider kaum mehr daran zu zweifeln. Dieser talentvolle, geistreiche Jüngling, der so schöne Hoffnungen von sich gegeben, ist also wirklich – wie sollen wir uns schonend genug ausdrücken, wie sollen wir Deutschland, der Welt das Unglück verkünden, das sie betroffen – Hr. Heine ist – nun, es muß doch heraus – Hr. Heine ist übergeschnappt, die Eitelkeit ist ihm zu Kopfe gestiegen und hat dort eine wohlkonditionierte, allen Ansprüchen ärztlicher Terminologie genügende fixe Idee, Monomanie erzeugt. Hr. Heine bildet sich nämlich leider ein, er sei förmlich ein großer Mann – so von den gewöhnlichen großen Männern – ein laureatus – eine wichtige Person in der Zeit. Was ist dabei zu machen? Die Sache ist um so trauriger, da dieser Nachtrag von Reisebildern schon ganz offenbar die Folgen jener beklagenswerten Veränderung an sich trägt. Es sind offenbar die Hefen der Frucht, und das Beste, was wir davon denken können, ist, daß der Buchhändler mehr als der Verf. selbst sie ausgepreßt. Unter diesen Umständen ist es zu loben, daß den größten Teil des vorliegenden Bändchens einige Artikel über England einnehmen, die vor längerer Zeit zum ersten Mal in den »Allg. politischen Annalen« erschienen, und die noch der frühern bessern Periode des Verfs. angehören und neben manchem Unsinn viele sehr gute Bemerkungen über England enthalten und, was noch mehr wert ist, aus einer tiefaufgefaßten und wahren Gesamtansicht entsprungen sind. Doch unsere Absicht war nicht, eine Rezension dieser »Reisebilder« zu schreiben, sondern bloß alle gute Christen und Philanthropen aufzufordern, das ihrige zu tun, um Hrn. Heine von seiner sonderbaren Monomanie zu kurieren. Ernstlich aber gesagt, ist es ein wunderliches Zeichen der Zeit, daß ein so geistreicher Mann wie Hr. Heine auf solche Grillen geraten kann, und wohl noch bedenklicher, daß es nicht an ehrlichen Leuten fehlt, die ihm aufs Wort glauben werden. Noch möchten wir Hrn. Heine bitten, doch die italienischen Namen nicht so zu schreiben, daß man glauben sollte, er kenne nicht mehr italienisch als sein Hr. Gumpe i, oder wie der Mann heißt – z. B. doch Francesca, nicht deutsch Franschesc a – Michiele, nicht Mitschiele. Es sieht wirklich unleidlich aus, und ist es um so mehr, da Hr. Heine sich ausgibt, in Lucca zu Hause zu sein wie in seiner Rocktasche.

Blätter für literarische Unterhaltung. Jg. 1831, Nr. 35 (4.2.) S. 152.

*

Heines Art und Weise ist bekannt. Freunde und Feinde haben für und gegen ihn längst Partei genommen, die gesamte Lesewelt ist in seinem Betreff scharf nach zwei Seiten gespalten; und selbst die Unsichern und Wankelmütigen, welche, geschreckt, seine Seite verlassen, oder, angezogen, zu ihr übergehen, verändern in dem Ganzen dieser zwiefachen Stellung nichts.

Schonungslose und oft unnötige Schärfe, unerhörte Dreistigkeit, äußerste Wagnisse sowohl hinsichtlich der Sachen als auch des Wortausdrucks, haben auch die Freunde Heines ihm bisher nicht ungerügt gelassen; eigentümlicher Sinn, ungemeiner Geist und außerordentlicher Witz, dabei große Empfindung und süße Anmut der Sprache sind ihm auch von seinen Feinden nicht abgestritten worden.

Alles dies findet sich auch in dem vorliegenden Bändchen wieder, das, wie uns scheint, als ein Abschluß für diese Reihe von Darstellungen gelten soll. Die beiden sehr verschiedenen Hälften: »Die Stadt Lucca« und »Englische Fragmente«, sind durch eine»Nachschrift vom November 1830« verbunden; und wenn man finden muß, daß in jener Abteilung die sinnliche, ja man darf sagen weltlich und geistlich frevelhafte Keckheit eines italienischen Genußlebens atmet, in der zweiten Abteilung hingegen die gebildete Grobheit und barbarische Gehässigkeit eines englischen Parteisinnes herrscht, so läßt sich in der verbindenden Nachschrift der Hauch und die Farbe des französischen Geistes nicht verkennen, wie er sich in der bezeichneten Epoche kundgetan hat.

Bei solchem Inhalte fordert indes das Buch um so mehr unsere Schonung, als demselben, wie wir hören, gleich nach seinem Erscheinen ein widriges Geschick begegnet ist. Wer mit den Behörden verunfriedet ist, wer gleichsam schon vor Gericht gezogen steht, den darf kein unbefangener Zuschauer noch mehr bedrücken und anklagen, sondern hält lieber zurück, was er etwa schon Hartes gegen den Leidenden auf der Zunge hatte.

Man findet das Buch irreligiös und revolutionär. Wir geben zu, daß die Worte darin nur allzu oft diese beiden Färbungen haben. Doch möchte vieles fehlen, das auch der *Sinn* durchaus einer solchen Richtung angehörte. Denn abgesehen, daß mehr als andere Gegenstände gerade Religion und Staat, wenn sie die rechten sind, auch etwas müssen vertragen können und gar nicht bei jedem scheinbaren Angriffe so leicht gefährdet werden, so sind hier in der Tat manche Angriffe nur scheinbar und gehen aus der besten Gesinnung hervor, welche die Religion von der Heuchelei, den Staat von den philisterhaften und burschikosen Zerrbildern, die sich immer für das Wahre und Echte ausgeben wollen, sorgfältig trennt, und das Heilige nur um so reiner verehrt.

Überhaupt aber möchten wir ein Buch, welches, wie dieses, weder in der Sprache des Volks geschrieben ist, noch zu den Volksleidenschaften spricht, das ohne sentimentale Wärme und gleisnerische Süßigkeit nur immer in Witz und Bitterkeit verkehrt, das seiner Natur nach nur auf gebildete und vornehme Leser berechnet ist, ein solches Buch möchten wir niemals ein gefährliches nennen. Die vornehme Welt ist es ja, die mit dergleichen Stoffen und Gestaltungen ohnehin stets erfüllt ist, dergleichen Gift immerfort erzeugt und verzehrt, sich damit unterhält und vergnügt, ja ihr Geschäft daran hat, und welche doch die ihr selbst damit zumeist gedrohte Schädlichkeit am wenigsten darin finden will. In der höchsten Sphäre der Gesellschaft sind Spott und Witz über die höchsten Gegenstände am meisten gang und gäbe, man zerreißt dort am schonungslosesten den Nimbus, der sie umgibt, und man sucht und verschafft sich, wo der nächste Kreis nicht genug Stoff oder Freiheit für diesen Trieb darbietet, aus den entlegensten die anstößige Ware; die schlüpfrigen Romane, die verleumderischen Pamphlets, die giftigen Lieder und Blätter, die erschrecklichsten und bedenklichsten Karikaturen, läßt man aus Frankreich und England kommen, und hat dabei sein größtes und, wir wollen es dreist behaupten, in den meisten Fällen wirklich sein harmloses Ergötzen und Behagen. Was soll daher in diesem Kreise, der mit solcherlei schon von jeher sicher und vergnügt umgeht, für den das Arge sich neutralisiert, das Verbotene fast wieder erlaubt wird, was soll da Heines Buch schaden?

Es ist aber nicht bloß vermutende Voraussetzung, es ist bestimmte Tatsache, die wir vielfältig erfahren haben, daß Heine gerade in der vornehmen Welt am meisten gelesen, geschätzt und gepriesen wird, wo doch ein großer Teil seiner Sätze unstreitig dem stärksten Widerspruch bloßstehen muß! Wenn, wie behauptet wird, das große, treffende und zu verdienter Zelebrität gekommene Witzwort vom *Hofdemagogen* ursprünglich Heinen angehört, so dürfte die Spitze dieses eindringlichen Wortes rückwärtsgebogen nun fast ihn selbst verwunden, indem man ihn, seiner Art und seiner Wirkung nach, allenfalls einen Salonrevolutionär nennen könnte, der das Spiel – aber nur das Spiel, witzig und beißig – der revolutionär genannten Ansichten und Ausdrücke zur Unterhaltung der vornehmen Welt darstellt. Ihn selbst deshalb revolutionärer Gesinnungen und Absichten zu beschuldigen, wäre ebenso ungerecht, als Jemanden, der Berangers Lieder übersetzt oder singt, für deren Inhalt verantwortlich zu machen, oder den berühmten Publizisten, der uns den Gipfel der englischen Preßfreiheit in den übersetzten Junius-Briefen durch die Wiener »Jahrbücher« vorgelegt hat, für einen Teilhaber der darin ausgedrückten Schmähreden zu erklären!

Aber man wehklagt über das Ärgernis in der deutschen Literatur! Es ist wahr, das Ärgernis kann nicht geleugnet werden. Aber wie viel sind wir dessen nicht schon gewohnt, über wie vieles glücklich hinausgekommen! Man gedenke der »Xenien«, der »Ehrenpforte«, der »Lucinde«, des »Athenäum«; das Geschrei war entsetzlich, aber es ist verhallt und das Tüchtige in jenen Schriften besteht. So auch wird das Geistige und Gediegene in Heines Arbeiten trotz ihrer zufälligen Unarten bestehen, und wir halten uns schon jetzt an jenes, nicht an diese!   77.

Varnhagen von Ense (anonym) in: Blätter für literarische Unterhaltung. Jg. 1831, Nr. 45 (14.2.) S. 195f.

*

Heines Geist ist dem Börneschen nahe verwandt. In beiden dieselbe politische Tendenz, derselbe edle Unwille über die Ekelhaftigkeiten im lieben Vaterlande, derselbe Drang zu Sarkasmen und dieselbe himmlische Gabe des Witzes, die den Zorn verschönt und den Schmerz liebenswürdig macht. Aber Börne ist ernster, und verleugnet niemals die Würde, die der Spötter nötiger als jeder andre hat. Heine wirft sich oft weg. Börne braucht die

Waffen seines Geistes nur im edlen Kampfe, Heine mißbraucht sie zuweilen zur Befriedigung von Privatmalicen (z.B. gegen Platen), und zu frivoler Blasphemie (z.B. in seinen Bordellredensarten, so oft er von der katholischen Madonna spricht). Dagegen ist Heines durchgängig frohe Laune auch wieder mehr, als Börnes Bitterkeit, geeignet, das Publikum zu gewinnen, um so mehr, da Heine auch nicht selten durch eine kleine Sentimentalität den großen Blutmuskel, deutsches Herz genannt, zu galvanisieren weiß. Mit einem Wort, Heine ist im guten wie im schlimmen Sinne mehr Dichter als Börne, dieser ist mehr Mann. Daß ich einen Unterschied zwischen Dichtern und Männern mache, wird bei dem gegenwärtigen Zustande unsrer Poesie auch der männlichste Dichter billig finden, denn unsre Dichter sind jetzt meistens Weiber, Greise, Buben, Zwitter, Neutra, kurz eher alles als Männer.

Wenn mir nicht die Würde des Mannes, als der einzige feste Grund und Angelpunkt in der Welt, schlechterdings über jede andre Rücksicht ginge, so würde sich mein kritisches Gewissen empören, einem Geist, wie Heine, aus dem allzu willkürlichen, nicht immer von dem Gefühl männlicher Würde eingeschränkten Gebrauch seiner Zauberkräfte einen Vorwurf zu machen. In der Tat ist das Moralisieren eine elende Kunst gegenüber einem freigebornen Sonnenkinde, einem durch sich selbst leuchtenden, aus sich selbst schöpfenden, nur in sich selbst Regel und Gesetz erkennenden Originalgeist. Und dennoch muß uns die unmännliche Eitelkeit und Kleinlichkeit in unsrer Literatur, die in unnützen Privatlegitimitäten, Privathierarchien, Privatrevolutionen, Privatkreuzzügen das Interesse für den großen Kampf der Menschheit abstumpft, so verhaßt sein, daß wir uns wahrlich nicht darüber freuen können, sehn wir einen höher begabten Geist zu jenem literarischen Sumpf sich herablassen, und wenn auch nur wie eine Möwe drüberhinschweifend, seine Oberfläche berühren. In diesem Sinne war Heines Polemik gegen Platen eine unwürdige. Wenn Platen roh genug war, dem süßredenden Dichter des Buchs der Lieder knoblauchduftige Küsse vorzuwerfen, so hätte Heine nur mit neuen Honigversen, mit einem Schwarm süß im Blütenduft seiner zarten Empfindungen schwelgender hymettischer Bienen antworten müssen, nicht mit einem Ausbruch der antikritischen Cholera.

Die vorliegenden Nachträge zu den Reisebildern sind von dem Schmutz des dritten Teiles rein. Der Spott, einem lächelnden, schönen und doch boshaften Amor gleich, fliegt darin, wie ihn die Flügel tragen mögen, von Land zu Land, überall seine goldnen Pfeile sendend in die Herzen solcher, die ihm spröde tun, und wegfliegend, bevor die Zürnenden mit täppischem Steinwurf ihm nachgestolpert. Dann pflückt er spielend junge Rosen ab, und wirft den noch unvollendeten Kranz der ersten besten Schönheit ins Gesicht, und man weiß nicht, ob er mehr Amor oder Satyr ist.

In den spielend hingeworfnen Bildern, in einem nur oberflächlich scheinenden Scherz ist oft ein tiefes Urteil enthalten. Der Dichter braucht nicht erst die Anatomie zu Hilfe zu rufen, er erkennt das Wesen schon an der Physiognomie. Seite 479: »Wenn Hegel die Grundsätze seiner Philosophie aufstellt, so glaubt man jene hübschen Figuren zu sehen, die ein geschickter Schulmeister, durch eine künstliche Zusammenstellung von allerlei Zahlen, zu bilden weiß, dergestalt, daß ein gewöhnlicher Beschauer nur das Oberflächliche, nur das Häuschen oder Schiffchen oder absolute Soldätchen sieht, das aus jenen Zahlen formiert ist, während ein denkender Schulknabe in der Figur selbst vielmehr die Auflösung eines tiefen Rechenexempels erkennen kann. Die Darstellungen Schellings gleichen mehr jenen indischen Tierbildern, die aus allerlei anderen Tieren, Schlangen, Vögeln, Elefanten und dergleichen lebendigen Ingredienzen, durch abenteuerliche Verschlingungen, zusammengesetzt sind. Diese Darstellungsart ist viel anmutiger, heiterer, pulsierend wärmer, alles darin lebt, statt daß die abstrakt Hegelschen Chiffern uns so grau, so kalt und tot anstarren.

Gut, gut, erwiderte der alte Eidechserich, ich merke schon was Sie meinen; aber sagen Sie mir, haben diese Philosophen viele Zuhörer?

Ich schilderte ihm nun, wie in der gelehrten Karawanserei zu Berlin die Kamele sich sammeln um den Brunnen Hegelscher Weisheit, davor niederknien, sich die kostbaren Schläuche aufladen lassen, und damit weiter ziehen durch die Märksche Sandwüste. Ich schilderte ihm ferner, wie die neuen Athener um den Springquell des Schellingschen Geistestranks sich drängen, als wäre es das beste Bier, Breihahn des Lebens, Gesöffe der Unsterblichkeit.« – Wir fügen noch folgende geistvolle Stelle hinzu, Seite 521: »Die kühlen und klugen Philosophen! Wie mitleidig lächeln sie herab auf die Selbstquälereien und Wahnsinnigkeiten eines armen Don Quixote, und in all ihrer Schulweisheit merken sie nicht, daß jene Donquixoterie dennoch das Preisenswerteste des Lebens, ja das Leben selbst ist, und daß diese Donquixoterie die ganze Welt, mit allem was darauf philosophiert, musiziert, ackert und gähnt, zu kühnerem Schwunge beflügelt! Denn die große Volksmasse, mitsamt den Philosophen, ist, ohne es zu wissen, nichts anders als ein kolossaler Sancho Pansa, der, trotz all seiner nüchternen Prügelscheu und hausbackner Verständigkeit, dem wahnsinnigen Ritter in allen seinen gefährlichen Abenteuern folgt, gelockt von der versprochenen Belohnung, an die er glaubt, weil er sie wünscht, mehr aber noch getrieben von der mystischen Gewalt, die der Enthusiasmus immer ausübt auf den großen Haufen – wie wir es in allen politischen und religiösen Revolutionen, und vielleicht täglich im kleinsten Ereignisse sehen können.«

Nach der Weise aller Humoristen spricht Heine gern von sich selbst, und wer in der Welt, selbst der Sünder Rousseau nicht ausgenommen, spräche nicht schön von sich selbst? Gern hören wir Heine zu, wenn er sagt, Seite 482: »Ich gehöre zu den Leuten, die immer gern einen kürzeren Weg nehmen, als die Landstraße bietet, und denen es alsdann wohl begegnet, daß sie sich auf engen Holz- und Felsenpfaden verirren. Das geschah auch hier, und ich habe, zu meiner Reise nach Lucca, gewiß doppelt so viel Zeit gebraucht als gewöhnliche Landstraßmenschen. Ein Sperling, den ich um den Weg frug, zwitscherte und zwitscherte, und konnte mir doch keinen rechten Bescheid geben. Vielleicht auch wußte er ihn selbst nicht. Den Schmetterlingen und Libellen, die auf großen Glockenblumen saßen, konnte ich kein Wort abgewinnen; sie waren schon davon geflattert, ehe sie noch meine Fragen vernommen, und die Blumen schüttelten ihre tonlosen Glockenhäupter. Manchmal weckten mich die wilden Myrten, die, mit feinen Stimmchen, aus der Ferne kicherten. Hastig erklomm ich dann die höchsten Felsenspitzen, und rief: Ihr Wolken des Himmels! Segler der Lüfte! sagt mir, wo geht der Weg nach Franscheska? Ist sie in Lucca? Sagt mir was tut sie? was tanzt sie? Sagt mir alles, und wenn ihr mir alles gesagt habt, so sagt es mir nochmals!« Kann Liebenswürdigkeit sich anders ausdrücken? Nein, hier oder nirgends küßt Amor die Grazien. Aber warum zeigt uns der Dichter schon im nächsten Augenblick darauf das fatale Gesicht eines in seiner Eitelkeit verletzten Autors? Wie passen die nachfolgenden Worte übel verhehlter Empfindlichkeit zu dem göttlich frohen Liebesgeschwätz, was ihnen vorhergeht? »Bei solcher Überfülle von Torheit konnte es wohl geschehen, daß ein ernster Adler, den mein Ruf aus seinen einsamen Träumen aufgestört, mich mit geringschätzendem Unmute ansah. Aber ich verzieh ihm gerne; denn er hatte niemals Franscheska gesehen, und daher konnte er noch immer so erhabenmütig auf seinem festen Felsen sitzen, und so seelenfrei zum Himmel emporstarren, oder so impertinent ruhig auf mich herabglotzen. So ein Adler hat einen unerträglich stolzen Blick, und sieht einen an, als wollte er sagen: Was bist du für ein Vogel? Weißt du wohl, daß ich noch immer ein König bin, eben so gut wie in jenen Heldenzeiten, als ich Jupiters Blitze trug und Napoleons Fahnen schmückte? Bist du etwa ein gelehrter Papagei, der die alten Lieder auswendig gelernt hat und pedantisch nachplappert? Oder eine vermüffte Turteltaube, die schön fühlt und miserabel gurrt? Oder eine Almanachsnachtigall? Oder ein abgestandener Gänserich, dessen Vorfahren das Kapitol gerettet? Oder gar ein serviler Haushahn, dem man, aus Ironie, das Emblem des kühnen Fliegens, nämlich mein Miniaturbild, um den Hals gehängt hat, und der sich deshalb so mächtig spreizt, als wäre er nun selbst ein Adler?«

ᛌ Wozu das alles? Wie mag ein glücklicher Dichter im Augenblick süßen Entzückens an die Prosa des literarischen Verkehrs, an die Kritiker, an das Publikum, an die Anerkennung denken? Fragt der wahrhaft Glückliche je, ob er auch dafür gehalten wird?

Unter den Gegenständen, an welchen Heine vorzüglich gern seinen Witz übt, stehn die Priester, die Kirche, die Dogmen oben an. Sein Witz ist immer siegreich, wenn er Mißbräuche trifft; doch hat man Heine auch mit Recht vorgeworfen, daß er das Heilige selbst, das über allen Spott erhaben ist, auf frivole Weise angreife. Folgende Urteile dürften sich bewähren Seite 484 ff.: »Die Pfaffen in Italien haben sich schon längst mit der öffentlichen Meinung abgefunden, das Volk dort ist längst daran gewöhnt; die geistliche Würde von der unwürdigen Person zu unterscheiden, jene zu ehren, wenn auch diese verächtlich ist. Eben der Kontrast, den die idealen Pflichten und Ansprüche des geistlichen Standes und die unabweislichen Bedürfnisse der sinnlichen Natur bilden müssen, jener uralte, ewige Konflikt zwischen dem Geiste und der Materie, macht die italienischen Pfaffen zu stehenden Charakteren des Volkshumors, in Satyren, Liedern und Novellen. Ähnliche Erscheinungen zeigen sich uns überall, wo ein ähnlicher Priesterstand vorhanden ist, z. B. in Hindostan. In den Komödien dieses urfrommen Landes, wie wir schon in der Sakontala bemerkt und in der neulich übersetzten Vasantasena bestätigt finden, spielt immer ein Bramine die komische Rolle, so zu sagen den Priestergrazioso, ohne daß dadurch die Ehrfurcht, die man seinen Opferverrichtungen und seiner privilegierten Heiligkeit schuldig ist, im mindesten beeinträchtigt wird, – eben so wenig wie ein Italiener mit minderer Andacht bei einem Priester Messe hört oder beichtet, den er noch Tags zuvor betrunken im Straßenkote gefunden hat. In Deutschland ist das anders, der katholische Priester will da nicht bloß seine Würde durch sein Amt, sondern auch sein Amt durch seine Person repräsentieren; und weil er es vielleicht Anfangs mit seinem Berufe wirklich ganz ernsthaft gemeint hat, und er nachher, wenn seine Keuschheits- und Demutsgelübde etwas mit dem alten Adam kollidieren, sie dennoch nicht öffentlich verletzen will, besonders auch weil er unserem Freunde Krug in Leipzig keine Blöße geben will, so sucht er wenigstens den Schein eines heiligen Wandels zu bewahren. Daher Scheinheiligkeit, Heuchelei und gleißelndes Frömmeln bei deutschen Pfaffen; bei den italienischen hingegen viel mehr Durchsichtigkeit der Maske, und eine gewisse feiste Ironie und behagliche Weltverdauung.

Doch was helfen solche allgemeine Reflexionen! Sie können dir wenig nutzen, lieber Leser, wenn du etwa Lust hättest gegen das katholische Pfaffentum zu schreiben. Zu diesem Zwecke muß man, wie gesagt, mit eignen Augen die Gesichter sehen, die dazu gehören. Wahrlich, es ist nicht einmal hinreichend, wenn man sie im königlichen Opernhause zu Berlin gesehen hat. Der vorige Generalintendant tat zwar immer das Seinige, um den Krönungszug in der Jungfrau von Orleans so täuschend treu als möglich darzustellen, seinen Landsleuten die Idee einer Prozession zu veranschaulichen und ihnen Pfaffen von allen Couleuren vor Augen zu bringen. Doch das getreueste Kostüm kann nicht die Originalgesichter ersetzen, und vertrödelte man sogar noch extra 100000 Taler für goldne Bischofsmützen, festonierte Chorhemden, buntgestickte Meßgewänder, und ähnlichen Kram –

so würden doch die protestantisch vernünftigen Nasen, die unter jenen Bischofsmützen hervorprotestieren, die dünnen denkgläubigen Beine, die aus den weißen Spitzen dieser Chorhemden herausgucken, die aufgeklärten Bäuche, denen jene Meßgewänder viel zu weit, alles würde unser einen daran erinnern, daß keine katholische Geistliche, sondern Berliner Weltliche über die Bühne wandeln.« – »Der katholische Pfaffe treibt es mehr wie ein Commis, der in einer großen Handlung angestellt ist; die Kirche, das große Haus, dessen Chef der Papst ist, gibt ihm bestimmte Beschäftigung und dafür ein bestimmtes Salär; er arbeitet lässig, wie jeder, der nicht für eigne Rechnung arbeitet und viele Kollegen hat, und im großen Geschäftstreiben leicht unbemerkt bleibt – nur der Kredit des Hauses liegt ihm am Herzen, und noch mehr dessen Erhaltung, da er bei einem etwaigen Bankerotte seinen Lebensunterhalt verlöre. Der protestantische Pfaffe hingegen ist überall selbst Prinzipal, und er treibt die Religionsgeschäfte für eigene Rechnung. Er treibt keinen Großhandel wie sein katholischer Gewerbsgenosse, sondern nur einen Kleinhandel; und da er demselben allein vorstehen muß, darf er nicht lässig sein, er muß seine Glaubensartikel den Leuten anrühmen, die Artikel seiner Konkurrenten herabsetzen, und als echter Kleinhändler steht er in seiner Ausschnittbude, voll von Gewerbsneid gegen alle großen Häuser, absonderlich gegen das große Haus in Rom, das viele tausend Buchhalter und Packknechte besoldet und seine Faktoreien hat in allen vier Weltteilen.« – »Ein katholischer Pfaffe wandelt einher als wenn ihm der Himmel gehöre; ein protestantischer Pfaffe hingegen geht herum als wenn er den Himmel gepachtet habe.«

Das alles kann ein guter Christ noch billigen. Wie aber, wenn Heine das Christentum selbst angreift? Seite 492:

»Jener schenkte nunmehr auch der übrigen Götterversammlung,
Rechtshin, lieblichen Nektar dem Mischkrug emsig entschöpfend.
Doch unermeßliches Lachen erscholl den seligen Göttern,
Als sie sahn, wie Hephästos im Saal so gewandt umherging.
Also den ganzen Tag bis spät zur sinkenden Sonne
Schmausten sie; und nicht mangelt ihr Herz des gemeinsamen Mahles,
Nicht des Saitengetöns von der lieblichen Leier Apollons,
Noch des Gesangs der Musen mit holdantwortender Stimme.

(Vulgata)

Da plötzlich keuchte heran ein bleicher, bluttriefender Jude, mit einer Dornenkrone auf dem Haupte, und mit einem großen Holzkreuz auf der Schulter; und er warf das Kreuz auf den hohen Göttertisch, daß die goldnen Pokale zitterten, und die Götter verstummten und erblichen, und immer bleicher wurden, bis sie endlich ganz in Nebel zerrannen.

Nun gabs eine traurige Zeit, und die Welt wurde grau und dunkel. Es gab keine glücklichen Götter mehr, der Olymp wurde ein Lazarett wo geschundene, gebratene und gespießte Götter langweilig umherschlichen, und ihre Wunden verbanden und triste Lieder sangen. Die Religion gewährte keine Freude mehr, sondern Trost; es war eine trübselige, blutrünstige Delinquentenreligion.

War sie vielleicht nötig für die erkrankte und zertretene Menschheit? Wer seinen Gott leiden sieht, trägt leichter die eignen Schmerzen. Die vorigen heiteren Götter, die selbst keine Schmerzen fühlten, wußten auch nicht wie armen gequälten Menschen zu Mute ist, und ein armer gequälter Mensch könnte auch, in seiner Not, kein rechtes Herz zu ihnen fassen. Es waren Festtagsgötter, um die man lustig herum tanzte, und denen man nur danken konnte. Sie wurden deshalb auch nie so ganz von ganzem Herzen geliebt. Um so ganz von ganzem Herzen geliebt zu werden – muß man leidend sein. Das Mitleid ist die letzte Weihe der Liebe, vielleicht die Liebe selbst. Von allen Göttern, die jemals gelebt haben, ist daher Christus derjenige Gott, der am meisten geliebt worden. Besonders von den Frauen – –«

Und wenn Heine von der Madonna spricht. Seite 493: »Die Ampel, die davor hängt, beleuchtet grauenhaft süß die schöne Schmerzenmutter einer gekreuzigten Liebe, die Venus dolorosa; doch kupplerisch geheimnisvolle Lichter fallen zuweilen, wie verstohlen, auf die schönen Formen der verschleierten Beterin. Diese liegt zwar regungslos auf den steinernen Altarstufen, doch in der wechselnden Beleuchtung bewegt sich ihr Schatten, läuft manchmal zu mir heran, zieht sich wieder hastig zurück, wie ein stummer Mohr, der ängstliche Liebesbote in einem Harem – und ich verstehe ihn. Er verkündet mir die Gegenwart seiner Herrin, der Sultanin meines Herzens.«

Was soll man dazu sagen? Einige sind der Meinung, daß Heine, wenn er wirklich ein Jude ist, ein angebornes Recht habe, alles Christliche zu hassen, und daß man alsdann nur die dem unflätigen Toledod Jeschu abgeborgte zynische Ausdrucksweise seines Hasses tadeln dürfe. Ich schließe mich gern dieser mildesten Auslegung an, und will, abgesehn von jeder religiösen Beziehung, an Heine nur die ästhetische Frage stellen, ob der faunische Blick eines Wüstlings, herumfaselnd auf der körperlichen Hülle der höchsten *Seelenschönheit* eine bessere Rolle spielt, als die Maus im Klavier? Ich sage nicht, es ist gottlos, einen erhabnen Gegenstand der Religion zu entweihen; ich sage nur, es ist geschmacklos, die Kirche mit dem Bordell zu verwechseln.

Einige spätere Stellen dieser Nachträge beweisen, daß Heine mit dem tiefen nicht nur poetischen, sondern auch religiösen Sinn des talmudistischen Mythenkreises vertraut ist. Möchte er nun ein noch so verstockter Jude sein, so ist er doch zu sehr Dichter, daß er nicht auch den tiefen Sinn unsrer christlichen Mythe erkannt haben sollte. Wir wollen also zu seiner eignen Ehre hoffen, daß er endlich einsehn wird, wie sehr ihn seine Satyrangriffe auf die Madonna lächerlich machen.

Zur Rechtfertigung seines bessern Geschmacks mögen hier zwei seiner Mythen stehn. Er schildert eine gerichtliche Verhandlung, Seite 558: »In diesem Augenblick erschienen die Männer der Jury, und erklärten: Daß der Angeklagte der Fälschung schuldig sei. Als man hierauf den schwarzen William aus dem Saale fortführte, warf er einen langen, langen Blick auf Edward Thomson.

Nach einer Sage des Morgenlandes war Satan einst ein Engel, und lebte im Himmel mit den andern Engeln, bis er diese zum Abfall verleiten wollte, und deshalb von der Gottheit hinuntergestoßen wurde in die ewige Nacht der Hölle. Während er aber vom Himmel hinabsank, schaute er immer noch in die Höhe, immer nach dem Engel, der ihn angeklagt hatte; je tiefer er sank, desto entsetzlicher und immer entsetzlicher wurde sein Blick – Und es muß ein schlimmer Blick gewesen sein; denn jener Engel, den er traf, wurde bleich, niemals trat wieder Röte in seine Wangen, und er heißt seitdem der Engel des Todes.

Bleich wie der Engel des Todes wurde Edward Thomson.«

Ferner Seite 558 f.: »In Bedlam habe ich vorigen Sommer einen Philosophen kennen gelernt, der mir, mit heimlichen Augen und flüsternder Stimme, viele wichtige Aufschlüsse über den Ursprung des Übels gegeben hat. Wie mancher andere seiner Kollegen meinte auch er, daß man hierbei etwas Historisches annehmen müsse. Was mich betrifft, ich neigte mich ebenfalls zu einer solchen Annahme, und erklärte das Grundübel der Welt aus dem Umstand: daß der liebe Gott zu wenig Geld erschaffen habe.

»Du hast gut reden«, antwortete der Philosoph, »der liebe Gott war sehr knapp bei Cassa, als er die Welt erschuf. Er mußte das Geld dazu vom Teufel borgen, und ihm die ganze Schöpfung als Hypothek verschreiben. Da ihm nun der liebe Gott von Gott und Rechtswegen die Welt noch schuldig ist, so darf er ihm auch aus Delikatesse nicht verwehren, sich darin herum zu treiben und Verwirrung und Unheil zu stiften. Der Teufel aber ist seinerseits wieder sehr stark dabei interessiert, daß die Welt nicht ganz zu Grunde und folglich seine Hypothek verloren gehe; er hütet sich daher es allzu toll zu machen, und der liebe Gott, der auch nicht dumm ist, und wohl weiß, daß er im Eigennutz des Teufels seine geheime Garantie hat, geht oft so weit, daß er ihm die ganze Herrschaft der Welt anvertraut, d. h. dem Teufel den Auftrag gibt, ein Ministerium zu bilden. Dann geschieht, was sich von selbst versteht, Samiel erhält das Kommando der höllischen Heerscharen, Belzebub wird Kanzler, Vizliputzli wird Staatssekretär, die alte Großmutter bekommt die Kolonien u.s.w. Diese Verbündeten wirtschaften dann in ihrer Weise, und indem sie, trotz des bösen Willens ihrer Herzen, aus Eigennutz gezwungen sind, das Heil der Welt zu befördern, entschädigen sie sich für diesen Zwang dadurch, daß sie zu den guten Zwecken immer die niederträchtigsten Mittel anwenden.«

Den glänzendsten und zugleich richtigsten und treffendsten Witz entfaltet Heine, wenn er von der Tagesgeschichte redet, z.B. Seite 544: »Es ist auffallend, wie die Franzosen täglich nachdenklicher, tiefer und ernster werden, in eben dem Maße, wie die Engländer dahin streben, sich ein legeres, oberflächliches und heiteres Wesen anzueignen; wie im Leben selbst, so auch in der Literatur. Die Londoner Pressen sind vollauf beschäftigt mit fashionablen Schriften, mit Romanen, die sich in der glänzenden Sphäre des High Life bewegen, oder dasselbige abspiegeln, wie z.B. Almacks, Vivian Grey, Tremaine, the Guards, Flirtation, welcher letztere Roman die beste Bezeichnung wäre für die ganze Gattung, für jene Koketterie mit ausländischen Manieren und Redensarten, jene plumpe Feinheit, schwerfällige Leichtigkeit, saure Süßelei, gezierte Roheit, kurz für das ganze unerquickliche Treiben jener hölzernen Schmetterlinge, die in den Sälen West-Londons herumflattern. – Dagegen welche Literatur bietet uns jetzt die französische Presse, jene echte Repräsentantin des Geistes und Willens der Franzosen!«

Seite 586: »Je wichtiger ein Gegenstand ist, desto lustiger muß man ihn behandeln; das blutige Gemetzel der Schlachten, das schaurige Sichelwetzen des Todes wäre nicht zu ertragen, erklänge nicht dabei die betäubende türkische Musik mit ihren freudigen Pauken und Trompeten. Das wissen die Engländer, und daher bietet ihr Parlament auch ein heiteres Schauspiel des unbefangensten Witzes und der witzigsten Unbefangenheit, bei den ernsthaftesten Debatten, wo das Leben von Tausenden und das Heil ganzer Länder auf dem Spiel steht; kommt doch keiner von ihnen auf den Einfall ein deutsch steifes Landständegesicht zu schneiden, oder französisch pathetisch zu deklamieren, und wie ihr Leib, so gebärdet sich alsdann auch ihr Geist ganz zwanglos, Scherz, Selbstpersiflage, Sarkasmen, Gemüt und Weisheit, Malice und Güte, Logik und Verse sprudeln hervor im blühendsten Farbenspiel, so daß die Annalen des Parlaments uns noch nach Jahren die geistreichste Unterhaltung gewähren. Wie sehr kontrastieren dagegen die öden, ausgestopften, löschpapiernen Reden unserer süddeutschen Kammern, deren Langweiligkeit auch der geduldigste Zeitungsleser nicht zu überwinden vermag, ja, deren Duft schon einen lebendigen Leser verscheuchen kann, so daß wir glauben müssen, jene Langweiligkeit sei geheime Absicht, um das große Publikum von der Lektüre jener Verhandlungen abzuschrecken, und sie dadurch trotz ihrer Öffentlichkeit, dennoch im Grunde ganz geheim zu halten.« Übrigens weiß jeder, daß unsre Kammern, seitdem Heine jene Worte niedergeschrieben, bei weitem nicht mehr so langweilig sind.

Ein Meisterstück geschichtlicher und zugleich poetischer Charakteristik ist der Aufsatz: *Wellington.* Wir heben nur wenige Stellen aus, Seite 590: »Der Mann hat das Unglück überall Glück zu haben, wo die größten Männer

der Welt Unglück hatten, und das empört uns und macht ihn verhaßt. Wir
sehen in ihm nur den Sieg der Dummheit über das Genie – Arthur Wellington triumphiert, wo Napoleon Bonaparte untergeht! Nie ward ein Mann
ironischer von Fortuna begünstigt, und es ist als ob sie seine öde Winzigkeit
zur Schau geben wollte, indem sie ihn auf das Schild des Sieges emporhebt.
Fortuna ist ein Weib, und nach Weiberart grollt sie vielleicht heimlich dem
Manne, der ihren ehemaligen Liebling stürzte, obgleich dessen Sturz ihr
eigner Wille war. Jetzt, bei der Emanzipation der Katholiken, läßt sie ihn
wieder siegen, und zwar in einem Kampfe, worin Georg Canning zu
Grunde ging. Man würde ihn vielleicht geliebt haben, wenn der elende
Londonderry sein Vorgänger im Ministerium gewesen wäre; jetzt aber
war er der Nachfolger des edlen Canning – und er siegt wo Canning zu
Grunde ging. Ohne solches Unglück des Glücks würde Wellington vielleicht für einen großen Mann passieren.« – »Es ist ein wunderbares Phäno-
men, daß der menschliche Geist sich beide zu gleicher Zeit denken kann. Es
gibt keine größere Kontraste als diese beiden, schon in ihrer äußeren Erscheinung. Wellington, das dumme Gespenst, mit einer aschgrauen Seele
in einem steifleinenen Körper, ein hölzernes Lächeln in dem frierenden
Gesichte – daneben denke man sich das Bild Napoleons, jeder Zoll ein
Gott!« Diese Charakteristik eines Mannes ist zugleich die des ganzen Zeitalters, dessen Abgott er gewesen. Alles war falsch, unecht, die Begeisterung,
der Sieg, der Frieden. Nichts Wahres in der ganzen Zeit seit Napoleons
Sturz als die Lüge!

Eine Zeit, so voll giftigen aber üppig unter dem Stich der Friedenssonne
aufgeschoßnen Unkrauts, ist überreif für die polnische Sense der Satire, und
mit Recht wird hier Heine dem wackern Börne an die Seite gestellt, da
gleiche Gesinnung und gleich treffender Witz ihn auszeichnen. Doch ganz
kann auch hier die Heinische Eigentümlichkeit sich nicht verleugnen, denn
wenn er uns durch ein wirklich kräftiges Wort erfreut hat, so kommt er fast
immer noch hintendrein und rühmt sich deshalb und indem er sich selbst
nicht genug verwundern zu können scheint, daß er wirklich so keck gewesen und der Zensur und Polizei gegenüber so erstaunlich viel gewagt,
nimmt er so sehr die Miene des eiteln Poltrons an, daß er dadurch die Wirkung seiner frühern Rede wieder aufhebt, wie wenn ein wirklich guter
Schauspieler nach einer vorzüglich glänzenden Stelle plötzlich aus der Rolle
fallend dem Publikum zurufen wollte: »Nun nicht wahr, ich bin ein ganzer
Kerl, einen zweiten gibts gar nicht!« Und beim Licht besehn, wenn wirklich
Deutschland, wie Heine sagt, von feigen Schriftstellern wimmelt, so ist es
nur eine Erbärmlichkeit mehr, daß der einzige Tapfre, wofür Heine sich
gehalten wissen will, ein solcher Renommist ist.

Indem wir nun dem mächtigen Talent Heines vollkommen Gerechtigkeit
widerfahren lassen, ihn auf dem Ehrenplatz unter den gegenwärtigen Kory-

phäen unsrer Literatur anerkennen und gegen die vielfach gegen ihn erho-
benen Verunglimpfungen zu schirmen bereit sind, stellen wir nur im Namen des guten Geschmacks an ihn die Forderung, die Grenzen des humoristischen Mutwillens in acht zu nehmen, und durch Überschreitung derselben nicht Blößen des Charakters zu zeigen, die kein Talent je zudeckt.

Wolfgang Menzel (anonym) in: Morgenblatt 25 (1831) Beilage Literaturblatt, Nr. 79 und 80 (3. und 5.8.) S. 313–316, 318f.

VORWORT

473 5 *Abschluß einer Lebensperiode:* Vgl. die Entstehungsgeschichte S. 877 ff. –
21 *Willibald Alexis:* H. denkt wohl besonders an Alexis' Roman
»Walladmor« (1825) nach dem Vorbild Scotts. – 34f. *Archenholz und
Göde:* Johann Wilhelm Archenholz: »England und Italien«. 2 Bde,
Leipzig 1785 (vgl. dazu »Nordsee. Dritte Abteilung«, S. 220,37ff. und
Anm.) und »Annalen der brittischen Geschichte des Jahres 1788 (bis
1794). Als eine Fortsetzung des Werkes England und Italien«. 20 Bde,
Braunschweig u.a. (1789) bis 1800. Christian August Gottlieb Göde:
»England, Wales, Irland und Schottland. Erinnerungen an Natur und
Kunst auf meiner Reise 1802 und 1803«. 5 Bde, Dresden 1803–1805.

474 1 *»Briefe eines Verstorbenen«:* Der Verfasser des anonym erschienenen
Werkes ist Hermann Fürst v. Pückler-Muskau. Am 19.11.1830 schreibt
H. darüber an Varnhagen: »Von den Briefen des Verstorbenen habe ich
jetzt mit Vergnügen den ersten Teil gelesen. Vorher las ich Ihre Re-
zension, und wie ich mich denn immer blindlings auf Sie verlassen
kann, habe ich in der Vorrede meines Buches jene Briefe auf eine Weise
erwähnt, die gewiß zu ihrem Bekanntwerden am förderlichsten ist.
Jetzt sehe ich, daß Sie recht haben, und ich bin mit meinem eigenen
Lobe ganz einverstanden. Wer ist denn der Verstorbene? Mir können
Sie es sagen, der ich ebenfalls tot bin und nur noch durch das Essen und
den täglichen Ärger mit der lebenden Welt zusammenhänge. Mein
Buch wird Seiner toten Durchlaucht sehr gefallen, mein Demokratis-
mus wird diesen Adeligen wenig verletzen, da er nicht, wie die andern,
auf seinem Stammbaum zu stehen braucht, um über die gewöhnlichen
Köpfe hervorzuragen. Noch besser wird ihm das Religiöse im Buch
gefallen. Er hat die Frömmler köstlich gegeißelt.« Die Rezensionen von
Varnhagen und Goethe erschienen in Bd II der »Jahrbücher für wissenschaftliche Kritik«, 1830, Nr. 56–59.

Die Stadt Lucca

DRUCKVORLAGE UND LESARTEN

Erstdruck und »Reisebilder«-Veröffentlichung:

M: Teilveröffentlichung im »Morgenblatt für gebildete Stände« 23 (1829)
Nr. 266 (6. Nov.) unter dem Titel »Italienische Fragmente. II. Auf den
Appeninen.« die späteren Kap. I und II.

R¹: »Nachträge zu den Reisebildern«. Hamburg 1831. S. 1–140 (mit Walzel
unsere Druckvorlage).

Die späteren Auflagen u. d. T. »Reisebilder« 4. Teil sind ungenaue Abdrucke
von R¹. Auf die fragmentarischen Skizzen zu den »Reisebildern«, die diese
Ausgabe in der »Nachlese« druckt (S. 629 und Lesarten S. 933 f.), wird an den
entsprechenden Stellen verwiesen.

477 10f. »Ein königl. Preuß. Poet« lautet in M »Der Kriegsrat Müchler«.
18 »Professorin« in M »Professorin der Naturgeschichte«.
20f. »Aber . . . Fakultät« in M »Aber der Fakultätsstolz gewisser Herren«.
22–24 »Hegt . . . könnte«. fehlt in M.
479 37f. »Brunnen hegelscher« in M »Springquell der hegelschen«.
36 – 480,5 »Ich schilderte . . . Unsterblichkeit. –« fehlt in M.
480 26 »weder Schelling noch Hegel denkt,« fehlt in M.
490 17 »hochmützigen« in R² aus dem Druckfehler »hochmütigen« (R¹)
verbessert.
24 Nach »Wachskerzen trugen.« vgl. Nachlese S. 629, 17–31.
496 15 Im Anschluß an Kap. VI vgl. Nachlese S. 630, 1–632, 12,
oder S. 489 f. vgl. Nachlese S. 632, 13–15.
503 30 Nach Heines Brief an den Setzer der »Nachträge zu den Reisebildern« (Br. Nr. 311) muß hinter »Unsterblichkeit« entgegen den bisherigen Ausgaben statt eines Punktes ein Fragezeichen stehen.
504 30 Nach »versteht?« vgl. Nachlese S. 632, 16–23.
505 36–506, 31 Andere Fassung vgl. Nachlese S. 632, 25–633, 37.
506 31 Nach »regiert.« Zusatz vgl. Nachlese S. 634, 1–635, 13.
507 13 Im Anschluß an Kap. X vgl. Nachlese S. 635, 14–637, 26.
509 13 Nach »Religionsverächterinnen« vgl. Nachlese S. 637, 27–29.

476 2 ff. *Byron:* Im Original heißt es »gewiß ihm«; für »*Glaube*« steht dort »Aberglauben«.

477 23 *Fido Savant:* Wohl Anspielung auf die Kontroverse zwischen den beiden Berliner Juristen Savigny und Gans, wobei sich Fido Savant trotz der Namensähnlichkeit mit Savigny auf Gans beziehen müßte, da dieser der Jüngere ist. Den Gegensatz von Gans und Savigny deutet H. schon spöttisch in »Die Bäder von Lucca« (S. 411, 21 ff.) an. – 32 *daß Gott einst Stein werden wolle:* Die Anklänge an pantheistisches Gedankengut in den Anfangskapiteln der »Stadt Lucca« berühren sich mit späteren Gedanken aus der »Romantischen Schule« (vgl. Bd 3 dieser Ausg.).

478 17 *Hierophant:* oberster Priester des Mysteriums von Eleusis.

479 16 *Identitätsphilosophie:* Vgl. darüber die ausführlichen Bemerkungen »Zur Geschichte der Religion und Philosophie in Deutschland« (Bd 3 dieser Ausg.).

480 2 *die neuen Athener:* die Münchner, vgl. »Reise von München nach Genua«, Kap. III. – 4 *Breihahn:* Vgl. Anm. zu S. 325, 27 f. – 11 *Schechner ...:* Die Rivalität der beiden Sängerinnen in Berlin erwähnt H. schon im 1. Teilabdruck der »Reise von München nach Genua«, vgl. Lesarten S. 856 zu S. 316, 27. – 18 *Lyonnet:* Pierre Lyonnet, Naturforscher (1707–1789), befaßte sich speziell mit der Phalaena cossus (Weidenspanner): »Traité anatomique de la Chenille qui ronge le bois du Saule«, La Haye 1740.

481 8 f. *unserer Verabredung gemäß:* unmittelbare Anknüpfung an die Handlung der »Bäder von Lucca«, Kap. IX.

482 3 *caro Cecco:* Vgl. die Geschichte in Kap. VI der »Bäder von Lucca«. – 4 f. *»Occhie, Stelle mortale«:* Vgl. H.s Gedicht »Augen, sterblich schöne Sterne!« in Bd 6 dieser Ausg. – 23 f. *»Ihr Wolken ...«:* Anklang an Schillers »Maria Stuart« III, 1 (V. 2096) »Eilende Wolken! Segler der Lüfte!« – 29 *ernster Adler:* Gemeint ist Goethe; H. gibt eine allegorisch verschlüsselte Darstellung von seinem Verhältnis zu Goethe. Vgl. das gleiche Bild von »jenem Adler des Gesanges« (Goethe) und dem »Vogel Strauß«, dem »eitlen ohnmächtigen Vogel« (Platen) in den »Bädern von Lucca«, S. 458, 25 (vgl. Körner, Marginalien, S. 407 und Friedländer, Heine und Goethe, S. 39).

484 17 *neudeutschen Schule:* die Nazarener, vgl. auch Kap. XXXIII der »Reise von München nach Genua« und Anm. S. 865 zu S. 385, 24. – 31 *Sakontala:* Vgl. Anm. zu »Über Polen« S. 82, 18 ff. – 32 *Vasantasena:* Hauptfigur des zehnaktigen Dramas »Mrichchakati« (ca. 2. Jh. v. Chr.). Das Drama wurde aus dem Sanskrit ins Englische und von dort ins Deutsche übersetzt und 1828 in Bd 1 der Sammlung »Theater der Hin-

dus« unter dem Titel »Mrichchakat oder das Kinderwägelchen« veröffentlicht.

485 8 *Krug:* Wilhelm Traugott Krug, seit 1809 Professor der Philosophie in Leipzig, veröffentlichte neben größeren philosophischen Werken zahlreiche Flugschriften gegen den Katholizismus, 1829 auch eine Abhandlung gegen das Zölibat. – 20 *Der vorige Generalintendant:* Graf Brühl, der bis 1828 die »Königlichen Schauspiele« leitete, vgl. die Anm. zur »Harzreise«, S. 146,36.

486 2f. *Kirchenzeitung:* die seit 1827 von Ernst Wilhelm Hengstenberg hrsg. orthodoxe »Evangelische Kirchenzeitung«. – 4 *Gesenius:* Friedrich Heinrich Wilhelm Gesenius, Orientalist und Theologe in Halle, wurde von der orthodoxen Partei heftig angegriffen, besonders in der »Evangelischen Kirchenzeitung«. – 19 *Die geistlichen Kaufleute:* Zu H.s beliebter Zusammenstellung von Religion und Geschäft vgl. »Briefe aus Berlin«, S. 36,20 und Anm. S. 703 mit weiteren Beispielen.

488 34 *Sappeurs:* frühere Bezeichnung für Pioniere.

489 3 *panaché:* buntgestreift. – 11f. *Denonschen Werk:* Dominique Vivant Denon und Giovanni Batista *Belzoni* sind Verfasser großer Werke über die ägyptische Kunst und Geschichte: Denon: »Voyage dans la Basse – et la Haute Egypte«, 3 Bde, Paris 1802; Belzoni: »Narrative of the Operations and recent Discouveries in Egypt and Nubia«, London 1821.

491 12f. *das Leben ist eine Krankheit:* Der Vergleich des Lebens mit einer Krankheit, der Welt mit dem Lazarett findet sich besonders in der barocken Metaphorik häufig, der H. viel verdankt. Eine wörtliche Vorlage konnte nicht nachgewiesen werden.

492 25 *Vulgata:* Die Verse stammen aus Homers »Ilias«, 1. Gesang, V. 596 bis 604 (nach Voß, 5. Aufl. 1821). H. ordnet sie in bewußt kritischer Absicht der lateinischen und von der katholischen Kirche autorisierten Bibelübersetzung zu. Dem Freund der antiken Götterwelt ist der Homer die »Vulgata«. In diesem Kapitel (und auch in dem »Nordsee«-Gedicht »Die Götter Griechenlands«, S. 196) wird bei H. erstmals der scharfe Gegensatz zwischen Sensualismus und Spiritualismus thematisch, der zu seiner Zeit viel diskutiert wurde. Exemplarisch formuliert ist er schon in Schillers Gedicht »Die Götter Griechenlands«, wo es V. 97–100 von der griechischen Götterwelt heißt:

> »Alle jene Blüten sind gefallen
> Von des Nordes schauerlichem Wehn,
> Einen zu bereichern unter allen,
> Mußte diese Götterwelt vergehn.«

Wiederholt taucht bei H. diese Thematik auf, so in den »Elementargeistern«, in der »Romantischen Schule« (Bd 3 dieser Ausg.), in »Ludwig Börne«, 2. Buch (Bd 4) und in »Die Götter im Exil« (Bd 5).

495 24f. *französische Sakrilegiengesetz:* wonach auf der Entweihung von
Kirchengeräten der Tod stand, erlassen unter Karl X. – 34 *mit geistlichem
Vorbehalte:* H. verwechselt hier offensichtlich den »geistlichen Vorbehalt« (Reservatum ecclesiasticum) mit dem »geheimen Vorbehalt«
(Reservatio mentalis): Ersterer bestimmte nach dem Augsburger Reli-
gionsfrieden den Verzicht der zum evangelischen Glauben übertreten-
den Geistlichen auf Würde und Einkünfte; letzterer meint den bei einer
Erklärung in Gedanken gemachten Vorbehalt, der bei den Jesuiten angeblich zulässig war.

496 10 *Messe von Palestrina:* »Missa Papae Marcelli«.

497 27 *Catalani:* Angelica Catalani, bekannte Opernsängerin, der man auch
besondere Schönheit nachsagte.

498 4f. *jener heldenmütigen Zeit Luccas:* Auch in Lucca fanden im 13. Jahrhundert heftige Parteikämpfe zwischen den Guelfen und den Ghibellinen statt. Macciavelli schreibt darüber in der »Istorie Fiorentine« 1532. –
37 *wie Maria ein Pfund Salbe nahm:* fast wörtlich nach Joh. 12,3 ff.

503 12 *Plutarch:* Am 6.9.1828 schreibt H. an Moser: »Ich lese alle Abend
im Plutarch ...« Die Erzählung von dem Weibe steht aber nicht bei
Plutarch.

504 17 *Dem Zefardeyim Kinnim:* Die hebräische Formel »Dam Zefardea,
Kinnim« (Blut, Frösche, Stechfliegen) beschwört nach 2. Mos. 7f. die
drei größten Plagen Ägyptens. Über den Brauch, bei der Abendmahl-
zeit des Passahfestes, bei Aufzählung dieser Plage einen Weintropfen
mit dem Finger zur Erde zu schleudern, s. »Der Rabbi von Bacharach«,
Bd. 1, S. 468.

505 28 *politische Annalen:* »Neue allgemeine politische Annalen«, deren
26. und 27. Bd (1828) H. mit Lindner herausgab.

506 13 *Piemont und Neapel:* In beiden Staaten kam es gegen die nach Napoleons Sturz eingesetzten autoritären Regierungen 1821 zu Erhebungen,
die von den Carbonari, Angehörigen eines politischen Geheimbundes,
der für die Freiheit und nationale Einheit Italiens kämpfte, unterstützt
wurden. Der König von Sardinien, Karl Felix, stellte jedoch mit Hilfe
österreichischer Truppen das reaktionäre Regime in Piemont wieder
her, ebenso schlug mit Unterstützung der »Heiligen Allianz« Ferdinand I., König beider Sizilien, den Aufstand nieder.

507 8 *Roxelane:* Pantomime von Wenzel Müller (1785).

512 5 *Bär und den Bassa:* Singspiel nach einer französischen Vorlage von
Karl Ludwig Blum, dem Direktor des Königstädter Theaters in Berlin.
– 10 *»einen Bären anbinden«:* zu H.s Zeit Ausdruck für ›Zeche prellen‹. –
14 *die schönsten Tragödien:* Anspielung auf den Dramatiker Michael
Beer und dessen Bruder, den Komponisten Giacomo Meyerbeer. –
20f. *bis am Nabel im Schnee:* Vgl. die ähnliche Wendung in der Nach-

lese zu »Bäder von Lucca«, S. 624, 8. – 37 *Diensteifer der armen Juden:* eine der häufigen Anspielung H.s auf den »Verein zur Bekehrung der Juden«, gegründet 1823 in Berlin.

515 13 f. *›die Menschenmäkelei‹:* nach Lessing »Nathan der Weise« II, 5: ». . . Doch kennt Ihr auch das Volk,/Das diese Menschenmäkelei zuerst/Getrieben?« – 26 *jenen alten Mann:* Zum Motiv des »ewigen Juden« und H.s Quellen vgl. den Kommentar zum »Rabbi von Bacharach«, Bd 1, S. 827–847.

516 21 *Montesquieu:* »Esprit des Lois«, III, 5. – 34 f. *Mel in ore . . .:* alter Spottvers auf die Jesuiten.

517 14 f. *Indifferentismus in religiösen Dingen:* Am 16.6.1830 schreibt H. an Carl Herloßsohn zum 4. Bd der »Reisebilder« u. a.: »Aber es kommt die Zeit, wo der deutsche Michel einsehen wird, daß die Religionsinteressen ein Landesunglück sind, und daß es heilsam wäre, wenn sie samt und sonders im Indifferentismus ersöffen. Dann gäbe es keine katholischen und protestantischen Deutschländer mehr, sondern ein ganzes, großes, freies Deutschland!«

518 7 *Fallstaf:* Anspielung an »Heinrich IV«, 1. Teil, IV, 2. – 24 *französisches Evangelium:* Freiheit, Gleichheit, Brüderlichkeit, die Ziele der französischen Revolution.

519 13 *Roturier:* Nichtadliger.

522 1 ff. *Kapitel XVI:* Dieses Kapitel stellt H. acht Jahre später seiner »Einleitung zu Don Quijote« voran (Bd 4 dieser Ausg.).

523 32 f. *verkappter Barbier:* H. berichtet hier die Episode aus dem 64. Kapitel des 2. Buches, wobei er sich stark an den Wortlaut der Tieckschen Übersetzung anlehnt. Wie sich im 65. Kapitel herausstellt, war der Ritter aber nicht ein verkappter Barbier, sondern der Baccalaureus Sansón Carrasco.

524 20 *König Agis:* Die Geschichte von Agis IV., seit 244 v. Chr. König von Sparta, der nach gerechter Verfassung und Besitzverteilung strebte und deshalb 240 verraten und ermordet wurde, steht bei Plutarch.

525 8 *vernünftig:* ironische Anspielung auf Hegels Satz »Was vernünftig ist, das ist wirklich; und was wirklich ist, das ist vernünftig«. (Aus der Vorrede zu den »Grundlinien der Philosophie des Rechts«. Berlin 1821). Diese Formulierung Hegels, bezogen auf den preußischen Staatsgedanken, mißfiel dem Preußenfeind H. und trug zur Stärkung seiner mittlerweile erwachenden Abneigung gegen das Hegelsche System bei (vgl. Loewenthal, Studien, S. 65). – 19 *Ham:* Nach 1. Mos. 9,22 sagte Ham seinem Bruder, daß der Vater Noah unbedeckt liege. – 25 *Tacitus:* bei Tacitus nicht nachzuweisen.

31 f. *Amadis:* spanischer Ritterroman des 14. Jahrhunderts, der weite

Verbreitung und viele Nachfolger fand. Er galt auch Don Quixote als Urbild der Ritterschaft. *Roldan* (Roland) und *Agramanth* sind Gestalten der Rolandsage, die Cervantes ebenfalls erwähnt.

526 20 *Maritorne:* häßliche Stallmagd bei Cervantes.

527 6 *Sinekur:* Wortspiel aus Kur und Sinekure = ›Pfründe‹, ›einträgliches Amt, das wenig Mühe macht‹. – 25 *Spätere Nachschrift:* Vgl. Anm. zu S. 602, 1. – 35 *dritten bourbonischen Hedschira:* H. vergleicht die Flucht des Bourbonenkönigs Karl X., der auf Grund der Julirevolution nach England floh, mit der Hedschra, der Flucht Mohammeds von Mekka nach Medina. Zuerst hatte von den Bourbonen Ludwig XVI. 1791 aus Frankreich zu fliehen versucht, als zweiter war Ludwig XVIII. 1815 vor dem zurückkehrenden Napoleon geflohen.

528 9 *Gottfried Bassen:* Verleger, vor allem von Unterhaltungsliteratur und Ritterromanen. – 38 *Barbaroux:* Mit der Marseillaise zogen die Girondisten, unter ihnen Charles Barbaroux, 1792 nach Paris.

529 11 *Satyra:* H. erfindet aus der Vermischung von Satyr und Satire eine neue Gestalt und deren Genealogie. – 21 *Pelion:* Nach der griechischen Mythologie wälzten die Giganten das Gebirge Pelion auf den Ossa, um den Himmel zu erstürmen; vgl. die Darstellung bei Homer, »Odyssee«, 11. Gesang, V. 305 ff.

ENGLISCHE FRAGMENTE

DRUCKVORLAGE UND LESARTEN

Die einzelnen Stücke sind bis auf X, XI und das »Schlußwort« vor der Zusammenstellung für die »Reisebilder« getrennt in folgenden Zeitschriften erschienen:

NapA: »Neue allgemeine politische Annalen« Bd. 26. 27 (1828);

M: »Morgenblatt für gebildete Stände« Jg. 22 (1828);

A: »Das Ausland. Ein Tagblatt für Kunde des geistigen und sittlichen Lebens der Völker mit besonderer Rücksicht auf verwandte Erscheinungen in Deutschland« Jg. 1 (1828), 2 (1829).

I: NapA 26 (1828) S. 73–79.

II: A 1 (16. Juni 1828) S. 669–671.

III: M 22 (1828) Nr. 75 u. 76 (27. und 28. März).

IV: NapA 26 (1828) S. 173–181.

V: A 2 (1. u. 2. Jan. 1829) S. 3 f.

VI: NapA 26 (1828) S. 386–388.

VII: NapA 26 (1828) S. 365–379.

VIII: NapA 27 (1829) S. 55–68.

IX: NapA 26 (1828) S. 257–269.

Erster Gesamtdruck in:

R¹: »Nachträge zu den Reisebildern«. Hamburg 1831. S. 141–326 (mit Walzel unsere Druckvorlage).

Die späteren Auflagen unter dem Titel »Reisebilder. 4. Teil« sind ungenaue Abdrucke von R¹. Die Lesarten geben die Abweichungen der Zeitschriftenveröffentlichungen an.

536 33 »katholischen« fehlt in NapA.

538 9 Untertitel in A: »Ein Fragment.«

543 10 »erloschen« fehlt in A.

16 Titel in M: »Die jetzigen Engländer.«

545 16 Zu diesem Absatz steht in M folgende Fußnote:

»Bei Erwähnung dieser geistigen Umwälzung in Frankreich denkt Jeder gewiß an die schönen Namen: Cousin, Jouffroy, Guizot, Barante, Thiérry, Thiers, Mignet etc.; aber ich habe weit mehr im Auge die Jugend des neuen Frankreichs, als deren Organ ich den »Globe« betrachte, eine seit mehreren Jahren in Paris erscheinende Zeitschrift, worin junge Demokraten der Wissenschaft, gemeinsinnig und eitelkeitslos, die Resultate ihrer Forschungen niederlegen, oft sogar das Forschen selbst, indem sie die Preisfragen des Menschengeschlechts, l'ordre du jour, oder besser gesagt l'ordre du siècle klar aussprechen, die Welthülfsliteratur genau diktieren, die Vorarbeiten aller Nationen gebrauchbar machen, und gleichsam das Zusammenstudieren einer ganzen Generation großartig erleichtern.«

551 2 »Varnhagen von Ense,« fehlt in NapA.

552 10 »Geiz« in R¹ »Geist«, wohl Druckfehler; verbessert aus NapA.

555 2 Überschrift in A: »Old Bailey in London.«

557 19 »verwirrten« in A »verwitterten«.

558 30 Überschrift in NapA: »Das neue englische Ministerium.«

561 7 Nach »liegen« folgt noch in NapA: »und die Wächter desselben, die feisten, rotröckigen Beefeaters, leicht überwältigt wären. Wir wollen im nächsten Hefte mehr davon sprechen.«

9 Überschrift in NapA: »Die englischen Finanzen.«

Dem Text des Aufsatzes geht in NapA eine Bemerkung Heines voraus, die nur im Zusammenhang mit Heines Redaktionstätigkeit an dieser Zeitschrift steht und mit dem Aufsatz selbst nichts zu tun hat.

568 5 »sechsundvierzig« (NapA, R¹) müßte eigentlich »sechsundfünfzig« heißen, entsprechend S. 567, 36.

37 Nach »vorzunehmen«. folgt in NapA noch:

»22) Dazu kommt: die zwei erstgenannten Schulden, nämlich die Staatsschuld und die deadweight-Schulden bezahlte man früherhin, oder besser gesagt, die Interessen derselben bezahlte man früherhin in einem herabgesetzten Papiergelde, von welcher Währung fünfzehn Schillinge kaum so viel wert waren, wie ein Winchesterner Scheffel Weizen. Dieses war die Art, wie man jene Kreditoren während sehr vielen Jahren bezahlt hat, aber im Jahr 1819 machte ein tiefsinniger Minister, Herr Peel, die große Entdeckung, daß es für die Nation besser sei, wenn sie ihre Schulden in wirklichem Gelde ausbezahlte, in wirklichem Gelde, wovon fünf Schilling, statt fünfzehn Schilling Papiergeld, so viel wert sind, wie ein Winchesterner Scheffel Weizen!

23) Die *Nominalsumme* wurde nie verändert! Diese blieb immer dieselbe, nichts geschah, als daß Herr Peel und das Parlament *den Wert der Summe veränderten*, und sie verlangten, daß die Schuld in einer Geldsorte bezahlt würde, wonach fünf Schillinge so viel wert sind, und nur durch eben so viel Arbeit, oder eben so viel Realien erlangt werden können, wie fünfzehn Schillinge jener Währung, *worin die Schulden kontrahiert sind, und worin die Interessen jener Schulden während sehr vielen Jahren bezahlt worden.*

[24] nicht vorhanden.]

25) Von 1819 bis heutigen Tag lebte daher die Nation in dem trostlosesten Zustand, sie wird aufgegessen von ihren Kreditoren, die gewöhnlich Juden sind, oder besser gesagt, Christen, die wie Juden handeln, und die man nicht so leicht dahin bringen könnte, weniger hastig auf ihren Raub loszufahren.

26) Mancher Versuch wurde gemacht, um die Folgen der Veränderung, welche 1819 in der Währung des Geldes stattfand, einigermaßen zu mildern; aber diese Versuche mißglückten, und hätten einst bald das ganze System in die Luft gesprengt.«

Die Ziffern 22, 23, 24 in R¹ haben in NapA dementsprechend die Nummern 27, 28, 29.

570 25 »assumiert« in NapA »Aufsummiert«.

572 2 Überschrift in NapA: »Die englischen Oppositionsparteien.«

583 15 Überschrift in NapA: »Die Emanzipation der Katholiken.«

585 2 Nach »Castlereagh« folgt in NapA noch »und der unselige Wellington.«

589 31 »Interventionskrieg« in NapA »Interventionsvertrag«.

590 11 nach »beleidigt wird.« folgt in NapA noch ein längerer Passus:

»Doch ich komme ab von meinem Thema. Ich wollte alte Parlamentsspäße erzählen, und sieh da! die Zeitgeschichte macht jetzt aus jedem Spaße gleich Ernst. Ich will ein noch lustigeres Stückchen wählen, nämlich eine Rede die Spring Rice den 26. Mai desselben Jahrs im Unterhause hielt, und worin er die protestantische Angst, wegen etwaiger Übermacht der Katholiken, auf die ergötzlichste Weise persifliert: (vid. Parliamentary history and review etc. etc. Pag. 252).

Anno 1753, sagte er, ›brachte man ins Parlament eine Bill für die Naturalisierung der Juden: eine Maßregel, wogegen heut zu Tage in diesem Lande nicht einmal irgend ein altes Weib etwas einwenden würde, die aber doch zu ihrer Zeit den heftigsten Widerspruch fand, und eine Menge von Bittschriften aus London und andern Plätzen, von ähnlicher Art, wie wir sie jetzt bei der Bill für die Katholiken vorbringen sehen, zur Folge hatte. In der Bittschrift der Londoner Bürger hieß es: ›sollte die besagte Bill für die Juden gesetzliche Sanktion erhalten, so würde sie die christliche Religion erschrecklich gefährden, sie würde die Konstitution des Staates und unserer heiligen Kirche untergraben (man lacht), und würde den Interessen des Handels im allgemeinen und der Stadt London insbesondere außerordentlich schaden (Gelächter)‹. Indessen, ungeachtet dieser strengen Denunziation fand der nachfolgende Kanzler des Exchequer, daß die bedrohten, erschrecklichen Folgen ausblieben, als man die Juden in die City von London und selbst in Downingstreet aufnahm (Gelächter). Damals hatte das Journal ›der Kraftsmann‹ bei der Denunziation der unzähligen Unglücke, welche jene Maßregel hervorbringen würde, in folgenden Worten sich ausgelassen: ›ich muß um Erlaubnis bitten die Folgen dieser Bill auseinander zu setzen. Bei Gott ist Gnade, aber bei den Juden ist keine Gnade, und sie haben 1700 Jahre der Züchtigung an uns abzurächen. Wenn diese Bill durchgeht, werden wir alle Sklaven der Juden, und ohne Hoffnung irgend einer Rettung durch die Güte Gottes. Der Monarch würde den Juden untertan werden, und der freien Landbesitzer nicht mehr achten. Er würde unsere britischen Soldaten abschaffen, und eine größere Armee von lauter Juden errichten, die uns zwingen würde, unsere königliche Familie abzuschwören, und gleichfalls unter einem jüdischen König naturalisiert zu werden. Erwacht daher, meine christlichen und protestantischen Brüder! Nicht Hannibal ist vor Euren Pforten, sondern die Juden, und sie verlangen die Schlüssel Eurer Kirchtüren!‹ (Lautes anhaltendes Gelächter). Bei den Debatten, welche über jene Bill im Unterhause statt fanden, erklärte ein Baron aus dem Westen (man lacht), daß, wenn man die Naturalisierung der Juden zugestehe, so gerate man in Gefahr, bald von ihnen im Parlamente überstimmt zu werden. ›Sie werden unsere Grafschaften‹, sagte er, ›unter ihre Stämme verteilen, und unsere Landgüter den Meistbietenden ver-

kaufen‹ (man lacht). Ein anderes Parlamentsglied war der Meinung,
›wenn die Bill durchgehe, würden sich die Juden so schnell vermehren,
daß sie sich über den größten Teil Englands verbreiten, und dem Volke
sein Land ebenso, wie seine Macht, abringen würden‹. Das Parlamentsglied für London, Sir John Bernard, betrachtete den Gegenstand aus
einem tiefern, theologischen Gesichtspunkte: einen Gesichtspunkt, den
man ganz wiederfindet in der neulichen Petition aus Leicester, deren Un-
terzeichner den Katholiken vorwarfen, sie seien Abkömmlinge derer, die
ihre Vorfahren verbrannt haben – und in solcher Art rief er: ›die Juden
seien die Nachkommen derjenigen, welche den Heiland gekreuzigt
haben, und deshalb bis auf die spätesten Enkel von Gott verflucht worden‹. – Er (Spring Rice) bringe jene Auszüge zum Vorschein, um zu
zeigen, daß jenes alte Lärmgeschrei eben so begründet gewesen sei, wie
der jetzige neue Lärm in Betreff der Katholiken (Hört! Hört!). Zur Zeit
der Judenbill ward auch eine scherzhafte ›Judenzeitung‹ ausgegeben,
worin man die folgende Ankündigung las: ›Seit unserer letzten Num-
mer ist der Postwagen von Jerusalem angekommen. Vergangene
Woche wurden im Entbindungshospital, Brownlow-Street, fünf und
zwanzig Knaben öffentlich beschnitten. Gestern abend wurde im San-
hedrin, durch Stimmenmehrheit, die Naturalisierung der Christen verworfen. Das Gerücht eines Aufruhrs der Christen in Nord-Wales erfand
sich als ganz unbegründet. Letzten Freitag wurde die Jahrfeier der
Kreuzigung im ganzen ·Königreiche sehr vergnüglich begangen‹. – In
dieser Art und zu allen Zeiten, bei der Judenbill sowohl, als bei der Bill
für die Katholiken, wurde der lächerlichste Widersetzungslärm durch
die geistlosesten Mittel erregt, und wenn wir den Ursachen eines solchen Lärms nachforschen, finden wir, daß sie sich immer ähnlich waren.
Wenn wir die Ursachen der Opposition gegen die Judenbill im Jahr
1753 nachforschen, finden wir als erste Autorität den Lord Chatham,
der im Parlamente aussprach: ›er sowohl, als die meisten andern Gentle-
men seien überzeugt, daß die Religion selbst mit dieser Streitfrage nichts
zu schaffen habe, und es nur dem Verfolgungsgeiste der alten erhabenen
Kirche (the old high church persecuting spirit) gelungen sei, dem Volke
das Gegenteil weis zu machen‹. (Hört! Hört!). So ist es auch in diesem
Falle, und es ist wieder ihre Liebe für ausschließliche Macht und Bevor-
rechtung, was jetzt die alte erhabene Kirche antreibt, das Volk gegen
die Katholiken zu bearbeiten; und er (Spring Rice) sei überzeugt, daß
viele, welche solche Künste anwenden, ebenfalls sehr gut wüßten, wie
wenig die Religion bei der letzten Katholikenbill in Betrachtung kommen konnte, gewiß eben so wenig, wie bei einer Bill für Regulierung
der Maße und Gewichte, oder für Bestimmung der Länge des Pendels
nach der Anzahl seiner Schwingungen. Ebenfalls, in Betreff der Juden-

bill, befindet sich in der damaligen Hardwicke-Zeitung ein Brief des Doktor Birch an Herrn Philipp York, worin jener sich äußerte: ›daß all dieser Lärm wegen der Judenbill nur einen Einfluß auf die nächstjährigen Wahlen beabsichtigt‹ (Hört! Man lacht!). Es geschah damals, wie dergleichen auch in unserer Zeit geschieht, daß ein vernünftiger Bischof von Norwich zu Gunsten der Judenbill aufgetreten. Dr. Birch erzählt, daß dieser bei seiner Zurückkunft in seinem Kirchsprengel jener Handlung wegen insultiert worden; ›als er nach Ipswich ging, um dort einige Knaben zu konfirmieren, ward er unterwegs verspottet, und man verlangte von ihm beschnitten zu werden‹; auch annoncierte man: ›daß der Herr Bischof nächsten Samstag die Juden konfirmieren und Tags darauf die Christen beschneiden würde‹ (Man lacht). So war das Geschrei gegen liberale Maßregeln in allen Zeitaltern gleichartig unvernünftig und brutal (Hört ihn! Hört ihn!). Jene Besorgnisse in Hinsicht der Juden vergleiche man mit dem Alarm, der in gewissen Orten durch die Bill für die Katholiken erregt wurde. Die Gefahr, welche man befürchtete, wenn den Katholiken mehr Macht eingeräumt würde, war eben so absurd; die Macht Unheil anzurichten, wenn sie dazu geneigt wären, konnte ihnen durch das Gesetz in keinem so hohen Grade verliehen werden, wie sie jetzt solche eben durch ihre Bedrückung selbst erlangt haben. Diese Bedrückung ist es, wodurch Leute wie Herr O'Connell und Herr Shiel so einflußreich geworden sind. Die Nennung dieser Herren geschehe nicht, um sie verdächtig zu machen; im Gegenteil man muß ihnen Achtung zollen, und sie haben sich um das Vaterland Verdienste erworben; dennoch wäre es besser, wenn die Macht vielmehr in den Gesetzen als in den Händen der Individuen, seien diese auch noch so achtungswert, beruhen möchte. Die Zeit wird kommen, wo man den Widerstand des Parlaments gegen jene Rechtseinräumungen nicht bloß mit Verwunderung, sondern auch mit Verachtung ansehen wird. Die religiöse Weisheit eines frühern Zeitalters war oft Gegenstand der Verachtung bei den nachfolgenden Generationen (Hört! hört!)‹.

(Die Fortsetzung folgt.)«

Worauf sich die Ankündigung »Die Fortsetzung folgt« bezieht, ist ungewiß. Eine Fortsetzung von Heines Artikel ist nicht erschienen.

593 9–594, 22 »Manchmal . . . ›Bonaparte!‹« ist in der Handschrift H der »Reise von München nach Genua« enthalten (vgl. die Lesarten dazu S. 858 f.). Der erste Satz bis »Bild« (593, 11) lautet in H entsprechend dem dortigen Zusammenhang der »Reise von München nach Genua«: »Und doch überschleicht uns jetzt schon zuweilen ein träumerischer Zweifel, ob wir wirklich Zuschauer waren bei den Taten des großen Kaisers, und es ist uns zuweilen als ob sein Bild,«.

20f. »das empfand ... Bord« in H: »das empfand ich vor einigen Jahren, als ich im Hafen von London, in den indischen Docks, an Bord«.
36 »Beschränktheit« in H »Befangenheit«.

594 4f. »wie ich mich damals manchmal fühlte,« in H: »wie ich bin,«.

TEXTANMERKUNGEN

532 *Glückseliges Albion ...:* Das Motto aus »Die ehrlichen Leute« steht in Willibald Alexis »Gesammelten Novellen«, Bd 2, Berlin 1830, S. 72.

534 21 *Roturier:* Nichtadliger.

535 14 *auf dem Theater zu St. James:* im königlichen Schloß. – 25 *honny soit qui mal y pense:* Wahlspruch des englischen Hosenbandordens. H. spielt auf die Sage von der Entstehung des Ordens an, wonach König Eduard III. auf einem Ball das Strumpfband, das seine Geliebte verloren hatte, aufhob und sich ums linke Knie band mit den Worten »Honny soit qui mal y pense«.

537 3 *Smithfield:* Londoner Viehmarkt, früher Hinrichtungsstätte; vgl. Anm. zu S. 586,4.

538 19 *Cheapside:* belebte Straße der Londoner City.

539 9 *Schulden:* Vgl. dazu Kap. VII: »Die Schuld«. – 13 *John Bull:* Spottname für den Engländer seit der satirischen Literatur zu Anfang des 18. Jahrhunderts. Vgl. auch den Aufsatz »John Bull«, S. 641. – 19 *Strand:* Hauptverkehrsstraße in London.

544 30f. *Almacks:* 1827 anonym erschienener Roman; »*Vivian Grey*« von Benjamin Disraeli, 4 Bde, 1826/27; »*Tremaine*« von Robert Plumer Ward, 3 Bde, 1825; »*The Guards*«, anonym 1827; »*Flirtation*« von Charlotte Suzanne Mary Bury, 1828.

545 2 *sein Leben zu diktieren:* Napoleons Memoiren erschienen 1822–1825 in Paris und Berlin in 8 Bdn unter dem Titel »Mémoires pour servir à l'histoire de France sous Napoléon, écrits à st.-Hélène sous sa dictée« (hrsg. v. G. Gourgaud und Ch. T. de Montholon).

546 21 *Gretna-Green:* Dorf in Schottland. Nach damaligem schottischem Recht genügte eine formlose Eheerklärung der Partner vor einem Zeugen zur Eheschließung. Der Zeuge war meist der Friedensrichter, dessen Amt in Gretna Green lange Zeit ein Schmied innehatte. Die Entführung der Ellen Turner durch Wakefield 1826 und die Annullierung der Ehe beschäftigte sogar das Parlament. – 27f. *Korah, Dathan und Abiram:* empörten sich gegen Moses, vgl. 4. Mos. 16,1ff. – 30 *Kings-Bench:* damals einer der drei obersten Gerichtshöfe in England.

548 24 *Walter Scott:* »The Life of Napoleon Buonaparte«, 9 Bde, Paris 1827. Vgl. auch H.s Ankündigung in der »Nordsee. Dritte Abteilung«, S.236,1.

An Varnhagen schreibt er am 12.2.1828, daß er für seine Rezension nur den 9. Bd gelesen habe (vgl. Anm. zu S. 550, 18 f.). – 27 *Constable-schen Masse:* Das Bankhaus Constable, an dem Scott beteiligt war, ging 1826 bankrott. Seither war Scott gezwungen, mit dem Ertrag seiner Werke seine Schulden in Höhe von 117000 Pfund zu tilgen. – 33 *Cessio bonorum:* Bezeichnung für die von einem zahlungsunfähigen Schuldner geleistete Abtretung seines Vermögens an die Gläubiger. – 33 f. *Lorbeer des großen Unbekannten:* Scotts Werke waren bis 1827 anonym erschienen, der Verfasser war jedoch allgemein bekannt gewesen.

549 34 *populären Reichtume:* über Scotts Popularität vgl. »Briefe aus Berlin«, S. 34 ff.

550 17 f. *Stuttgarter Literaturblatt:* Nr. 88–91 vom 2., 6., 9. und 13.11.1827 von Friedrich Ludwig Lindner, der schon bald darauf (ab 1.1.1828) H.s Mitherausgeber der »Neuen allgemeinen politischen Annalen« wurde. Schon Lindner hatte in seiner Rezension die kommerzielle Absicht des Scottschen Werkes verurteilt. – 18 f. *Berliner Jahrbücher für wissenschaftliche Kritik:* Nr. 223–226, Dezember 1827, S. 1791–1808 von Varnhagen. H. zitiert daraus, teilweise allerdings nicht ganz genau. Im Brief vom 12.2.1828 an Varnhagen äußert sich H. darüber: »Wär' ich nur immer mit Ihnen als Rezensenten so ganz zufrieden! Ach! für Ihre Rezension des Napoleonischen Charakters müssen Sie noch manche Stücke von mir ausstehen. Einliegende Rezension schicke ich Ihnen zur Strafe, zur doppelten Strafe, denn erstens gab ich Ihnen selbst den Schein einer Gleichgesinnung mit mir, zweitens ist meine Rezension selbst herzlich schlecht. Hab auch nur den 9. Band gelesen und mein Geschriebenes kaum überlesen.«

552 11 *Naseby:* Karl I. floh nach der Schlacht bei Naseby 1645 vor den siegenden Truppen des englischen Parlaments unter Cromwell ins schottische Lager, wurde aber von den Schotten für die genannte Summe dem Feind ausgeliefert und 1649 hingerichtet. – 15 *Caledonias Barden:* Mit diesen schottischen Sängern sind wohl James Hogg und Thomas Babinton Macaulay (»Die Schlacht bei Naseby«) gemeint. – 30 f. *Sir Hudson Lowe:* englischer Gouverneur auf St. Helena. – 31 *Myrmidonen:* Myrmidonen, archäisches Volk, bevorzugte Truppe des Achilleus vor Troja. – 32 *Gourgaud:* Gaspard Gourgaud, Napoleons erster Ordonnanzoffizier, begleitete diesen nach St. Helena. 1818 verließ er wegen Streitigkeiten mit dem Offizier Montholon die Insel. 1823 gab er mit diesem die Memoiren Napoleons (vgl. Anm. zu S. 545, 2) heraus. Der Vorwurf der Untreue ist nicht berechtigt. – 36 *Baron Stürmer:* Barthelemy Stürmer wurde als Kommissar von Österreich nach St. Helena geschickt.

553 21 *denkwürdigen Schriften:* Auf diese Schriften geht H. näher in der »Nordsee. Dritte Abteilung«, S. 232,34ff. ein. – 30 *»die Schicksale des Lemuel Guilliver«.* Der Originaltitel lautet: »Travels into Several Remote Nations of the World. By Lemuel Gulliver«, London 1726.

555 2 *Old Bailey:* Straße der Londoner City und volkstümliche Bezeichnung für das dort gelegene Newgate Prison und den Central Criminal Court. – 18 ff. *»Per me ...«:* Dante: »Divina Comedia«, die ersten Verse der Überschrift über dem Eingang zur Hölle, »Inferno« III, 1–3.

557 7 *Kean:* Schauspieler, besonders in Shakespeare-Stücken, vgl. Anm. zu »Bäder von Lucca«, S. 399,4. – 15 *Botany Bay:* Verbrecherkolonie in Neusüdwales (Port Jackson).

558 31 *Bedlam:* Londoner Irrenhaus.

559 19 *Samiel:* in der orientalischen Mythologie »Sammael«, war ursprünglich einer der sieben Weltregenten, wurde aber wegen Auflehnung gegen Gott gestürzt. Bei den Juden heißt so der Teufel. – 21 *Vizliputzli:* mexikanischer Kriegsgott, der sich nach H.s Darstellung in seinem Gedicht »Vitzliputzli« (vgl. »Romanzero«, Bd 6 dieser Ausg.) in einen Teufel verwandelt.

560 6 *Cannings:* Nach dem Tod des Premierministers George Canning am 8.8.1827 folgte ihm in der Regierung Lord Goderich (und kurz danach Wellington), der wieder stärker zu toryistischen Prinzipien neigte. Zu Canning vgl. »Reise von München nach Genua« (S. 379,21) und besonders »Französische Zustände«, Artikel IV (Bd 3 dieser Ausg.). – 28 *Cobbett:* William Cobbett, englischer Politiker und Publizist von radikaler, antiroyalistischer Gesinnung; vgl. das folgende Kapitel »Die Schuld«. – 35 *Der Übel größtes ist die Schuld:* parodistischer Gebrauch von Schillers Schlußvers aus der »Braut von Messina«.

561 13 *Richard Martin:* Anreger der Tierschutzbewegung in England. – 16 *Doktor Schreiber:* Philipp Wilhelm Schreiber hatte 1807 das kurhessische Domänengut Freyenhagen mit Napoleons Einwilligung gekauft. Als nach dem Sturz Napoleons der Kurfürst von Hessen zurückkehrte, annullierte er die Kaufverträge aus der napoleonischen Zeit. Jahrelang prozessierte Schreiber deshalb vergeblich beim Frankfurter Bundestag.

563 27 *seines Registers:* »Weekly Political Register«, Cobbetts Wochenschrift, erschien von 1803 bis zu seinem Tod 1835.

565 29 *Rauferei mit den Türken:* In der Schlacht von Navarino (1827) besiegten die Engländer, Franzosen und Russen die türkische Flotte und trugen damit zum Erfolg des griechischen Freiheitskampfes bei.

566 12 *Tweazle:* Gemeint ist Frau Teazle, die Hauptfigur in Sheridans Lustspiel »School for Scandal« (1777).

567 5 *dead weight*: eigentlich totes Gewicht, Eigengewicht. So wurde der Gesamtbetrag der Entschädigungssumme für Kriegsteilnehmer genannt, für die die englische Regierung aufzukommen hatte.

568 5 *sechsundvierzig*: nach S. 567 offenbar Verschreibung für sechsundfünfzig.

570 13 *Colquhoun*: Patrick Colquhoun (1745–1820), Statistiker und Nationalökonom, veröffentlichte 1800 »Treatise on the Commerce and Police of the River Thames«, worin er Maßnahmen zur Bekämpfung des Diebstahls auf den Themseschiffen vorschlägt (daher »Diebesfänger«); 1814 erschien das hier angemerkte Buch: »Treatise on the Population, Wealth, Power and Resources of the British Empire«. Den Ehrendoktortitel der Universität Glasgow erhielt er 1797 für sein 1795 erschienenes Buch: »Treatise on the Police of the Metropolis«.

572 20 *Stuartsche Partei*: Bei der sogen. »Glorreichen Revolution« 1688 wurde Jakob II. (Stuart) abgesetzt, und der protestantische Wilhelm III. von Oranien bestieg den Thron, unterstützt von den Whigs. Unter Georg III. wurden dann die Tories wieder Regierungspartei. – 29 *unlängst*: Gemeint ist Canning, er wurde 1822 Außen- und 1827 Premierminister. – 32 f. *der andere stieg ängstlich herunter*: Cannings Nachfolger Lord Goderich (vgl. S. 560). – 33 f. *die alten Wagenlenker*: Wellington, der 1828 ein neues Toryministerium bildete.

574 33 ff. *Francis Burdett*: radikaler Abgeordneter, der später zu den Tories überging. H. charakterisiert ihn auch in den »Französischen Zuständen«, Artikel IV (Bd 3 dieser Ausg.), wie auch *Thomas Lethbridge*, Mitglied des Unterhauses.

575 1 f. *he has untoried . . .*: unübersetzbares Wortspiel mit ›tory‹ (Räuber) und ›wig‹ (Perücke). – 25 *Hunt*: James Henry Leigh Hunt, Verfechter eines politischen und religiösen Radikalismus.

576 6 *Foxhunter*: Spitzname für die Landjunker.

578 25 *St. Stephanskapelle*: Tagungsort des Unterhauses.

581 19 *Typhon*: typhoon (engl.) ›Taifun‹.

582 37 *Edinburgh Review*: Diese Zeitschrift gab Brougham gemeinsam mit Sydney Smith und Francis Jeffrey seit 1802 heraus. Zu Problemen der Volksbildung schrieb er u. a.: »Practical Observations upon the Education of the People« (London 1825).

583 4 *Peel*: Sir Robert Peel, englischer toryistischer Staatsmann von fortschrittlicher Gesinnung. – 6 f. *Prozeß der Königin*: Brougham war Verteidiger der Königin Karoline Amalie Elisabeth in dem Scheidungsprozeß mit ihrem Gemahl, König Georg IV.

584 2 *Oranienmänner*: Orangemen, die zu den in Erinnerung an die Besiegung Irlands durch Wilhelm von Oranien (1690) sogenannten Orangelogen zusammengeschlossenen protestantischen Bekämpfer der katho-

lischen Ansprüche in Irland. – 12 *Burke:* Vgl. H.s Darstellung von ihm in der »Einleitung zu Kahldorff«, S. 662,23 ff.

585 2 *Castlereagh:* Vgl. Anm. S. 818 zu »Ideen«, S. 276,32. – 21 f. *Freund in Polen:* Eugen von Breza, vgl. »Briefe aus Berlin«, S. 24,16 und Anm. und den Aufsatz »Über Polen«.

586 4 *Smithfield:* Auf dem Marktplatz von Smithfield, einer alten Hinrichtungsstätte, wurden besonders unter der Regierung Marias der Katholischen (1553–1558) zahlreiche Protestanten hingerichtet. – 6 *Pulvercomplot:* das Attentat, das die Katholiken unter Führung des Adligen Guy Fawkes 1605 gegen Jakob I. und das Parlament geplant hatten. Der Anschlag wurde entdeckt und Fawkes hingerichtet. – 13 *Rektor von Göttingen:* Der englische König war, da England und Hannover in Personalunion verbunden waren, zugleich Landesherr von Hannover und damit Rektor der Landesuniversität Göttingen. – 19 *Oberschnurren:* H. spielt weiter mit dem Universitätsjargon: Schnurren hießen in der Studentensprache die Universitätspedelle, vgl. »Die Harzreise«, S. 103,34.

587 32 *Großsultan:* Im folgenden wird das englische Verhältnis der Regierung zum Katholizismus auf das Verhältnis der Türken zu den Griechen übertragen: dabei ist der Großsultan König Georg IV., der Großvesier Lord Liverpool (Premierminister von 1812–1827), Reis Effendi der Außenminister George Canning, Kiaya-Bei der Innenminister Robert Peel, Kapitän Pascha (Kapudan Pascha) der Lord der Admiralität Viscount Melville, Obermufti der Erzbischof von Canterbury, einige Griechen sind also einige katholische Iren.

588 36 *No popery-Geschrei:* »keine Papisterei«, Parole der Gegner der katholischen Emanzipation.

589 9 *Mollahs:* Geistliche und Gelehrte; *Imam:* Gemeindevorsteher. – 26 *Pera:* Stadtteil von Konstantinopel, in dem sich die Botschaften und Konsulate befanden. – 29 *mit verändertem Namen . . .:* nach Horaz »Satiren« I, 1,69 f.: »Mutato nomine de te fabula narratur«.

591 4 *Polignac:* französischer Ministerpräsident von 1829–1830. Durch seine reaktionären innenpolitischen Maßnahmen wurde die Julirevolution ausgelöst.

592 34 f. *ein hölzernes Lächeln:* Vgl. die ähnliche Charakteristik Wellingtons in H.s Nachbemerkung zu dem Aufsatz »Körperliche Strafe«, S. 649,13 ff.

593 1 *dieses Bild:* Vgl. »Ideen«, Kap. VIII. – 8 *Te, Caesar . . .:* eigentlich »Ave, imperator, morituri te salutant«: nach Sueton der Gruß der römischen Gladiatoren an den Kaiser Claudius, bevor sie zu dessen Belustigung zu einem blutigen Seegefecht auszogen. – 31 *Schehezerade:* Scheherezade ist die Erzählerin der Märchen aus 1001 Nacht. – 34 *Su-*

perkargo: bevollmächtigter Begleiter einer Schiffsladung im Auftrag des Eigentümers.

594 4 *Europa-müde:* hier vermutlich Neologismus, später mehrfach von H. gebraucht. Das Wort erscheint bald darauf in Immermanns »Münchhausen« und als Titel in Ernst Willkomms Roman »Die Europamüden« (beide 1838).

596 35 *Helfenstein:* Nach der Erstürmung von Weinsberg (1525) wurde der Graf Helfenstein durch die Spieße der Bauern getrieben, während ein Pfeifer, der früher in seinem Dienst gestanden war, dazu blies.

597 4 *befreundete Barde:* Sir Walter Scott.

598 13 ff. »Niemand flickt ...«: Marc. 2, 21–22. – 22 *jener späteren Bergprediger:* In der französischen gesetzgebenden Versammlung und im Nationalkonvent hießen die Jakobiner nach den hochgelegenen Sitzen ihrer Fraktion die Bergpartei.

599 28 f. *heiligen Genovevakirche der Freiheit:* das Pariser Pantheon. – 32 *Libellen:* Schmähschriften.

601 16 f. *Du Clos:* Choderlos de Laclos, Anhänger der Revolution und Verfasser der »Liaisons dangereuses« (1782). Der Girondist *Louvet de Couvray* schrieb »Les amours du chevalier de Faublas« (1787).

602 1 *Schlußwort:* Campe wagte es wegen des Ausbruchs der Julirevolution und ihrer Auswirkungen in Deutschland nicht, die »Nachträge« in Hamburg drucken zu lassen, sondern beauftragte eine Druckerei in Leipzig damit. Da das Buch noch keine 20 Bogen füllte, mußte es der Zensur vorgelegt werden, die Schwierigkeiten machte, so daß Campe H. bat, das Manuskript zu erweitern. H. berichtet an Varnhagen am 30.11.1830 in verdrießlicher Stimmung, daß er »noch einige Arien einlegen und noch ein Finale schreiben« müsse, die »Spätere Nachschrift« zur »Stadt Lucca«, S. 527 und das »Schlußwort« im Anhang zu den »Englischen Fragmenten«. In die 1. franz. Ausg. ist das Schlußwort nicht aufgenommen, in der 2. (1858) bildet es den Schluß von »Die Stadt Lucca«. – 16 *das zinnerne Ende:* des 2. Bandes der »Reisebilder« = die »Briefe aus Berlin«, vgl. dazu die Entstehungsgeschichte zum 2. Bd.

603 17 *Katapulta, Falarika:* Wurfgeschosse. – 30 *Karl V.:* Die Geschichte bezieht sich auf Kaiser Maximilian I. und seine Gefangenschaft in Brügge 1482. In der französischen Ausgabe von 1858, in der diese Geschichte am Schluß der »Stadt Lucca« steht, berichtigt H. den Fehler und schreibt für »eine Geschichte aus dem Leben Karl V.«: »une histoire de la vie de l'empereur Maximilien«. Vermutlich versteht H. unter dem gefangenen Kaiser das deutsche Volk in der politischen Knechtschaft jener Zeit der Restauration und unter dem treuen Narren Kunz von der Rosen sich selbst.

604 8 *Bildern von Holbein:* Hier meint H. aber Holbeins Porträt Kaiser

Karls V. – 29 *Tel est notre plaisir:* »Car tel est notre bon plaisir«; Schluß-
formel der königlichen Verordnungen in der Zeit des Absolutismus,
die auch während der Restauration beibehalten wurde.
605 6 *roten Mütze:* Freiheitsmütze der Jakobiner.

*

AUFNAHME UND KRITIK DER GESAMTEN REISEBILDER

Aus der großen Zahl der Rezensionen, Beurteilungen und Erwähnungen des
gesamten Werks aller vier »Reisebilder«-Teile in Zeitschriften, Sammel-
werken und Literaturgeschichten der Zeit seien abschließend zwei gegen-
sätzliche Meinungen zitiert: die des fortschrittlichen jungdeutschen Kriti-
kers Ludolf Wienbarg und die des konservativen Dichters und Rezensenten
Melchior Meyr. Diese beiden Beurteilungen zeigen, daß Heines »Reisebilder« nicht nur unmittelbar nach Erscheinen, sondern auch später noch
Aufsehen erregten; die Charakterisierung Meyrs, der von normativen Maß-
stäben der Natürlichkeit und Sittlichkeit, von Gut und Böse ausgeht und
jedes dichterische Werk nach seinem sittlichen und religiösen Wert begut-
achtet, also die Normen und Kriterien der Goethezeit beibehält, zeigt zugleich, wie sehr Heine zu seiner Zeit häufig mißverstanden wurde, eine
Auffassung, der man bis in die jüngste Zeit begegnen konnte und die dem
Dichter nicht gerecht wurde.

Wie wir als allgemeines Gesetz aufgestellt haben, daß die jedesmalige Literatur einer Zeitperiode den jedesmaligen gesellschaftlichen Zustand derselben ausdrücke und abpräge, so sahen wir diese bisher im Felde der Dra-
matik und Lyrik, an Goethe und Byron insofern bestätigt, als wir beide zu
den glänzenden Herolden ihrer Zeit rechnen mußten, unbeschadet ihres
individuellen Charakters, der sie von der großen Menge ihrer Zeitgenossen
unterschied. Und auf diese Weise haben wir uns überall die Repräsentation
einer Zeit durch Dichter und Schriftsteller vorzustellen, auf die Weise
nämlich, daß sie Zeichnung und Färbung von ihrer Zeit entlehnen, dennoch
aber in Gemälden selbständig und schöpferisch zu Werke gehen und einen
ihnen eigentümlichen Stil an den Tag legen. So haben wir von Byron
erwähnt, daß seine Leier von den Schwingen der neuen Zeit angeregt gewesen, mehr wie die eines andern neuen Dichters; haben aber zugleich bemerkt, daß er in seinen Gedichten den Lord nicht vergessen und bei allem
Feuer für die Rechte der Menschheit und der unterdrückten Völker, bei

allem Enthusiasmus für die Freiheit und reine Humanität des griechischen Altertums sich mit Stolz als den Enkel eines altenglischen, feudalen Geschlechts betrachtete und kundgab. In dieser Verschmelzung des Griechischen und Mittelaltrigen sah Goethe mit Recht den Grundton seiner Poesie, wie sie auch jenen besondern, ja tiefen, charakteristischen Reiz der Byronschen Gedichte bildet, der auf des Dichters Persönlichkeit rückwirkend einen so interessanten Schimmer wirft. Allein so wenig sich in rein poetischer Beziehung Gedicht und Dichter trennen lassen, so erlaubt ist es, in allgemeiner ästhetischer den Grundton der Byronschen Gedichte in einer höhern Weltbedeutung wiederzufinden und diese Mischung des Antiken und Feudalen als eine Mischung und Vereinigung des griechischen und germanischen Geistes zu betrachten, welche tropfenweise in die Adern des europäischen Staatskörpers eindringen und seine Muskeln mit frischem Blut aufschwellen wird. Griechische Luft soll und wird die trüben Dünste, die grausigen Gespenster des Feudalismus verwehen, aber unverweht lassen jene herrlichen Blüten germanischer Tapferkeit und Tugend, welche unsere Nation in der Heimat wie in den durch ihr Schwert eroberten Ländern, in Frankreich, Spanien, England, vor allen Nationen des Erdbodens auszeichnet. Kein Geschlechtsadel, keine Adelskaste mit angebornen und forterbenden Unrechten soll forthin den freien Boden und die Freiheit aller Männer beschimpfen, aber diese, das ganze Volk soll wahrhaft und ritterlich in die Schranke treten, und jeder einzelne, welchem Stande er auch angehöre, soll seine Person mit der Würde schmücken und umgeben, welche in früherer Zeit nur das Erbteil des Bevorrechtigten war. Man wird nicht, wie die Griechen, den Handwerker zum Sklavenstande, nicht, wie das Mittelalter, ihn zur dunkeln Folie des Ritters verdammen – es wird eine Zeit kommen, sagt Goethe, wo jedermann genötigt und verpflichtet sein wird, eine Kunst, ein Gewerbe zu lernen und auszuüben, und wo es also niemand zur bürgerlichen Zurückstellung und geistigen Benachteiligung gereicht, irgendein Werk der Hände zu verstehen und seinem Nachbarn zum Beispiel einen Tisch zu drechseln, von dem er selbst die metallenen Verzierungen gegossen oder den Überzug gewirkt erhält. Es wird eine Zeit kommen, wo man des faulen, geistigen Luxus, des ewigen Wiederkäuens schimmeligter theologischer und philosophischer Streitpunkte satt und überdrüssig sein wird, wo ein jeder, reich oder arm, groß oder klein, sich freuen und Glück wünschen wird, durch kunstreich geübte Hand Unterhaltung in ein Leben zu wirken, das durch geistige Überladung vergangener Jahrtausende erschöpft und aufgerieben worden ist. Diese Aussichten, die jetzt beinahe nur als Träume eines Traums erscheinen, werden sich verwirklichen durch jenen allmählichen, still fortwirkenden Akt der Weltgeschichte, welcher die Übertreibungen, Einseitigkeiten, Vorurteile früherer Jahrhunderte pulverisiert und aus der Asche eine neue Blume entstehen läßt, welche die Farbe der Gesundheit und Jugend trägt.

Byron, so groß er unter den Dichtern der neuern Zeit dasteht, war nur der Vorläufer eines Genius, der, ungetrübt durch Vorurteile der Geburt und Erziehung, die heranbrechende Messiade der Menschheit besingen wird.

Ob in Versen oder in Prosa – das ist gleichgültig. Poesie ist alles, was aus der innersten Natur der Menschheit dringt, und es scheint fast, als ob Deutschland namentlich seine größeren Dichter gegenwärtig unter den Prosaisten zählt. Wenigstens würde der Schluß vom poetischen Gehalt unserer dramatischen Dichter, unserer lyrischen und epischen Dichter auf den poetischen Gehalt unserer ganzen Literatur sehr kläglich ausfallen, Platen, Immermann, Raupach usw. als Repräsentanten deutscher Poesie von dieser keinen großen Begriff zu erregen imstande sein. Viel eher möchten wir Heinrich Heine als solchen begrüßen, und auch nicht seiner Verse, verfehlten Dramen und liederlichen Lieder wegen, als um die Prosa, die er in den *Reisebildern* zutage gelegt hat.

Was diesen Dichter-Prosaisten betrifft, so habe ich schon meine Absicht erklärt, ihn als ein Charakterbild der neuen Prosa in ästhetischer Rücksicht ebenso aufzufassen und darzustellen wie Goethe und Byron als Charakterbilder der neueren Poesie. Man muß Heine in dieser Gesellschaft, der Zeit wie der Ansicht nach, als den entschiedensten Charakterschriftsteller betrachten, indem er sich, noch stärker und rücksichtsloser als Byron, der gewöhnlichen Denk- und Empfindungsmasse der früheren Schriftstellerwelt entgegengesetzt hat. In offener Fehde mit allen Ansichten der Zeit, die sich ihm als verjährte und abgestandene darstellen, hat er alle diese Ansichten und die Träger derselben, ein ungeheurer Haufe, wider sich und dagegen nur eine Waffe, den Witz, während Byron außer seinem Talent auch Reichtum und Adel bei seinen Anfeindungen ins Feld stellen konnte. Dennoch weiß er sich mit dieser einen Waffe hinlängliches Ansehen zu verschaffen, und wenn man es auch selten wagt oder würdigt, ihn öffentlich hoch anzuschlagen, so läßt man ihm doch, selbst feindlich gesinnt, im stillen die Gerechtigkeit widerfahren, daß sein Kopf in der deutschen Literatur über den Köpfen seiner Nebenbuhler hervorrage.

Schöpfen wir, wie wir es bei Goethe und Byron getan, aus der Geschichte seines Lebens diejenigen Andeutungen, welche uns die besondere Art und Richtung seines Talents erklären helfen. Er ward in Düsseldorf geboren als Jude, aber von einer christlichen Mutter, war zum Handel bestimmt und handelte wirklich eine Zeitlang, studierte dann in Göttingen, schrieb seine *Reisebilder*, führte ein flüchtiges Reiseleben, war in England, Italien und seit der französischen Juli-Revolution in Paris, wo er sich an die französischen Revolutionäre, besonders unter den Schriftstellern, anschloß und seine *Französischen Zustände*, wie zuletzt die skizzenhafte Übersicht über die deutsche Literatur herausgab.

Stellen Sie sich nun ein poetisches Genie vor, das dem Byronschen ähnlich, ja demselben an Penetration des Verstandes überlegen, verkörpert wird nicht im Palaste eines Pairs von England, sondern im bescheidenen Wohnhause eines rheinischen Juden, ein Genie, das nicht in die Schule von Eton, sondern in die Synagoge von Düsseldorf wandert, das zum Handelsmann erzogen wird und durch Zufall oder innern Drang eine deutsche Universität, die Universität Göttingen, besucht und dort, umgeben von Pedanterie und Roheit, von steifem Zeremoniell der Professorengesellschaften und der Sittenlosigkeit des Studentenlebens, sich seines Genies inne wird – da haben Sie den Schlüssel zum ersten Band der *Reisebilder*, den er noch als Student in Göttingen niedergeschrieben hat. Zu keiner Zeit ist ein dichterisches Werk erschienen, das mehr die frischen Spuren seiner Konzeption verraten hätte als dieses. Göttingen und der Harz sind einander gegenübergestellt als Prosa und Poesie, allen Ärger und Witz der Jugend schüttelt er auch über ein solches Gefängnis des Geistes, eine solche verschrobene, bestaubte Gelehrtenrepublik mit allem ihren Unsinn, allen ihren Abgeschmacktheiten und Roheiten, allen Hofräten, Pedellen, Kommerzen, Kollegien, Grafenbänken, Duellen und Promotionen durcheinander, kurz auf dieses traurige Bild einer nur zu traurigen norddeutschen Universitätsstadt, welche wieder ein Bild des noch traurigern literarisch-gesellschaftlichen und politischen Zustandes von Deutschland abgibt, dagegen wirft er alle Liebe und Poesie seines Herzens auf die Täler, Berge und Flüsse des Harzes, die er mit unnachahmlicher Hand personifiziert und dem Leser als flüchtig verkörperte Geister der ewigen Natur vor Augen führt. Allein dies Herz war nie, oder war nicht mehr, rein und unschuldig, war nie, oder war nicht mehr, naiv und unbewußt begeistert, und daher, so phantasiereich die Naturschilderungen sind, stehen sie doch hinter den Sittenschilderungen des Göttinger Lebens zurück. Zur schärfsten, schonungslosesten Satire, die mit jedem Wort den rechten faulen Fleck zu treffen weiß, war Heine vom Schicksal gewissermaßen destiniert, das ihn vom Handelsjuden zum Göttinger Studenten und zum deutschen Schriftsteller bestimmt hatte. Kein Franzose und überhaupt kein Ausländer kann die Narrheiten, Schwächen, den Ahnenstolz, die Pedanterie der Deutschen nackter in aller ihrer Blöße wahrnehmen und bespötteln als ein in Deutschland geborner Jude, der, dem Herzen und der Geschichte des Vaterlandes ebenso fremd, noch einen Stachel zur Satire mitnimmt, der dem Ausländer fehlt, ich meine den Stachel der Verachtung, worin seine Glaubensgenossen in Deutschland bisher standen, das verwundete Gefühl des durch Jahrhunderte gemißhandelten Volkes, das bis auf die neueste Zeit zum Schweigen verurteilt war, indem es zu feige und zu schwach, sich früher zu äußern, ehe der Witz in Europa sich vor Scheiterhaufen und Armensünderhemden sicher wußte.

Aber Heine besaß nicht allein diesen Vorteil des Witzes, daß er als geborner Jude, gleichsam als Ausländer und Feind auftrat und zugleich die deutschen Narrheiten von Jugend auf an der Quelle studieren konnte, er hatte auch von seiner deutschen Mutter diejenigen Eigenschaften geerbt, welche den Witz erst glänzend machen, indem sie ihm zur Folie dienen, nämlich die Gabe der Phantasie, einen dunkeln Anflug von Gemüt, die Ahnung oder das Verstehen des poetisch Wirksamen, die Behandlung des Geheimnisvollen, was im poetischen Grunde unserer Nation ruht und leider nur zu sehr mit Alltäglichem und Gemeinem überschüttet ist. Daher zeigte sich Heine schon in seinem ersten Werk nicht bloß als witzigen Kopf, als Voltaire, Swift, sondern als Humoristen, als einen Byron-Voltaire, der, wie er sich selbst ausdrückt, sein Schlachtopfer erst mit Blumen kränzt, ehe er ihm den letzten tödlichen Streich versetzt. Nachdem er sich an Göttingen die Sporen verdient hatte, eröffnete er seiner poetischen Satire im zweiten und dritten Teil der *Reisebilder* ein weiteres Feld; die neueste Geschichte, Napoleon, Frankreich und die Revolution, Deutschland, Italien lieferten ihm Stoff zu einem poetischen Humor, der, mit gutem Bewußtsein, seine eigene Person in die Mitte der Darstellung zu bringen wußte, ohne sich eben dabei den tugendhaftesten Anstrich zu geben. Endlich scheint er für sein Leben das rechte Zentrum gefunden zu haben, denn die Hauptstadt von Frankreich, wo er sich jetzt aufhält, entspricht mit ihren Bewegungen, Umtrieben, glänzenden Gesellschaften ganz dem Charakter eines Schriftstellers, der dem witzigsten Franzosen leicht die Spitze bietet und außerdem alles das vor ihm voraus hat, was ich vorher unserer Nation vindiziert habe. Von den Franzosen bewundert, hat er in seiner letzten Schrift diese über neue deutsche Literatur belehren wollen, was er, wenn auch einseitig und zum Nachteil Deutschlands, durch die kühnsten und geistreichsten Züge unserer deutschen Koryphäen ausgeführt hat. Heines Einfluß auf die deutsche Jugend ist unberechenbar, und dennoch würde er noch größer sein, wenn Heine von Grund aus deutsch und von ganzem Herzen, wie Jean Paul, ein Dichter und Humorist wäre. Allein so wie er ist, müßte er vielleicht sein, um Aufsehen zu erregen und Wirkung zu tun.

Inwiefern sein [Jean Pauls] Talent die Aufmerksamkeit der deutschen Prosaisten verdient, werde ich in der nächsten Vorlesung berühren.

Ludolf Wienbarg: Ästhetische Feldzüge. Hamburg 1834. 23. Vorlesung, S. 280–290.

*

Während vor einigen und zehn Jahren die einen der deutschen Dichter, ohne besondern Erfolg, in den Weisen unsrer poetischen Häupter fortsangen, die andern, aus der romantischen Gesellschaft, mit Ausnahme weniger, gleich anfangs mehr dem Rechten zugeneigten Glieder, die nun einsam zum Höhern fortgingen, mehr und mehr in Manier versanken, fingen lebhafte poetische Geister wieder an, für dichterische Darstellung aus dem frischen Quell der Natur zu schöpfen. Unter diesen ist *Heine* einer der ersten und bedeutendsten. Begabt mit einem glücklichen Sinn, das Süße und Große in Natur und Leben poetisch zu empfinden, das Lächerliche und Erbärmliche in seiner Nacktheit zu schauen, und beides mit Herz und Mut kurz und richtig darzustellen, hat er Erquickendes, Anregendes und Erheiterndes in mannigfacher Weise geliefert. In den Reisebildern, auf die wir uns hier allein beziehen, treffen wir echte, farbige Naturgemälde, der hellen und heitern, magisch-dämmerhaften, schauerlichen und grotesken Art, wir treffen erhebende Phantasien und Bilder, und viel frischen, aus der Seele gequollenen Witz über lächerliche Gegenstände und Personagen. Dieses alles ist von andern schon genugsam erkannt und hervorgehoben worden, und wir brauchen uns nicht weiter mit der Nachweisung dieser löblichen Einzelheiten zu befassen.

Wenn aber *Heine* viele Eigenschaften eines wahren Dichters hat, Eines geht ihm ab, das auch bei dem Dichter das Höchste, die einzelnen Kräfte und Gaben erst Verklärende und Heiligende ist, der *Geist der Wahrheit*.

Was nun ohne diesen Sinn für das Rechte, mit dem bloßen Sinn des Effekts auch bei schönen poetischen Anlagen herauskömmt, zu welchen Mängeln, Albernheiten und groben Unziemlichkeiten ein keckes und eitles Gemüt verführt werden kann, wollen wir hier an *Heines* Beispiel, soviel wie möglich mit seinen eignen Worten nachweisen.

Betrachten wir zuerst seine Lieder, so ist nicht zu leugnen, daß einzelne darunter durch wirkliche Empfindung, durch einfachen, natürlichen, volksliederartigen Ausdruck und treffende Gemälde zu den besten gehören, die in neuerer Zeit ans Licht getreten sind; als Sammlung aber tragen sie sogleich auffallend alle die Mängel derjenigen Produkte, die nicht auf dem Wege nach Wahrheit entstanden und vollendet worden sind. Von einem lyrischen Dichter unserer Zeit können wir zweierlei verlangen, erstens, daß jedes einzelne Gedicht bei eigentümlicher Empfindung eines eigentümlichen Zustandes auch eine allgemeine Bedeutung habe, der gemäß es eine bestimmte Gattung von Zuständen, wie sie im Leben vorkommen, repräsentiert, und somit einer allgemeinen Beachtung sich würdig macht; zweitens, daß die ganze Folge von Gedichten ein Bild gebe einer geistigen Durchbildung des Autors, so daß der Leser sich von denselben in immer höhere und reinere Regionen geführt sieht. Beide Forderungen hat *Heine* nur wenig im Auge gehabt. Eine Masse seiner Gedichte stellt bloß individuelle Zustände dar, ohne irgend einen allgemein werten Gedanken, der sie auch dem Leser interessant machen könnte; es sind Empfindungen und Erlebnisse ganz gewöhnlicher Art, die uns nichts angehen und nichts sagen. Die meisten und auffallendsten dieser nichtigen Liedlein finden sich im »neuen Frühling«. Hier ist in der Tat eine Gedankenlosigkeit und Spielerei wahrzunehmen, der

sich auch der dickste Haarzopf nicht zu schämen hätte. – Nach innerer Fort-
bildung vom Niedern zum Höheren, von einseitigem Gefühl zu allseitigem,
freiem Geist sehen wir uns nun vollends gar vergeblich um; überallher er-
klingen uns die Töne eines zwar poetischen, aber unfreien Gefühls wirklicher Erscheinungen, mit allen Mängeln der Unfreiheit und des Unbe-
wußtseins. Ein Hauptmangel davon ist vor allem die traurige Monotonie
immer wiederkehrender Anschauungs- und Empfindungsweisen, die ein
Dichter, der nicht geistig weiter strebt, auch nicht wohl vermeiden kann.

Diese fatale Eigenschaft der Eintönigkeit hat *Heine* wohl gefühlt, und
seinen Mangel an neuen Empfindungen und Gedanken durch eine eigene
Art von Humor zu ersetzen gesucht, welcher darin besteht, daß zartere
Empfindungen durch grelle Redensarten und gemeine Wendungen ins
Komische verkehrt werden. Da kommen denn nach sentimentalen Ergüssen
Zeilen, wie folgende:

> Und du bist ja sonst kein Esel,

oder:

> O welch ein Ochs bist du!

welches denn dem Ganzen ein besonderes Salz verleihen soll. Manchmal
gelingt ihm dieses so ziemlich, wo ihm die Wendung einigermaßen natürlich kommt; wo sie aber gesucht ist, oder wo das ganze Gedicht bloß einer
solchen Wendung, eines Wortspiels wegen gemacht wird, kommen Lieder
zum Vorschein, die zu den widerlichsten Ausgeburten menschlicher Witz-
bestrebung gehören. Die höhere, zartere Weise dieses neumodischen Humors konzentriert sich in der »lachenden Träne«, die bei *Heine* eine außerordentliche Rolle spielt, und in mannigfaltiger Weise sich produziert. Mit
dieser sucht er seine Hauptangriffe auf das rührbare Menschenherz auszuführen, und bei manchen gewiß mit sehr glücklichem Erfolge.

Hier könnten uns aber die Verehrer *Heines* einer großen Stumpfheit bezüchtigen, in welcher wir nicht wahrnehmen, daß ja dieses Tränenlächeln in
Ernst sowohl das tiefe Gefühl irdischer Zerrissenheit als auch die erhabene
Freiheit des Geistes bei dem tiefsten Seelenschmerz allein würdig darstelle,
und somit etwas Echtes und unmittelbar Poetisches sei. Wir wollen dagegen
eingestehen, daß das Lächeln durch Tränen, welches bei tiefen und ernsten
Menschen einen wundersamen Gemütszustand ausdrückt, auch bei *Heine* in
gewissen Augenblicken echt war; aber eben, weil er den Geist der Wahrheit
nicht hatte, so blieb es nicht echt, sondern ward zur toten Manier, in der das,
was einmal empfunden wurde, später, aus dem Gedächtnis, kalt und matt
wieder gesagt und gesungen wird. Das ist eben die Strafe eines geistig
stehenbleibenden und doch fortschreibenden Poeten, daß das Echte in ihm
zur Lüge, die frische Pflanze zum holzigen Strunk wird. Und *Heine* hat sich
selbst in deutlichen Worten für einen Manieristen erklärt, wo er sich als den

Herold darstellt, der »die lachende Träne im Wappen führe«. Darauf ist gar nichts mehr zu sagen.

Die nämlichen Fehler, die sich in den Liedern finden, beflecken natürlich auch die oft so angenehme Prosa. Wenn er, um nur ein paar Albernheiten der erstern Gattung anzuführen, in seinen Gedichten sagt:

> Und ich seh' des Herzens Glut
> Schon durch deine Weste brennen,

oder:

> O halt mich fest, Geliebte,
> Vor Liebestrunkenheit
> Fall ich dir sonst zu Füßen,
> Und der Garten ist voller Leut!

so lesen wir in seinen prosaischen Darstellungen von Gefühlen, die »wie gläserne Dolche durch das Herz drangen und gewiß aus seinem Rücken wieder herausguckten«. Einmal ist er »so sentimental, daß er die Milchstraße des Himmels aussaufen möchte«; ein andermal »regnete es immer stärker in ihm und außer ihm, daß ihm fast die Tropfen aus den Augen herauskamen« – und was dergleichen Abgeschmacktheiten mehr sind. Indem er sich nun selbst fratzenhaft darstellt, vermag er auch andre nur als Fratze zu fassen, und spricht so von dem ernsten und tiefen Byron als von einem »wahnsinnigen Harlekin, der sich den Dolch ins Herz stößt, um mit dem hervorströmenden schwarzen Blute Herren und Damen neckisch zu bespritzen!« Ein Affenbyron! Am verdrießlichsten ist auch in der Prosa das ewige Kokettieren mit Herzenszerrissenheit, mit unendlichem Weh; worauf denn immer wieder karikierte Wendungen folgen, die uns die geklagte Not der Seele sogleich in ihrer ganzen Erlogenheit erkennen lassen. Besonders viel weiß er sich mit dem Totschießen; wozu es aber natürlich nie kommt. Nach einem vergeblichen Versuch, sich auf diese Art von seinen Seelenschmerzen zu befreien, sagt er einmal: und ich ließ mich am Leben! Dies muß denn offenbar jeder für sehr vernünftig und klug gehandelt erachten.

Sucht er nun so seine Darstellungen durch Sentimentalität, mitunter auch durch gedankenlose Phantasien, durch Übertreibung, Fratze und Lüge pikant zu machen, so genügt dem Effektgeist das noch nicht, und er nimmt zu guter Letzt seine Zuflucht noch zu wirklichen Gemeinheiten. Dazu gehört freilich eine eigene Art von Mut, welche zu deutsch Frechheit genannt wird, die sich aber, einem angebornen Talente nach, unangegriffen von dem Sinn der Gerechtigkeit und Sittlichkeit, und höchlich begünstigt von dem Sinn für Pikantes, in *Heine* ganz vorzüglich entwickelt hat. Dieser eigentümlichen Herzhaftigkeit zu Folge hat er sowohl in frevelhafter Entweihung des Heiligen als in garstigen Gemälden Bedeutendes geleistet, obwohl wir gestehen müssen, daß er in dieser Hinsicht in den Reisebildern noch nicht die wahre Höhe erreicht hat, als welche erst in seinem Salon von ihm erklommen worden. Belege dazu erläßt man uns; sie sind durch das ganze Werk zerstreut, finden sich aber in größerer Fülle in der italienischen Reise.

Daß bei solchen Bestrebungen, wie wir sie bisher an *Heine* kennen gelernt haben, sich auch keine bestimmte Gesinnung, kein Charakter entwickeln konnte, wird jeder natürlich finden. Wir reden nämlich hier von einem positiven Charakter, der in einer auf dem Wege nach Wahrheit erworbenen Grundgesinnung besteht und nur im Geiste der Wahrheit möglich ist. In einem andern Sinne freilich könnte man *Heine* wohl einen Charakter zusprechen, nämlich den schon angedeuteten des bloßen Effektmenschen, der sehr treulich überall nur darauf ausgeht, pikant zu sein, ohne alle Rücksicht, ob es durch Wahrheit oder Lüge geschehe. Dieser charakterlose Charakter zeigt sich sogleich in der Weise, wie er, was mehreremal geschieht, bestimmte Personen angreift. Es ist ihm hier nicht darum zu tun, sie zu richten, und ihre Fehler mit gerechtem Sinne zu rügen und zu züchtigen, sondern er sucht sie nur mit der größten Frivolität lächerlich und schlecht zu machen. Sein Witz dient nicht, wie er bei redlich-tüchtigen Menschen tut, der Gerechtigkeit, sondern an Gerechtigkeit wird gar nimmer gedacht, sobald sich irgendwo ein Spaß anbringen läßt; weshalb wir denn von den Personen, die er beurteilt oder gar angreift, immer nur skandalöse Zerrbilder erhalten.

Am deutlichsten offenbart sich *Heines* Ansichts- und Gesinnungslosigkeit da, wo bestimmte Einsicht und Erfahrung am notwendigsten sind, in der Politik und Religion; und wir gedenken deshalb, bei der allgemeinen Wichtigkeit dieser Gegenstände, seine Bemerkungen über beide hier genauer zu beleuchten.

Für Schriftsteller gibt es zu Politik und Religion überhaupt zweierlei Verhältnisse, erstens das bloß poetische, zweitens das wissenschaftliche. Wenn der bloße Poet sich damit begnügt, Erscheinungen der politischen Welt in ihrem eigentümlichen Leben dichterisch zu empfinden, so ist es das Bestreben des im weitesten Sinne wissenschaftlichen Mannes, die verschiedenen Erscheinungen zu vergleichen, gegen einander abzuwägen und für die von ihm für die beste gehaltene sich bestimmt zu entscheiden. Charakter in der Politik können wir daher bloß von dem Letzteren erwarten, während der Poet bald von dieser bald von jener politischen Form begeistert erscheint, und als *bloßer* Poet, ohne Unterscheidung und bestimmte Einsicht, es auch wirklich *ist*.

Zu mehr als einem bloß poetischen Verhältnis zur Welt der Politik hat es aber *Heine* nie gebracht. Da er, wie wir oben bemerkt haben, die glückliche Gabe besitzt, die Wirklichkeit poetisch aufzufassen, so ist es natürlich, daß er in *unserer* Zeit diese Gabe besonders an politischen Gegenständen betätigt, und am begeistertsten für diejenigen Bestrebungen erscheint, die überhaupt jetzt am meisten Begeisterungsstoff enthalten, für die Bestrebungen nach politischer Freiheit. Zur Prüfung, Unterscheidung und bestimmten Entscheidung, mithin zu einem politischen Charakter, ist er aber hier in keiner Weise gekommen. Nie spricht er sich über politische Freiheit deutlich und tüchtig aus, nie erklärt er sich über das Wie, Wozu und Wohin, sondern er fordert, preist sie nur blindhin, auf gelegentliche poetische Erregung. Deshalb schwankt er auch wie ein Rohr hin und her und spricht sich für die entgegengesetztesten Formen aus. Einmal behauptet er, daß »er seiner tiefsten Überzeugung nach ein Anhänger des Königstums, des monarchischen Prinzips bleibe«; dann fordert er wieder Freiheit und Gleichheit in materiellster Bedeutung, und sagt von den rebellierenden Bauern des 16. Jahrh., welche verlangten, »es solle künftig kein Haus im Reiche stehen bleiben, das anders aussähe als ein Bauernhaus«: »so wahr und tief hatten sie die Gleichheit begriffen«! Diese Widersprüche könnte ein Kind widerlegen.

Die Freiheit und Gleichheit bleibt jedoch sein Lieblingsthema, das er vielfach variiert, und zuweilen auch mit phantastischem Unsinn verbrämt. So prophezeit er einmal: »wir werden dann versöhnt und allgleich um denselben Tisch sitzen; wir sind dann vereinigt und kämpfen vereinigt gegen andere Weltübel, vielleicht am Ende gar gegen den Tod!« wo die letzte Wendung tief philosophisch sein soll, bei ihm aber nur eine phantastisch-hohle Effektphrasis ist. Ein andermal sagt er, mit einer gewissen affektierten Milde: »aber einige andere Zeitgenossen, die jetzt damit beschäftigt sind, Freiheit und Gleichheit in Europa zu begründen, nehmen zu sehr meine Aufmerksamkeit in Anspruch«; was denn zur Abwechslung einmal den Effekt großartiger Sanftheit machen soll, in seiner Gesuchtheit aber jedem Einsichtigen nur lächerlich vorkommt.

Den Übergang von *Heines* politischen Begriffen zu seinen Begriffen von Religion bildet die eigentümliche Art, wie er politische Freiheit und Religion verwechselt, und die eine für die andere setzt. Indem er nämlich bedenkt, daß früher vorzugsweise die Religion die Leute fanatisch gemacht hat, jetzt es aber die politische Freiheit tut, so schließt er sehr scharfsinnig, daß »die Freiheit die Religion der neuen Zeit sei«. Äußerlicher und roher ist aber wohl nie verglichen, Sinnloseres nie behauptet worden. Die Religion besteht in dem höchsten Gute, in dem wahren und richtigen Verhältnisse des Menschen zu Gott, die bloße politische Freiheit dagegen hilft im besten Falle zunächst nur irdische Wohlfahrt befördern; nun soll der gegenwärtigen Menschheit politische Freiheit die Religion ersetzen und entbehrlich machen! Das Streben nach politischer Freiheit hilft, würdig gefaßt, und wenn es gut geht, eine bessere Staatsverfassung bilden, der Staat selbst aber darf nur der Boden eines höhern Lebens, vorzüglich der religiösen Ausbildung sein: nun sollen wir Neuern uns mit dem ersten Mittelglied zum Höhern und Höchsten begnügen, und sollen das Höchste selbst, das den Mittelgliedern erst den wahren Sinn verleiht, unbeachtet lassen und verlieren!

Der Gedanke gefällt aber unserm Autor sehr, und er bringt ihn zu wiederholtenmalen vor. So behauptet er denn, hier konsequent, daß »nur durch Schwächerwerden im Glauben Deutschland politisch erstarken könnte«, und daß »ein Indifferentismus in religiösen Dingen vielleicht allein im Stande wäre, uns zu retten«; wogegen jeder vernünftige Mensch einsieht, daß wahrer Glaube und politische Tüchtigkeit nicht nur sehr wohl zu vereinigen sind, sondern daß eben die rechte religiöse Bildung die politische selber erst reinigt und befestigt. Unser Prophet aber fährt begeistert (poetisch nämlich, am Schreibtisch) fort: »und auch wir wollen leben und sterben in dieser Freiheitsreligion, die vielleicht mehr den Namen Religion verdient, als das hohle, ausgestorbene Seelengespenst, das wir noch so zu benennen pflegen«. Gegen diese Deklamation wäre nichts einzuwenden, als daß eben vernünftige Leute unter Religion etwas Anderes verstehen als ein hohles, ausgestorbenes Seelengespenst, wie nur unwissenden Menschen das Christentum erscheint, weil sie es eben nicht besser verstehen.

So sehr nun *Heine* die alte Religion – das Christentum – gegen die neue – die Freiheitsreligion – herabsetzt, so glaubt er doch der neuen einen gewissen Schmuck und Heiligenschein zu verleihen, wenn er ihre Apostel mit Christus vergleicht, und zwischen denselben eine große geistige Verwandtschaft behauptet, indem nämlich die Revolutionsmänner ungefähr das für ihre Zeit wären, was Christus für die seinige gewesen sei. Demgemäß spricht er von »einer Übereinstimmung in den Ansichten des ältern Bergpredigers, der gegen die Aristokratie von Jerusalem gesprochen, und jener spätern Bergprediger, die von der Höhe des Konvents ein dreifarbiges Evangelium herabpredigten«! Ja er behauptet geradezu, daß »Christus schon jene Freiheits- und Gleichheitslehre offenbarte, die auch später die Vernunft als wahr erkannt hat, und die als französisches Evangelium unsre Zeit begeistert«! und führt ihn als unter Seinesgleichen namentlich auf, wenn er spricht von dem »Tode der heiligsten Freiheitshelden, von König Aegis von Sparta, Cajus und Tiberius Gracchus von Rom, Jesus von Jerusalem, und Robespierre und St. Just von Paris.« Man verlange nicht, daß wir diese wunderliche Verwandtschaft, wie sie nur der größte Ignorant ernstlich behaupten könnte, widerlegen und den ziemlichen Unterschied z. B. zwischen Christus und Robespierre nachweisen sollten; dieses Vergleichungswesen ist ja doch bei *Heine* nichts anderes als ein poetisches Spiel, wodurch er auffallen will. Oder sollte er wirklich im Ernst christliche Freiheit und die Freiheit und Gleichheit der Revolutionsmänner für eine und dieselbe nehmen? Wir trauen ihm wenig Kenntnis der Bibel zu, aber doch soviel, daß er die allbekannten Aussprüche derselben auch kenne, die mit der modernen äußerlichen Freiheit und Gleichheit in direktem Widerspruche stehen.

Mit dem nämlichen Heiligenschein, den er poetisch den Revolutionsmännern verleiht, umgibt er jedoch auch einen Mann, der, wenigstens später, nie als besonderer Freiheitsheld gepriesen worden ist, – den Kaiser Napoleon. Von seiner Größe poetisch-unfrei erregt, weiß er ihn nicht besser zu erheben, als indem er biblische Worte dazu verbraucht. Er erzählt nämlich, daß »er ihn selber Hosiannah! den Kaiser gesehen habe«; spricht von den »Taten des weltlichen Heilands, der gelitten unter Hudson Lowe, wie es geschrieben steht in den Evangelien Las Cases« und bezeichnet Helena als »das heilige Grab«. Ob sich nun darin die wahre Kenntnis und das wahre Gefühl der eigentümlichen Größe Napoleons offenbare, wenn dieser politische Held mit Christus verglichen wird, wollen wir nicht entscheiden, obwohl wir es sehr bezweifeln; das ist aber doch auffallend, daß *Heine*, wenn er irgend einer Person eine rechte Ehre antun will, diese mit Christus vergleichen muß, woraus hervorgeht, daß er, auch bei gänzlicher Unkenntnis des eigentlichen Wesens Christi, doch ein gewisses unbestimmtes Gefühl seiner göttlichen Hoheit nicht von sich abweisen kann. Daß er aber Christus und das Christentum, sowie die Religion überhaupt, nicht versteht, wollen wir noch weiter nachweisen.

Diese Nachweisung können wir durch die schon angedeutete Behauptung einleiten, daß sich *Heine* auch zur Religion nur als sentimentaler Poet verhält, der, nur seinen zufälligen Erregungen folgend, die widersprechendsten Dinge über sie aussagt. Zuweilen gibt er sich das Ansehen, als halte er wirklich etwas vom Christentum, und spricht von Christus, wie es auch sonst lügenhafter Weise einige Rationalisten zu tun pflegen, als von dem »Heiland der Welt«; ja einmal ruft er sogar aus: »was könnte mir lieber sein als mein Christentum?« Dann läßt er sich aber gleich wieder also vernehmen: »ich ehre die innerliche Heiligkeit jeder Religion (wobei wir hinzusetzen möchten: wenns mich ankommt!) und unterwerfe mich den Interessen des Staats. Wenn ich auch dem Anthropomorphismus nicht sonderlich huldige, so glaube ich doch an die Herrlichkeit Gottes«; in welchen Worten Christus als solcher schon wieder beseitigt erscheint. Ein andermal spricht er gar von Gegenständen, »die auch dann noch brauchbar sind, wenn einst das Christentum vorüber ist«, und erklärt somit das Christentum in deutlichen Worten für eine bloß vergängliche Institution. Obgleich er nun, wie wir hieraus ersehen, das Christentum und Christus durchaus verkennt, so hält er es doch für schicklich, nach Art der Rationalisten ihm jezuweilen ein Kompliment zu machen. So sagt er einmal: »Christus hätte jemals geprahlt? der bescheidenste unter den Menschen, um so bescheidener als er der göttlichste war?« Dabei sieht auch er nicht, daß, wenn Christus ein bloßer Mensch war, er geprahlt und gelogen hat, und, anstatt der bescheidenste und göttlichste der Menschen zu sein, vielmehr der unbescheidenste und ungöttlichste war.

Der Effektgeist, verbunden mit einem angebornen frivolen Gelüsten, treibt ihn aber von gelegentlichen theoretischen Feindseligkeiten gegen das

Christentum auch zu praktischen, zu wirklicher Entweihung desselben in poetischer Darstellung. Von einzelnen frechen Spielereien steigt er hier zum höchsten Frevel empor, wenn er durch die Ausdrücke: »das Wort wird Fleisch – der Glaube wird versinnlicht – das ist der Leib« – eine Handlung gemeinsinnlicher Lust andeutet. Wer solches zu tun sich erfrecht, der zeigt dadurch, daß er sich nicht nur aus dem Christentum, sondern auch aus jeglicher Sittlichkeit nichts mache. Und doch wagt es der nämliche Mensch, anderswo zu sagen: »ich strebe nach dem Guten, weil es schön ist und mich unwiderstehlich anzieht, und ich verabscheue das Schlechte, weil es mir zuwider und häßlich ist.« Abgeschmackte Lügenprahlerei!

Zum Schlusse wollen wir noch eine Stelle von ihm über Unsterblichkeit hersetzen, die andeuten mag, wie der charakterlose, frivole Poet zu christlichen und philosophischen Lehren überhaupt steht. Er sagt nämlich einmal zu einer würdigen Freundin: »Ich sollte an Unsterblichkeit zweifeln? Ich, dessen Herz in die entferntesten Jahrtausende der Vergangenheit und Zukunft immer tiefer und tiefer Wurzeln schlägt, ich, der ich selbst *einer der ewigsten Menschen* bin, jeder *Atemzug* ein *ewiges Leben*, jeder *Gedanke* ein *ewiger Stern* – ich sollte nicht an Unsterblichkeit glauben?« In der Tat, wenn es keine bessern Gründe für die Unsterblichkeit gäbe, als in dieser unsinnig-phantastischen Deklamation ausgesprochen sind, dann müßte jeder nur halbweg vernünftige Mensch auf der Stelle verzweifeln. Was für neblige sentimentale Einbildungen! Wir sind unsterblich, weil wir Geister sind, wir fühlen und wissen es, daß wir nicht vergehen können, wenn wir uns als Geister bestimmt erkannt und begriffen haben. Wir halten uns von andrer Seite her überzeugt, daß wir unsterblich sind, weil das jetzige irdische Leben nur Sinn hat in Bezug auf ein kommendes, himmlisches, und wir nicht annehmen wollen, daß das jetzige Leben sinnlos sei. Doch ist hier nicht der Ort, dergleichen Materien weitläufig zu besprechen, sondern nur *Heines* scheinbar tiefsinnigen, aber innerlich hohlen Aussprüchen die Larve abzuziehen. Viel ehrlicher sagt er anderswo: »und ich glaube *zuweilen* an Auferstehung«; welches zwar im Scherz gesagt sein soll, aber im Grunde den Mann am treffendsten und wahrsten charakterisiert. Das ist in der Tat sein eigentliches Wesen, bald an dieses, bald an jenes zu glauben, je nachdem es ihn ankommt, bald dieses bald jenes zu loben oder zu tadeln, je nachdem damit Effekt zu machen ist, und im Ganzen nur der lieben Sinnlichkeit ein wenig getreuer anzuhängen, als den andern Erscheinungen der Welt. Mit diesem Wort können wir die Darstellung seines Verhältnisses zur Politik und Religion am besten schließen. –

Nachdem wir nun unsern Autor als Poeten und Philosophen in unserer Weise beurteilt haben, kann uns nichts interessanter sein, als zu erfahren, wie er sich selber beurteilt. Dazu gibt er uns glücklicherweise vielfache Gelegenheit, vermöge jener edeln Naivität neuerer belletristischer Schriftsteller, in welcher sie ihre eigne Meinung von ihrer Vortrefflichkeit dem Publikum aufs unbefangenste mitteilen mögen.

Da begegnet uns aber gleich das Wunderliche, daß die Urteile des Autors nicht nur von den unsrigen abweichen, sondern sogar in direktem Widerspruche mit denselben stehen. Wenn wir nämlich behaupten, daß er eine Masse vergänglicher Gedichte geschrieben habe, sagt er dagegen:

> Ich hab ein ganzes Heer
> Von *ewigen* Liedern gedichtet.

Wenn wir ihm den Geist der Wahrheit durchaus absprechen, so singt er:

> Denn ich selber bin ein solcher
> Ritter von dem heiligen Geist.

Wenn wir ferner behaupten müssen, daß er von der wahren Größe des Geistes und Herzens keinen Begriff habe, so besteht er darauf, daß »sein Herz größer sei als Meer und Himmel«, und ruft einem kleinen Mädchen zu, sie möge »an sein großes Herz kommen.«

Wenn wir ihn schließlich einer unerträglichen Selbstgefälligkeit bezüchtigen müssen, so versichert er irgendwo ganz ernsthaft: »ich bin nicht eitel!« worauf er sich aber alsbald wieder mit einem römischen Triumphator vergleicht!

Diese ganz den unsrigen entgegengesetzten Ansichten könnten uns in große Verlegenheit bringen, käme uns nicht hier eine alte Erfahrung zu Hilfe, der gemäß die Worte des Autors auch so gefaßt werden können, daß sie unsrer Ansicht nicht nur nicht widersprechen, sondern sie sogar bestätigen.

Wir haben nämlich sehr oft Gelegenheit, zu beobachten, daß der Ausspruch: »ich bin etwas, oder ich kann etwas« nicht sowohl den Sinn hat, als ob derjenige, der ihn tut, wirklich etwas wäre oder könnte, sondern vielmehr, daß er herzlich gern etwas sein oder können möchte. Der Behauptende beweist also gerade durch die Versicherung, etwas zu sein oder zu können, daß er nichts ist und nichts kann. Wer wirklich etwas ist, der beweist es durch die Tat, wer aber nichts ist, der *behauptet* es wenigstens, damit er zu dem Sein, was eben eine schöne Sache ist, doch in irgend ein Verhältnis komme. Wenn sich *Heine* z. B., wie er öfters tut, einen »Titanen« nennt, so hat das nicht den Sinn, als ob er wirklich ein Titane wäre, sondern daß er außerordentlich gern einer sein möchte. Denn der wahre geistige Titane handelt als solcher, und läßt sich dann höchstens von andern Leuten so nennen.

Obige Widersprüche sind also nur scheinbar, und Autor und Rezensent stimmen vielmehr aufs schönste miteinander überein.

In ähnlicher Weise ist es auch zu nehmen, wenn er sagt: »durch mein

Herz ging aber der große Weltriß, und ebendeswegen weiß ich, daß die großen Götter mich vor vielen andern hochbegnadigt und des Dichtermärtyrertums gewürdigt haben«; nur mit dem Unterschied, daß der Poet hier nicht sowohl den Wunsch hat, ein Märtyrer zu *sein*, als vielmehr von der Lesewelt für einen gehalten und als solcher gefeiert zu werden. Das Märtyrertum ist ihm überhaupt eine schöne Idee, und auch anderswo sagt er: »ich leide für das Wohl des ganzen Menschengeschlechts, ich büße dessen Sünden, aber ich genieße sie auch«; welcher Ausspruch wieder in die eigentümliche Art von Wahnsinn ausläuft, die wir schon oben an ihm bewundert haben.

Am deutlichsten zeigt sich die Wahrheit unserer Erfahrung, daß eine gewisse Art, das Können zu behaupten, gerade des Nichtkönnens beweise, da, wo *Heine* uns mehr als ein poetisch-unbestimmtes Verhältnis seines Geistes zur Natur weiß machen will. Er ruft hier aus: »o Natur, du stumme Jungfrau! wohl verstehe ich dein Wetterleuchten, den vergeblichen Redeversuch, der über dein schönes Antlitz dahin zuckt, und du dauerst mich so tief, daß ich weine. Aber alsdann verstehst du mich auch ... schöne Jungfrau, ich verstehe deine Sterne und du verstehst meine Tränen.«

Wenn man diese Sprache nicht kennte! Dergleichen Anrufungen, so tiefdichterisch sie manchem Leichtgläubigen vorkommen mögen, bezeugen nur, daß der Poet, ohne klares Gefühl und wahre Erkenntnis der Natur, sich durch Hineinphantasieren in ein näheres Verhältnis zu ihr setzen möchte, wie es ihm als *bloßem* Poeten nicht gegönnt ist.

Ein andermal behauptet er, daß »ihm der Pflanzen tausend grüne Zungen allerliebste Geschichten erzählen«, d.h. er fühlt sehr wohl, daß die flüchtig verschwimmende poetische Empfindung, die er etwa bei Betrachtung der Pflanzen hat, nicht genüge, und gäbe viel darum, wenn sie ihn deutlicher ansprächen, wie sie eben nur demjenigen tun, der poetisches Gefühl und wissenschaftliche Einsicht mit einander verbindet.

Wenn uns nun *Heine* schon diesen seinen »Weltriß« und sein inniges Verhältnis zur Natur vergeblich glauben zu machen sucht, so wird es ihm noch weniger gelingen, uns von seiner religiösen und politischen Trefflichkeit zu überzeugen. Der Religiosität berühmt er sich weniger, und außer dem oben angeführten Ausspruch: »ich strebe nach dem Guten, weil es schön ist und mich unwiderstehlich anzieht« ist uns nur noch eine Stelle aufgefallen, die wir ihrer absonderlichen Kräftigkeit wegen hersetzen. Sie lautet also: »ich, Mylady, habe die Religionen alle; der Duft meiner Seele steigt in den Himmel und betäubt selbst die ewigen Götter!« Unstreitig eine sehr gewürzhafte Religiosität! Wie darf man aber solche Dinge drucken lassen? Ist es erlaubt, dem Publikum solchen Unsinn zu bieten?

Nun zur Politik! Da er gegen die bestehende Ordnung und gegen die Großen, ohne ihre Mängel gründlich nachzuweisen, leichtsinnig und frech (nur des Witzes wegen) gesprochen, und ferner Freiheit und Gleichheit (nur des poetischen Effektes wegen) blind angepriesen, so versteht sich von selbst, daß wir in ihm einen der edelsten Freiheitskämpfer des Jahrhunderts zu verehren haben. Er ist unser Hort und unser Heil, und ohne ihn stände es sehr schlecht um uns. Nach seiner eigenen naiven Weise erwartet er es aber auch hier nicht, bis wir ihn aus freien Stücken als unsern Erretter preisen, sondern er verlangt dies gleich selbst in folgenden ernsthaften Worten: »ich weiß wirklich nicht, ob ich es verdiene, daß man mir einst mit einem Lorbeerkranze den Sarg verziere. Die Poesie, wie sehr ich sie auch liebte, war mir immer nur ein *heiliges* Spielzeug oder *geweihtes* Mittel für himmlische Zwecke. Ich habe nie großen Wert gelegt auf Dichterruhm, und ob man meine Lieder preiset oder tadelt, es kümmert mich wenig. Aber ein Schwert sollt ihr mir auf den Sarg legen; denn ich war ein braver Soldat im Befreiungskriege der Menschheit!« Wir wissen also, mit wem wir es, und was wir zu tun haben!

Bei diesen Feldzügen im Befreiungskampfe der Menschheit geht es ihm aber oft sehr schlecht; er muß beständig »auf der Mensur liegen und sich durch unsägliche Drangsal durchschlagen.« Gewiß ein grausames Schicksal! Und wenn wir bedenken, daß er das alles nur zu unserm Heil und Frommen erduldet! – Ein andermal meint er, »ob er nicht gar am Ende als Blutzeuge auftreten müsse für das Wort«; welchen gräßlichen Ausgang aber der Himmel verhüten möge. Dabei hofft er jedoch, mit einem Lutherischen »will's Gott!« welches er bei so heiligen Angelegenheiten öfters mit Glück anwendet, »daß er künftig ebenfalls von Knaben und Jünglingen beweint werde«; wozu wir zu unserer großen Beruhigung gottlob noch keine Gelegenheit haben.

Gegen das Ende des letzten Bandes wird er immer wärmer und begeisterter. Im höchsten Rettungseifer ruft er den Deutschen zu: »armes, gefangenes Volk, verzage nicht in deiner Not ... o daß ich Katapulta sprechen könnte, o daß ich Falarika hervorschießen könnte aus meinem Herzen«; und schließt in Bezug auf jenen Hofnarren, der dem Kaiser Krone und Szepter gerettet wieder zubrachte, mit den Worten: »O deutsches Vaterland, teures deutsches Volk, ich bin dein Kunz von Rosen«, d.h. ich errette dich trotz dem, daß du mich verkennst.

Aus diesen verrückten Deklamationen, womit er zu kräftigem Schluß von uns Abschied nimmt, ersehen wir übrigens wieder, daß es doch sein pikantester Gedanke war, als politischer Heiland zu gelten. Auch auf die Gefahr hin, für den lächerlichsten Prahlhans gehalten zu werden, will er sich unserm Andenken noch als der Erretter des deutschen Volkes übergeben, der, von seinen Landsleuten verkannt, sich doch auf die hochherzigste Weise für ihr Heil aufopfere. Aber der Lügengeist verwundet sich nicht nur selbst, sondern bringt sich geradezu um mit seinen eigenen Waffen.

Wenn man uns nun nach dieser Kritik fragte: wie denn *Heines* Beliebtheit und Ruhm mit dieser unserer Darstellung seiner Verdienste übereinstimme? so antworten wir darauf, daß dieselben besser harmonisieren, als es auf den ersten Anblick scheinen möchte. Denn gerade so, wie wir ihn hier dargestellt haben, erscheint er als der Autor, dem Lob und Beifall der jetzigen Lesewelt nicht entgehen konnte. Reizende Frivolitäten – geniale Bosheiten – kräftige Prahlereien – tiefsinnige Phantasiestücke – wehmütige Rührungsspiele – herzhafter Unsinn – alles leicht, kurz, farbig ausgesprochen und durchwebt mit vielen guten Einzelheiten, erzeugt gerade die Mischung, die dem modernen Publikum am meisten zusagt. Man wird in Spannung erhalten, im Taumelgenuß von Anfang bis zum Ende fortgezogen, und wenn man zuletzt dann auch eine Art Katzenjammer empfindet, so hat man sich doch während des Lesens unterhalten und gelabt. Es gewährt diese Lektüre eine gewisse leichtsinnige Lust, die in der Welt gerade die meisten Verehrer zählt.

Bleiben wir aber immer gerecht, und bedenken und bekennen wir, daß *Heine* bei alle dem gegen die langweilig ehrbare Sippschaft, die den eigentlichen Stock der Schreiberwelt bildet, doch sehr im Vorteil steht, daß gegen die breiten und hölzernen Geschichten der moralisch-poetischen Philister sein bis auf einen gewissen Punkt doch echt empfundenes Potpourri noch erfreulich und erquicklich ist.

Wir nehmen, auch nachdem wir uns seiner großen Verirrungen wieder recht lebhaft bewußt geworden sind, nichts von dem zurück, was wir anfänglich zu seinen Gunsten gesagt haben, und sprechen es noch einmal aus, daß vielleicht nie so schöne poetische Talente durch den bloßen Effektsinn zu Grunde gerichtet worden sind. Unsere Beurteilung wäre auch auf keinen Fall so strenge geworden, wenn der frivole Hochmut, der schon in den Reisebildern herrscht, nicht zu viel Beleidigendes und Gefährliches für das deutsche Volk hätte.

Aber diesen Mann ohne den Geist der Wahrheit, diesen Politiker ohne Charakter, diesen Poeten ohne Form und höhern geistigen Gehalt, diesen Philosophen ohne Durchbildung und System hat man in der neuesten Zeit zu dem Begründer einer poetischen Schule, und noch mehr, zu einem philosophisch-moralischen Reformator gemacht, ihn hat man den ehrwürdigsten religiösen und philosophischen Häuptern an die Seite gestellt, weil er in seinen letzten Werken etwas konsequenter der Sinnlichkeit das Wort zu reden anfing, die *er* nur verderben, nicht aber veredeln und verklären kann, wie es, im Gegensatz zu den ersten christlichen Jahrhunderten, allerdings die Aufgabe unserer Zeit ist.

Auch wir erklären es für einen Irrtum, die Sinnlichkeit (im edlern Sinne) vernichten zu wollen, auch wir verlangen eine Anerkennung, eine Schätzung derselben; diese Anerkennung darf sich aber nicht in Emanzipierung der

Sinnlichkeit zu blinder Freiheit, sondern nur im Anhalten und Benützen derselben zum rechten Dienste kund geben. Und wo der Mensch sie nicht gerecht machen kann, da muß er sich in seinem Innersten für sündhaft erkennen und erklären, damit der Gerechtigkeit doch in anderer Weise Genüge geschehe.

Wir glauben durch obige Darstellung bewiesen zu haben, daß *Heine* am wenigsten geeignet ist, das auszuführen, was er, asketischen Bestrebungen gegenüber, mit Recht als etwas Notwendiges und Zeitgemäßes verlangt, obwohl in irrtümlicher Weise. Wer diese höchstwichtige Aufgabe unserer Zeit mit lösen zu können hoffen dürfte, der müßte im Geiste der Wahrheit, durch mehr oder mindere Irrtümer zu jener sittlichen Tüchtigkeit hinangedrungen sein, in welcher man mit Freiheit, zu Gottes Ehre, das Rechte will und tut, soviel es dem Menschen möglich ist.

Freuen wir uns, daß wir Deutsche solche ehrwürdige Häupter, die der Erde in diesem edeln Sinne poetisch das Wort reden, schon besitzen. Ob sich in Zukunft noch Mehrere an sie anreihen werden, steht zu erwarten. Unsere Aufgabe ist hier nicht, zu prophezeien, sondern bloß zu beweisen, daß derjenige Mann, auf den etliche junge Leute ihre Hoffnung setzen, eine edle Hoffnung in keiner Weise zu erfüllen vermag.

Melchior Meyr: Über die poetischen Richtungen unserer Zeit. Erlangen 1838. S. 27–50.

AUS DEM MANUSKRIPT EINER GEPLANTEN
FORTSETZUNG DER »HARZREISE«

DRUCKVORLAGE

Aus einer Handschrift Heines veröffentlichte Ernst Elster in: »Tägliche Rund-
schau, Unterhaltungsbeilage«, Nr. 63 vom 15. März 1901 die Stücke
S. 610,4–615,24 (»Die Suppe in Ilsenburg . . . zu Tage gefördert worden.«).
Den davor stehenden Text (»Ich rate aber jedem . . . auf calderonische Weise
besingen.«), dessen Anfang sich eng an den Text der »Harzreise« S. 161,35 bis
162,8 anlehnt, veröffentlichte Elster handschriftengetreu zusätzlich in den
Anmerkungen der 2. Aufl. seiner Heine-Ausgabe, Bd 3. Leipzig [1924].
S. 461f.

Unser Text verzichtet auf die Kennzeichnung der handschriftlichen Streichungen und löst Heines Abkürzungen auf (z.B. »und« für handschriftlich
»u«, »nämlich« für »nml«, »Auffindung« für »Auffindg«). In die Interpunktion
von Heines Konzept wurde nicht eingegriffen.

TEXTANMERKUNGEN

611 23 *mediatisierten Sedezherren:* Vgl. Anm. S. 810 zur »Nordsee. Dritte
Abteilung«, S. 231,38f.

612 16 *Genovefa:* Vgl. »Harzreise«, S. 139,20 und Anm. – 24f. *»Am Ganges,
am Ganges . . .«:* Lessing »Nathan der Weise«, II, 9: »Am Ganges, am
Ganges nur gibt's Menschen«.

613 14 *Biel:* angeblich eine altgermanische Gottheit, deren Götzenbild
Bonifatius 722 an der Bielshöhle vernichtet haben soll. Biel gehört aber
zu den vielen erst nach dem Dreißigjährigen Krieg erfundenen Gott-
heiten. H. ironisiert diesen Volksglauben, indem er Biel auf den alt-
testamentlichen Bileam (4. Mos. 22) zurückführt. – 24 *Schlegel, Arndt,
Hüllmann, Radtlofs:* Vgl. »Nordsee. Dritte Abteilung«, S. 228,6. – 34 *Pes-
serons, Court de Gebelin:* Die französischen Archäologen Paul Pezron
und Court de Gebelin vertraten die Theorie, daß die europäischen Völker auf einen urkeltischen Stamm zurückgingen.

614 6 *Schmalz:* Vgl. »Ideen«, S. 272,33 und Anm.

SKIZZEN ZU DEN ITALIENISCHEN »REISEBILDERN«

Aus einer Handschrift Heines der »Reise von München nach Genua«, die der
Handschrift H (s. Lesarten S. 855) und den Druckfassungen gegenüber Zusätze enthält, veröffentlichte Adolf Strodtmann in dem Supplementband
zu seiner Heine-Ausgabe: Letzte Gedichte und Gedanken. Hamburg 1869,
S. 273–305 diese Zusätze als »Nachträge zu den ›Reisebildern‹«. Die Skizzen
wurden von Heine für die Druckvorlage der »Reise von München nach Genua«
ausgeschieden und sind teilweise später in veränderter Gestalt in »Die Bäder
von Lucca« und in »Die Stadt Lucca« eingegangen. Strodtmann hat diese
Zusätze den thematisch entsprechenden Stellen in den italienischen »Reisebildern« zugeordnet; an diese Einordnung lehnen sich auch die Elstersche und
die Walzelsche Ausgabe an. Die endgültigen Handschriftenverhältnisse dieser Stücke wird erst die historisch-kritische Heine-Ausgabe klären können.

Außerdem teilte Gustav Karpeles in seiner Monographie: Heinrich Heine.
Aus seinem Leben und aus seiner Zeit. Leipzig 1899, S. 128, 144 f. und 4.
Faksimile-Beilage, aus einem sogenannten Originalbrouillon der italienischen Reise noch einige Skizzen mit, die in unserer Ausgabe den »Reisebildern« thematisch zugeordnet und also zwischen die von Strodtmann mit-
geteilten Skizzen gestellt sind.

SKIZZEN ZU »REISE VON MÜNCHEN NACH GENUA«

615 27–34 Im Anschluß an Kap. XI, nach S. 338,28 (Strodtmann).
616 1–617,8 Im Zusammenhang mit Kap. XX (Karpeles).
617 9–620,20 Zur gleichen Stelle eine etwas andere Fassung, zum Teil aber
           wörtliche Übereinstimmungen mit der vorhergehenden Skizze (Strodt-
           mann).
620 21–621,38 Zu S. 385,6 ff. (Strodtmann).
622 1–5 Zu S. 385,11 ff. (Karpeles).

SKIZZEN ZU »DIE BÄDER VON LUCCA«

622 7–23 Zu S. 400,34 nach »Nixe.« (Strodtmann).
     24–623,13 Zu S. 401,15 nach »können.« (Strodtmann).
623 14–624,2 Zu S. 404,12 nach »Bedienten.« (Strodtmann).
624 3–9 Zu S. 420,25 im Anschluß an Kap. VI (Strodtmann).
     10–26 Zu S. 423,9 zu »Gedichte?« (Strodtmann).
     27–629,15 Nach S. 426,10 im Anschluß an Kap. VIII (Strodtmann).

Skizzen zu »Die Stadt Lucca«

629 17–31 Zu S. 490,24 nach »Wachskerzen trugen.« (Strodtmann).

630 1–632,12 Zu S. 496,15 im Anschluß an Kap. VI (Strodtmann).

632 13–15 Zu S. 496,15 oder 489f. (Strodtmann).

    16–23 Zu S. 504,30 nach »versteht?« (Strodtmann).

    25–633,37 Andere Fassung für S. 505,36–506,31 (bei Karpeles Faksimile von Heines Handschrift).

634 1–635,13 Zusatz zu S. 506,31; schließt sich an die von Karpeles mitgeteilte Fassung an (Strodtmann). Der Schluß dieses Absatzes ist in »Ludwig Börne« (s. Bd 4 dieser Ausgabe) verwertet.

635 14–637,26 Zu S. 507,13 im Anschluß an Kap. X (Strodtmann).

637 27–29 Zu 509,13 nach »Religionsverächterinnen« (Strodtmann).

TEXTANMERKUNGEN

626 32 *Schmalz:* Vgl. »Ideen«, S. 272,33 und Anm.

629 9 *Nessus:* Der Kentaur Nessus wurde von Herkules mit einem Giftpfeil getötet. Das mit seinem Blut getränkte und vergiftete Hemd brachte Herkules den Tod.

631 28 *Buondelmonte:* florentinischer Edelmann, durch dessen Ermordung (1215) die florentinischen Kämpfe zwischen Guelfen und Ghibellinen begannen. – 32 *spolia opima:* die Rüstung des besiegten Feindes.

AUFSÄTZE AUS DEM UMKREIS DER »REISEBILDER«
(S. 639)

JOHN BULL

ZUR ENTSTEHUNG

Dieser Aufsatz gehört zu den Darstellungen aus England. Heine veröffentlichte ihn in den »Neuen allgemeinen politischen Annalen«, nahm ihn jedoch nicht in die »Englischen Fragmente« auf. Bisher ist nicht nachgewiesen, ob es sich tatsächlich um eine Übersetzung aus einer englischen Beschreibung Londons handelt, oder ob Heines Angabe Fiktion ist. Das Register des Zeitschriftenbandes nennt nur Heine als Verfasser.

DRUCKVORLAGE

»John Bull (Übersetzt aus einer englischen Beschreibung Londons.)« In: »Neue allgemeine politische Annalen« 27 (1828) S. 69–75. Unterschrift: H.H.

TEXTANMERKUNG

643 33 *Haman:* Hierzu und zum folgenden vgl. Buch Esther, Kap. 2 und 3.

JOHANNES WIT VON DÖRRING

ZUR ENTSTEHUNG

Ferdinand Johann Wit, nach dem Namen des zweiten Mannes seiner Mutter von Dörring genannt, wurde 1800 in Altona geboren und studierte seit 1817 in Hamburg, Kiel und Jena, wurde politischer Schriftsteller und schloß sich der Burschenschaft an. 1819, nach der Ermordung Kotzebues, sah er sich gezwungen, nach England zu flüchten, wo er in der Zeitschrift »Morning Chronicle« zahlreiche Artikel über deutsche Zustände veröffentlichte, in denen er seine liberalen Studiengenossen verriet. Nach einem Aufenthalt in

Paris ging er nach Italien, wo er in politische Intrigen verwickelt war, solche auch selbst aus gewissenloser Gesinnung verursachte und deshalb mehrmals verhaftet wurde. Fünf Jahre lang verbüßte er abwechselnd in Italien, Preußen, Österreich, Bayern und Dänemark Haftstrafen. Wit machte sich durch Denunziationen und durch seine Charakterlosigkeit bei Liberalen und Konservativen gleichermaßen verhaßt. 1828 erwarb er, nachdem er in Weimar eine reiche Erbin geheiratet hatte, in Oberschlesien einen Gutsbesitz, wo er seitdem lebte. Er starb in Meran 1863.

Seine Gefängniserlebnisse schildert er in den Büchern »Lucubrationen eines Staatsgefangenen«, anonym erschienen, Braunschweig 1827, und »Fragmente aus meinem Leben und meiner Zeit«, 4 Bände, Braunschweig 1827 bis 1830; später veröffentlichte er unter anderem »Mein Jugendleben und meine Reisen«, Leipzig 1832. (Aus diesen Schriften stellte H. H. Houben seinen »Lebensroman« zusammen: »Der Lebensroman des Wit von Dörring. Nach seinen Memoiren bearbeitet von H. H. Houben«. Leipzig 1912.)

1827 ging Wit nach Hamburg zurück, wo er sich mit Heine anfreundete. Wenig später verkehrte Heine zum Erstaunen seiner Freunde auch in München mit ihm, bis Wit im März 1828 wegen erneuter politischer Umtriebe von dort ausgewiesen wurde.

Der Umgang mit Wit wirft ein zwiespältiges Licht auf Heine und deckt seine bisweilen opportunistische Gesinnung auf. An Campe schreibt Heine: »Wußten Sie denn nicht, daß ich, außer Wein und Theater, keine Berührungspunkte mit Wit haben kann und will?« (1.12.1827) In seinen Briefen an Wit bekundet ihm Heine aber ausdrücklich Sympathie und nennt sich seinen Freund (12.2.1827, 23.1.1828). Auch als politischen Schriftsteller läßt er ihn gelten. Als Heines Mitherausgeber der »Neuen allgemeinen politischen Annalen«, Lindner, Wits »Fragmente aus meinem Leben und meiner Zeit« in Cottas Zeitschrift »Das Ausland« (Nr. 5 vom 5.1.1828) der politischen Charakterlosigkeit halber scharf angegriffen hatte, wenn er auch dessen schriftstellerisches Talent anerkannte, versuchte Heine zu einer Rehabilitierung Wits beizutragen. An Wolfgang Menzel schreibt er am 12.1.1828: »Lindner hat den Wit im Ausland rezensiert, verflucht bitter. Lassen Sie im Liter. Blatt [Beilage zum »Morgenblatt«] ihm nicht ganz das Fell über die Ohren ziehen. Er ist doch ein geistreicher Mensch, man mag sagen, was man will. Vielleicht weil *alle* so erbittert gegen ihn sind, fasse ich ihn auf als Erscheinung.«

Heines Sympathie für einen politischen Abenteurer, dessen Leben geprägt ist durch die aufeinanderstoßenden Kräfte der Liberalen und der Konservativen, ist soweit noch verständlich. Bedenklich aber erscheint Heines Stellung zu der folgenden Affäre, in die Wit verwickelt war: Der Herzog Karl von Braunschweig, bis 1823 unter der Vormundschaft des späteren Königs Georg IV. von England-Hannover stehend, der die Leitung der Staatsgeschäfte und die Erziehung Karls einem Grafen von Münster anvertraut hatte, ließ bei seinem Regierungsantritt eine Schrift gegen Münster veröffentlichen, in der er dem Grafen schweren Vertrauensmißbruch vorwarf. Zwischen dem noch unmündigen Karl und seinem Erzieher, dem Grafen, war es nämlich wiederholt zu heftigen Unstimmigkeiten gekommen. Dieser Streit zwischen Herzog und Graf, einmal an die Öffentlichkeit gedrungen, erregte viel Aufsehen und veranlaßte beide Partner zu weiteren Schritten. Münster selbst veröffentlichte eine Gegenschrift, die der Herzog noch einmal erwiderte, womit er den gefügigen Wit beauftragte. Dieser schrieb zu Gunsten des Herzogs im Dezember 1827 eine Broschüre, die Anfang des nächsten Jahres in Hamburg unter dem Titel erschien: »Versuch, die Mißverständnisse zu heben, welche zwischen dem Könige von England und dem Herzoge von Braunschweig durch den Grafen Ernst von Münster herbeigeführt worden. Von einem Privatmanne aus offiziellen Quellen.«

Heine, der von dem Streit zwischen Herzog und Graf ebenfalls gehört hatte, ergreift – obwohl er diesen nicht objektiv beurteilen konnte – offen für Karl von Braunschweig Partei, einen Herrscher, der zu den gewalttätigsten Volksbedrückern gehörte und später, 1830, auf Grund seines willkürlichen, autoritären und unmoralischen Verhaltens nach einem Volksaufstand gestürzt wurde. An Wit schreibt er am 23.1.1828: »Diesesmal, nämlich bei Ihrer Absicht gegen Münster eine Lanze zu brechen, hat Ihr Tun meinen ganzen Beifall, ein deutscher Fürst gehört auch zum deutschen Volke, und gar einer aus dem ältesten Heldenhause Deutschlands darf nicht von einem fremden Knechte verhöhnt werden, und wäre ich gesund und in besseren Umständen, so würde ich selbst mich für Braunschweig schlagen. Ich biete Ihnen aber die politischen Annalen an zum Sekundanten, und es wäre mir lieb, wenn Sie mir so bald als möglich einen Auszug Ihrer Schrift gegen Münster hierherschicken wollen, damit ich solchen gleich abdrucken kann. [. . .] Seit Januar, wie Sie vielleicht wissen, stehen ich und Lindner auf dem Titelblatt der Annalen als Herausgeber, und da wäre es artig, wenn der Herzog v. Braunschweig uns nächstens ebenfalls etwas senden möchte, nämlich für mich einen Orden und für Lindner ein Fäßchen Mumme. Merken Sie sich das.« Heine, der durch Vermittlung bei Cotta Wit außerdem Gelegenheit bieten will, Aufsätze im »Morgenblatt« zu veröffentlichen, gibt sich hier zwar den Anschein der Unparteilichkeit, indem er daran denkt, in den »Annalen« auch einen Artikel *für* Münster abdrucken zu lassen; aber seine nur wenig mit Ironie verkappte und darum ernst zu nehmende Hoffnung auf einen »Orden«, auf eine Auszeichnung durch einen deutschen Fürsten also, überrascht bei dem Verfasser der »Reisebilder« um so mehr, als er erst kurz vorher in der »Nordsee« gegen den Adel aufgetreten war und in den weiteren Bänden seine Polemik noch heftiger fortsetzen sollte. Im gleichen Brief teilt er Wit mit, daß er bei nächster Gelegenheit selbst in den »Annalen« über ihn schreiben wolle und bittet ihn um Übersendung von dafür notwendigen Materialien. Vermutlich ist die vorliegende kurze Skizze über Wit der Anfang eines geplanten längeren Artikels oder einer Reihe von Artikeln über ihn, denn Heine stellt in dem Vorhandenen ja noch Weiteres in Aussicht (»wenn ich nächstens von dem außerordentlichen Manne spreche«).

Ob Heine mit dieser öffentlichen Auszeichnung Wits und mit der Parteinahme zu Gunsten des Herzogs sich ein loyales Ansehen auch bei dem bayrischen Königshaus geben wollte, möglicherweise schon in Hinblick auf seine angestrebte Professur (vgl. die Entstehungsgeschichte zum dritten Teil der »Reisebilder«, S. 824 ff.), bleibe dahingestellt. Deutlicher jedoch zeigt sich Heines »Politik« darin, daß er – nachdem Wit auf Befehl König Ludwigs aus der Bayrischen Hauptstadt verwiesen wurde – das begonnene Manuskript über »Johannes Wit von Dörring«, vorliegenden Aufsatz, nicht mehr veröffentlichte, obwohl er dazu in den »Annalen« Gelegenheit gehabt hätte. – In einem Brief an Varnhagen vom 12. 2. 1828 spricht sich Heine über seine Manipulationen, zu denen ihm Wit dienen sollte, deutlich aus: »Wit von Dörring, der Berüchtigte ist hier; Gott weiß, mit welchem Skandal er endigen wird. Ich hab ihn persönlich sehr gern und er kompromittiert mich überall, indem er mich seinen Freund nennt; dadurch aber erlange ich erstens, daß die Revolutionäre durch Mißtrauen von mir sich fernhalten, was mir sehr lieb ist, zweitens, daß die Regierungen denken, ich sei nicht so schlimm, und überzeugt sind, daß ich in keiner einzigen schlimmen Verbindung stehe. Ich will ja nur sprechen. Übrigens ist Wit mein Fouché. Mir kann er nicht schaden, und wenn ich wollte, könnte ich durch ihn schaden, wem ich wollte. – Freilich, hätte ich Macht, ließe ich ihn hängen.«

Am 1. 4. 1828 an Varnhagen sucht Heine Wits ungewöhnliches Verhalten einigermaßen zu verteidigen, wie er es auch in dem vorliegenden Aufsatz tut: »Wit ist ein mauvais sujet, und wenn ich Macht hätte, ich ließe ihn hängen. Er hat eine Privatliebenswürdigkeit, die mir oft seinen Charakter vergessen ließ, er hat mir immer ungemein viel Spaß gemacht, und vielleicht eben deshalb, weil die ganze Welt wider ihn war, hielt ich ihm manchmal die Stange. Das hat vielen mißfallen.

In Deutschland ist man nicht so weit, zu begreifen, daß ein Mann, der das Edelste durch Wort und Tat befördern will, sich oft einige kleine Lumpigkeiten, sei es aus Spaß oder aus Vorteil, zu schulden kommen lassen darf, wenn er nur durch diese Lumpigkeiten (d.h. Handlungen, die im Grunde ignobel sind) der großen Idee seines Lebens nichts schadet, ja daß diese Lumpigkeiten oft sogar lobenswert sind, wenn sie uns in den Stand setzen, der großen Idee unseres Lebens desto würdiger zu dienen. Zur Zeit des Machiavells und jetzt noch in Paris hat man diese Wahrheit am tiefsten begriffen.«

»Johannes Wit von Dörring«. Erstmals veröffentlicht von Adolf Strodtmann: Ein ungedruckter Aufsatz H. Heines. In: »Deutsche Revue« 2
(1878) H. 12. S. 398–402.

NACHBEMERKUNGEN ZU DEM AUFSATZ:
KÖRPERLICHE STRAFE

ZUR ENTSTEHUNG

Der Aufsatz »Körperliche Strafe« ist anonym erschienen; F. H. Eisner (Weimarer Beiträge 5, 1959, S. 425–427) hat nachgewiesen, daß der Verfasser
ein Münchner Bekannter Heines, Karl von Hailbronner, Offizier in bayrischen Diensten, ist, der es nicht wagen konnte, für seine liberale Gesinnung
namentlich zu zeichnen. Sein Artikel geht ausführlich auf die in der englischen Armee damals noch übliche Bestrafung durch die Peitsche ein und
schildert die Argumente der Befürworter und der Gegner dieser Strafe im
englischen Parlament.

DRUCKVORLAGE

»Nachbemerkungen« zu dem Aufsatz »Körperliche Strafe«. In: »Neue allgemeine politische Annalen« 27 (1828) S. 390–392, im Anschluß an den genannten Aufsatz.

TEXTANMERKUNG

649 20 *Foy:* Maximilian Sébastien Foy: »Histoire de la guerre de la pénin-
sule sous Napoléon«, 4 Bde, Paris 1827; deutsch Leipzig 1827.

ANMERKUNG ZU DEM AUFSATZ: PARAPHRASE EINER
STELLE DES TACITUS

ZUR ENTSTEHUNG

Heines einführende Fußnote zu Lautenbachers Aufsatz möchte mit dem
Hinweis auf die Parallele zu Desmoulins Artikel im »Vieux Cordelier« die

politische Aktualität des Tacitus-Aufsatzes unterstreichen und den Leser
zur Lektüre auffordern. Der Aufsatz selbst, ausgehend von Tacitus »Annales«
Lib. I,2, worin »der Beginn aller Knechtschaft in wenigen, aber bestimmten
Umrissen« dargestellt ist, behandelt die Despotenherrschaft des Augustus
mit ihrer scheinbaren Friedfertigkeit und der gleichzeitigen Unterdrückung
der »sittlichen Kräfte« als Paradigma für ähnliche seichte Friedenszeiten.

DRUCKVORLAGE

Anmerkung Heines zu dem Aufsatz »Paraphrase einer Stelle des Tacitus«
von Lautenbacher. In: »Neue allgemeine politische Annalen« 27 (1828)
S. 343.

TEXTANMERKUNGEN

650 3 *vieux cordelier:* seit Ende 1793 von Camille Desmoulins herausgege-
       benes Blatt, das den revolutionären Ausschweifungen entgegentrat. –
       11 *neunte Thermidor:* Am neunten Thermidor (27. Juli 1794) wurde
       Robespierre gestürzt und am folgenden Tag hingerichtet.

DER TEE

ZUR ENTSTEHUNG

Diese Anekdote sandte Heine an Theodor von Kobbe, den er von Hamburg
her kannte, für dessen Sammelband »Wesernymphe« mit folgenden Worten: »Tränke man in Deutschland so starken Tee wie in Holland, so würden
Sie es nimmer wagen dürfen, den beikommenden Tee – Absud dem deutschen Publikum, welches Sie zum Tee einzuladen im Begriffe stehen, vor-
zusetzen, da darin wenig Teegeist, aber desto mehr Wasser enthalten ist.
Nehmen Sie daher mit meinem guten Willen vorlieb.« (Brief Nr. 301)

DRUCKVORLAGE

»Der Tee«. In: »Wesernymphe. Novellen und Erzählungen.« Hrsg. von
Theodor von Kobbe. Bremen 1831. S. 231–233.

ZUR ENTSTEHUNG

Heines Einleitung zu der Schrift des liberalen Publizisten Robert Wesselhöft, die dieser unter dem Pseudonym Kahldorf verfaßte:

Kahldorf über den Adel in Briefen an den Grafen M. von Moltke. Herausgegeben von H. Heine. Nürnberg, bei Hoffmann und Campe 1831,

ist die letzte Arbeit Heines in Deutschland vor seinem Aufbruch nach Paris. Am 6.1.1831 an Varnhagen hören wir zum ersten Mal davon: »Ich gebe eine Streitschrift gegen den Adel heraus, wovon nur die Vorrede von mir sein wird. Haben Sie etwas dazu zu geben? Zwölf Tage bleibt dazu Zeit.«

Wesselhöfts Buch ist eine Erwiderung auf eine im Jahr zuvor erschienene Verteidigung des Adelstandes von

Graf M[agnus] v. Moltke, Königl. Dänischer Kammerherr und Mitglied des Obergerichts zu Gottorf: Über den Adel und dessen Verhältnis zum Bürgerstande. Hamburg 1830.

Moltkes unter dem Anspruch der »reinen Wahrheitsliebe« und »der ruhigen ernsten Prüfung« verfaßte Schrift hat trotz zahlreicher kritischer Äußerungen gegenüber dem eigenen Stand im ganzen reaktionären Charakter und bringt neben Erörterungen über Steuerfreiheit, Fideikommiß, Erziehung und Reformierung des Adels Gedanken wie folgende:

»Unverkennbar gehen aus der erhabenen Stellung, welche der Adel einnimmt, Vorteile und Ergebnisse hervor, auf welche die Welt ohne denselben Verzicht leisten müßte. In den Gütern, die er besitzt, in den Taten, die er verrichtet, in der Erinnerung an diese Taten, in der Achtung, welche diese erzeugen, in der langen Dauer, in welcher diese Erinnerung und diese Achtung sich erhalten, in der Auszeichnung, welche ihm daher zu Teil wird, liegt ein unglaublich mächtiger Hebel für die Gesinnung und für die Darstellung im äußeren Leben. In einer Sphäre aufgewachsen, in welcher Alles ihm das Bild einer würdevollen gewichtigen Existenz vergegenwärtigt, fern von dem Ekel und den beengenden Sorgen der Not, mit dem Bewußtsein, daß auch ihm, wie seinen Vorfahren sich eine freiere Laufbahn eröffnen werde, von Personen umgeben, die in feiner Sitte mit einander wetteifern, tritt der Jüngling von Adel, wenigstens aus dessen höheren Regionen, mit einer Sicherheit in die Welt, welche ihm jeden Schritt, den er zu tun hat, erleichtert. Für diese glänzenden Erscheinungen gibt es zwar eine große Menge von Abstufungen, und wir wollen gerne einräumen, daß sie auf den untersten Stufen sich häufig in eine ziemlich gemeine Alltäglichkeit verlieren; aber die von den höheren entfernt stehenden unteren Glieder nehmen dennoch Teil an jenem Nimbus, welcher das Institut des Adels umgibt. Die freie Sitte, die Courtoisie, jene Schöpfung eines sich auf den Höhen des Lebens bewegenden Standes, ist in der Tat so eigentümlicher Art, daß wir umsonst uns bemühen würden, von ihr ein getreues Bild zu entwerfen. In ihrer zartesten Blüte ist es vielleicht nur unseren Nachbaren jenseits des Rheins gegeben, sie darzustellen. Damit sie in ihrem ganzen Zauber auftrete, muß sie gleichsam aus dem Innern des Gemüts hervorgehen; hier müssen sich die zarten, durch edle Beispiele hervorgerufenen Anklänge bilden, welche in der Harmonie des äußern Betragens sichtbar werden; das Edle muß durch lange Angewöhnung zur Natur geworden sein. Wer keine Ahnen aufzuweisen hat, wer sein Leben nicht an entfernte Erinnerungen zu knüpfen im Stande ist, wer nicht die eigenen Schätze der Vergangenheit mit in die Gegenwart hinüber zu ziehen vermag, wer nicht herangewachsen ist unter den Einflüssen einer Umgebung, wie wir sie eben beschrieben, der wird sich, wenn er jenem Zauber nachstrebt, bald verraten, denn die Kunst kann und wird die Wahrheit der Natur nie oder doch nur selten erreichen.« (S. 10-12)

»Ein anderes Vorrecht, welches der Adel für sich in Anspruch nehmen zu können glaubt, ist die Besetzung der bedeutenderen, Einfluß und ein ansehnliches Einkommen gewährenden Ämter vermittelst Personen aus seinem Corps. Hier wird es notwendig sein, die Frage zu berühren: ob das sogenannte Verdienst allein bei Besetzung der Ämter den Ausschlag geben dürfe, und in wieweit ein solches in den untergeordneten Klassen der Gesellschaft zu berücksichtigen sei? Darüber ist man wohl so ziemlich einverstanden, daß dem Adel nicht ein völlig ausschließendes Recht auf Anstellung in den höheren Chargen eingeräumt werden könne. [...] Es versteht sich von selbst, daß zu allen Ämtern, zu deren Verwaltung es besonderer Fähigkeiten und namhafter Kenntnisse bedarf, wie dies bei allen denen im Fache der Justiz und der höheren Administration der Fall, die Adelsqualität allein nicht den Ausschlag geben kann, daß mithin hier nur die Art und Beschaffenheit der persönlichen Leistungen immer zuerst in Erwägung gezogen werden muß. Wir glauben indessen, daß wenn gleich an sich und der Idee nach, der Grundsatz, wie nur dem Verdienste die Belohnung zu reichen, wie nur ihm die Türe zur Beförderung zu eröffnen, für wahr und richtig zu halten, dennoch derselbe in seiner praktischen Anwendung manchen Restriktionen, manchen von der Politik und der Humanität gebotenen Akkommodationen zu unterziehen sei. Zuvörderst nämlich dürfen die Ansprüche, welche das Dienstalter gibt, nicht übersehen werden. Wollte man etwa diese verkennen, weil sich ein vorzüglich geeigenschaftetes Subjekt darbietet, so würde man durch die getäuschte Hoffnung auf zu erlangende größere Ehrenvorzüge und auf ein reichlicheres Auskommen, den wohl verdienten Lohn einer langen, nicht unrühmlichen Anstellung, einen Unmut und eine Unzufriedenheit erwecken, die auf das ganze Dienstverhältnis einen höchst nachteiligen Einfluß äußern müßten. Es ist nämlich sehr häufig der Fall, daß ein Geschäft zwar dem Buchstaben des Gesetzes entsprechend, aber doch höchst unzweckmäßig betrieben werden kann, so daß es der öffentlichen Ahndung unmöglich wird, den widerspenstigen Geist zu erreichen. Es muß daher zur Regierungsmaxime werden, alles zu vermeiden, was eine so widrige und schädliche Stimmung hervorrufen könnte. Der Mensch, selbst der gebildetste, ist häufig solchen Schwächen unterworfen, und nur der seltnen Tugend, der stoischen Würdigung aller äußeren Verhältnisse, der ruhigen Ergebung in den Gang des Schicksals, welche immer zu den Ausnahmen gehören, wenn man erworbene Rechte glaubt verletzt zu sehen, gelingt es, sich über sie zu erheben. Oft ist aber auch das Verdienst, wenn wir es auf eine bewährte, vorzügliche Befähigung zu irgend einem öffentlichen Amte beschränken, mit einer Gesinnung verknüpft, welcher die zarteren Gefühle des Wohlwollens, die ruhige Würdigung der moralischen und geistigen Eigenschaften dritter Personen fremd ist, und welches in dem unerwarteten Glücke, das ihm zu Teil wurde, nur eine Nahrung findet für den angebornen, sich leicht selbst überschätzenden Stolz. In einem solchen Falle, dessen Eintritt leicht zu befürchten, darf sich nicht immer die Waagschale zu seinen Gunsten neigen, so wie überhaupt der Ehrgeiz, durch die Aussicht auf belohnende Anerkennung einer freien und gelungenen Entwickelung ausgezeichneter Naturgaben geweckt, zwar auf der einen Seite zu großen Dingen führt, auf der andern Seite aber auch selbst dem öffentlichen Dienst Störungen und Gefahren bereitet. Wollen wir uns davon überzeugen, wie wenig Kenntnisse und Talente allein, von Unternehmungsgeist unterstützt, zu einer wohltätigen Wirksamkeit berufen, so dürfen wir uns nur an die Zeiten politischer Stürme erinnern. Während ihrer gärungsvollen Herrschaft bahnen sich jene gemeiniglich aus den untern Regionen der bürgerlichen Gesellschaft hervorgehenden Kräfte einen Weg, auf dem sie zu einer politischen Bedeutsamkeit heranwachsen, den Gärungsstoff und die Greuel der Unordnung nur noch vermehren, dann von dem Wirbel, zu welchem sie die Keime geschäftig aufgelockert und angehäuft hatten, ergriffen und vernichtet werden, oder ihn nur für ihren selbstsüchtigen Zweck benutzen. Ist dieses Schauspiel auch in mancher Hinsicht anziehend, gewährt es in seinen mannigfaltigen Szenen eine reiche und das Gemüt tief erschütternde Belehrung, so zeigt sich doch auf der andern Seite nur zu oft der Mißbrauch seltner Gaben. Unter den Segnungen der politischen Ruhe und des Friedens üben freilich jene Kräfte keine so feindselige Gewalt, ja, es muß vielmehr anerkannt werden, daß durch sie viel Gutes und Schönes bewirkt werden kann und bewirkt worden ist; allein nicht selten erzeugen sie eine Disharmonie in dem Organismus des Geschäfts- und Verwaltungssystems, wenn ihnen nicht durch die Macht des angestammten Ansehens eine Beimischung gegeben wird, durch welche sich das Vorurteil mit ihnen leichter versöhnt. Daher halten wir es nicht nur für billig, sondern auch aus Gründen der Politik für ratsam, daß unter sonst gleichen Umständen dem Adel bei Besetzung der höhern Ämter der Vorzug eingeräumt werde. Zwar setzt diese Maßregel es, als sich von selbst verstehend voraus, daß der Adel seiner hohen Bestimmung, den übrigen Ständen an geistiger Bildung und Tugend vorzuleuchten, eingedenk geblieben; denn wenn es ihm an jener höheren Befähigung fehlt, die von der Geburt unabhängig ist, dann mag er sich nicht beschweren, daß man seiner nicht gedenkt. Auf einer gewissen Höhe des Lebens werden diejenigen Eigenschaften am besten und leichtesten erworben und ausgebildet, durch welche die Menschen zur Ordnung und Achtung der Gesetze angeführt und genötigt werden sollen. Es liegt in ihrer Natur, daß sie lieber einem Solchen gehorchen, den der Lauf der Dinge bereits schon längst über sie hinaufgehoben hatte, und den sie auf dieser Höhe zu sehen gewohnt waren, als einem Solchen, den sie noch vor Kurzem als ihres Gleichen betrachteten. Nur zu leicht werden durch eine solche Erhebung aus den unteren Klassen zu einem einflußreichen Posten die gehässigen Leidenschaften des Neides geweckt, die Gemüter zeigen sich zum Gehorsam weniger geneigt, der Erhobene selbst stößt in seiner Amtssphäre auf mancherlei Schwierigkeiten, die eine, den verschiedenen Abstufungen der Ehre angemessene Wahl entweder gar nicht angetroffen, oder leicht würde besiegt haben, und in ihm selbst wird häufig ein gewisser Übermut erweckt, der ihn das gehörige Maß seiner Kräfte, und die Höhe, auf welcher er sich befindet, überschätzen läßt, durch welche er für seine Untergebene zu einem Gegenstand des Hasses, ja wohl gar der Verachtung hinabsinkt und es alsdann am Ende seiner Tätigkeit an aller gedeihlichen Wirksamkeit gebricht. Sind zwar diese Gefahren auch selbst da nicht ganz zu vermeiden, wo bei Besetzung der höhern Ämter die Vorurteile mehr geschont wurden, so zeigen sie sich doch in ihren Folgen weniger schädlich, indem sie einen geringeren Grad der Unzufriedenheit und des gekränkten Selbstgefühls hervorrufen, wodurch sowohl in den untergeordneten Geschäftsmännern selbst der Eifer in ihrem Beruf gelähmt, als auch bei den Untertanen die Bande der Anhänglichkeit geschwächt werden, an welche sie sich sonst bei einer, ihnen zwar fühlbar werdenden, aber doch im Geiste der Milde geübten, und nach einer gewissen bestimmten Ordnung verteilten Gewalt so leicht gewöhnen. Daß indessen von jener oben angedeuteten Regel Ausnahmen stattfinden können, ja, wie wir gerne zugeben wollen, stattfinden müssen, wenn sich in dem Auserwählten alle diejenigen persönlichen Eigenschaften vereinigen, welche, hinlänglich geprüft, eine vollkommen sichere Garantie für eine wahrhaft heilsame und beglückende Amtsführung gewähren, dies zu bestreiten kann freilich nicht unsere Meinung sein.« (S. 41–47)

»Der Adel ist, wie die menschliche Natur überhaupt, auf der einen Seite zu großen Tugenden, auf der andern aber auch zu eben so großen Fehltritten fähig [. . .]. Seine Bestimmung ist die, daß er in allem, was groß, edel und ehrenvoll ist, zum strahlenden Vorbilde diene, und wenn wir anders ohne Vorurteil die Geschichte befragen, so werden wir finden, daß er diese Bestimmung oft auf eine glänzende Weise erfüllt hat. Die Vorwürfe, die man ihm macht, treffen nicht das Wesen desselben, sondern nur einzelne, aus seiner Mitte hervorgegangene Erscheinungen.« (S. 55)

»Der Fleiß und die Arbeitsamkeit und die mit ihnen vergesellschaftete Geschicklichkeit, sind gewiß Eigenschaften, die einen hohen Grad der Anerkennung verdienen, ohne welche überall die Geschäfte keinen gedeihlichen Fortgang haben können; allein, höher noch steht der moralische Impuls, welcher das Geschäft belebt, und der insonderheit da anzutreffen sein wird, wo sich das Gemüt von allen Rücksichten, die nur den eignen Vorteil bezwecken, möglichst frei erhalten hat. Wo aber wird dies mehr der Fall sein, etwa da, wo der Mensch in einem steten Kampf mit häuslichen Sorgen, in einer immerwährenden Nähe alles dessen lebt, was ihn aus der idealen Welt gewaltsam auf die Beschränktheit seiner äußern Lage zurückführt, wo kaum ein Schritt getan werden kann, ohne daß nicht auch ängstlich nach den Mitteln gefragt werden muß, durch welche dieser Schritt erst möglich gemacht werden soll, wo also, von tausenderlei Rücksichten gefesselt, der Mensch sich allenthalben gebunden, allenthalben an seine Abhängigkeit erinnert fühlt, oder da, wo beim ersten Eintritt in das Leben ein freierer Gesichtskreis sich ihm öffnet, eine behagliche, mit den Freuden des Überflusses ihn fast übersättigende Umgebung allen seinen Neigungen und seinen Ideen einen höheren Aufschwung gibt? Zwar hat auch diese Lage ihre großen Gefahren, sie führt nicht selten zu einer gewissen Unempfindlichkeit gegen den aus beengenden Verhältnissen hervorgehenden Druck, zu einer Geringschätzung dessen, was sich nicht bis zu uns erheben kann und darf, zu einem sorgenlosen Vertrauen in die Zukunft, die wir, gleichsam schon für uns vorbereitet, ruhig oder hoffnungsvoll erwarten, zu einem Spiel mit einer Menge von Torheiten, die am Ende nichts als eine geistesscheue Leere zurücklassen, und die daraus entspringenden Verwirrungen sind es eben, die den Adel hassenswürdig und verächtlich haben erscheinen lassen. Wo indessen diese Klippen glücklich vermieden wurden, und daß dies häufig geschehen und noch geschieht, wer möchte dies leugnen, da bildet sich in und durch den Adel eine Pflanzschule so edler Gesinnungen, so gedeihenvoll ausgerüsteter Kräfte, daß, wenn in den geeigneten Kreisen sie zur Wirksamkeit berufen werden, ihnen alles um so williger folgt, als in einem so geordneten System des Ansehens und der Macht sich eigentlich nur das Naturgesetz selbst zu erkennen gibt.

Wenn wir nun aber es unserer Überzeugung gemäß versucht haben, den

Standpunkt anzudeuten, den der Adel einnimmt, so wie die Ansprüche, welche ihm dieser Standpunkt gibt, so dürfte auch schon aus der gelieferten Darstellung hervorgehen, welche große Verbindlichkeiten ihm obliegen, und wie er insonderheit auch des Bandes nie uneingedenk sein dürfe, welches ihn, vermittelst des gemeinschaftlichen Charakters der menschlichen Natur, mit allen übrigen Gliedern der bürgerlichen Gesellschaft in Verbindung setzt. So wie es fast keinen Zauber gibt, der mächtiger wirkt, als wenn die Großen der Erde aus einem edlen und reinen Selbstvergessen ihrer Größe, sich ihrer Verwandtschaft auch mit dem Geringsten im Volke bewußt bleiben, und in allen Klassen die edleren und schöneren Gefühle zu ehren und zu wecken wissen, so ist auch die Pflicht des Adels, durch sein lebendiges Wirken, durch seinen Beistand und durch seine milde Menschenfreundlichkeit, die Übergänge zu den verschiedenen Stufen in der bürgerlichen Ordnung zu ebnen. Er zeige daher auch in seinem äußern Betragen gegen diejenigen, welche zu ihm in einem untergeordneten Verhältnisse stehen, nicht eine schroffe Härte, sondern einen durch Güte gemilderten Anstand; er versage der Stimme des Herzens nie den Eingang, wenn es darauf ankommt, mehr zu sein, als gerade nur das in äußeren Formen sich darstellende Standesmitglied; er begegne aber auch einer jeden niedrigen Gesinnung und einem jeden, aus einer solchen hervorgehenden Benehmen mit jener stolzen Würde, und, wo es nötig ist, mit jener gebieterischen Verachtung, welche die feindseligen Kräfte des Bösen, wohin wir auch jene sklavische und gleisnerische Gemütsverfassung zählen, die am Ende sich zu allem und Jedem bestimmen läßt, in ihre finstern Schlupfwinkel zurückscheucht.« (S. 57–60)

Heine gibt der besonnenen, rein sachbezogenen und meist vorsichtigen Kritik Wesselhöfts eine revolutionär eingestellte Vorrede. Darin setzt er Gedanken der eben erschienenen »Nachträge zu den Reisebildern« fort, wendet sich gegen die Mächte der Heiligen Allianz und fordert indirekt die Revolution in Deutschland nach französischem Vorbild. Varnhagen gegenüber schildert er seine Stimmung bei der Arbeit an dieser Schrift: »Als ich nach dem letzten Juli bemerkte, wie der Liberalismus plötzlich so viel Mannschaft gewann, ja wie die ältesten Schweizer des alten Regime plötzlich ihre roten Röcke zerschnitten, um Jakobinermützen davon zu machen, hatte ich nicht üble Neigung, mich zurückzuziehen und Kunstnovellen zu schreiben. Als die Sache aber lauer wurde, und Schreckensnachrichten, wenn auch falsche, aus Polen anlangten und die Schreier der Freiheit ihre Stimmen dämpften, schrieb ich eine Einleitung zu einer Adelsschrift, die Sie in 14 Tagen erhalten, und worin ich mich, bewegt von der Zeitnot, vielleicht vergaloppiert, und – Sie werden der absichtlichen Unvorsichtigkeiten genug drin finden, und diese, so wie auch den angstschnellen schlechten Stil, billigst entschuldigen.« (1.4.1831)

Im selben Brief teilt Heine dem Freund Abschiedsgedanken von Deutschland mit, wo seine liberale Gesinnung bei der Obrigkeit auf kein Verständnis mehr hoffen durfte: [ich] »träume jede Nacht, ich packe meinen Koffer und reise nach Paris, um frische Luft zu schöpfen, ganz den heiligen Gefühlen meiner neuen Religion mich hinzugeben, und vielleicht als Priester derselben die letzten Weihen zu empfangen.« – Einen Monat später ist er bereits auf dem Wege nach Frankreich, während »Kahldorf über den Adel« am 18. Juni durch die preußische Regierung verboten wurde (vgl. Houben: Verbotene Literatur, S. 394 f.).

In Paris, wo er schon nach wenigen Monaten mit dem Grafen Moltke selbst bekannt wurde, hat Heine die scharfe Polemik seiner Vorrede relativiert und sich für persönliche Angriffe gegen Moltke entschuldigt: »Die Einleitung ist leider in Haß und Leidenschaft geschrieben, und es ist beim Druck noch allerlei Mißliches vorgefallen. Es ist möglich, daß ich die Schrift in dieser Gestalt noch desavouieren muß. Auf jeden Fall, sind Sie, Herr Graf, etwa nicht glimpflich genug drin behandelt, so bitte ich Sie um Verzeihung.« (25. 7. 1831; vgl. auch Heine: Briefe Bd 5, Kommentar, S. 8–10)

Um eine gerechtere und ausgewogenere Beurteilung des Adels und besonders des Grafen Moltke bemüht sich Heine in der »Zwischennote zu Artikel IX« der »Französischen Zustände« (vgl. Bd 3 dieser Ausgabe). Dort heißt es u. a.: »Wegen jener Einsicht [Moltkes, die Kontroverse über das Thema Adel in der nach der Julirevolution erhitzten Zeit nicht öffentlich fortzusetzen] verdient der Graf das beste Lob, das ich ihm hiermit zolle, und zwar um so bereitwilliger, da ich in ihm persönlich einen geistreichen und, was noch mehr sagen will, einen wohldenkenden Mann gefunden, der es wohl verdient hätte in der Vorrede zu den Kahldorfschen Briefen nicht wie ein gewöhnlicher Adliger behandelt zu werden. Seitdem habe ich seine Schrift über Gewerbefreiheit gelesen, worin er, wie bei vielen anderen Fragen, den liberalsten Grundsätzen huldigt.«

In dieser Schrift »Gedanken über die Gewerbefreiheit« (Lübeck 1830) wie in seinen späteren »Über das Wahlgesetz und die Kammer mit Rücksicht auf Schleswig und Holstein« (Hamburg 1834) und »Über die Einnahmequellen des Staats« (Hamburg 1846) entwickelte der Graf Moltke tatsächlich weit liberalere Ansichten als in seiner Verteidigung des Adels.

DRUCKVORLAGE UND LESARTEN

Handschrift und Erstdruck:

H: Die Handschrift Heines; sie liegt der Elsterschen Ausgabe zugrunde und ist dort mit sämtlichen Streichungen und Korrekturen verzeichnet.

K: Gedruckt als Einleitung zu: »Kahldorf über den Adel in Briefen an den

Grafen M. von Moltke.« Hrsg. von H. Heine. (Der nicht genannte Verfasser des Buchs ist Robert Wesselhoeft.)

Der Druck ist von der Zensur gekürzt; der Sprachgebrauch Heines ist teilweise normalisiert (z. B. 657, 14 »geringe« für H: »gringe«, durchweg »teutsch« für »deutsch«, »adelig« für »adlig«).

Vorliegender Text folgt der Elsterschen und der Walzelschen Ausgabe; die Lesarten geben die wichtigsten Abweichungen von K wieder, wobei Streichungen in der Handschrift in [] gesetzt sind.

656 10 Nach »Mystizismus« in H »[Katholizismus]«.

    11 Nach »Jesuitismus« in H »[Pedrastie]«.

657 27 Nach »Christentums« in H »[das morsche Gebäude des Priestertums]«.

    29 Nach »lächelte« in H aus zahlreichen Streichungen und Änderungen ungefähr zu erschließen: »[und zugleich dem Despotismus die Fackel vortrug, nicht um ihn (wie Alfieri meint), als höfischer Kammerherr zu dienen, sondern um seine Blößen und Gebrechen vor aller Welts Augen zu beleuchten,]«.

658 37 Nach »Gelassenheit« folgt in H ein ausgestrichener und wieder überschriebener, deshalb nur schwer lesbarer Passus, den die Walzelsche Ausgabe nach Elster folgendermaßen rekonstruiert:

»das Henkeramt auch an Menschen verrichtet werde, und daß Monsieur Sanson, als er S. Allerchristlichste Majestät, den König von Frankreich, aus dem Buche des Lebens ausstrich, nur als natürlicher Nachfolger den Zensor von Paris im Handwerk ablöste.

Dieser Wahrheit bin ich jüngst in der grauenhaftesten Weise bewußt geworden, als die Unruhen die Europa bewegen, auch bis in die Stadt meines zufälligen Aufenthalts gedrungen waren, und ich die heidnische Wildheit entzügelter Volksmassen in der Nähe betrachtete. Es blieb Gottlob! nur bei Steinwürfen und Fenstergeklirre, und des anderen Tags war schon alles wieder beschwichtigt durch die allerhöchstweisen Maßregeln der hochweisen Stadtväter, die wahrlich unter den Steinen, die ihnen ins Haus geworfen waren, den Stein der Weisen gefunden hatten. – Ich aber verbrachte sehr schlecht die Nacht als jene Unruhen vorfielen – ich konnte nicht einschlafen vor lauter Revolutionsgreuelgedanken, und dachte beständig an Ludwig XVI., und dann auch an Karl I., und grübelte nach wer wohl der verlarvte Scharfrichter gewesen sei, der ihn geköpft hat, und als ich einschlief träumte mir: ich stände unter einer brausenden Volksmenge, die nach einem großen Hause empor gaffte, das ungefähr wie Whitehall aussah, und vor dessen Fenstern sich ein schwarzes Gerüst erhob, wo, auf einem schwarzen

Blocke ein weißes Allongeperückenhaupt lag, und siehe! als der verlarvte Scharfrichter zu einem Streiche auslangen wollte, entfiel ihm die
Maske und zum Vorschein kam eines wohlbekannten Zensors wohl-
bekanntes Sündergesicht.«

660 8 »frevelhaft« in H zuerst »[mit arger Axt]«.

663 32–34 »und solchermaßen ... können,« in K: »Solchermaßen können
sie die Völker durch ihre untergebenen Soldaten in Respekt halten und
durch diplomatische Verhetzungskünste zwingen,«. Die Walzelsche
Ausg. übernimmt hier die bessere syntaktische Form von K.

664 6–13 »Während ... Hudson Lowe.« ist in K von der Zensur folgendermaßen gekürzt: »Während des Friedens besorgte Östreich die Interessen
des Adels, --
----

und wie der unglückliche Anführer wurden auch die Völker selber in
strengem Gewahrsam gehalten, ganz Europa wurde ein Sankt Helena,
und .... war dessen Hudson Lowe --«.

16–18 »kaiserlichen ... hatte,« in K aus Zensurgründen: »stolzen Kai-
sertochter ins Brautbett stieg ----,«.

37–665,6 »Staberle ... abzuspeisen.« in K gestrichen und die Lücke
durch Zensurstriche kenntlich gemacht.

665 6 Nach »abzuspeisen.« in H: »[Das bringt ein Viech um, sagt Staberle.]«

12–14 »Aber ... fortschafft« in K Zensurlücke, durch Striche kenntlich
gemacht.

666 21 »Rotköpfchen« in K geändert in »Rotkäppchen«, damit Wortspiel
zerstört.

25 Für »Berliner Ukasuisten und Knutologen« in K nur »Berliner«.

TEXTANMERKUNGEN

655 1 *zum zweitenmale:* die zweite französische Revolution, die Julirevolution von 1830. – 19 *das praktische Treiben:* Die Parallelsetzung von
französischer (praktischer) Revolution und deutscher (theoretischer)
Philosophie führt H. in »Zur Geschichte der Religion und Philosophie
in Deutschland (Bd 3 dieser Ausg.) weiter aus und nimmt auch die Vergleiche Kant – Robespierre, Fichte – Napoleon, Restauration – Natur-
philosophie und weitere Gegenüberstellungen wieder auf.

656 12 *Hegel, der Orleans der Philosophie:* Hier vergleicht H. Hegel mit dem
Bürgerkönig Louis Philipp, Herzog von Orleans. – 22f. *Comité du sa-
lut public:* der Wohlfahrtsausschuß der Revolution, den H. dem »*ordre
légal*«, der Julimonarchie gegenüberstellt. – 30f. *der großen Woche:* die
Julirevolution vom 27.–29. Juli 1830.

657 23f. »*Die Welt ist aus ihren Fugen . . .*«: nach »Hamlet«, I, 5.

658 10 *Merciers:* Louis Sébastien Mercier: »Tableau de Paris«, 12 Bde,
1781–1789, ausführliche Schilderung der vorrevolutionären französischen Gesellschaft. Über die Zensur handelt T. II, chap. 121. – 17 *Pitt:*
Der englische Premierminister (von 1783–1801) galt als Initiator der
Koalitionskriege gegen Frankreich; er finanzierte ungezählte Spione
und Agenten.

659 9 *Polignac:* Jules de Polignac, Ministerpräsident unter Karl X. (1829
bis 1830), gab durch die Aufhebung der Pressefreiheit und die Verkün-
digung eines neuen Wahlgesetzes (Juliordonnanzen) mit den Anstoß
zur Julirevolution. – 16 *die junge Brut:* die Studenten der von Napoleon
reformierten »École polytechnique«. – 31f. *Herren von Deshuttes und von
Varicourt:* zwei Adlige, die die Gemächer der Königin in Versailles
vor dem Ansturm des Volkes im Oktober 1789 zu verteidigen suchten.

660 30f. *Ultima ratio regis:* ›das letzte Mittel des Königs‹: Inschrift auf
Kanonen und damit die Kanonen selbst; *Ultimi ratio regis:* ›das Mittel
des letzten Königs‹.

662 16 *Burke:* In Edmund Burkes »Reflections on the Revolution in
France«, 1790. – 30 *Sheridans:* Richard Brinsley, Sprecher der liberalen
Opposition im Unterhaus, auch Lustspielautor. – 30f. *St. Stephan:*
Tagungsort des Unterhauses.

663 1 »*Karyatiden*«: weibliche Figuren als Träger des Daches, besonders
an der Karyatiden-Halle der Akropolis. H. gebraucht den Ausdruck
so, als täuschten die Figuren die stützende Funktion bloß vor. Möglicherweise zitiert H. hier eine eigene Formulierung aus seiner Rezension
zu Beers »Struensee« (Bd 1, S. 434,20). – 8f. *späteren Schrift:* »Französische Zustände« (Bd 3 dieser Ausg.).

664 6 *siegte sich banquerot:* ausführlich darüber in den »Englischen Fragmenten« VI und VII. – 13 *Hudson Lowe:* Gouverneur in St. Helena
während Napoleons Gefangenschaft. – 16 *kaiserlichen Blondine:* wohl
Anspielung auf Napoleons Ehe mit der Prinzessin Marie Luise (1809),
über die er die Verbindung mit dem Haus Habsburg erreichte. –
20 *Longwood:* Napoleons Grabstätte bis 1840 auf St. Helena. – 32 *Mini-
sterwechselfieber:* Vgl. »Englische Fragmente« IX. – 37 *Staberle:* Vgl.
Anm. S. 702 zu »Briefe aus Berlin« S. 22,17; hier Spottname für die
Österreicher. Staberles Requisit ist der Regenschirm.

665 2 *Ungarn:* Damals verstärkte sich die Opposition gegen die österreichische Regierung in Ungarn und Italien. – 18 *Der große Zar:* Vgl.
Anm. S. 864f. zur »Reise von München nach Genua«, S. 379,17f.

666 17 *Blut von Warschau:* Der polnische Aufstand von 1830/31 wurde im
September 1831 in der Eroberung von Warschau blutig niedergeschla-
gen; vgl. H.s Eindruck von diesem Ereignis in »Französische Zustände«

(Bd 3 dieser Ausg.). – 25 *Ukasuisten:* Wortspiel aus Ukas (russ.) ›Erlaß‹, ›Befehl‹ der russischen Zaren und ›Kasuisten‹. – 30 *Rheinischen Merkur:* hrsg. von Görres, war von 1814–1816 erschienen.

667 4 *Don Miguel:* Bruder des Kaisers Pedro I. von Brasilien; er hatte sich im Mutterland Portugal widerrechtlich zum König gemacht und wurde von Pedro I. 1832–34 vertrieben. – 18 *Königskind:* der spätere Friedrich Wilhelm IV. von Preußen.

ENTWURF EINER VORREDE ZUR ZWEITEN AUFLAGE DER »REISEBILDER« 4. TEIL. 1834

Heine beabsichtigte, den dritten und vierten Band der »Reisebilder« in der zweiten Auflage mit jeweils einer neuen Vorrede einzuleiten (vgl. Briefe an Campe vom 18.6. und 4.7.1833). Mehrere Briefe Campes, in denen der Verleger ihn mahnte, die versprochenen Vorreden zu schicken, ließ Heine jedoch unbeantwortet, bis ihm Campe am 17.9.1833 endlich verärgert schrieb, er könne nicht länger warten und liefere die bereits seit drei Wochen fertigen neuen Bände jetzt ohne Vorreden aus. Falls Heine wirklich noch etwas geändert zu haben wünsche, wolle er es den Buchhandlungen nachliefern (vgl. Wadepuhl: Heine-Studien, S. 93). So erschienen die beiden Bände ohne neue Vorreden.

Heine hatte inzwischen schon die Vorrede zum vierten Teil der neuen Auflage in Paris in Angriff genommen, die er nun nicht mehr veröffentlichte. Inhaltlich enthält dieser Entwurf schon Keime zur »Vorrede zum Salon I« wie zur »Vorrede« zu den »Französischen Zuständen« (vgl. Bd 3 dieser Ausgabe).

Der Entwurf wurde zum ersten Mal veröffentlicht von Walter Wadepuhl in: Philol. Quarterly 20 (1941) S. 74–81; wiederholt in: Wadepuhl: Heine-Studien. Weimar 1956, S. 91–96. Unser Text folgt Wadepuhls Edition.

TEXTANMERKUNGEN

672 15f. *»französischen Zustände«:* Die Übersetzung erschien im Juli 1833 in Frankreich. Vgl. dazu Text und Kommentar in Bd 3 dieser Ausg. – 38 *Journal-des-Debats:* 24.–28.7.1833. Dort wird H. ein Preuße genannt, der sich in seinem Vaterland zahlreiche Feinde gemacht habe. Seine Reisen durch England, Frankreich und Italien hätten seiner germanischen Ruhe das dreifache Schauspiel händlerischer, künstlerischer und revolutionärer Tätigkeit geboten. Sein Geist sei so episodisch und beweglich, daß man nicht immer unterscheiden könne, was er als Regel und was er als Ausnahme hinstelle. Der Verfasser des Artikels wirft ihm vor, er könne nicht einsehen, daß Kunstdinge und Regierungsge-

schäfte durch unterschiedliche Gesetze geleitet werden. H. liebe nicht
den Adel, fühle aber, wie Poesie in diesem Adel stecke, der den Okzi-
dent zivilisiert habe. Er selbst habe aristokratische Gedanken und Eindrücke. Wenn er auch den Adel nicht offen hasse, empfinde er dennoch
nicht gerade Sympathie für die Demokraten. Alle Schloßtürme in
Deutschland möchte H. wegfegen, aber nur deshalb, weil er glaube,
daß Deutschland die Einheit wohl anstände (vgl. Heine: Briefe. Bd 5,
Kommentar, S. 86).

Französische Vorrede zur französischen Ausgabe der »Reisebilder«. 1834; 1858.

Zuerst gedruckt in

F¹: Oeuvres de Henri Heine. II.III: Reisebilder, Tableaux de voyage, 1 et
2. Paris 1834.

Wiederholt mit geringfügigen Änderungen in

F²: Reisebilder – Tableaux de voyage – par Henri Heine. Nouvelle édition, revue, considérablement augmentée et ornée d'un portrait de
l'auteur, precédée d'une étude sur H. Heine par Théophile Gautier.
I,II. Paris 1858.

Zu Inhalt und Anordnung der französischen »Reisebilder« vgl. die Aufstellung der »Reisebilder«-Bände S. 713 f.

Unser Text gibt F² wieder, die Lesarten verzeichnen die wichtigen Abweichungen in F¹.

675 3 f. »dans . . . parisien« fehlt in F¹.

5 »germanismes« in F¹ »calembourgs«.

6 »romantiques?« in F¹ »poétiques, dans le beau monde littéraire de la
capitale?«.

676 26 f. »aux tartufes . . . allemands« in F¹ nur »aux tartufes de ma patrie«.

31 »inopportunes« in F¹ »importunes«.

677 22 f. »Notre . . . sacerdoce« in F¹ »Notre vieux cri de guerre ›écrasez
l'infame!‹«.

31 f. »positives . . . beau.« in F¹: »positives. Donc, tandis que je viens de
faire imprimer en langue allemande une nouvelle édition des ›Reisebilder‹, sans y changer un seul mot, j'ai supprimé autant que possible
dans cette édition française celles des velléités politiques qui, en France,
ne sont pas à l'ordre du jour.«

TEXTANMERKUNG

675 9 *Charruas:* Die letzten vier überlebenden Angehörigen der Charruas,
eines uruguayischen Indianerstammes, gegen den die Republik Uru-
guay auf Befehl ihres damaligen Präsidenten, General Fructuoso Ri-
bera, einen Vernichtungsfeldzug führte, wurden 1833 und 1834 in
Paris zur Volksbelustigung öffentlich auf den Champs Elysées ausge-
stellt. Einer der vier Indianer hieß Tacuabé. H. besuchte entweder die
Ausstellung selbst oder las davon in den Zeitungen, wo man häufig
über dieses Ereignis berichtete. Vgl. Claude R. Owen: Charruas und
Tacuabé. In: Heine-Jahrbuch 1965, S. 38–41.

ÜBERSETZUNG

Es wird immer eine schwer zu entscheidende Frage sein, wie man einen
deutschen Schriftsteller übersetzen soll. Soll man hier und dort Gedanken
und Bilder beschneiden, wenn sie dem kultivierten Geschmack der Franzosen nicht entsprechen und als unangenehme oder gar lächerliche Übertreibung erscheinen könnten? Oder soll man das ungezähmt Deutsche mit
all seiner transrheinischen Originalität – phantastisch koloriert mit Germa-
nismen und überladen mit allzu romantischen Ornamenten – in die schöne
Pariser Welt einführen? Nun, ich glaube nicht, daß man ungezähmtes
Deutsch in gezähmtes Französisch übersetzen sollte, und so stelle ich mich
hier selbst nach Art der Charruas, die ihr im letzten Sommer so wohlwollend
empfangen habt, in meinem angeborenen Barbarentum vor. Und auch ich
bin ein Krieger, wie der große Tacuabé einer war. Jetzt ist er tot und seine
sterbliche Hülle wird im Zoologischen Museum des Jardin des Plantes,
diesem Pantheon des Tierreichs, sorgfältig aufbewahrt.

Dieses Buch ist eine Schaubude. Tretet ein, zeigt keine Furcht. Ich bin
nicht so böse, wie ich aussehe. Ich habe nur deshalb mein Gesicht mit so
wilden Farben bemalt, um meine Gegner im Kampf noch mehr erschrecken
zu können. Im Grunde bin ich sanft wie ein Lamm. Beruhigt euch also und
gebt mir die Hand. Auch meine Waffen könnt ihr berühren, selbst den
Köcher und die Pfeile, denn ich habe die Spitze stumpf gemacht, so wie es
unter uns Wilden Brauch ist, wenn wir uns einem geweihten Ort nähern.
Unter uns gesagt, diese Pfeile waren nicht zu spitz, sondern auch wohlver-
giftet. Jetzt sind sie ganz und gar harmlos und unschädlich, und ihr könnt
euch beim Anblick der bunten Federn amüsieren, ja, eure Kinder können
sich ihrer als Spielzeug bedienen.

Ich will die tätowierte Sprache aufgeben und mich französisch ausdrücken.
Der Stil, die Verkettung der Gedanken, die Übergänge, die plötzlichen

Einfälle, die befremdende Ausdrucksweise, kurz, der ganze Charakter des deutschen Originals ist, soweit wie möglich, Wort für Wort in dieser französischen Übersetzung der Reisebilder wiedergegeben.

Der Geschmack, die Eleganz, die Anmut, die Grazie sind überall schonungslos der Buchstabentreue geopfert worden. Es ist jetzt ein deutsches Buch in französischer Sprache, und dieses Buch erhebt nicht den Anspruch, dem französischen Publikum zu gefallen, es möchte vielmehr dieses Publikum mit einer fremden Eigenart bekanntmachen. Kurz: ich will unterrichten, wenn ich schon nicht unterhalten kann. Auf solche Weise haben wir Deutschen die ausländischen Schriftsteller übersetzt, und das zu unserem Nutzen: wir haben neue Gesichtspunkte, Wortbilder und Redewendungen gewonnen. Ähnliches zu gewinnen, dürfte euch nicht schaden.

Nachdem ich mir vorgenommen hatte, euch vor allem mit dem Charakter dieses exotischen Buches bekanntzumachen, lag mir weniger daran, es euch vollständig vorzulegen: zum einen, weil mehrere Passagen nur von lokalen oder zeitlichen Anspielungen getragen werden, von Wortspielen und anderen Besonderheiten dieser Art, die nicht ins Französische übersetzt werden konnten; zum anderen, weil verschiedene in der feindseligsten Weise gegen hierzulande unbekannte Personen und Zustände gerichtete Partien zu den unangenehmsten Mißverständnissen Anlaß geben könnten, wären sie in französischer Sprache wiedergegeben worden. Aus diesem Grunde habe ich ein Hauptstück gestrichen, darin eine Beschreibung der Insel Norderney und des deutschen Adels gegeben wurde. Die Abteilung über England wurde um mehr als die Hälfte gekürzt; all das bezog sich auf die damalige Politik. In der Abteilung »Italien«, die 1828 entstanden ist, ließen mich dieselben Gründe auf mehrere Kapitel verzichten. Indes – um der Wahrheit die Ehre zu geben – wäre ich gezwungen gewesen, die ganze Abteilung zu opfern, wenn ich mich in dem, was sich auf die katholische Kirche bezieht, durch ähnliche Rücksichten hätte hemmen lassen. Allein, ich konnte nicht umhin, eine bittere Stelle zu streichen, die zu sehr an jenen protestantischen Eifer, jene mürrische Beflissenheit erinnerte, die nicht nach dem Geschmack des fröhlichen Frankreichs ist. In Deutschland war solcher Eifer keineswegs unangebracht; denn in meiner Eigenschaft als Protestant konnte ich den Obskuranten und Tartuffes im allgemeinen, wie den deutschen Pharisäern und Sadduzäern viel wirksamere Stiche versetzen, als wenn ich als Philosoph gesprochen hätte. Damit mich nun die Leser, die das Original mit der Übersetzung vergleichen möchten, nicht wegen solcher Streichungen ungerechtfertigter Konzessionen beschuldigen können, will ich mich zu diesem Punkte ganz deutlich äußern.

Dieses Buch ist, mit Ausnahme weniger Blätter, vor der Juli-Revolution geschrieben worden. Zu dieser Zeit hatte in Deutschland der politische Druck alles zum Schweigen gebracht; die Geister waren in eine Lethargie

der Verzweiflung gesunken und derjenige, der damals noch zu sprechen
wagte, mußte sich mit umso stärkerer Leidenschaft äußern, je mehr er
am Sieg der Freiheit verzweifelte und je stärker die Partei des Pfaffentums
und der Aristokratie gegen ihn tobte. Nur aus Gewohnheit gebrauche ich
die Ausdrücke Pfaffentum und Aristokratie, denn ich hatte mich dieser
Worte zu der Zeit bedient, in der ich allein gegen die Verfechter der Vergangenheit polemisierte. Jedermann verstand diese Worte – und ich muß
gestehen – ich lebte damals noch in der Terminologie von 1789 und trieb
großen Luxus mit Tiraden gegen Klerus und Adel oder, wie ich sie nannte,
gegen Pfaffentum und Aristokratie; aber ich bin seitdem auf dem Wege
des Fortschritts weitergegangen, und meine lieben Deutschen, die – von
der Julikanone geweckt – meinen Fußstapfen folgen und heute die Sprache
von 1789 sprechen, oder gar von 1793, sind von mir noch so weit entfernt,
daß sie mich aus den Augen verloren haben und glauben, ich sei zurück-
geblieben. Ich werde des Moderantismus, des Einverständnisses mit den
Aristokraten beschuldigt und ich sehe bereits den Tag anbrechen, an dem
ich auch des Einvernehmens mit dem Pfaffentum bezichtigt werde. In
Wirklichkeit ist es jedoch so, daß ich heute unter dem Wort Aristokratie
nicht nur den Geburtsadel verstehe, sondern all diejenigen – welche Namen
sie auch tragen mögen –, die auf Kosten des Volkes leben. Die schöne Formel, die wir wie viele andere vortreffliche Dinge den Saint-Simonisten zu
verdanken haben: »Die Ausbeutung des Menschen durch den Menschen«,
führt uns über alle Deklamationen über die Privilegien der Geburt hinaus.
Unser alter Kriegsruf gegen den Priesterstand ist ebenfalls durch eine bessere Losung ersetzt worden. Es handelt sich nicht mehr darum, die alte
Kirche gewaltsam zu zerstören, sondern vielmehr darum, eine neue aufzu-
bauen, und weit davon entfernt, das Priestertum vernichten zu wollen,
wollen wir uns jetzt selbst zum Priester machen.

Für Deutschland ist ohne Zweifel die Periode der Verneinung noch nicht
beendet; sie hat sogar erst begonnen. In Frankreich dagegen scheint sie
ihrem Ende entgegenzugehen; wenigstens scheint mir, daß man sich hier
viel stärker positiven Bestrebungen zuwenden und alles, was die Vergangenheit uns an Gutem und Schönem hinterlassen hat, wieder aufbauen
sollte.

Aus einer Art von literarischem Aberglauben habe ich meinem Buch
seinen deutschen Titel gelassen. Unter diesem Namen der »Reisebilder«
hat es seinen Weg in die Welt gemacht (viel besser als der Autor selbst),
und so war es mein Wunsch, daß es diesen glücklichen Namen auch in der
französischen Ausgabe beibehalte.

Paris, den 20. Mai 1834   Heinrich Heine

ENTWURF EINER VORREDE ZUR ZWEITEN AUFLAGE DER
FRANZÖSISCHEN AUSGABE DER »REISEBILDER« (»INDEM ICH
DEM FRANZÖSISCHEN LESER ...«)

Der Text wurde von Ernst Elster in: Berliner Tageblatt 1930, Nr. 334,
18. Juli, 1. Beiblatt veröffentlicht. Unserem Druck liegt eine Fotokopie der
Handschrift zugrunde. Heine verfaßte diesen Entwurf wohl im Jahre 1854,
vgl. Anm. zu S. 681,20.

TEXTANMERKUNGEN

678 14f. *zwei kleine Fragmente:* »Aus den Memoiren des Herren von
Schnabelewopski« und »Florentinische Nächte« (Bd 1 unserer Ausg.),
die in der 2. französischen Ausgabe der »Reisebilder« aufgenommen
waren; vgl. die Aufstellung der »Reisebilder«-Bände S. 713f.

679 27 *Badauds:* (frz.) ›Gaffer‹.

681 20 *gekrönten Piplets:* (frz.) pipelet ›Pförtner‹. Am 20.5.1854 schreibt
H. an Campe: »Schicken Sie mir doch das schon verlangte Waterloo-
Fragment zurück, und zwar *gleich;* ich kann vielleicht eine Stelle daraus
gebrauchen in diesem Momente.« Der Text, zu dem H. eine Stelle aus
dem Waterloo-Fragment der »Geständnisse« (Bd 5 dieser Ausg.) gebrauchen konnte, ist unser Vorredenentwurf, denn der hier angegebene
Passus berührt sich eng mit einer Stelle aus dem Waterloo-Fragment:
»Unter den Mitgliedern der provisorischen Regierung war kein Einziger, der im Mindesten Ähnlichkeit hatte mit jenem Störenfried, mit
jenem Unfugstifter, jenem schrecklichen korsikanischen Taugenichts,
der in allen Hauptstädten der Welt die Wache prügelte, überall die Fenster einwarf, die Laternen zerschlug und unsre ehrwürdigen Monar-
chen wie alte Portiers behandelte, indem er sie des Nachts aus dem
Schlafe klingelte und ihr Silberhaar verlangte. Unsre gekrönten Pipe-
lets konnten ruhig ihren Nachtschlaf genießen während der Herrschaft
der provisorischen Regierung in Frankreich –«. Damit ist ein Hinweis
auf das Entstehungsdatum (1854) des Entwurfs gegeben.

ENTWURF EINER WEITERER VORREDE ZUR ZWEITEN
AUFLAGE DER FRANZÖSISCHEN AUSGABE DER »REISE-
BILDER« (»DIE ÄLTERE, IM JAHRE . . .«)

Erstmals veröffentlicht von Adolf Strodtmann in seiner Ausgabe »Letzte
Gedichte und Gedanken von Heinrich Heine. Aus dem Nachlasse des Dichters«. Hamburg 1869. S. 358–360.

TEXTANMERKUNGEN

683 16 *1846:* In der Jahreszahl »1846« muß sich H. geirrt haben, da in die-
　　　 sem Jahr keine französische Ausgabe der »Reisebilder« erschienen ist;
　　　 die erste französische Ausgabe stammt vielmehr von 1834.

684 16 *»De la France«:* Unter diesem Titel erschienen als Bd IV der »Oeuv-
　　　 res de Henri Heine« in Paris 1834 (2. Aufl. 1857) die Schriften: »Franzö-
　　　 sische Maler«, »Französische Zustände« und »Über die französische
　　　 Bühne« (Bd 3 dieser Ausg.).

LITERATURVERZEICHNIS

Heine, Heinrich: Sämtliche Werke in zehn Bänden. Unter Mitwirkung von Jonas Fränkel, Ludwig Krähe, Albert Leitzmann und Julius Petersen hrsg. von Oskar Walzel. Leipzig 1910–1915. – Bd 4. Hrsg. von Julius Petersen und Bd 5. Hrsg. von Paul Neuburger [wenn nicht anders vermerkt, unsere Druckvorlage].

Heine, Heinrich: Sämtliche Werke. Mit Einleitungen, erläuternden Anmerkungen und Verzeichnissen sämtlicher Lesarten hrsg. von Ernst Elster. 7 Bde. Leipzig 1887–1890.

Heine, Heinrich: Werke. Hrsg. von Ernst Elster. 2. kritisch durchgesehene und erläuterte Ausgabe. Bd 1–4. Leipzig 1924.

Heine, Heinrich: Werke und Briefe in zehn Bänden. Hrsg. von Hans Kaufmann. Bd 3: Reisebilder. Textrevision und Erläuterungen von Gotthard Erler. Berlin 1961.

Heine, Heinrich: Reisebilder. 1. Teil. Faksimile-Ausgabe des von Heine selbst korrigierten und ergänzten Exemplars der 1. Auflage für den Abdruck der 2. Auflage. Mit einer Einleitung von Friedrich Hirth. Freudenstadt 1949.

Heine, Heinrich: Briefe. Erste Gesamtausgabe nach den Handschriften hrsg., eingeleitet u. erläutert von Friedrich Hirth. 6 Bde. Mainz 1950–1951.

Boucke, Ewald A.: Heine im Dienste der »Idee«. In: Euphorion 16 (1909) S. 116–131, 434–460.

Brecht, Walter: Heine, Platen, Immermann. In: Germanistische Forschungen. Festschrift des Wiener Akademischen Germanistenvereins. Wien 1925. S. 177–201.

Friedländer, Fritz: Heine und Goethe. Berlin, Leipzig 1932. (Germanisch und Deutsch. Studien zur Sprache und Kultur. 7).

Galley, Eberhard: Heinrich Heine. 2. Aufl. Stuttgart 1967. (Sammlung Metzler).

Hessel, Karl: Heines »Buch Le Grand«. In: Vierteljahrsschrift für Litteraturgeschichte 5 (1892) S. 546–572.

Houben, H.H.: Verbotene Literatur von der klassischen Zeit bis zur Gegenwart. Ein kritisch-historisches Lexikon über verbotene Bücher, Zeitschriften und Theaterstücke, Schriftsteller und Verleger. Bd 1. Berlin 1924.

Körner, Josef: Marginalien zu Heine. In: Modern Language Notes 53 (1938) S. 571–583; 54 (1939) S. 399–412.

Kofta, Maria: Heinrich Heine und die polnische Frage. In: Weimarer Beiträge 6 (1960) S. 506–531.

Kubacki, W.: Heinrich Heine und Polen. In: Heine-Jahrbuch 1966. S.
90–106.

Loewenthal, Erich: Studien zu Heines »Reisebildern«. Berlin, Leipzig 1922.
(Palaestra. 138). Reprint New York, London 1967.

Lüth, Erich: Hamburgs Juden in der Heine-Zeit. Hamburg 1961.

Ransmeier, John C.: Heines Reisebilder und Laurence Sterne. In: Archiv
für das Studium der neueren Sprachen 118 (1907) S. 289–317.

Rose, William: Ein biographischer Beitrag zu Heines Leben und Werk.
In: Weimarer Beiträge 3 (1957) S. 586–597.

Schmohl, Erika: Der Streit um Heinrich Heine. Darstellung und Kritik
der bisherigen Heine-Wertung. Diss. Marburg 1956 [Masch.].

Wadepuhl, Walter: Heine-Studien. Weimar 1956. (Beiträge zur deutschen
Klassik. 4).

Wedekind, Eduard: Studentenleben in der Biedermeierzeit. Ein Tagebuch
aus dem Jahre 1824. Hrsg. von H. H. Houben. Göttingen 1927.

Weiß, Gerhard: Heines Englandaufenthalt (1827). In: Heine-Jahrbuch 1963.
S. 3–32.

Windfuhr, Manfred: Heinrich Heine. Revolution und Reflexion. Stuttgart
1969.

(Weitere Literatur zu Einzelheiten ist an der jeweiligen Stelle angegeben.)

INHALTSVERZEICHNIS

ANHANG